D0708267

.... UF Diemen
Telefoon : 020 - 6902353

AFGESCHREVEN

Vleugels

Wilt u op de hoogte worden gehouden van de romans en literaire thrillers van uitgeverij Signatuur? Meldt u zich dan aan voor de literaire nieuwsbrief via onze website www.uitgeverijsignatuur.nl.

Claire Corbett

Vleugels

Vertaald door Miebeth van Horn

SIGNATUUR

2012

© Claire Corbett 2011
Oorspronkelijke uitgave: Allen & Unwin
Oorspronkelijke titel: When We Have Wings
Vertaald uit het Engels door Miebeth van Horn
© 2012 Uitgeverij Signatuur, Utrecht en Miebeth van Horn
Alle rechten voorbehouden.

Omslagontwerp: Wil Immink Design
Omslagbeeld: Clayton Bastiani/ Trevillion Images
Foto auteur: www.peteradams.com
Typografie: Pre Press Media Groep, Zeist
Druk- en bindwerk: Koninklijke Wöhrmann, Zutphen

ISBN 978 90 5672 411 5
NUR 302

Dit boek is gedrukt op papier dat het keurmerk van de Forest Stewardship Council (FSC®) mag dragen. Bij dit papier is het zeker dat de productie niet tot bosvernietiging heeft geleid. Een flink deel van de grondstof is afkomstig uit bossen en plantages die worden beheerd volgens de regels van FSC. Van het andere deel van de grondstof is vastgesteld dat hiervoor geen houtkap in de laatste resten waardevol bos heeft plaatsgevonden. Daarom mag dit papier het FSC Mix label dragen. Voor dit boek is het FSC-gecertificeerde Munkenprint gebruikt. Dit papier is 100% chloor- en zwavelvrij gebleekt en wordt geleverd door Arctic Paper Munkedals AB, Zweden.

Behoudens de in of krachtens de Auteurswet van 1912 gestelde uitzonderingen mag niets uit deze uitgave worden verveelvoudigd, opgeslagen in een geautomatiseerd gegevensbestand, of openbaar gemaakt, in enige vorm of op enige wijze, hetzij elektronisch, mechanisch, door fotokopieën, opnamen of enige andere manier, zonder voorafgaande schriftelijke toestemming van de uitgever. Voor zover het maken van reprografische verveelvoudigingen uit deze uitgave is toegestaan op grond van artikel 16 h Auteurswet 1912 dient men de daarvoor wettelijk verschuldigde vergoedingen te voldoen aan Stichting Reprorecht (Postbus 3060, 2130 KB Hoofddorp, www.reprorecht.nl). Voor het overnemen van gedeelte(n) uit deze uitgave in bloemlezingen, readers en andere compilatiewerken (artikel 16 Auteurswet 1912) kan men zich wenden tot de Stichting PRO (Stichting Publicatie- en Reproductierechten Organisatie, Postbus 3060, 2130 KB Hoofddorp, www.cedar.nl/pro).

Voor Sam en Sophie, met al mijn liefde
Alis volabilis propriis
Je zult met je eigen vleugels vliegen

DEEL I

DEEL I

John Wilkins (een van de oprichters van de Royal
Society en bisschop van Chester) schetste eens de vier
manieren waarop een mens zou kunnen vliegen:

1) met de hulp van engelen;
2) met de hulp van vogels;
3) met vleugels die aan zijn lichaam zijn vastgemaakt; en
4) in een gevleugelde strijdwagen, waarmee hij waarschijnlijk op een apparaat of vervoermiddel doelde dat
   werd voortgedreven door iets anders dan menselijke
   spierkracht.

Wilkins beschouwde de eerste drie mogelijkheden als
tamelijk onwaarschijnlijk, en in dat opzicht had hij tot op
grote hoogte gelijk. Vogels en engelen zijn vreemd
genoeg niet echt geneigd om mensen te helpen vliegen,
terwijl algemeen bekend is dat pogingen om mensen van
vleugels te voorzien buitengewoon gevaarlijk zijn.
– Pat Shipman, *Taking Wing: Archaeopteryx and the
Evolution of Bird Flight*

Zijn van u de heuglijke vleugels van de pauwen?
De havik wiekt op en vliegt naar het zuiden met brede
slag,
is dat een vondst van u?
Is het naar uw bevel dat de arend zich omhoog verheft?
– Job 39:16, 29, 30

Vliegen

Peri vliegt in kringen boven de baai, met haar hoofd omlaag op jacht, en de wind snerpt door haar veren.

'Luisa! Luisa!'

Niet meer roepen. IJzig zuur druipt haar maag in, vreet haar vanbinnen weg. Rusteloos draait Hugo zijn hoofd om, alsof hij haar angst voelt aanzwellen als een golf midden op zee, die kracht verzamelt en komt aanrollen. Peri slaat haar arm om hem heen, al ligt hij al strak tegen haar borst aan geklemd in zijn draagband.

De Salt Grass Bay is verlaten, had Luisa gezegd. *Laten we elkaar daar ontmoeten. Alsjeblieft. En vertel het aan niemand. Er zijn anderen*, had ze gezegd.

Luisa klonk bezorgd en kwaad, en omdat Luisa haar vriendin is, haar zuster, die in de maanden sinds ze elkaar hebben leren kennen ware en belangrijke dingen heeft verteld over hun bestaan, zal ze naar Luisa toe gaan, in de Salt Grass Bay. Maar het geeft Peri een ongemakkelijk gevoel dat Luisa erop stond dat ze het geheimhield.

Die ochtend was Peri naar buiten gelopen met Hugo in haar armen, zoals ze dat elke ochtend deed, en ze had tegen Hugo's vader en moeder gelogen, al had ze geen woord geuit. Ze hadden geen reden om te denken dat ze Hugo niet meenam naar het park. Ze zegt al bijna nooit meer iets tegen hen.

Nog één ochtendrondje over de baai. Lager. Hij is niet verlaten. Onder Peri is een grote, grijze vorm, een gestrande zeehond die heen en weer rolt in de branding.

Geen zeehond.

Peri landt zwaar, wankelt en valt op het zand. Het bloed trekt weg uit haar gezicht, haar hoofd, ze dreigt het bewustzijn te verliezen, zachtjesaan rolt ze op haar zij, om Hugo niet te verpletteren. Een oogwenk later staat ze alweer overeind en loopt ze naar iets toe waarvan ze zichzelf probeert wijs te maken dat het een berg wier is, iets wat ze probeert te zien als een verzopen stuk hout, maar waarvan ze weet dat het haar grootste angst is die werkelijkheid is geworden in het morgenlicht: de branding die tegen het lichaam van een vrouw slaat, met vleugels die zo doordrenkt zijn dat de golven van het afnemende tij er niet in slagen haar verder het zand op te duwen of haar mee te sleuren de zee in. Ze kent die zachtgrijze vleugels. Luisa.

Ze valt naast Luisa's hoofd op haar knieën, terwijl ze haar eigen vleugels omhoogbuigt bij het water vandaan. Ze mag haar vleugels niet nat laten worden. Ze heeft nu geen tijd om ze te laten drogen.

Er is bloed uit Luisa's mond gestroomd. Peri proeft gal. Ze buigt voorover en kokhalst over Hugo's hoofd heen in zee.

Wat is er gebeurd? Luisa is uit de lucht gevallen – nee, gesleurd. Ze kan goed vliegen, dit is geen ongeluk geweest. Moet je haar nu zien! Mijn zuster, de oudere, door de wol geverfde Luisa, gebroken in de branding van de Salt Grass Bay. Haar huid intens wit, haar haren doordrenkt en zwaar als zeewier.

Duizelig en misselijk knielt Peri in de koude zee, met één arm rond Hugo, terwijl haar andere hand Luisa's wang beroert, en Luisa's huid is even koud als het water van de baai. Peri spoelt haar mond en spuugt zout water en braaksel uit.

Luisa's krijtwitte huid wordt langzaam vlekkerig blauw en rood. *Hoe lang ben je al dood? Waarom? Waarom?* Wie doet zoiets? Wat had ze me willen vertellen? Is ze daarom dood?

Peri strijkt Luisa's haar van haar wang, sluit haar vriendin de ogen. Even een moment, dan komt ze met moeite overeind. De zon wordt warmer naarmate hij hoger komt. Over een uur of twee is het strand een oven: brandend zand en glashelder water.

De golf van angst die zich op zee heeft opgebouwd komt nu aangerold en torent hoog boven haar op, breekt koud en zwaar, slaat haar de adem uit het lijf en houdt haar onder water.

Als Luisa iets weet – iets wist – waardoor ze is gestorven, wat staat mij dan te wachten? Waar heb je me in meegesleurd, Luisa? Ze wisten dat jij kwam, dus dan weten ze ook dat ik hier zou komen. Als ze denken dat ik weet waar jij achter bent gekomen, ben ik er ook geweest. Ik weet nergens van, maar dat zal me niet helpen. Het is al erg genoeg dat ik je hier heb gezien.

Peri speurt de horizon af, maar het strand en de lucht zijn verlaten. Je moet nu wegvliegen. Terug naar huis. Waar is dat thuis dan nu? Waar ben ik veilig? Ze kijkt omlaag naar Luisa. Ze heeft haar draagband niet om. Natuurlijk niet. Degene voor wie Luisa bang was, wist van haar implantaat en heeft ervoor gezorgd dat baby Amy er niet bij was toen Luisa viel.

Duw Luisa de zee in, bedek haar met zand, geef haar een begrafenis, laat haar hier niet achter als een stuk afval dat in wier ligt verward, of als de stervende kwallen langs de vloedlijn. Het is onmogelijk. Ze is te zwaar en er is geen tijd. En ze moet gevonden worden en niet verborgen.

Peri's keel brandt van de gal die ze zo-even heeft uitgebraakt. Haar keel trekt samen, dus ze heeft moeite met slikken. Naar adem happend begint ze over het zand te rennen. Ze moet al haar krachten inzetten, zodat ze snel genoeg gaat om van de grond los te komen. Geen tijd om de klip te beklimmen en van een hoger punt weg te vliegen. Iemand kan me staan op te wachten als ze wisten dat ik hier met Luisa had afgesproken. *En vertel het aan niemand.* Ik begreep niet waarom dat zo belangrijk was. *Er zijn anderen.* Wat betekent dat?

Peri vliegt weer; Luisa's lichaam vliegt bij haar vandaan, ze krimpt weg in de zee.

Het spijt me. Luisa. Mijn enige vriendin, mijn enige zuster. Ik durf niemand te vertellen dat je hier bent. Je bent ontsnapt aan die fanatiekelingen die je gevangenhielden, die jeugd van je die aan gevangenisstraf deed denken in dat kamp. Net als ik ben je naar de Stad gevlucht. En moet je nu zien.

Luisa zou zich geen seconde druk maken om Peri's lijk als ze daarmee haar eigen leven in gevaar zou brengen. Wat zou Luisa doen? Peri vliegt verder omhoog, maakt een bocht, keert naar huis terug. Nee, niet naar huis. Peters huis voelt niet als thuis, dat is nooit zo geweest. Ze gaat vluchten. Nee, ze gaat vliegen.

Waar kan ik heen? Peri's gedachten vliegen sneller dan haar vleugels; ze gaan zo snel, terwijl ze probeert te bedenken wat ze hierna moet doen, dat ze bijna het landingsplatform op de klip mist bij het huis van de Chesshyres, tegen de rotswand aan struikelt en met haar vleugels moet slaan om haar evenwicht te herstellen. Haar veren ritselen als iets wat stervende is, droge bladeren in de herfstwind. Naar adem snakkend probeert ze Hugo te kalmeren. Rustig blijven. Ademhalen. Zo kun je niet veilig vliegen. Zo kun je helemaal niet vliegen. Ze kijkt om: donkere vlekken, andere vliegers, een of twee hoog in de lucht, een paar in de verte. Komen ze dichterbij? Haar hart bonst van het vliegen, en van angst.

In het huis klinkt geroffel van poten. Een goudkleurige raket suist naar de deur. Frisk. Hij springt omhoog en krabbelt aan de deurpost.

Peri schuift de deur open, luistert. De waterstroom in de woonkamer klatert luid, het enige wat te horen is naast Frisks gehijg en Hugo's snuffen. Er heerst stilte in huis, een stilte die Peri maar al te vertrouwd is. Peter en Avis zijn er niet; en hen kennende kunnen ze over een paar minuten, een paar uur of een paar dagen thuiskomen.

Hugo en zij zijn hier niet veilig. Ze kunnen haar hebben gevolgd. Moet ze wachten tot Peter en Avis thuiskomen? Nee. Zelfs met hen erbij is ze niet veilig, want ze kan hun niets vertellen. Ze weten niets van Luisa en ze zullen kwaad zijn omdat ze tegen hen heeft gelogen. En hoe zouden ze haar ook kunnen beschermen als ze geen idee heeft wie Luisa heeft vermoord en waarom? Zullen ze haar wel willen beschermen? Nee, ze zetten haar meteen de deur uit en ze zal kwetsbaar zijn en er alleen voor staan. Ze kunnen haar per ongeluk verraden als zij niet vertelt wat er is gebeurd. Ze kunnen haar opzettelijk verraden als ze dat wel doet.

Peri verschoont Hugo, legt hem in zijn wieg. Ze aarzelt, kijkt naar hem omlaag. Dat brede voorhoofd van hem, zo mooi. Ze buigt zich voorover en kust hem op zijn wang. Hij blaast adem uit haar mond in, een zuivere babylucht die alleen naar water ruikt. Peri komt overeind. Avis zou geen moment aarzelen om haar te verraden. Ze staat immers op het punt om haar kind weg te sturen voor zijn eigen veiligheid – worden ons niet heel vaak nare dingen aangedaan voor ons eigen bestwil, Hugo? –, dus ze heeft Peri niet meer nodig. En die rijke vliegers zijn allemaal twee handen op één buik. Niemand om bij aan te kloppen. Niemand die kan helpen.

Peri rent naar haar kamer, met Frisk, die met haar meerent en haar voor de voeten loopt. Ze schopt hem opzij. *Uit de weg, jij.* Ze moet helder kunnen nadenken. Wat heeft ze nodig?

Frisk laat zich niet uit het veld slaan en springt op haar bed, terwijl zij de kamer overhoophaalt. In haar gordel, de enige bepakking die ze kan meenemen, moeten het aquakussen, het zeildoek dat ze altijd bij zich heeft als ze gaat vliegen, energierepen, een zaklantaarn die kleiner is dan haar vinger. Frisk zet zijn tanden in een kussen, gromt, schudt het heen en weer alsof het een konijn is. Peri moet bijna lachen.

Zodra ze de spullen heeft ingepakt waar ze niet zonder kan, trekt ze haar gladpak aan. Zo'n vrijwel gewichtloos vliegpak is onmisbaar voor een lange vlucht; het zal haar warm houden en de wrijving verminderen. Het materiaal is fluorescerend geel, wat heel geschikt is voor een beginner, omdat ze zo duidelijk wordt afgetekend tegen de lucht en dus veiliger is. Eigenlijk heeft ze nu behoefte aan camouflage, maar ze heeft geen keus. Dit soort gladpakken is bijna onbetaalbaar, dus ze heeft er maar een.

13

Hugo is onrustig. Ze laat hem nooit alleen. Frisk verdwijnt de baby-kamer in; Hugo wordt stil.

Peri kijkt de kamer rond, terwijl ze aan de smalle zilveren ring draait die ze altijd om heeft. Deze kamer is kleiner dan de inloopkledingkast van Avis, maar hij heeft dubbele openslaande deuren naar de groene binnenplaats waar ze altijd met Hugo speelt. Het is veruit de mooiste ruimte waar ze ooit heeft gewoond, en het mag dan geen thuis zijn – als er al ooit zoiets is geweest –, het zal toch pijn doen, alsof ze een laagje van haar eigen huid kwijtraakt. De smalle ruimte is versierd met schilderijen en foto's waar Peter genoeg van heeft gekregen, waarmee haar slaapkamer niet meer is dan een opslagruimte van spullen die hij heeft weggedaan. Ze kijkt omhoog naar een foto van blauwe verf die een patroon heeft nagelaten op wit zand en groene zee, van een van Peters lievelingskunstenaars, een vlieger die Andy Silver heet. Die foto gaat ze echt niet meenemen.

In de centrale schacht kijkt ze omhoog naar de galerij waaraan de kamers van Peter en Avis liggen, ruimten waar zij niet mag komen, het kindermeisje dat beneden woont met Hugo. Er is geen trap, en als je niet vliegt, kun je niet boven komen, en dus zijn die ruimten ook ontoegankelijk voor Hugo. Hij zal ze nooit zien, zeker nu zij hem hebben opgegeven. Er is vast iets wat ze voor hem kunnen doen, met al dat geld en al die slimmigheid van ze, maar nee, zodra ze de uitslagen zagen van Hugo's test, raakten ze volkomen verkrampt. Ik begrijp het niet; ik ben degene zonder geld, zonder opleiding, en ik ben niet eens zijn moeder, en toch zal ik harder voor hem vechten dan zij.

Avis was de eerste die zich had hersteld, de eerste die besloot dat hoe eerder ze iets ondernamen, hoe gelukkiger hij zou zijn. Andere gezinnen hadden hetzelfde gedaan, zei ze. Het is hier niet veilig voor hem, had Avis tegen Peter gekrijst. Peri had met het bloed bonzend in haar oren in bed liggen luisteren naar Avis die in de keuken tegen Peter tekeerging, op die avond dat de uitslagen waren binnengekomen. Natuurlijk had Peri het rapport niet gezien. Ze zorgde elke minuut dat hij wakker was voor Hugo, maar ze had er geen recht op om het te weten. Ze probeerde geen adem te halen en elke zenuw aan te spannen om te verstaan wat er werd gezegd. Wat was er dan met hem aan de hand?

'Kan het je dan allemaal niet schelen?' had Avis gegild. 'Kijk dan naar die verdomde afgrond voor de voordeur. Wakker worden, Peter! Jij hebt dit huis ontworpen, en het is alleen voor vliegers bedoeld. Je zoon kan op honderden manieren zijn nek breken. Hij kan nergens spelen, nergens op onderzoek uitgaan, en over een paar weken kan hij lopen,

Peter. Dan zal hij elke minuut in de gaten moeten worden gehouden. Jarenlang. We zullen zijn veiligheid minuut voor minuut moeten overlaten aan die ... aan die verdomde griet. Dat kunnen we niet maken. Hij moet naar een gezin van niet-vliegers. Voor een paar jaar. Tot we hem kunnen laten repareren. Tot we ervoor kunnen zorgen dat hij veilig is.'

Peri springt in de lucht en geeft zichzelf een extra zetje door een paar maal met haar vleugels te slaan om zo de overloop te kunnen bereiken, waarna ze naar de grote, zonovergoten badkamer van Avis en Peter rent. Eigenlijk hoort ze deze ruimte niet te kennen. Peri rilt even; haar lichaam verraadt haar, hoe nadrukkelijk ze ook tegen zichzelf zegt dat ze niet moet denken aan de dingen die Peter heeft gedaan. Het is zinloos om daar ooit nog een gedachte aan te wijden, nu ze haar vleugels heeft. Nou ja, in elk geval heeft Peter zich nooit zorgen gemaakt over háár veiligheid. Haar leven heeft hij heel vaak op het spel gezet.

Maar ík ben hier, Hugo. Als je moeder je wegstuurt, ga ik naar de Engeltjes; misschien sturen die me wel naar het nieuwe gezin, zodat ik toch nog voor je kan zorgen.

De badkamer is groter dan Peri zich herinnert, de douche is even groot als haar kamer. Er is geen bad; in plaats daarvan is er een verzonken vijver, met onder water rondom stenen banken. Mos zo groen als zeewier groeit springerig om de vijver heen; het is zacht en stevig, en absorbeert water, stoom en alles wat er wordt verspild: zeep, veiligheidspoeder, parfum, verstuivers en lotions. Het is de felste kleur in de bleke kamer, afgezien van de flessen met vleugelstrooisel en glitter van Avis, waar de wastafels mee vol staan, in alle schakeringen van blauw, groen en roze. Aarzelend omdat ze bang is voor wat ze moet doen, buigt Peri zich voorover om de teksten op de etiketten te lezen. De strooisels glanzen haar toe, elk met zijn eigen exotische naam.

Peri gaat op haar hurken zitten. Wat ze nodig heeft, moet hier zijn. Tot haar opluchting treft ze, als ze de kastjes onder de wastafels opentrekt, daar de medicijnen keurig gerangschikt aan: de drukcompressen van Aileronac, blauwe carrés Opteryxin, stapels en nog eens stapels donkerrode Zefiryn-gel. Peri schudt haar hoofd. Zefiryn is vreselijk duur; wat hier ligt opgeslagen vertegenwoordigt een waarde waar ze haar salaris jarenlang van zouden kunnen betalen. Is Avis aan het hamsteren? Peri pakt genoeg voor een paar maanden, en gaat op zoek naar flesjes verdovende verstuiver en huidvervanger.

Hijgend komt Peri overeind en ze stopt de kostbare medicijnen in haar gordel. Ze slaat de bovenkant van haar short terug en laat het vlees van haar billen tussen haar vingers rollen. Kijk aan, daar zit het:

een splinter die kleiner is dan een rijstkorrel is diep onder haar huid gedreven. Een steek van woede gaat door haar heen.

Ze hebben een zendertje in me aangebracht en ik wist het niet eens. Wat stom van me. Geen idee, totdat Luisa me waarschuwde. Het gezin waar zij werkte, had het bij haar ook gedaan. Peter vertrouwde me niet, en Avis nog minder. Het heeft geen zin om de zaken anders voor te stellen: voor hen beteken ik minder dan een hond. Ik ben gebrandmerkt. Van een chip voorzien. En volgens Luisa doet dat apparaatje meer dan alleen volgen; als ik te ver weg vlieg, of gewoon als Peter of Avis er zin in heeft, kunnen ze me uit de lucht plukken alsof ik ben neergeschoten. Arme Luisa. Je had je eigen waarschuwing serieus moeten nemen. Natuurlijk probeerde je er niet vandoor te gaan, of in elk geval nog niet, anders had je wel gedaan wat ik nu ga doen. Rotzakken.

Ha, dat doet me goed, kwaad zijn; dan raak ik niet verlamd van angst. Hoe durven ze zoiets te doen als ze mij hebben aangedaan? Hoe halen ze het in hun hoofd om Hugo weg te sturen? Rotzakken.

Voordat ze beseft wat ze doet, draait Peri zich om en veegt met een uitgestoken vleugel Avis' strooisels op de grond. Flessen spatten uiteen, stralende kleuren verstuiven, vormen plasjes, druipen omlaag. Lakroze en cinnaber vermengen zich met diep hemelsblauw en kobaltviolet; de bemoste vloer glinstert van de glitters en de glassplinters. Peri glimlacht bij de gedachte aan Avis' woede. Die troep hoef ik in elk geval niet op te ruimen.

Luisa had haar verteld waar het vluchtcontroleapparaatje waarschijnlijk verstopt zou zitten; en inderdaad, zodra ze die dag terug was in haar kamer bevoelde ze zichzelf, en jawel, daar zat dat verraderlijke gevalletje, diep in haar huid begraven. Wat moesten ze hebben gelachen, Peter en Avis, toen ze dat ding in me stopten zonder dat ik ervan wist. Wat ze nu gaat doen, hebben ze dubbel en dwars verdiend.

Maar wanneer was het ingebracht? Ze hadden een paar kansen gehad. Toen ze de eerste operaties had ondergaan voor haar vleugels? Of al eerder?

Er klinkt een zachte bons uit de woonkamer beneden. Peri verstijft, luistert of ze geruis van veren hoort. Een indringer? Is iemand haar gevolgd? O god, als ze me hier vinden, wat doen ze dan met me? Mijn vleugels afknippen en me in zee gooien. Luisa's donkere haar dat ronddrijft als wier. Peter kan toch zeker niet al terug zijn? Vliegers zijn bijna niet bij te houden, en ineens, met één enkele vleugelslag, zitten ze boven op je.

Peri rent de overloop op. Frisk kijkt naar haar op vanaf de stapel kussens die hij heeft omgegooid.

'Toe maar, Frisk, grote sukkel dat je bent.'

Peri springt omlaag naar de woonkamer, schiet Peters werkkamer binnen met uitzicht op de oceaan. Nog één ding te doen. Ze strooit slicks over de enorme tafel, rukt laden open en gooit de inhoud eruit. Een rode flits begraven in een onderste lade. Ze trekt hem eruit, draait de roos, een geschenk van haar, om en om in haar hand. Rotzak. Natuurlijk heb je hem verborgen. Luisa had haar bijna uitgelachen, was haast in tranen uitgebarsten om haar, toen Peri hem had laten zien. Ach, nee, nee, had ze gezegd. Dat is het aloude verhaal, lieve schat. Weet je dan nog niet wat voor iemand hij is, wat hij heeft gedaan?

Peri vindt waar ze naar op zoek is. Ze snijdt er bijna haar vinger mee af als ze hem vastgrijpt, het lemmet waarmee Peter tekenslicks op maat snijdt. Haar hand trilt. Ze trekt haar short omlaag, draait haar bovenlichaam om en bespuit haar huid met het verdovende spul. Een lastige plek om bij te komen; ze zal erger in zichzelf snijden dan nodig is. Huid, vet, spierweefsel wijken uiteen als vergane zijde. De pijn brandt zo erg dat haar een kreet ontsnapt. Het verdovende middel uit de verstuiver heeft maar beperkte kracht, maar de pijn lijkt wel verder weg.

Hugo slaakt een jammerkreet, een dun geluidje dat aan haar trekt.

Heet bloed stroomt over Peri's been. Ze peutert rond in haar vlees, alsof ze op zoek is naar een diep verzonken splinter. Daar heeft ze hem. Ze tilt het snippertje eruit en schiet het weg. Plakt de snijwond dicht met antiseptische huidvervanger.

Ze smijt het bebloede mes op tafel en voelt een treurig soort plezier wanneer haar bloed over het hoog oprijzende ontwerp spat van Peters nieuwste toren, en langs haar been omlaaglekt op de glanzend geboende vloer. Wat zal hij het erg vinden dat zijn werkplek zo is bevuild. Laat hem die troep morgenochtend maar vinden. Dat is wel het minste waar hij dan mee zit.

Even dwaalt haar blik langs de tekeningen, affiches en uitstallingen op de wanden van de werkkamer, alsof ze die voor het eerst ziet. Die blauwe bergtop van ijs aan haar linkerhand, de kerk; wat was ze onder de indruk toen ze voor het eerst hier was en tot de ontdekking kwam dat Peter die had ontworpen. De kerk was altijd een herkenningspunt voor haar geweest als ze terugkeerde uit PReG-land, het enige herkenningspunt dat haar vertrouwd was toen ze voor het eerst in de Stad kwam.

Haar eerste dag in de Stad. Ze had een tijdelijke verblijfsvergunning – met dank aan Mama'lena – en was vastbesloten nooit meer weg te gaan, zich nooit meer te laten terugdrijven naar de wildernis. Peri wrijft over de strakgetrokken huid op haar linkerbiceps. Daar zit onder haar huid nog een implantaat, eentje dat ze tien, twintig keer per dag bevoelt. Haar permanente verblijfsvergunning voor de Stad. Overal waar ze heen gaat, kan ze worden gescand en zal de vergunning bevestigen dat ze legaal in de Stad verblijft. Toen ze die had gekregen, was ze wekenlang door het dolle heen geweest. Nu kunnen jullie me niet meer deporteren.

Hugo huilt. Er schiet een pijnscheut door haar spieren als Peri naar de babykamer rent.

Hij heeft honger, op zijn vingers zuigen is niet genoeg meer, zijn gezicht is rood aangelopen en hij brult. Ze pakt hem op, voelt zijn hart, voelt hoe dat leventje tegen haar aan klopt, hoe hij kalmeert als ze hem borst aan borst houdt, waarna ze hem neerlegt om hem te voeden. Hij zuigt aan haar borst en staart haar aan. Vliegen, vliegen, vliegen. Ik moet je achterlaten, maar dat kan ik niet. Het maakt niet uit hoe verschrikkelijk Avis me ook haat of dat Peter me nu volkomen negeert, ik heb er nooit over gepiekerd om jou in de steek te laten.

Ze staart naar de mooie spullen van Hugo, de schitterende globe die boven zijn wieg bengelt. Jij zult dit ook allemaal kwijtraken, Hugo.

Ik kan je hier niet alleen achterlaten. Zeker nu niet. Misschien komt iemand mij hier zoeken, en die vindt dan jou. Met één hand, terwijl ze met de andere Hugo ondersteunt, haalt ze haar slick tevoorschijn. Bel Peter, smeek hem om meteen thuis te komen.

Geen antwoord. Spreek een bericht in. Ze aarzelt. De vorige keer dat ze had ingesproken, duurde het drie dagen.

Bericht beëindigd.

Ze kijkt naar het lege schermpje. O god, daar heeft ze niet aan gedacht. Ze laat het ding op de grond vallen. Ze zal het moeten achterlaten. Ze kunnen het gebruiken om haar op te sporen. Makkelijk zat.

Luisa's lichaam dat heen en weer rolde in de ondiepe golven.

Frisk komt de babykamer binnenbanjeren, springt op de bank naast Peri, schuift zijn kop onder haar hand. Ze streelt zijn snuit en wil niets liever dan dat Hugo stopt met zuigen. Schiet alsjeblieft op, Hugo. Ze kijkt naar de klok aan de muur; elke seconde telt. Ze kijkt Frisk in zijn amberkleurige ogen. Ik zal je missen.

Hugo trekt glimlachend zijn mond weg. 'Pah,' zegt hij, en hij zet grote ogen op van het ploffende geluidje dat hij produceert. 'Pah-pah-pah.' Ik zal jou ook missen. Nee. Ik kan je hier niet alleen achterlaten, alleen in dit huis, alleen op de wereld, terwijl zij van plan zijn om je bij een ander gezin te dumpen. De enige oplossing is dat ik bij je blijf en dat kan niet.

Ik kan dit niet.

Haar hoofd stroomt vol ruis. De wereld om haar heen komt trillend tot stilstand – nee, zij is degene die verstijft, terwijl het ondenkbare haar vanuit de onpeilbare diepte strak aanstaart.

Ik moet je meenemen. Je beschermen. Zorgen dat er van je wordt gehouden. Niemand anders zal dat doen.

De wereld begint weer te draaien, snel, steeds sneller; ze beweegt met de snelheid van de wind, en als ze stopt, zal alles tot stilstand komen en zal ze niet de moed hebben om zichzelf, laat staan Hugo, in veiligheid te brengen; dan zal ze hier als verlamd blijven zitten. Klaar om te worden afgeschoten.

Ze legt Hugo op zijn mat, gaat op zoek in de babykamer. Nog een paar dingen om in te pakken: absorberende lapjes voor Hugo, honderd die samen niet dikker zijn dan haar hand; warme kleren voor hem, zijn wolkenpak en ... wat nog meer?

Wat heb je nog meer nodig, mannetje?

Mij.

Dat is eigenlijk alles.

Ik ben het enige wat je echt nodig hebt.

Ze pakt Hugo op, dept zijn wangen droog, en stopt hem in de draagband. Waar kunnen we heen? Het is nergens veilig in de Stad. Ze wrijft over haar bovenarm, op zoek naar het implantaat. Die piepkleine zegel die bewijst dat ze is geaccepteerd, is van onschatbare waarde; menigeen is zijn hele leven bezig om er een te verwerven.

Maar nu, in Hugo's belang ... Nu kan ze dat geval er net zo goed ook uit snijden en weggooien, als teken van haar verbanning, maar ze doet het niet.

Het is uit. Hierna is er geen terugkeer, geen vergiffenis meer mogelijk. Dit is het moment waarop ik alles weggooi wat ik altijd heb willen hebben, waar ik altijd voor heb gevochten: dit leven, de Stad.

Peri sluit Frisk op in huis en hij begint meteen te janken en te krabben, alsof hij diep verdrietig en ongerust is. Ze loopt naar de rand van de klip voor de deur.

'Het spijt me, mannetje.' Peri streelt Hugo's wang en laat zich met één stap over de rand vallen.

Uit de lucht gevallen

Peri was een bijzonder meisje. Ik weet niet meer wanneer dat precies tot me doordrong, maar het was ergens tegen het eind van die lange, natte, stormachtige zomer. Natuurlijk niet meteen, toen Peri – en meer in het bijzonder Hugo – alleen nog maar een naam voor me was die werd uitgesproken door een geschokte man die me op een bloedhete zondagochtend op het nummer van mijn kantoor aan huis opbelde, en mijn eerste reactie was: waarom ik?

In zeker opzicht lag de reden nogal voor de hand. Ik was privédetective, iemand had me hem aangeraden vanwege mijn discretie, ervaring en breed scala aan contacten, dus waarom zou hij me niet bellen? Maar dan nog, waarom zou hij mij bellen en niet de politie, nu zijn kind werd vermist? Ik zou er in de loop van de tijd achter komen dat er vele redenen waren waarom Peter Chesshyre mij op die bloedhete zondag belde. Ten eerste was ik niet de eerste detective die hij had gebeld. De andere redenen hadden te maken met het feit dat Peter Chesshyre letterlijk een totaal ander slag cliënt was dan ik ooit had gehad. Ik had geen flauw idee hoeveel ik nog moest leren.

Het was bijna middag en ik zat in mijn short aan de eettafel halfhartig door een paar documenten te bladeren. Ik was wakker gebeld door die verdomde Sunil, een oud maatje van me dat tegenwoordig ministerieel adviseur was, en er geen been in zag om me zondag vroeg in de ochtend te bellen. 'Vierentwintig uur per dag, zeven dagen per week, vriend,' zei hij toen ik tegen hem mopperde. 'Tijd en tij en de mediacyclus wachten op niemand. Ik heb werk voor je. Hou donderdag een uur vrij. Je hoort binnenkort meer.'

Ik had beter niet thuis kunnen blijven; er stond geen zuchtje wind en ik stierf van de hitte in ons flatgebouw van zes verdiepingen, dat idioot genoeg Ventura heette. Ik zweette me een ongeluk en het feit dat mijn buurman Vittorio op stap was met zijn vriend was voor de mensen die bij Vittorio op het dak kampeerden reden om het salsafeestje van de avond ervoor te hervatten.

Ik stond op en trok een T-shirt aan, met de bedoeling een plek op te zoeken waar schaduw en koel water waren, toen ik mijn slick voelde trillen. Ik luisterde maar half toen Peter Chesshyre zich voorstelde, maar toen hij vertelde dat hij die ochtend had ontdekt dat zijn kind was verdwenen, verkilde het zweet op mijn rug. Hij wilde dat ik meteen naar zijn huis kwam.

Peter Chesshyre? De naam kwam me in de verte bekend voor. Terwijl ik mijn short en T-shirt verwisselde voor een pak en daarna naar de oprit naast mijn flat op de begane grond liep, nam ik mijn mentale dossiers door. Ik hield even halt bij het klaptafeltje van Ray en kocht een van zijn in de buurt beroemde samosa's die hij klaarmaakte in een zonneoventje.

Toen hij glimlachte, verschenen er verweerde kraaienpootjes rond zijn ogen. 'Je gaat een ritje maken, hè?' zei hij. Ray hield Taj voor me in de gaten, voor een klein bedrag per maand. Dat verleende hem status onder de straatverkopers. Niemand anders had een auto om op te letten.

Ik werkte de samosa naar binnen en gleed de auto in, dankbaar omdat Ray Taj al voor me uit het contact had gehaald. Wat een geluk dat er aan deze oprit nog eentje was die het deed.

'Alles in orde?' vroeg ik Taj, terwijl hij zijn lichten aandeed.

'Nou en of, puik in orde,' pruttelde hij terug.

'We moeten ervandoor, Taj.' Bij een ontvoering zijn de eerste paar uur van het grootste belang, en die waren al verstreken terwijl wij allemaal lagen te slapen.

Als de ontvoerders van de kleine Hugo van plan waren hem te vermoorden, was hij al dood, dan was hij allang dood geweest voordat zijn ouders wakker waren geworden. Als hij nog leefde, waren er andere scenario's mogelijk, die er stuk voor stuk om vroegen dat ik snel handelde.

'Zo maatje, je hebt kennelijk eindelijk een rijke klant te pakken, dat je mij gebruikt,' constateerde Taj. 'Dat is weleens leuk voor de verandering. Misschien dat je binnenkort dan ook eens wat geld spendeert aan een beter pak. Waarom deed ons goudhaantje er eigenlijk zo lang over om je te bellen? Moest hij zo nodig uitslapen op zondag?'

'Dat vraag ik me ook af,' zei ik, terwijl ik mijn stropdas omdeed, zonder de knoop strak te trekken. Wanneer hadden Chesshyre en zijn vrouw precies ontdekt dat Hugo was verdwenen? Ik keek op mijn horloge. Het was bijna halfeen. Verdomme.

Regen. Net op het moment dat ik op weg ging naar het huis van de Chesshyres, barstte er een stomende, moessonachtige stortbui los. Taj moest een onvoorspelbare route volgen door achterafstraten, tunnels en over snelwegen in de richting van het oude oostelijke knooppunt. De ervaring had me geleerd dat het altijd beter was om de navigatie aan Taj over te laten. De wegen in de Stad werden zo gevaarlijk slordig bijgehouden dat Taj al zijn slimheid en satellietinfo nodig had om veilig te rijden. Net als elke keer dat ik hem gebruikte, schoot me te binnen dat deze eerste auto van me ook mijn laatste zou zijn. Het leven in de Stad hing niet meer af van wegen; daar waren grachten, lightrail en, natuurlijk, het vliegen voor in de plaats gekomen. Vliegen was meer dan een leuk speeltje voor de rijken, bedacht ik, meer dan zomaar een uitspatting die thuishoorde in hun overmatige leven. Het was buitengewoon praktisch.

Ik keek nogmaals op mijn horloge. Eén uur.

'Ik ben hier nog nooit geweest, maat,' zei Taj toen we de oostelijke tolbrug over Blue Canals overstaken naar de groene zone van de exclusieve oostelijke buitenwijken. 'Dure winkels langs deze brug, maar daarbeneden lijkt het meer op een kleine uitvoering van Ringstad.'

Hij had gelijk; onder de brug en langs de middenberm van het oostelijke knooppunt stonden zij aan zij de tentjes van plastic afval van mensen die in de buurt moesten wonen van hun baantjes als koerier, sjouwer en schoonmaker. In plaats van met de grootste moeite een hutje te bouwen in Ringstad, de verzameling illegale satellietsteden rond de Stad zelf, sloegen ze hun tenten op elke plek op die maar even geen weg was. Hun krotten strekten zich zelfs uit tot op Blue Canals, al zorgden stierhaaien en politie ervoor dat de aantallen daar laag bleven.

'Gaaf,' zei Taj. 'Het goudhaantje heeft mijn gegevens al doorgegeven aan de beveiliging op de brug. Meestal kost het een heleboel tijd om die chique buurten binnen te komen.' Ja. Het was tijdrovend en onaangenaam om via de beveiliging zo'n enclave te betreden. Tenzij je kon vliegen. Nog zo'n voordeel van vliegen: wie kon vliegen was letterlijk het grootste deel van de tijd boven veiligheidscontroles, fouilleringen, snuffelende honden en dat hele gedoe verheven. Hun komen en gaan werd minder in de gaten gehouden dan dat van eenvoudige stervelingen.

Dus waarom had die vlieger Chesshyre mij ontboden? De tolbrug verdween in de verte en het aantal stoepbewoners aan deze kant van de gracht daalde tot nul. Terwijl Taj over de welige straten snorde met banden die zoevend fonteinen regenwater deden opspatten, schoot me te binnen waar ik Chesshyres naam eerder had gezien: die hield verband met een foto van ruimten die op elkaar waren gestapeld als grotten in een rotswand, ruimten met hoogten en diepten, rond een leegte.

Een jaar of twee geleden had ik artikelen gelezen over een omstreden nieuw kinderopvangcentrum, het eerste dat speciaal was ontworpen voor de kinderen van vliegers. Daarom trok het ook zo de aandacht. De gebruikelijke figuren maakten zich er druk over: commentatoren, academici, politici en pedagogen, en vrijwel unaniem veroordeelden ze de scheiding tussen de kinderen van vliegers en die van niet-vliegers. DE NIEUWE APARTHEID, tetterden de krantenkoppen, terwijl die extremistische sekteleden van de Oorsprong bij de bouwplek postten. Er was zelfs een rechtszaak aangespannen, maar de vastgoedontwikkelaars hadden kans gezien de antidiscriminatiewetten te omzeilen, waardoor de nestjongen, de vliegertjes die zweefden in hun volière, hun eigen omsloten stukje hemel, de droom van ieder kind konden uitleven.

Het inmiddels beroemde architectenbureau Kohn Chesshyre Li werd in alle berichten genoemd. Was mijn cliënt soms die Chesshyre? Mijn slick bevestigde het. Mijn ogen werden glazig terwijl ik mijn blik liet gaan langs de informatie die het apparaat bijeen had gesprokkeld: vergunningen, kwalificaties, lidmaatschappen van beroepsverenigingen, artikelen die hij had geschreven in architectuurbladen, verwijzingen naar zijn scriptie. Er verscheen een foto van een kerk die hij had ontworpen, een ijsberg van onregelmatig fluorblauw.

Mijn oog viel ergens op en ik floot keihard.

'Hè?' zei Taj.

'Moet je nou zien. Chesshyre heeft op dezelfde school gezeten als ik. St.-Ivo van Kermartin – daar heb je vast weleens van gehoord, Taj.'

'O ja?'

St.-Ivo was een elitaire privéschool, die in elk geval in mijn tijd werd geleid door stramme, in het zwart geklede paters, strenge, geleerde oude mannen (al kunnen ze, nu ik erover nadenk, niet ouder zijn geweest dan een jaar of veertig). Ik vroeg me af of er nog eentje van in leven zou zijn.

Chesshyre was jonger dan ik, dus ik had hem daar niet gekend. Maar wat werkelijk verschil maakte tussen ons was dat ik de arme jongen was, of in elk geval de niet-rijke jongen – en dat komt uiteindelijk op hetzelfde neer – die was uitgekozen voor een sportbeurs omdat ik behoorlijk snel was op het footballveld. Hoeveel roem ik de school ook bracht in de modder en het bloed op het veld, ik hoorde er nooit bij. *Ach gad*, brouwden de rijke, achteloze jongens tegen elkaar als ik het waagde het woord tot hen te richten, *het kan rennen én het kan praten. Wist jij dat die sukkel kon praten?* Een stuk of twee slimme jongens waren met me bevriend, maar ze moesten wel, want zij waren ook niet rijk. De school profiteerde van hun hersenen en mijn snelheid.

Chesshyre was het echte werk, dat zag je zo: lang, knap, rijk. Een volmaakt hoofd. Roeide bij de Eerste Acht. Nu had hij vleugels. Natuurlijk. Jezus, ik voelde mijn wrok, zoals ik mijn oude footballblessure voelde kloppen in mijn rechterknie. Het zou lastig worden om die man aardig te vinden, naar hem te luisteren, met hem samen te werken. Maar je hoeft hem niet aardig te vinden. Je hebt vaker met dat slag gewerkt, weet je nog wel? Je bent gewoon een ingehuurde kracht: doe nou maar gewoon je werk en probeer geen modder op hun vloer achter te laten. Je moet alleen maar op zoek naar zijn zoon. Jawel, ik had veel vaker voor dat slag gewerkt, maar nog nooit voor iemand die bij mij op school had gezeten, iemand die al een echte heer en meester van het universum was voordat hij zijn vleugels kreeg, eentje die vanaf zijn olympische hoogte tegen me lijsde met dat vreemde, vlakke accent dat alle jongens op school probeerden te bereiken maar alleen de rijke echt voor elkaar kregen.

Chesshyre was echt rijk, en ik kon wel een paar goede redenen bedenken waarom mensen van zijn slag een privédetective zouden bellen bij zo'n ernstige zaak als dit. Om te beginnen willen rijke mensen altijd zeker weten dat zij de touwtjes in handen hebben. Ze willen het niet aan de politie overlaten om te bepalen hoe dringend hun zaak is, en ze willen niet hoeven discussiëren over 'gepast gebruik van overheidsgeld'.

Maar er konden nog andere, verdachtere redenen zijn. Tenslotte onderzoekt de politie in een geval als dit in de allereerste plaats degenen die het dichtst bij het slachtoffer staan. Het komt maar al te vaak voor dat daar de oplossing ligt. Chesshyre had me al verteld dat ze vermoedden dat Hugo was meegenomen door hun kindermeisje Peri Almond. Nou ja, we zouden wel zien.

Wat je ook niet mocht onderschatten, was de behoefte van rijken om de publiciteit te mijden. In het kielzog van zo'n schandalige ontvoering doen zich soms andere gevaren voor: mensen komen op ideeën en vaak trekt tegenslag meer tegenslagen aan. Daar was die minister wiens dochters waren ontvoerd uit de nachtclub Charon ook achter gekomen. Waarschijnlijk wilde Chesshyre me inhuren vanwege de ervaring die ik had opgedaan tijdens het onderzoek in de zaak-Charon, de beruchtste zaak die ik als politieman ooit had gehad.

De buurten waar Taj doorheen reed werden allengs welvarender – Diamantwater, Aaltopark, Boydstrand – naarmate we dichter bij de zee kwamen. 'Moet je de afmetingen van die huizen zien,' zei hij. Blok na blok werden de huizen groter, overdekt met golven bougainville en hibiscus. 'Wat zijn dát voor bloemen?'

'Dat zijn die dure gemodificeerde cultuurvariëteiten waar rijken zo dol op zijn. Dat daar is een altijdbloeiende jasmijn, en daar verderop heb je die beruchte fluorgardenia's waar Lily zo gek op is. Een ongewoon staaltje wansmaak, dat alleen maar kan liggen aan het feit dat ze zo onwaarschijnlijk duur zijn.'

Lily. Ik keek even op mijn horloge: tien voor halftwee. Op deze betere wegen haalden we een behoorlijke tijd, maar toch zat ik ongeduldig met mijn knie te wippen. Het duurde allemaal te lang. Mijn exvrouw Lily was de werkelijke reden geweest waarom ik uit mijn flat wilde ontsnappen. Ze had er genoeg van dat ik haar telefoontjes niet beantwoordde en ik was bang dat ze er straks nog voor zou kiezen om langs te komen. Dat zou weer een scène geven, net als de vorige keer. Een stille scène, want Lily schreeuwt niet. Ze heeft zichzelf aangeleerd zacht te praten als ze kwaad is, wat eigenlijk net zo angstaanjagend is als wanneer ze zou schreeuwen. Een paar dagen geleden stond ze ineens op de stoep, in haar advocatenkostuum, het strak gesneden grijze mantelpak dat ze aantrekt als ze bij de rechtbank moet opdraven. Om te beginnen weigerde ze een glas water. Ze wilde niet eens gaan zitten. 'We moeten het over Tom hebben.'

O god, alsof we het ooit over iets anders hadden. Thomas woonde bij haar en Richard, maar bijna de helft van de week was hij bij mij.

'Nu Tom naar de peuterspeelzaal gaat,' zei ze, 'is hij 's middags vreselijk moe. Ik denk dat hij behoefte heeft aan één thuisbasis voor door de week. Hij is nog heel klein, Zeke.'

Daar kon ik haar geen ongelijk in geven. Hij was inderdaad nog klein.

'En ik zeg dit echt niet voor mezelf. Je begrijpt toch zelf ook wel dat het egoïstisch zou zijn om erop te staan dat hij door de week tussen ons op en neer reist, met die lange dagen op de peuterspeelzaal?'

Ja, natuurlijk begreep ik dat wel. Weer een punt voor haar. Zo ging het meestal. Ze had dik geld betaald om dat te leren.

'Natuurlijk zul je hem soms door de week zien. En in het weekend. Sommige weekenden.' Lily buitte onmiddellijk haar voordeel uit. 'Richard en ik hebben ook recht op wat ontspannen tijd met hem samen!' Lily lachte diep in haar keel. 'Wij moeten hem immers elke dag op tijd de deur uit zien te krijgen voor de speelzaal, en jij hebt hem alleen als het leuk is.'

Aha, dus nu is het ineens blijkbaar een opoffering om die jongen vrijwel helemaal onder je hoede te hebben. Lily is er een kei in om te winnen door haar voordeel als een nadeel voor te stellen. Een buitengewoon nuttig talent voor een advocaat en een moeder. En ze is een uitstekende moeder, onze Lily.

Sinds kort vindt ze dat Thomas vlieger moet worden, dus heeft ze mijn toestemming nodig voor de behandelingen. Haar eerste tactiek, de meestal effectieve methode om doodgewoon aan te nemen dat ik het ermee eens ben, heeft niet gewerkt. Dus nu heeft ze me laten weten dat ze bereid is me voor het gerecht te slepen als ik haar daartoe dwing. Als ik Thomas die vleugels ontzeg, maak ik me schuldig aan verwaarlozing. Uit haar mond is zoiets niet echt een loos dreigement, en ik kan de kwestie niet voor me uit blijven schuiven. Zelfs die Oorsprong-extremisten die verantwoordelijk waren voor de ontvoering uit die nachtclub bezorgden me niet zo'n opgejaagd gevoel als Lily me nu bezorgt.

Lily de streber die niets liever wil dan onze zoon verheffen tot de wereld van de vliegers; wat zou ze opkijken als ze hoorde wie mijn nieuwe cliënt is. Een ontmoeting met een gelauwerd architect en vlieger als Peter Chesshyre zou voor mijn Lily een droom zijn die is uitgekomen.

We passeerden een lommerrijk park waar jonge vrouwen met hun kleine kinderen onder de regenbomen zaten te schuilen. Een dikke duif, zo groen als een besproeid gazon, scheerde langs mijn voorruit.

Het huis van de Chesshyres lag verborgen op een eigen kaap. Taj manoeuvreerde zich een carport in aan de voet van een klip, terwijl ik opmerkte dat ik geen gebouwen zag en vroeg of hij zich niet had vergist.

'Nee, maatje,' antwoordde Taj en hij deblokkeerde mijn veiligheidsharnas en opende mijn deur. 'Dit is het juiste adres.'

'Oké, glim ze, Taj.'

Na wat rondsnuffelen achter de carport, opgelucht omdat de regen was opgehouden, vond ik een pad dat door theeboomstruikgewas liep en daarna omhoogkronkelde over de klip. Beneden sloegen golven tegen de rotsen waardoor er zoute wolken opstegen. Ik klom verder, terwijl ik genoot van de wind uit zee, en het drong tot me door dat ik me erop verheugde om Chesshyre te ontmoeten, benieuwd om oog in oog te staan met een echte vlieger. Natuurlijk had ik ze gezien op het nieuws, en zelfs hier en daar in de dure wijken, maar echt ontmoet had ik er nog nooit een. Ineens moest ik aan dat telefoontje van Sunil denken. Hij wilde dat ik een of andere hotemetoot natrok, van een chique kerk die alleen voor vliegers was. Dat was de kerk die ik net had opgezocht, de kerk die Chesshyre had ontworpen. Dat kon weleens kloppen. Chesshyre was een beroemde vlieger-architect; natuurlijk was hij de aangewezen persoon om een kerk alleen voor vliegers te ontwerpen. En nu Chesshyre mij had ontboden, zou Sunils doelwit mijn tweede, en niet mijn eerste echte vlieger worden. Ik werd op drie manieren deze nieuwe wereld in gesleurd. Dat gaf maar weer eens aan hoe snel de wereld aan het veranderen was. In elk geval zou ik nu eens voor één keer deskundiger zijn dan Lily.

Ik struikelde over een steen en vloekte uit angst dat ik mijn houvast zou verliezen en halsoverkop van het smalle pad de zee in zou storten. Ik had een bloedhekel aan hoogten, en daar stond ik dan, halverwege een klip met nog een gruwelijke klimpartij voor de boeg. De toegang tot het huis torende hoog boven me op en voor het eerst kon ik het huis zelf zien, dat met zijn hoekige muren als een facetgeslepen kristal tegen de rotswand lag.

Ineens zag ik het. O god, nee. De enige manier om er te komen, afgezien van rechtstandig omhoogklauteren langs de rotswand, was een afgrijselijk mandje aan een roestige kabel van de kabelbaan vlak voor mijn neus.

Ik hoorde geruis; een donkere gestalte nam even de zon weg.

Er landde een man op het randje van de klip. Hij wankelde heen en weer en boog zijn vleugels om zijn evenwicht te hervinden: Peter Chesshyre. Ruim twee meter lang, in een wit short en los onderhemd, en zijn voeten gehuld in een dun blauw materiaal dat in niets deed denken aan de schoenen die ik kende.

Waar ik vooral mijn blik niet van kon afwenden, waren zijn vleugels: grote bogen azuurblauw, aquamarijn, marineblauw, blauwschakeringen die ik niet eens kon benoemen, die samen opliepen en dooreenkronkelden als waterstromen. Jezusmina. Ontmoet ik voor het eerst een echte man met vleugels, sta ik met mijn mond vol tanden.

Daar stond ik, zonder een woord te kunnen uitbrengen, volledig gehypnotiseerd door de machtige vleugels van de man, verbijsterd bij de aanblik van glanzende vleugels die vastzaten aan een menselijk wezen, bij de aanblik van een wezen dat zoveel lijfelijker, zoveel aanweziger was dan een normaal menselijk wezen, omdat hij veel meer ruimte innam. Al was het alleen maar omdat er zoveel meer van hem was.

Het was ontzettend merkwaardig om een man met vleugels te zien die toch vreemd genoeg vertrouwd was; ik ben katholiek opgevoed en heb zoveel afbeeldingen gezien van mannen, vrouwen en kinderen met vleugels. We hebben ons duizenden jaren voorbereid op dit moment, net zoals we al vliegtuigen ontwierpen eeuwen voordat we ze durfden te bouwen. Het ideaal is er altijd al geweest, en nu bewoog dat zich vlak voor mijn ogen, in vlees, bloed, botten en veren.

Chesshyre stapte dichter naar me toe en ik rook een scherpe bosgeur die van zijn vleugels af sloeg – was het een olie waarmee hij ze verzorgde? Ik dwong mezelf mijn blik van die vleugels af te wenden om naar zijn gezicht te kijken. Hij was knap, zoals de rijken dat zijn, met hun zuivere huid; zijn ogen waren donkerblauw en lagen diep in hun kassen boven zijn lange neus en brede mond. Zijn donkere haar had een blauwe glans waarin zijn vleugels weerspiegelden.

'Zeke Fowler?'

Ik knikte. Zijn stem was licht; elk gevoel was eruit weg gebleekt, en hij klonk precies zo toonloos als ik van een voormalige St.-Ivo-leerling had verwacht. Even werd ik overmand door een golf van haat jegens hem – die toon van hem, die me in al die zes jaar die ik op die school had moeten verduren was ingescherpt. Toen schoot me weer te binnen waarom ik daar was, en ik schaamde me diep. Ik mocht dan kleiner zijn dan Chesshyre, en lelijker, met mijn zandkleurige haar, mijn sproetige huid, mijn magere gezicht en zure gelaatsuitdrukking. (Jij kijkt altijd zo sceptisch, zei Lily vroeger vaak. Dat krijg je in mijn werk, antwoordde ik dan.)

Maar ik had tenminste mijn zoon nog.

Chesshyre drukte me de hand. Zijn huid voelde droog en warm aan, koortsig warm. 'Ik ben bang dat u daarvan gebruik moet maken,' zei hij met een gebaar naar de kabelbaan. In één klap was duidelijk dat hun vrienden en belangrijke gasten allemaal vliegers waren. 'Ik zie u boven.' Hij draaide zich om naar de rand van de klip.

Ik zal nooit vergeten wat er toen gebeurde. In mijn dromen word ik nog steeds achtervolgd door dat beeld.

Chesshyre stapte de klip af. Mijn maag stortte samen met hem omlaag. Ik wist wat hij kon, maar die broze wetenschap was eenvoudig niet opgewassen tegen de aanblik van een man die als een baksteen uit het zicht valt.

Even later hoorde ik de wind door enorme veren fluiten en voelde ik de luchtverplaatsing tegen mijn gezicht, toen Chesshyre met klappende vleugels opsteeg. *Als ze zich bewogen, hoorde ik het slaan van hun vleu-gels, dat klonk als het gebulder van de zee.* Geen idee hoe die ouwe Ezechiël dat wist, maar hij sloeg de spijker op zijn kop. Zo klonk het precies.

Ik klauterde in het bakje aan de kabel, waar de druppels van de regen van zo-even nog aan hingen. Je kon wel zeggen dat ze verdomd weinig moeite deden om het niet-vliegers makkelijk te maken. Dit roestige geval werd waarschijnlijk voor de boodschappen gebruikt. En het kin-dermeisje had het ook moeten gebruiken, nam ik aan. Ik drukte op de knop, klemde me vast aan de koude rand van het bakje, bleef strak voor me uit staren toen de lier luid krakend in beweging kwam, en dwong mezelf niet naar mijn schaduw te kijken die langs de klip om-hoogklom. Ik werd bestookt door rukwinden, voordat ze wegvielen naar de golven beneden me.

Toen ik Chesshyre net zo makkelijk zag opstijgen als ik op een rol-trap zou stappen, voelde ik een steek van jaloezie. Nu ik hem van dichtbij zag, kon ik me de opwinding en het machtsgevoel voorstellen. Dat duurde maar heel even. Alle chirurgische ingrepen, DNA-spuiten, behandelingen en medicijnen ter wereld bij elkaar opgeteld zouden mij nog niet zover krijgen dat ik van een klip stapte.

Ik staarde over de blauwe zee, die in trage bewegingen rimpelde, terwijl het bakje schrapend omhoogging. Ik keek nog eens op mijn horloge. Tien over halftwee. De kans dat we Hugo nog in leven zouden vinden werd pijlsnel kleiner. Christus nog aan toe, wat een traag geval.

Grote wolken schoven boven mijn hoofd verder, als oceaanschepen op weg naar hun bestemming elders. Chesshyre stond hoog boven me, met vleugels die glansden in de af en toe doorbrekende zonnestralen.

Met een ruk kwam het bakje tot stilstand en beverig van de adrena-line klauterde ik eruit. Het zou Chesshyres verdiende loon zijn als ik over hem en die prachtige vleugels van hem heen kotste.

Er stroomde een rivier door het huis van de Chesshyres.

Je zag het meteen. Het eerste wat me opviel, was dat het huis geen dak had. De muren liepen over in de hemel of losten op in opstijgende mist. Ik keek omlaag, maar zag geen regendruppels op de vloer. Er ontbrak geen dak; het ontbreken was een illusie. Maar het was wel de echte hemel die ik zag; ik herkende de rafelige wolk die boven de oceaan uiteenviel.

Iets anders wat niet opviel, was de beveiliging. Terwijl ze die toch echt moesten hebben; ze rekenden er toch zeker niet op dat die niet te beklimmen rotswand volstond om hen te beschermen?

Op weg door de foyer wreef ik over de plek op mijn handen waar het bakje in mijn vlees had gesneden door mijn krampachtige greep. Toen ik de grootste woonkamer binnenging die ik ooit van mijn leven had aanschouwd, nam ik een ruisend, klokkend geluid waar. De hele muur aan de oostkant was één grote plaat rivierlaminaat van minstens vijftien meter hoog, die uitzicht bood op de zee. Ik maakte in gedachten een notitie om deze mensen een fatsoenlijke *per diem* in rekening te brengen. Ze konden het zich overduidelijk permitteren.

Ik liep achter Chesshyre aan naar binnen en bekeek de manier waarop zijn vleugels zo tegen zijn rug zaten gevouwen dat ze net niet de vloer raakten, terwijl ze langer waren dan hij. De precieze plek waar veren en huid samenkwamen, die lijn waarlangs mens in buitenaards wezen overging, fascineerde me. Hoe konden die veren van hem zijn, deel uitmaken van dat menselijke wezen dat Peter Chesshyre was? Ik moest me verzetten tegen de aanvechting om hem aan te raken.

Ik stak een reep gras over die door de hele kamer liep en een stroom afschermde die de bron was van het gedruis dat ik hoorde. Buiten de oostelijke muur bevond zich een stenen terras dat deel uitmaakte van de rots en boven de oceaan uitstak. Er stonden een tafel en stoelen, maar er was geen balustrade, er was niets wat zou voorkomen dat iemand de leegte in viel. Deze mensen waren er dol op om de leegte in te vallen. Chesshyre kon daarbuiten 's ochtends koffie zitten drinken en gewoon zeggen: 'Even de vleugels strekken', om vervolgens de leegte in te stappen.

Geen wonder dat ik het huis pas kon zien toen ik er vlak onder was: het was in de rots uitgehouwen. De achterwand was van gebroken wit en rood dooraderd steen, en de andere wanden en het dak zaten daaraan vastgeklonken. Tegen het steen groeide een gevlekte zilverwitte eucalyptus met puntige bladeren, en grassen die in franjes over zijn wortels hingen.

'Ik heb alles op alles moeten zetten om Peter ervan te weerhouden hier meer dan één boom te planten.' Door de deuropening aan het eind van de kamer kwam een vrouw op ons af. 'En moet je nu zien hoe slecht dat is afgelopen.' Ze liet een kwaad lachje horen. 'Ik ben altijd bang geweest dat hij een Wilde zou worden. Altijd gedacht dat hij degene was die moest oppassen. Hier een stroompje, daar een boom; dat kon weleens gevaarlijk worden als hij de zaak te ver dreef. Maar nee. Zij was het. Zij! En dan zeggen ze nog dat het een fabeltje is.' Die laatste woorden kwamen snel, laag en gemeen uit haar rollen.

'Je bent uit bed,' zei Chesshyre, op een toon die aangaf dat ze in bed, in haar kamer hoorde te zijn, of in elk geval niet hier.

Ze kromde haar hals terwijl Chesshyre op haar af liep, zijn hoofd boog en haar wang kuste. Tot mijn grote afschuw voelde ik tranen in mijn ogen prikken toen ik hen zo zag staan, in een houding die zo simpel en gracieus was dat het wel leek of ze zo van een schilderij met prachtige engelen waren gestapt; hij boog zich over haar heen met blauwe vleugels die over de vloer slierden, zijn hoofd ging naar het hare omlaag; zij reikte op haar tenen naar hem, en de rond haar heupen gewikkelde stof deed denken aan de draperieën van een godin. Het was gewoon niet eerlijk dat stervelingen zo schitterend konden zijn. Chesshyre sloeg zijn vleugels om haar heen, trok ze terug en vouwde ze weer op langs zijn rug.

Chesshyre wilde haar niet alleen troosten; het had er meer van weg dat hij haar het zwijgen probeerde op te leggen. Haar gezicht was afgetobd, haar ogen waren enorm, met donkere kringen eronder. Ze was bijna onmogelijk dun, en haar magere lichaam leek zelfs nog kleiner naast de reusachtige witte vleugels die over de vloer sleepten; die zagen eruit alsof ze haar elk moment tegen de grond konden trekken.

'Dit is meneer Zeke Fowler, Avis. En dit is mijn vrouw, meneer Fowler, Avis Katon. De ontwerpster.' Even een pauze. 'Hugo's moeder.'

Avis boog haar hoofd, waarbij de rode veren in haar haren meeknikten, maar haar blik was behoedzaam. De vijandigheid sloeg van haar af als stoom uit een vulkaan. Ik had nog nooit van haar gehoord, maar uit de manier waarop Chesshyre haar voorstelde, leidde ik af dat dat wel het geval had moeten zijn.

Ik glimlachte ongemakkelijk, van mijn stuk gebracht door de vrijwel ongeklede en toch elegante vrouw die voor me stond. Natuurlijk zien ze er nooit echt helemaal naakt uit met die vleugels, maar ik had verwacht dat een modeontwerpster en radeloze moeder meer kleren aan zou hebben. Een of ander glanzend gevalletje bedekte haar borsten voor een deel; hetzelfde materiaal, dat nu eens roze, dan weer groen kleurde als ze bewoog, zat rond haar heupen gedrapeerd, maar liet haar strakke buik onbedekt.

Avis keerde zich weer om naar Chesshyre. Ze tilde haar ineengeslagen handen op, en ik zag dat ze trilden. Haar stem was een strakgetrokken staaldraad, die elk moment kon knappen. 'Lima heeft me verteld over een vriend van haar wiens vader Wild was geworden. Natuurlijk ging zijn familie naar hem op zoek, maar als ze eenmaal Wild zijn geworden, vind je ze gewoon niet meer. Ineens zegt iedereen

31

dat er helemaal geen probleem is. Ze zijn gewoon uit de lucht gevallen en hun lichaam wordt nooit gevonden. Maar wij weten wat er gebeurt. Wij weten dat, net als in de kinderliedjes.' Waar had ze het over? Beweerde ze dat een Wilde vlieger – wat dat dan ook voor iets mocht zijn – de kleine Hugo had gestolen?

Avis begon te zingen: 'Baby, baby, stoute baby, nu moet je je mondje houden, heus. Stil zijn, stil zijn, anders gebeuren er nare dingen, en je weet, hij is een reus...'

'Deze kant op,' onderbrak Chesshyre haar, en hij ging me voor een gang in van melkblauw glas. Al mompelend dat ze behoefte had aan een kop thee, drong Avis zich langs hem heen.

Ik schudde mijn hoofd. Ze was duidelijk een beetje eigenaardig, en heel even speculeerde ik of zij het misschien had gedaan. Was ze door het lint gegaan en had ze de baby meegenomen voor een rondje vliegen en had ze hem toen in de zee laten vallen? Was ik er dan bij gehaald om de zaak toe te dekken? Ik had weleens ergere dingen meegemaakt.

Chesshyre en Avis stoven voor me uit, met vleugels die aan koningsmantels deden denken. Chesshyre sprak Avis zachtjes toe, alsof ze ziek was. Daar was iets goed mis. Ze gingen veel te voorzichtig met elkaar om. Gaf de een de ander de schuld?

We stapten een helverlichte langwerpige doos binnen: de keuken, die verlicht werd via een smal raam dat vervuld was van blauw. De achterwand was felgroen, een levende, ritselende verticale tuin vol mossen en varens. Diep beneden krinkelde piepklein de zee; de hemel zond licht naar elke kamer. Tot nu toe was nergens een teken te bekennen van dat iemand zich met geweld toegang had verschaft, niets van de chaos die met een inbraak gepaard gaat. Dus het moest een bekende zijn.

Avis stond bij de gootsteen met een ketel in haar trillende hand, alsof ze even niet wist waar ze was.

'Kunt u me vertellen wanneer u precies ontdekte dat Hugo weg was?' vroeg ik, terwijl ik achter Chesshyre aan naar de kinderkamer liep. Het kwam me goed uit dat ik het apart aan hem kon vragen.

'Een uur of twee voordat ik u belde,' zei Chesshyre.

'Echt waar?' zei ik. 'Voor die tijd wisten jullie dus niet dat hij weg was?'

'Natuurlijk niet,' zei Chesshyre. 'We stonden pas om halftien op. Na een poosje kregen we in de gaten dat Hugo en Peri er niet waren, maar we werden niet meteen bezorgd. Dat is nu eenmaal niet de eerste conclusie die je trekt, dat je kind is ontvoerd. We namen aan dat Peri hem zoals gewoonlijk had meegenomen naar het park. Maar gaandeweg begonnen we ons zorgen te maken. En toen ik wat beter rondkeek in de kinderkamer en op Peri's kamer, zag ik dat ze wat dingen had meegenomen en begon ik me zorgen te maken. Dus toen ben ik gaan rondbellen. Om iemand als u te vinden.'

'Hebt u een briefje gevonden, iets wat een verklaring zou kunnen zijn voor wat er is gebeurd?'

Chesshyre schudde zijn hoofd.

'En u hebt geen contact opgenomen met de politie?'

Opnieuw schudde Chesshyre zijn hoofd. 'We hebben veel liever dat we Hugo zo snel mogelijk terugkrijgen, en met zo weinig mogelijk gedoe.'

Chesshyre stapte opzij om mij als eerste de kinderkamer binnen te laten gaan. Het was een gezellige ruimte, omsloten als een nestje. Bij de deur stond een stel met gekleurde glitters versierde takken. Het was tot nu toe de enige kamer met een herkenbaar plafond, al verschoven hier ook wolken en glinsterden er kunstmatige sterren.

In het midden van de kamer stond de witte wieg onder een met crèmekleurige rozen bezaaid net.

Leeg.

Ik draaide me even om en keek naar de planken die rondom op schouderhoogte liepen. Er stonden de prachtigste voorwerpen op die ik ooit had aanschouwd.

Een houten pop met een laklaag in goud, rood en groen, kwallen die als ronde manen door het water buitelden. Maar wat was dat witte geval dat als een stukje rijp omlaaghing? Ik liep erheen en het gaf een koelte af die deed denken aan de koude lucht die van sneeuw afkomt. Ik liet er mijn vinger langsgaan. Het leek echt een lapje sneeuw.

Wat een schitterende dingen hadden deze ouders voor dit kind gekocht. Waarschijnlijk was er lang en hoopvol naar Hugo uitgezien. Iedereen wist dat vliegers veel meer hun best moesten doen dan anderen om kinderen te krijgen. Waarom was hij verdwenen?

Dit was geen doorsneefreelanceopdracht voor me. Dat waren zaken als oplichting van verzekeringen, fraude en verdenking van overspel. Het was eerder alsof ik weer bij de politie zat: echte pijn, echte angst en echte misdaden. Het lot van de baby van Chesshyre werd aan mij toevertrouwd. Een misselijk gevoel deed mijn maag samenknijpen. Dat was niet voor het eerst. Zo'n moment kwam altijd, bij elke belangrijke politiezaak. Het was een van de redenen waarom ik bij de politie was weggegaan.

Ik gluurde in de wieg, waar mijn oog werd getroffen door een wirwar van kleuren: zachte speeltjes opeengepakt op een wit laken. En iets heel opmerkelijks: een speelgoedleeuw die midden tussen het andere speelgoed lag opgekruld, groter dan de rest, ongeveer met de omvang van een middelgrote hond, en van veel betere kwaliteit. Een dikke vacht die glansde als zijde waar het licht erop viel. Lange, goudkleurige manen, een brede, nobele snuit, plukjes haar op ellebogen en staart, een krachtige voorkant en een slanker achterdeel.

Het speeltje tilde zijn kop op en deed zijn goudkleurige ogen open. Het gaapte en een lapje roze tong krulde achterwaarts. De gaap eindigde met een laag, muzikaal gegrom. Het beest stak zijn oren op, kwam langzaam overeind en strekte zijn achter- en daarna zijn voorpoten, waarbij zijn kop bijna op zijn klauwen terechtkwam, zoals ik dat echte leeuwen honderd keer had zien doen in programma's over de geschiedenis van de natuur.

'Wauw,' zei ik. 'Ik wist niet dat ze zulke dingen konden maken.'

In een oogwenk stond Chesshyre naast me. 'Hoe dúrf je,' siste hij, en zijn lichaam schudde tot zijn veren ervan begonnen te ritselen. 'Wegwezen, jij!' Hij stak zijn hand in de wieg, greep de leeuw bij zijn lurven, gaf hem een klap tegen zijn kop en smeet hem op de vloer. De leeuw grauwde en maakte aanstalten om te springen, maar Chesshyre tilde zijn voet op om hem een schop te verkopen, en de leeuw deinsde terug, draaide zich om en stapte met opgeheven kop de deur uit waardoor wij waren binnengekomen.

Eindelijk eens wat emotie van de verontruste vader.

'Wat ziet die er echt uit,' zei ik.

'Frisk is ook echt,' zei Chesshyre, terwijl hij voor me uit liep. 'In alle opzichten een echte leeuw, behalve wat zijn afmetingen aangaat. De meeste genen zijn hetzelfde.'

'O.' Ik had vast weleens iets over dat soort dingen gehoord, maar dan had ik er geen aandacht aan besteed, evenmin als aan al die andere nieuwe speeltjes voor de rijken.

Ik liep achter Chesshyre aan door een glazen gang, met aan de ene kant de binnenplaats en aan de andere kant de blauwe lucht. Dus jij bent nogal een driftkikker? Of is dit ongewoon gedrag dat wordt veroorzaakt door de hevige stress? Bij de meeste mensen verergert stress alleen wat er toch al zit, maar het komt voor dat iemand omslaat als een blad aan de boom als de druk extreem is. Ik hoopte maar dat ik niet met iemand van dat slag te maken had.

'Peri's kamer,' zei Chesshyre.

Een smalle doos, ongeveer ter grootte van een gevangeniscel, met witte muren vol schilderijen en foto's. Chesshyre wees naar een glazen deur aan de rechterkant, die toegang gaf tot de binnenplaats. 'Peri speelde altijd met Hugo onder die boom. U ziet dat ze haastig is vertrokken. We hebben alles precies zo laten liggen.'

Eindelijk aanwijzingen. Op het bed lag een stapel kleren, laden waren opengetrokken en hun inhoud was eruit gegooid. Iemand had duidelijk haast gehad. Ik bekeek de kamer; afgezien van de kunst, die ongetwijfeld van de Chesshyres was, was hij volkomen kaal. Niets te bekennen van de snuisterijen waar veel jonge vrouwen dol op zijn. Dus geen kwikken-en-strikkenmeisje. Ik haalde de kleren uit elkaar. Eenvoudige dingen: grijze en zwarte joggingbroeken en topjes. Eén enkele roze jurk die totaal uit de toon viel bij de andere kleren – had Avis haar die gegeven? Geen sieraden. Geen make-up. Zelfs geen parfum. Dus ook al geen ijdel meisje. Waar gaf ze dan wel om?

'Wat heeft ze meegenomen?'

'Hugo,' snauwde Chesshyre met een scherpe, lage stem. Weg was dat vernisje van St.-Ivo-vriendelijkheid. Hij haalde even diep adem. 'Er is een creditslick verdwenen, maar dat maakt me niet uit. Ik wil alleen Hugo terug.'

'Stonden hier foto's? Van vrienden, familie?'

Chesshyre schudde zijn hoofd.

'Hebt u enig idee waarom Peri Hugo zou meenemen, meneer Chesshyre? Wat voor motief zou ze kunnen hebben?'

'Ik heb me suf gepiekerd. Misschien voelde ze zich hier te eenzaam, een beetje depressief; ik zou het echt niet weten. Maar zelfs dat zou niet echt een verklaring zijn.'

'Zou ze hem iets aandoen?'

Chesshyre haalde zijn hand langs zijn ogen. 'Dat denk ik niet. Ze was erg gehecht aan Hugo. Maar ja, je beseft ineens wel dat je nooit weet waar mensen toe in staat zijn.' Hij liep de binnenplaats op.

Ik zocht door. Achter het nachtkastje lag niets. Ik trok het beddengoed weg, voelde onder de kussens, tuurde onder het bed. Een vaag luchtje aan de lakens – een vage zweem zweet en iets ranzigers. Toen ik een van de kussens teruglegde, ritselde het. Ik bevoelde de sloop. Er zat iets in. Ik stak mijn hand naar binnen en haalde een paar volgepende blaadjes tevoorschijn. Ik keek over mijn schouder naar Chesshyre, maar die stond met zijn rug naar me toe. Ik vouwde de papiertjes op en stak ze in mijn broekzak.

Toen Chesshyre zich omdraaide om de binnenplaats over te steken, kuchte ik. Hij bleef staan. Ik legde uit dat ik, als ik deze opdracht voorrang moest geven op de manier die nodig was, al mijn andere werk moest laten vallen.

'Dat begrijp ik,' zei Chesshyre, en hij noemde een bedrag dat mijn stoutste verwachtingen overtrof. 'Dacht u aan zoiets?' Zijn stem was weer kleurloos en van elk gevoel ontdaan. Hij liep al weg, maar zei over zijn schouder nog even: 'Op voorwaarde dat u hem vindt.'

Ik liep achter hem aan en kwam weer in de keuken terecht.

Avis schonk thee in. Er sloeg stoom af die naar sinaasappel rook. Naast de gootsteen stond een taart.

Ik keek op mijn horloge. Kwart over twee. Avis ging zitten met haar thee, maar zette hem daarna weer op het aanrecht. Ze bood mij niets aan. Ze had er kennelijk genoeg van gekregen dat haar handen zo trilden, want nu was ze erop gaan zitten en zat ze met een lege blik naar buiten te staren.

'Hoe sneller ik hier klaar ben, hoe groter de kans dat ik Hugo vind,' zei ik. 'In dit soort zaken telt elke minuut.'

Avis barstte in tranen uit.

Chesshyre ging naast haar staan en haalde zijn hand door zijn donkere haar. 'Waar moeten we beginnen?' zei hij, terwijl hij me recht in de ogen keek.

Ik knikte. Ouders voelen er niets voor om ter zake te komen, want als ze alles aan iemand anders vertellen en een onderzoek in gang zetten, dan wordt het ondenkbare waar en krijgt het vaste vorm in de wereld buiten het gezin. Dan zijn er geen onschuldige verklaringen meer mogelijk.

'Zoals ik al zei,' begon Chesshyre, 'heeft Peri Hugo meegenomen. We denken dat ze aan hem gehecht is, en dat ze hem niet opzettelijk iets zal laten overkomen.' Avis draaide zich met een ruk om en wilde iets zeggen, maar Chesshyre greep haar zo stevig bij haar arm dat ze ineenkromp. 'We maken ons wel grote zorgen om haar geestelijke toestand. U moet zo discreet mogelijk te werk gaan als u navraag doet.'

Ik knikte opnieuw, geïrriteerd. Die twee gaven nog steeds geen openheid van zaken. 'U zegt dat Peri Hugo heeft meegenomen. Waarom? Er zijn meer scenario's mogelijk. Misschien is Peri ook meegenomen, of ze is omgekomen toen ze Hugo probeerde te beschermen. Misschien werkt ze voor iemand anders, een concurrent van u, meneer Chesshyre. Hebt u iets van haar gehoord, iets wat een verklaring is voor haar vertrek? Of eisen?'

Chesshyre wierp Avis een waarschuwende blik toe. 'Nee,' zei hij. 'Geen eisen.'

Ik had die blik van hem gezien. Ze hielden iets achter. Ze waren geschokt maar blijkbaar niet bang dat Hugo werd vastgehouden voor losgeld. 'Het is nog maar net gebeurd,' zei ik. 'Er kunnen nog steeds eisen binnenkomen. En wat mij betreft is het ook nog mogelijk dat Hugo zelf vleugels heeft gekregen en is weggevlogen.'

'Nee,' zei Chesshyre. 'Er is een aantal mogelijkheden, maar dat is er niet een van. U weet kennelijk niets van nestjongen.' Abrupt verliet hij de kamer, alsof hem net iets te binnen was geschoten.

Avis zweeg. Ze was opgehouden met huilen en was nu alles wat op het aanrecht voor haar stond opnieuw aan het rangschikken – peper- en zoutstrooiers, potten en flessen – in keurige rijen naar hoogte en kleur. Ze rangschikte het allemaal, en daarna begon ze opnieuw.

Een zacht, aanzienlijk gewicht kwam op me neer. Ik schrok zo erg dat ik bijna van mijn stoel viel. De leeuw – Frisk – was op mijn schoot gesprongen. Hij duwde zijn kop tegen mijn hand. Zijn manen waren ruw en zijdeachtig. Hij haalde zijn rasperige tong langs mijn hand terwijl ik hem onder zijn kin krabde. Hij was zwaarder dan ik had verwacht, een en al samengebalde spieren en zware poten. Hij tilde zijn kop op en blies een paar maal zijn adem naar me uit, terwijl hij pijnlijk met zijn nagels mijn bovenbenen kneedde.

'U hebt er kennelijk een vriend bij,' zei Avis. 'Normaal blijft hij bij onbekenden uit de buurt.' Ze legde haar hoofd in haar handen. 'U kunt hem maar beter mee naar huis nemen. Ik denk niet dat Peter hem nog lang kan velen.'

Ik ging er niet op in. Ze kon het onmogelijk echt menen, en ik was niet van plan hun huis te verlaten met een leeuw, al was het dan nog zo'n kleintje. 'Wat weet u van Peri?'

'Niet veel. Ze komt uit een of ander gehucht. Ze was nog niet zo lang in de Stad. Geen familie, geen vrienden, geen vriendje. Geen idee.' Avis spuugde het woord voor woord uit alsof het gif was. 'Dat kunt u beter aan Peter vragen. Zij en ik hadden weinig gemeen.'

Behalve Hugo.

'Behalve Hugo,' zei ze. 'Verder hadden we niet zoveel te bespreken.'

Dat zal best. Ik kon me zonder moeite de stroom instructies voorstellen die het meisje ongetwijfeld over zich heen kreeg. Ik had dat slag vaker meegemaakt: controlefreaks die de hele dag van minuut tot minuut indeelden. Perfectionisten die die griezelige heftigheid van ze ook op het moederschap loslieten.

Ik schudde mijn hoofd van ergernis omdat ik mijn oordeelsvermogen liet beïnvloeden door mijn weerzin. Ik wist helemaal niets van Avis. Ik

37

probeerde wat objectiever naar haar te kijken, zoals ze daar zat met haar kin ondersteund door een hand, waardoor ze me ondanks haar stuurse gekweldheid deed denken aan de plaatjes van mijmerende engelen waar ik vroeger vaak naar staarde. Maar nu ik oog in oog stond met een paar echte vliegers, was meteen duidelijk dat dit nieuwe slag mensen niets weg had van traditionele engelen.

Dat kwam alleen al door die vleugels van ze. Die waren reusachtig. Het was duidelijk dat kunstenaars nooit hadden begrepen hoe groot vleugels wel niet moesten zijn om een mens te kunnen dragen.

Chesshyre kwam terug met een slick. Op het schermpje stond een foto van een lachende baby van omstreeks een jaar, in de armen van een jonge vrouw. Het kind was knap, met bruin haar en een kalme, inktblauwe oogopslag; hij had nog steeds dat engelachtige uiterlijk dat ze met een halfjaar krijgen. Ik kan me nog goed herinneren toen Thomas er zo uitzag, met die onaardse uitstraling. De dichtregel over een sleep van glorieuze wolken leek me toen heel zinnig.

'Dit is Hugo,' zei Chesshyre. 'Hugo Gyr Katon-Chesshyre.'

Ik bekeek de slick. 'Is dit de recentste foto?'

Avis verborg haar gezicht in haar handen. Chesshyre deed niets om haar te troosten. Hij knikte.

'Wat kunt u me vertellen over Peri?' vroeg ik. Avis was toch al overstuur. Dus dan kon ik net zo goed doorzetten. Het kon er allemaal niet erger op worden.

Natuurlijk had ik beter moeten weten. In mijn werk houd ik me altijd aan de regel dat het altijd erger kan worden. Het is een regel waar ik me ook in mijn leven aan probeer te houden. Helaas heb ik ook nooit kunnen bewijzen dat hij niet klopt. Lily heeft eens tegen me gezegd dat ik zomaar per ongeluk op de eerste nobele waarheid van de Boeddha was gestuit: het leven is lijden. 'Jezus,' zei ik tegen haar, 'ik ben katholiek opgevoed. Ik weet er alles van.'

Chesshyre wees naar de slick in mijn hand. 'De gegevens van Peri Almond staan er allemaal in.'

'Ja,' drong ik aan, 'dat is heel fijn. Maar wat voor iemand was ze?'

'Consciëntieus,' zei Chesshyre. 'Een harde werkster. Ze had verantwoordelijkheidsgevoel. Volgens mij maakte ze zich nog meer zorgen over Hugo dan ik.' Op dat moment gooide Avis haar hoofd naar achteren, met haar neusgaten wijd opengesperd, maar Chesshyre wierp haar zo'n woedende blik toe dat ze zich terugtrok in een ijzige stilte. 'Ze was een sportieve meid,' ging Chesshyre verder. Ik dacht aan de kleren op haar bed. Ja, dat klopte met wat ik had gezien. 'Het was geen stadsmeisje, meneer Fowler. Geen vrouw van de wereld, eerder naïef. Ze was wel heel erg onder de indruk toen ze hier voor het eerst kwam, denk ik. Het was een aardige meid, weet u. Alleen een beetje ... gereserveerd, misschien.'

Avis kon zich niet langer beheersen. 'Je weet helemaal niets van haar af,' barstte ze los. 'Ze ... was ... een Wilde.'

Chesshyre boog zich over Avis heen en gaf met zijn hand tikjes in de lucht, zo'n neerbuigend gebaar van mannen om vrouwen duidelijk te maken dat ze een beetje moeten dimmen. 'Op de slick staat informatie van het bureau waar we haar vandaan hebben,' zei hij. Avis wendde zich van ons af en keek strak uit het raam. 'We hebben haar van een goed bekendstaand bureau, het allerbeste.' Hij zuchtte. 'We hebben nog geen gelegenheid gehad om contact met hen op te nemen.'

'Laat dat maar aan mij over,' zei ik. 'U moet zich in dit geval kunnen verlaten op de discretie van het bureau. Dit ziet er niet al te best voor hen uit.'

Ik draaide de slick om en drukte op de rand. De volgende afbeelding was een visitekaartje van een bureau: de Engeltjes. Natuurlijk had dat bureau zo'n soort naam. Het visitekaartje bevatte ook een catalogus van beschikbare meisjes. Peri Almond kwam erin voor met de andere meisjes, voorzien van foto's, voornamen, waar ze vandaan kwamen en wat voor werkervaring ze hadden. Ik bekeek de opname van het hoofd en de schouders van hetzelfde meisje dat ik op de foto van de kleine Hugo had gezien. Een jonge vrouw. Heel jong. 'Is dit Peri?'

'Ja,' zei Chesshyre.

Toen waagde ik de gok die ik al van plan was geweest sinds ik hun huis had betreden. 'Dit is allemaal leuk en aardig,' zei ik met een tikje op de slick, 'maar ik heb ook de opnamen nodig van uw bewakingscamera.'

Avis hapte even naar adem van schrik, waaruit ik afleidde dat ik raak had geschoten. Chesshyre keek me met een lege blik aan. Ik was bereid geweest te beweren dat ik een bewakingscamera had gezien die verstopt zat bij de ingang van hun huis, en dan had ik eventueel maar voor gek gestaan als ik ernaast had gezeten. Maar ik zat er niet naast.

Chesshyre herstelde zich heel snel. 'Natuurlijk. Natuurlijk. Maar die bestrijkt alleen de ingang, dus ik denk niet dat u daar veel mee opschiet.'

Toen ik met de opname van de bewakingscamera bij de Chesshyres vertrok, was het halfvier. Nu de schaduwen langer werden, was de af-

39

daling met de kabel minder vreselijk. Chesshyre liep met me mee naar de auto, en achter me hoorde ik Frisk, die meekwam. Blijkbaar had hij zijn eigen steile kattenpaadje over de klip omlaag.

Toen ik bijna Taj had bereikt, kwam Chesshyre vlak naast me lopen. 'Er is iets wat ik u moet vertellen,' zei hij, 'wat ik niet kon zeggen met Avis erbij.'

Ik keek naar hem op.

'Er is een mogelijk motief. Peri is heel jong en erg ontvankelijk. Ik zei al dat ze erg onder de indruk was toen ze bij ons kwam. Naïef. En ik denk dat ze verliefd op me was ... is. Ik heb het allemaal niet zo serieus genomen, maar misschien had ik dat wel moeten doen.'

Chesshyre haalde iets uit de zak van zijn short en stak het me toe. Ik nam het voorwerp aan. Het was een presse-papier met een echte roos in de doorzichtige kern. Hoe was het mogelijk dat elk blaadje zo onge- kreukeld, zo volmaakt werd omsloten? Op een van de binnenste blaad- jes lag zelfs een druppel water.

'Die heeft ze me gegeven, Fowler. Lief van haar, dacht ik nog. Maar nu vraag ik me af of ze soms fantasieën over me had. Of ze zichzelf had wijsgemaakt dat ze iets met me had. Als je haar vindt, wees er dan op voorbereid dat ze weleens vreemde dingen tegen je zou kunnen zeggen. Wie weet wat ze zichzelf over mij heeft wijsgemaakt. Ik denk niet dat ze Hugo iets zou aandoen, maar wel dat ze mijn aandacht wil trekken. Daarom heb ik jou gebeld. Ik heb met haar te doen, Fowler, zo zit dat. Als ze hiervoor wordt aangeklaagd, kan ze het verder wel vergeten. Om te beginnen wordt ze uit de Stad verbannen. Je weet hoe dat gaat. Ze is jong, en ze heeft een ernstige fout begaan, maar als we Hugo ongedeerd terugkrijgen, is het niet nodig om haar hele leven te ruïneren voor een onnozele meisjesverliefdheid.'

Dus nu was het ineens jij en jou; dat stadium hadden we snel bereikt. Zodra ik ja had gezegd tegen zijn geld.

Ik draaide de presse-papier om en om, en hoopte maar dat ik mijn gezicht neutraal kon houden. Het kon zijn dat Chesshyre me op een verkeerd spoor wilde zetten, maar dan nog kon hij me de sleutel geven tot Peri's motief. De roos was met zijn ingewikkelde fluwelen plooien en zijn diepe, zachte rood de belichaming van begeerte. Dat zou de verklaring zijn voor de problemen die er overduidelijk in zijn huwelijk waren. Sommigen zouden het een beetje voorbarig vinden om hem al zo vroeg in onze zakelijke relatie te vragen of hij het kindermeisje had genaaid, maar dit was een ontvoering, en ik had nu eenmaal niet alle tijd.

'Bedoelt u dat u met haar hebt gerotzooid en dat zij dacht dat het meer voorstelde?' vroeg ik. 'En dat ze nu wraak neemt?'

'Ik heb je verteld wat je moet weten,' zei Chesshyre.

'Juist. Laat u het me vooral meteen weten zodra Peri contact met u opneemt of u iets anders hoort.' Zoals een losgeldeis.

Zodra Chesshyre was weggevlogen tegen een hemel die snel donkerder werd van de samenpakkende regenwolken, zei Taj: 'Er is met me geklooid, maatje.'

'Hè?'

'Een knaap met zwarte vleugels. De grootste die ik ooit heb gezien. Hij kwam me bekijken terwijl jij daarboven aan het kletsen was met ons goudhaantje. Ik heb de boel gescand, maar ik kan niets vinden.'

'Dat zal Chesshyres beveiligingsman zijn geweest,' zei ik. 'Het zat er dik in dat hij die heeft, zeker nu. Geen wonder dat hij je heeft bekeken. Weet je zeker dat er met je is geklooid?'

'Nee,' zei Taj, en hij klonk norser dan ik hem ooit had gehoord.

'Niet zo chagrijnig. Ik controleer je wel zodra we thuis zijn.'

Toen we wegreden, moest ik eraan denken hoe ontregelend het was om voor het eerst echt vliegers tegen te komen. Zo ontregelend dat Frisk languit op de achterbank lag, waar Chesshyre hem op had geduwd met het verzoek of ik hem een paar dagen wilde nemen, tot Hugo weer thuis was, uiteraard; hij zei dat het een prima beest was dat een hoop waard was, maar dat hij hem zelf op het moment liever kwijt dan rijk was. Wauw. Ontdoe je je altijd zo achteloos van familieleden? Typisch iets voor de rijken, nietwaar? Om jou op te zadelen met een probleem alsof ze je een gunst verlenen. Al moest ik toegeven dat de forse aanbetaling voor mijn diensten die Chesshyre me had gegeven me ook uit mijn evenwicht had gebracht.

'Waarom,' vroeg Taj even later, 'ligt die enorme kater op mijn achterbank te verharen?'

'Niet zo zeuren, Taj. Dat past niet bij dat sardonische karakter van je waar je producent je mee aanprijst.'

Terwijl Taj terug naar huis reed, door de rijke buitenwijken, waarna de straten steeds smaller en grauwer werden naarmate we dichter bij mijn flat kwamen, en de vurig rode en smaragden papegaaien en duiven plaatsmaakten voor saai gevleugeld ongedierte als spreeuwen en mussen waar wij gewone mensen mee moeten leven, piekerde ik over de vraag hoe we hier waren beland. Hoe was het zover gekomen dat ik een mens te zien kon krijgen die zo ingrijpend was veranderd als Chesshyre? Nu ik hem had ontmoet, drong die vraag zich nog meer aan me op.

Zulke veranderingen beginnen heel klein, bijna per ongeluk. We zetten de ene voet voor de andere, en voordat we het weten hebben we de berg beklommen en kunnen we het startpunt niet eens meer zien. Hoe was het begonnen? Hadden we de eerste stappen op dit pad gezet toen de eerste bevruchting plaatsvond met behulp van ivf? Of was het al onafwendbaar op het moment dat wij onze wereld veranderden met behulp van vuur, van taal, van werktuigen?

Ik begon te denken dat we vanaf het begin aan deze reis waren begonnen. Is dat het wat je tot een mens maakt, een alleskunner, het kwikzilverige soort? In de oude verhalen die ik als kind las, werd gezegd dat de Vos de bedrieger is. Of de Raaf. Degene die van gedaante verandert, de joker. Nooit helemaal roofdier, nooit helemaal prooi. Altijd kwetsbaar, altijd gevaarlijk. Maar natuurlijk is het niet de Vos of de Raaf. Wij zijn het. Het betekent niets speciaals om mens te zijn, we hebben niet slechts één vorm. We zijn alles en niets.

Neem nu mijn zoon, het dichtstbijzijnde en dierbaarste voorbeeld. Wat voor stappen hadden we ondernomen om hem vorm te geven? Thomas heeft ogen met de groene kleur van het zuiverste smeltwater, een kleur die Lily voor hem had uitgezocht in de Kinderkeuzecatalogus. Geen idee hoe die club echt heet, het zal wel iets opzettelijk neutraals zijn als het Algemeen Register, maar iedereen noemde het de Kinderkeuzecatalogus – een onbeleefde bijnaam voor iets wat niets meer of minder was dan een catalogus met lichaamsonderdelen.

Was onze verwording daar begonnen? Of daarvoor al, toen we hem lieten testen op de uitgebreide A-lijst met ziekten? Ik was echt niet van plan om te beknibbelen op de allerbeste gezondheidszorg voor mijn zoon, maar zijn kleur ogen wilde ik niet kiezen. Dat begon er te veel op te lijken dat we ons kind als een product behandelden, voerde ik aan, een product met een aantal begerenswaardige kenmerken. Zo zag Lily het niet; we hadden hem toch ook laten testen op ziekten, wat was dan helemaal het verschil?

Een cursus geschiedenis van de biotechniek maakte deel uit van de politieopleiding, en daar hadden ze het gehad over de eerste reageerbuisbaby en de controverses die ze had veroorzaakt. Het staat me nog helder voor de geest hoe verbijsterd de mensen in mijn klas waren geweest dat er überhaupt verzet was geweest tegen zo'n onschuldige ingreep. Ik was de enige die zich niet verbaasde over de verhitte discussies die waren gevoerd over de ethische kant van de zaak.

En het was niet alleen een kwestie van kunstmatige bevruchting. De neiging om met chirurgische ingrepen en medicijnen uiterlijk en levensverwachting op te schroeven greep steeds verder om zich heen. Aanvankelijk werd het steeds lastiger om nog onderscheid te maken tussen behandelingen waarmee mensen van ziekten werden genezen en die waarmee hun uiterlijk en vaardigheden werden verbeterd, tot dat onderscheid helemaal was verdwenen. Je had ongelimiteerde mogelijkheden om met je eigen stamcellen nieuw weefsel en nieuwe organen te laten aanmaken. Wie liep er nu nog rond met een lichaam waaraan niets was versleuteld, behalve die types van de Oorsprong? Die waren ertegen om om wat voor reden dan ook met menselijke genen te knutselen, omdat mensen al volmaakt waren geschapen door God, was hun overtuiging; onvolmaaktheden waren het resultaat van een gebrek aan gehoorzaamheid aan Gods wil en we hadden niet het recht te ontsnappen aan de straffen die we oprecht verdienden.

Al die vooruitgang kostte geld, en de toch al duidelijke verschillen tussen lichaam en geest van degenen die toegang hadden tot goed voedsel, een goede opleiding, werk en gezondheidszorg en de mensen voor wie dat allemaal niet gold, werden zo een blijvend verschijnsel. De invloed van de behandelingen die voor geld verkrijgbaar waren werd steeds groter, en dus raakten klassenverschillen in vlees, beenderen, cellen en genen verankerd, en werd de kloof waarvan mijn vader en moeder nog dachten dat ze die konden overbruggen door mij naar St.-Ivo te sturen onoverbrugbaar.

En daar stonden we dan: ik had Chesshyre ontmoet, met vleugels en al, en we hadden weliswaar op dezelfde school gezeten, maar de lichamelijke verschillen tussen ons waren zo reusachtig dat we op de rand balanceerden van een opsplitsing in twee soorten. Toen we die veranderingen in de gaten kregen, was het al te laat en was de sprong in de afgrond al ingezet terwijl wij nog dachten dat we op de rand zaten.

En wie zijn wij dan, de niet-vliegers? Wij zijn de zogenoemde vijf g's: getikt, gepensioneerd, godsdienstig, gerantsoeneerd en gewestelijk. Met andere woorden: te arm, te oud of te gehandicapt voor vleugels. Die minachtende woorden verhullen overigens wel dat wij gewone mensen nog altijd veruit in de meerderheid zijn. Te oud, dat is iedereen van boven de vijfentwintig, en te arm gaat op voor bijna de hele rest van de bevolking, onder wie iedereen die op het platteland en in de Regionale Gebieden woont – het zogenoemde PReG-land, oftewel alles buiten de Stad. Te gehandicapt is iedereen die te dik of te stom is of aan een van de andere aandoeningen lijdt die een contra-indicatie zijn om de behandelingen te ondergaan en vervolgens het loodzware programma vol te houden om de lichamelijke volmaaktheid in stand te houden die je nodig hebt om op te stijgen en te voorkomen dat je vervolgens gillend uit de lucht valt. Neem maar van mij aan dat er in de wereld van de vliegers geen gelijke kansen zijn.

En daarom behoorde ik tot de steeds kleiner wordende groep mensen die de religieuze bezwaren begrepen van mensen die geloven dat het verkeerd is om met de menselijke kiembaan te knutselen. Ik kan tot op zekere hoogte met hen meevoelen, maar waar trekken we de grens? Vrijwel iedereen kan zich vinden in het veranderen van genen die ernstige ziekten veroorzaken. Wie zou dat niet doen, in het belang van zijn kind?

Tot op dat moment had ik me nooit zorgen hoeven maken over de veranderingen die nodig waren om te kunnen vliegen, omdat ik me de behandelingen niet kon veroorloven. Als deze opdracht goed afliep, zou ik in staat zijn een deel van de kosten te betalen, en dan konden Lily en Richard de rest ophoesten. Ze konden Tom niet laten veranderen zonder mijn toestemming. En toch wilde ik die beslissing niet nemen.

Maar wat zal Tom tegen me zeggen als hij eenmaal groot is: dat ik hem vanwege mijn eigen beperkingen, mijn eigen onvermogen om deze nieuwe wereld te accepteren die grote droom heb ontzegd? Mijn eigen vader was niet zo egoïstisch geweest: ik zie hem me nog komen afhalen na een wedstrijd, ik zie nog steeds hoe het pijnlijke besef bij hem daagde dat hij met zijn in de winkel gekochte pak, zijn middenkaderbaan en zijn middenklasseauto net zo onzichtbaar was voor de andere ouders als ik voor hun zoons. Ik zag dat hij besefte dat hij dan misschien wel dacht dat hij deel uitmaakte van de redelijk bemiddelde middenklasse en zich nergens voor hoefde te schamen, maar dat hij de fout had begaan om een wereld te betreden waar dat niet opging en waar mensen wel degelijk op hem konden neerkijken. Hij slikte het in mijn belang, in de hoop dat ik misschien wel zou doorklimmen naar een niveau waarvan hij zelf wist dat hij er geen toegang toe had. En die slimme Lily weet dat en zegt tegen me dat dat zal gebeuren, dat mijn zoon een wereld zal kunnen betreden die ikzelf nooit ofte nimmer zal binnengaan, wat ik ook doe, en ik weet dat dat waar is. Maar moet ik hem dan al zo vlug kwijtraken?

Tegen vijven reed Taj de oprit langs Ventura op. Ray was al verdwenen naar waar hij zich 's avonds dan ook mocht terugtrekken. Ik moest hoognodig eten, maar Taj bleef maar klagen over dat er met hem was gerommeld, dus voerde ik nog maar een grondige elektronische en fysieke scan uit.

'Kijk aan,' zei ik toen ik eindelijk overeind kwam, mijn pijnlijke rug en knieën strekte en mijn handen aan een lap afveegde. 'Niets te vinden, oké?'

Taj zweeg. Een auto kan niet pruilen, maar Taj kreeg het toch voor elkaar.

'Welterusten, Taj. Glim ze.'

Ik verging van de honger, dus ik pakte brood en kaas. Anders kocht ik altijd iets te eten bij de straatverkopers in de buurt, maar nu popelde ik om aan de slag te gaan. Ik werd gekweld door een grote angst dat alles wat ik zou ondernemen zinloos zou zijn. Het was waarschijnlijk al te laat geweest voordat ik door Chesshyre werd gebeld. Wat zou het uiterste moment zijn om er bij Chesshyre op aan te dringen dat hij de politie belde? Achtenveertig uur. Dinsdagavond zou ik bekijken hoe de zaken ervoor stonden.

Waar konden Peri en Hugo zijn? Als Peri was ondergedoken in de Stad, of nog erger: in de krottenwijken van Ringstad, kon ik het wel vergeten dat ik haar zou vinden. De enige hoop die ik koesterde was dat ik er misschien in zou slagen te begrijpen waarom ze was weggelopen en waar ze dan heen zou gaan. Zomaar in het wilde weg op zoek gaan in de Stad zou alleen tot wanhoop leiden.

Maar hoe kon ik haar nu begrijpen als Avis en Chesshyre met twee totaal verschillende gezichtspunten kwamen aanzetten over de reden waarom Peri de kluts kwijt zou zijn: Avis die haar Wild noemde, wat dat dan ook mocht zijn, en Chesshyre die erop zinspeelde dat ze een obsessie voor hem had opgevat?

Ik zette water voor Frisk klaar, en ik moest glimlachen bij de gedachte hoe dolenthousiast Tom zou zijn als hij hem zag. Morgenochtend moest ik meteen voer voor de leeuw gaan kopen.

Tot laat op de avond zat ik zoekopdrachten voor Peri Almond in te voeren. Ze leverden erg weinig op, maar de informatie van de Engeltjes klopte. Ze kwam inderdaad uit een gehucht aan de kust dat Pandanus heette, op zo'n zes uur rijden hiervandaan. Tot nu toe had het meisje geen noemenswaardig elektronisch spoor nagelaten, in elk geval niet in databases waar ik toegang toe had. Dat is vaker een probleem bij mensen die heel jong zijn, vooral kinderen uit PReG-land. Wat wel raar was, was dat zij de enige Almond in Pandanus was. Bij wie had ze dan gewoond? Waar kwam ze oorspronkelijk vandaan? Had ze ergens anders familie?

Frisk sprong op mijn schoot. Ik duwde hem eraf. Hij ging op zijn hurken zitten en sprong weer op mijn schoot. *Dan bespringt u mij als een leeuw om opnieuw uw overmacht te laten voelen.* Ik sloeg een arm om Frisk heen en ging de beelden van de bewakingscamera van Chesshyre bekijken op mijn bureauslick. Ik had maar negentig minuten van hen gekregen; ze wilden duidelijk niet dat ik meer te zien kreeg dan zij noodzakelijk achtten. Nadat ik een paar minuten had gekeken naar een onbeweeglijk beeld van de drempel voor hun voordeur, spoelde ik snel een uur door waarin niets veranderde behalve de wolken. Toen ging de deur open en kwam er een jong meisje naar buiten met een baby tegen haar borstkas gebonden. Ik vertraagde de beelden tot normale snelheid. Het gezicht van de baby was van me afgewend en lag tegen het meisje aan gevlijd. Maar waar mijn adem van stokte, waren haar vleugels. Had Peri vleugels? Daar hadden ze het helemaal niet over gehad. Ik keek naar de foto van de Engeltjes. Op die afbeelding had ze geen vleugels. Ik keek naar de nieuwste foto, waar Peri Hugo vasthield. Ze was onscherp en haar vleugels waren een donkere vlek achter haar rug; geen wonder dat niet tot me was doorgedrongen wat dat was. Onscherp, dat klopte wel. Hugo, daar draaide het om; Peri was niet van belang voor degene die de foto had gemaakt.

In de strakke blik van de bewakingscamera stapte een gespannen meisje met een wit gezicht en een baby in haar armen van de rand van de klip en ze verdween uit beeld. Volgens de tijdcode was het zeven over halfdrie op zaterdagmiddag.

Peri was een vlieger!

Dat veranderde alles.

Alles.

Wat vreemd dat Chesshyre niet leek te beseffen hoe belangrijk dat was, en dat hij het er niet over had gehad. Waarom niet?

Ik keek weer even naar Peri's foto van de Engeltjes. Beslist geen vleugels. Natuurlijk niet. Ze kwam uit Pandanus, dus ze kon onmogelijk vleugels hebben. Ze was een nul uit Nergenshuizen. En nullen hebben geen vleugels. Die moest ze hebben gekregen toen ze voor Chesshyre werkte. Had dat misschien iets te maken met Hugo's verdwijning? Maar wat dan?

Nu voerde ik zoekopdrachten in die nog niet in me waren opgekomen. Daar had je haar, als lid van een van die vliegsportscholen, een chique bedoening die de Blauweluchtgroep heette. Ik floot. Jemig, wat was die duur. Ik had me nog nooit beziggehouden met de vraag hoeveel zulke vliegsportscholen kostten, maar je viel steil achterover van de prijs per uur. De behandelingen van de kleine Tom leken allengs minder haalbaar. Geen wonder dat het meisje helemaal niets, zelfs geen flesje goedkoop parfum, op haar kamer had staan. Ik had geen toegang tot haar medische dossiers, maar als ik afging op haar lidmaatschap van de sportschool, nam ik aan dat ze iets minder dan een jaar daarvoor de overstap had gemaakt. Interessant genoeg was haar lidmaatschap nog niet verlopen. Dus dan was ze er inderdaad in een opwelling vandoor gegaan, zoals de wanorde op haar kamer al deed vermoeden.

Ik tikte een andere zoekopdracht in. Voor de overgang naar vliegen heb je artsen nodig. En niet zomaar artsen, maar het slag serieuze zwaargewicht met ruime medische ervaring. Welke artsen zouden dit proces bij Peri hebben begeleid? Peter en Avis en misschien ook de kleine Hugo moesten naar een huisarts die verstand had van vliegers. Ging Peri misschien naar dezelfde? Ik kon me wel voor mijn kop slaan dat ik niet meer had gesnuffeld bij de Chesshyres thuis; dan was ik dat soort details misschien te weten gekomen. Aan de hand van mijn zoekopdracht stelde ik een lijst samen. Er waren tenslotte niet al te veel van die chique nieuwe artsen.

Het was al na middernacht. Het kwam vaker voor dat ik de tijd totaal uit het oog verloor als ik databases doorzocht. Ik stond op, rekte me uit, en overwoog Chesshyre te bellen en tegen hem te zeggen dat hij de zaak aan de politie moest overdragen. Dit was een onmogelijke opdracht. Als Peri vleugels had, kon ze overal zijn. Ik dacht terug aan wat Chesshyre had gezegd over dat Peri's leven verwoest zou zijn als ze werd aangeklaagd. Nou ja, misschien kon ik haar en Hugo toch nog helpen. Ik zou tot dinsdagavond wachten, zoals ik al had bedacht.

Die paar seconden film van Peri bekeek ik net zo lang tot mijn ogen dichtvielen van vermoeidheid. Was ze kwaad, bang? Als ik naar dat smalle, kwetsbare figuurtje keek, de tedere manier waarop ze de baby op zijn plaats stopte, over zijn hoofdje streelde, als ik haar bezorgde gezicht zag, dan kon ik niet geloven dat ze wrede of hebzuchtige motieven had. Waarom doe je dit, vroeg ik aan het scherm, terwijl zij telkens de deur dichttrok, van de klip af stapte en verdween. Telkens opnieuw uit mijn blikveld en mijn begripsvermogen verdween.

Ten slotte sleurde ik mezelf naar bed. Toen ik mijn broek uittrok, ritselde hij. De papiertjes die ik in de sloop had gevonden. Op elk papiertje stond een korte, handgeschreven brief. Ik ging op bed liggen en bladerde ze door.

Lieve Hugo,
Ik heb deze brieven geschreven omdat ik wilde dat jij wist hoe het was toen je klein was. Omdat jij je dat zelf niet kunt herin-

neren. En ik was degene die bij je was. Die je zag en naar je
luisterde en wist hoe je was.

Lieve Hugo,
Ik zat samen met jou over de zee uit te kijken. Er daalde een
purperen mist om ons heen neer. Je duwde jezelf overeind,
zwaaide je arm omhoog en wees. Alsof je wilde zeggen: Kijk,
wat mooi, hè? Kijk nou!

Lieve Hugo,
Een vlucht papegaaien met uitgestrekte zwarte vleugels vloog
krijsend over. Je keek omhoog. Krè! Zei je. Krè! Je eerste
woordje.

Er waren er meer. Ik las ze allemaal verscheidene keren, maar ik was zo
moe dat mijn ogen telkens dichtvielen terwijl ik probeerde Peri's woorden te analyseren.

Chesshyre was echt niet stom, maar zoals zoveel rijkaards was hij
blind voor de echte wereld. Avis en hij hadden een meisje met vleugels
voor hun baby laten zorgen – en vast meestal alleen – terwijl zij hun
eigen carrière najaagden. Een meisje dat helemaal alleen was op de
wereld, en Joost mocht weten aan wat voor geheime angsten ze
blootstond. Als ik even aannam dat Peters smoes niet het hele verhaal
was, kon het dan zijn dat ze was bedreigd door een rivaal van Chesshyre? Het zou makkelijk genoeg zijn geweest om haar te intimideren,
in dat eenzame huis van hen boven de zee. En als ze werkelijk werd
gedreven door verbittering vanwege een scheefgelopen liefde, dan zaten we pas goed met een probleem. Als ze niet echt gek was, als ze misschien op dit moment al bij haar positieven kwam en vervuld van afgrijzen de volle omvang van haar misdaad overzag, dan had Chesshyre
juist gehandeld door mij te bellen. In dat geval was het van groot belang om haar op te sporen en haar te laten inzien dat ze Hugo met een
gerust hart kon terugbrengen. Dan zouden haar daden worden gedu-
ceerd van iets wat gruwelijk kon zijn tot iets wat nauwelijks meer was
dan een wat lang uitgevallen uitstapje met de baby voor wie ze zorgde.
Ik hoopte heel erg dat het daarop zou uitdraaien.

De tuin op zee

'Moet je die sterren zien,' zei Peri met een blik omlaag naar de kleine Hugo. 'Aan de hand daarvan kunnen we onze koers bepalen.' Ze zou van haar leven niet gaan vliegen op een bewolkte avond. Daar was ze nog te veel een beginner voor. Ze greep Hugo steviger vast. Ze vloog het liefst met haar armen tegen haar zij, alsof ze de lucht in dook en erdoorheen surfte. 'Wat iemand met zijn armen doet,' had Havoc, haar instructeur bij de vliegsportschool, vaak tegen haar gezegd, 'is heel typerend. Hoe ontspannen voel jij je in de lucht? Stort je je er echt in?' Maar nu vloog ze met Hugo in haar armen, om hem warm te houden. Wat heerlijk dat hij sliep, weggekropen in de draagband, en zo gewend aan haar aanraking, haar geur, dat hij overal kon slapen, zolang hij maar bij haar was.

Voor haar uit viel laag aan de einder een patroon van sterren op zijn plaats. Een steek van geluk doorboorde Peri's angst. Havoc had haar verteld dat haar hersenen inmiddels waren voorzien van de navigatie-vaardigheden die vogels ook hadden, maar ze had eenvoudig niet kunnen geloven dat ze in staat was die te gebruiken. Ze was bang dat ze een van degenen zou zijn die daar gewoon geen vat op kregen. Dat ze te oud was om werkelijk te vliegen. Niet slim genoeg, niet sterk genoeg. Nu navigeerde ze toch maar, zonder te begrijpen hoe het in zijn werk ging, ondanks haar gebrek aan vertrouwen. Hier ergens in de buurt moest het Platform zijn. Maar hoe vond je dat in het donker? Toch moest ze uitrusten, en ze zouden er vast niet aan denken om hier naar haar op zoek te gaan. Nog niet. Peter herinnerde zich waarschijnlijk niet eens dat hij de PostKaart van deze plek niet had opgeborgen. Het was een grote gok om daarheen te gaan, maar wie zou zich daar in deze tijd van het jaar verder nog wagen, nu de kans op nazomerse stort-buien zo groot was?

Peri vloog in een schroefbeweging omhoog. Het hoorde opwekkend te zijn om 's nachts over de golven te vliegen. De kracht die vliegen kostte legde haar ademhaling, haar hart een ritme op en kalmeerde haar na haar impulsieve ontsnapping uit het huis van Peter.

Ruwe zoute wind stroomde binnen: inademen, vleugels omhoog, uitademen, vleugels omlaag.

Er vloog iets door de zee onder haar, maar de beweging die de hare daarboven spiegelde was schitterender, maakte golven fluorescentie los, zwart water dat ontplofte in blauwgroene lichtsporen. Een hele school van iets groots sloeg de zee tot glinsterend schuim, blauwe licht-flitsen die licht afschoten door het donker.

Voor hen uit scheen één enkel wit licht. Daar moest het zijn.

Maar er was meer. Een gloed. Peri's buik kromp samen. Haar vlieg-spieren raakten vermoeid. Betekende dat licht dat er iemand was, of juist niet? Mensen vlogen niet in hun eentje naar het Platform. Het was een langeafstandsvlucht, een plek waar feesten werden gegeven. Het was voor SkyNation gebouwd door het bedrijf van Peter, die de sets voor alle SkyNations ontwierp. Deze bleek zo erg in trek te zijn dat hij mocht blijven en nu langzaam ronddreef, zonder verankering aan de zeebodem. Voor de gasten van SkyNation was het opsporen van het Platform een onderdeel van het hele evenement. Wanneer vliegers er een bezoek aan wilden brengen, zochten ze de ligging op de satelliet-link op, waarna ze met behulp van hun navigatievaardigheden de plek opspoorden, net als Peri had gedaan.

Peri ging lager boven de zee vliegen, dankbaar gebruikmakend van de liftkracht die de kleine golfjes opleverden. Het heldere licht splitste zich op in drie aparte lichten die zo de ligging van de landingsplek op het Platform aangaven. Ze cirkelde rond, remde af en sloeg snel met haar vleugels om zachter neer te komen. Ze struikelde, kwam weer overeind, en was dankbaar voor de nieuwe zachte bekleding die speci-aal voor vliegers was ontwikkeld. Hugo werd wakker en begon te jen-gelen. De losse kreetjes groeiden aaneen; hij was zich aan het warm-draaien. Zo meteen zou hij echt aan het huilen zijn, en dat kon ze niet riskeren.

Peri zocht een bank op in de luwte, bij de landingsplek vandaan, en begon zachtjes een vertrouwd liedje te neuriën terwijl ze Hugo ver-schoonde. Er was nergens iets waar ze de vieze luier in kon weggooien, dus begroef ze hem schuldbewust onder losse stenen naast de bank.

Peri installeerde zich. Hugo's voetjes kromden zich van de gespannen verwachting en ontspanden zich weer toen haar melk begon te stro-men. Voor Hugo had Peri niet geweten dat baby's zich met hun hele lijf uitdrukten en dat hun voeten net zo spraakzaam waren als hun han-den en gezicht.

'Ze denken dat ik je heb gestolen, Hugo. Maar dat is niet zo. Ik kon je gewoon niet achterlaten. Ik heb gezegd dat ik je nooit in de steek zou laten.' Ze was verbaasd over haar eigen vastbeslotenheid om te doen wat nodig was, een ijzeren wilskracht die ze bij andere vliegers ook had gezien. Over wat ze had gedaan om deze vleugels te krijgen. De prijs was onvoorstelbaar hoog geweest. Kende ze zichzelf eigenlijk wel? Het probleem was dat ze van dit kind hield op een manier waar ze nooit op uit was geweest, een manier die ze nooit voor mogelijk had gehouden.

Die onverwachte liefde had alles kapotgemaakt.

Langzaamaan vertraagde Peri's ademhaling. Haar hart bonsde nog steeds van de inspannende vlucht en haar angst om te worden ontdekt. Ze luisterde geconcentreerd. Het enige wat ze hoorde was de zee die tegen het Platform sloeg. Aan de rand klotste het water over de zeewering heen. In het midden rees het Platform omhoog naar een platte top, alsof het in zijn geheel een lage heuvel was met een afgeplatte bovenkant. De heuvel straalde zelf die gloed uit.

Peri kende de plek een beetje dankzij de PostKaart die Peter had achtergelaten, toen Avis en hij erheen waren gevlogen ter gelegenheid van de SkyNation van vorige zomer. Ze hadden Hugo en haar drie dagen alleen gelaten in het huis. Ze waren altijd op pad. Voor modeshows, congressen, bezoeken aan bouwplekken. Hugo had er geen probleem mee om alleen met haar te zijn. Hij had alle gelegenheid om eraan te wennen.

Hugo trok zich terug van haar borst. Hij was nog steeds slaperig en duwde met zijn vuistje tegen zijn ogen. Peri kuste het handje en stopte het terug in de draagband. Hugo's ogen vielen langzaam dicht, terwijl hij wegkroop tegen haar warme huid en veren. 'Mijn arme mannetje,' fluisterde ze hem in het oor.

Het was tijd om het Platform te verkennen. Het eilandje leek verlaten, maar ze moest het zeker weten. Peri vloog zo snel en geluidloos als ze kon de heuvel op en spitste haar oren om de geluiden van stemmen, voetstappen, ruisende veren en geklapwiek op te vangen.

Voor Peri uit werd de gloed sterker tussen de bomen en bloemen. Er waren geen gebouwen. Naarmate ze dichterbij kwam, zag Peri dat het gras, de bomen en de bloemen niet werden verlicht door een lichtbron van buitenaf, maar dat ze zelf licht afgaven. Bladeren en bloemen, bast en takken waren omrand met licht, berijpt met vuur.

Ach, natuurlijk. Peter gebruikte dat soort planten ook in zijn tuin. Ze bestonden al een tijdje, maar ze werden nu pas wat minder duur. Kwallengenen. Dat was het. Die glans was te danken aan kwallengenen. De allerbeste zonneverlichting, want je kunt toch al geen efficiëntere zonnecel bouwen dan een plantenblad. Zo gebruik je de plant zelf als licht.

Peri liep door het donker en het in de lucht hangende, veranderlijke licht, en ze was bang, bang voor zichzelf en wat ze had gedaan, aangetrokken door de wonderbaarlijkheden van dit kunstmatige eiland, met bomen die groen en zilver glinsterden, en licht dat heen en weer deinde in de zeebries. Watervallen van purperrode vonken schommelden in de wind, en het gras straalde. Fluorgroen mos voorzag stronken en takken van vouwen licht. Prieeltjes, bijeengegroepte bomen en terrassen werden verlicht door hangende bloemen in blauw en goud. Het was allemaal even prachtig.

Peri bleef geschokt staan, plotseling getroffen door de gedachte dat ze helemaal niet was ontkomen. Ik ben recht in Peters armen gevlucht! Dit is zijn plek. Hij heeft dit hier ontworpen. Ik ben zó zijn geest binnengewandeld – in het mooiste deel ervan.

De schoonheid van het Platform benadrukte nog eens dat ze alles was kwijtgeraakt behalve Hugo. Deze wereld, de wereld van de Chesshyre-Katons, de wereld van de vliegers, was voortaan voor haar gesloten. Ze had nog niet zo stevig op haar benen gestaan, haar positie was nog nederig geweest, maar ze had het heerlijk gevonden; het was zo ver voorbij alles wat ze ooit in Pandanus had gekend, en nu was het voorbij. Ze twijfelde er niet aan dat Peter haar zou opsporen. *Hij zal me nooit vergeven wat ik heb gedaan. Hij zal je terugnemen, Hugo.*

Tenzij ze slaagde in haar wanhopige plan. Dan hadden Hugo en zij een toekomst samen. Janeane zou helpen. Janeane had in het hele land zakelijke contacten. Zij zou zeggen waar Peri heen moest. Peri zou zichzelf verliezen in een andere stad aan de overzijde van het continent. Bovendien was ze al in een volkomen ander wezen veranderd dan het kind dat Venetia was ontvlucht. Niets wat haar ervan weerhield om nog verder te veranderen. Haarkleur, ogen, misschien zelfs haar huidskleur. Allemaal dingen die vast niet zo moeilijk waren als de dingen die ze al had gedaan. En Hugo zou opgroeien met de liefde van degene die vanaf zijn geboorte voor hem had gezorgd. Ze zou hem nooit het gevoel geven dat hij alleen op de wereld was. Hij zou geloven dat Peri zijn moeder was; ze zou een echte moeder voor hem zijn. Niet zo'n moeder als Avis die nooit langer dan een paar minuten bij hem was. Peri en Hugo zouden nooit worden teruggevonden. Ze zouden veilig zijn.

Vlak onder de top was een prieeltje achter een lage wal aangestampte aarde. Peri legde Hugo op het zachte gras te slapen. Toen ze zelf ging liggen, zag ze dat het licht op deze open plek afkomstig was van blauwe speldenprikken langs de randen van de aarden wal. Gloeiwormen, zoals in de heuvels achter Pandanus ook te vinden waren. De blauwe lichtjes straalden Hugo en haar tegemoet van over een diepte, alsof de gloeiwormen sterrenstof waren dat haar vanuit het duistere heelal tegemoet glansde. Wormen op een muur, sterren in de ruimte – wat voor verschil maakte het? Wormen en sterren waren even mooi, even mysterieus. Al hadden de wormen waarschijnlijk wel een voorsprong op de sterren, omdat ze leefden. Ze leefden, net als zij. Behalve dat ... Peri kwam plotseling overeind. Behalve dat ze stom was geweest. Hoe had ze zo vergeetachtig kunnen zijn? Ze had haar medicijnen niet ingenomen.

Ze viste een pakje Aileronac uit haar gordel. Met een opgesplitste dosis in haar hand sloeg ze haar vleugels zo ver mogelijk om zich heen en ze duwde de punt van de injectienaald eerst in de ene en daarna in de andere vleugelspier bij de schouder. De Aileronac siste naar binnen, rechtstreeks onder haar huid gestuwd door samengeperste koolmonoxide. Elke avond en elke ochtend. Een of twee dagen slordig zijn was misschien niet zo erg, maar ze wilde absoluut geen risico's nemen met haar kuur. Zeker niet nu ze haar vliegvaardigheden meer dan ooit op de proef stelde.

Peri stopte de doos weg en ging zitten wachten tot de golf duizeligheid was weggetrokken. Aileronac voelde altijd aan alsof er een vlaag koude lucht door haar spieren en longen waaide, alsof ze er groter, maar ook vluchtiger van werd. Alsof het medicijn lucht in haar sloeg, zoals de wind een stapelwolk doet opbollen, waardoor haar volume, maar niet haar gewicht toenam. En dan de Opteryxin. Zulk bitter spul dat ze er altijd misselijk van werd. Peri spoelde haar mond en spuugde de resten uit. Vanavond maar geen Zefiryn. Daar zou ze morgenochtend meer aan hebben.

Tijd om te slapen, tijd om zich te concentreren en alles wat ze vandaag aan vliegen had gedaan door te nemen, zoals ze dat op de vliegsportschool had geleerd. Haar instructeur Havoc van de Blauweluchtgroep was een voormalig militair. Voor hem was vliegen een overwinning op luiheid en inertie, elke verdomde vlucht een test van je vaardigheid, je fitheid en je moed. Elke dag dat je niet vliegt, val je, brulde Havoc vaak.

Havoc had haar geholpen om haar nieuwe, nog stijve vliegspieren tot leven te wekken na de operatie. Ze was heel bang geweest dat ze ze nooit zelfstandig in beweging zou krijgen en had dagen geworsteld om ze zelfs maar een fractie omhoog te krijgen; het leek wel of haar hersenen instructies doorgaven aan vleugels van was. Havoc had haar de oefeningen bijgebracht om het pad tussen haar hersenen en haar vleugels aan te leggen; hij had haar geholpen om ze leven in te blazen.

Peri kende verder niemand die zo'n zakelijke houding aannam tegenover emoties als hij. Voor Havoc waren emoties een onbetrouwbare sensor. Je besteedde aandacht aan wat ze je duidelijk maakten, maar als dat niet bleek te kloppen, leerde je ze te negeren.

'Jouw evolutionaire geschiedenis heeft je er niet voor geprogrammeerd om te vliegen,' zei Havoc. 'Je gedachten en gevoelens zijn er niet op afgestemd.' Het was van het grootste belang om dat te begrijpen als ze veilig wilde leren vliegen, legde hij uit. Je moest net zo goed je geest als je lichaam leren beheersen. Bij Havoc, die weigerde naar haar angsten te luisteren, die haar uitputting negeerde, die tegen haar snauwde dat ze hem een hoop geld betaalde om ervoor te zorgen dat ze iets leerde, had Peri het gevoel gehad dat ze haar eerste stappen naar de volwassenheid zette.

Zou Havoc niet trots op haar zijn als hij wist hoe goed en hoe ver ze die avond had gevlogen? Maar ze zou Havoc nooit meer zien.

Je hebt meer nodig dan vleugels om te kunnen vliegen.

Toen Peri aan de rand van de klip stond bij Angel Falls werd haar pas goed duidelijk hoe waar die kreet van de instructeurs was.

Je hebt meer nodig dan vleugels om te kunnen vliegen.

Voor vliegen heb je je hele hart, je hele verstand en je hele lichaam nodig. Je moet er alles voor inzetten wat je hebt. Ook je geld. Dat was wat ze er niet bij hoefden te zeggen, want dat was overduidelijk; dat wist iedereen. En Peri's vleugels hadden heel wat meer gekost dan dat allemaal. Soms was ze bang dat ze haar ziel was kwijtgeraakt door de transformatie.

Peri liep op en neer langs de rand van de klip, met haar vleugels strak opgevouwen. 'Elke opstijging is vrijwillig,' had Havoc er bij haar in gehamerd, 'maar elke landing is verplicht.' Die week was ze elke dag vroeg opgestaan en over het pad gewandeld langs de top van de klip naar Angel Falls, dat bekendstond om zijn stabiele, constante opwaartse luchtstromen. Elke ochtend hield ze zichzelf weer voor: 'Ik hoef nog niet te vliegen. Ik ga de luchtstromingen bestuderen en naar de ouders kijken die met hun kleintjes vliegen.' En elke ochtend was ze naar Peters huis, naar Hugo teruggekeerd als een mislukking. Een lafaard die nog steeds niet haar eerste solovlucht had gemaakt.

Geen wonder dat het Angel Falls heette. Het was een echte beginnersstartplaats, waar nestjongen dapper door de lucht doken. Peri hoorde kreten van plezier of angst, maar ze had nog niet één keer een kind de koude golven in zien vallen. De ouders, die allemaal even krachtige vliegers waren, vingen ze op of vlogen onder hen om zeker te weten dat de jonge vleugels hun kleintjes weer omhoog konden dragen in de zware, zilte lucht. *Hoe weten ze wanneer ze hen moeten opvangen, en wanneer ze hen zichzelf moeten laten redden? Hoe bepalen ze het juiste moment om het kind alleen te laten vliegen?*

Dit was nieuwe kennis, kennis die in deze generatie voor het eerst werd gecreëerd. Geen sprake van voorouderlijke wijsheid, geen volkswijsheden om op terug te vallen. Vergissingen waren zo uitzonderlijk dat het nog steeds nieuws was als er een kind uit de lucht viel, en overal ter wereld stokte vliegers de adem in de keel van afgrijzen. Een ogenblik van onoplettendheid, een minimale foute inschatting.

Peri tilde haar vleugels op en strekte ze wijd uit boven haar schouders, zoals ze dat al duizendmaal had gedaan in voorbereiding op dit moment. Haar vleugels waren zwaar. De injecties hadden wel geholpen, maar ze zou dag in dag uit heel lang moeten vliegen om de nieuwe kracht op te doen die ze nodig had. De medicijnen maakten dat ze bijna de hele tijd misselijk was. 'Als je in verwachting bent, kun je je ook maandenlang misselijk voelen,' had haar vliegspecialist lachend opgemerkt, 'dus waarom zou je niet misselijk zijn als je een compleet nieuw ik aan het uitbroeden bent?'

Peri's lichaam voelde lichter aan, ondanks het gewicht van haar vleugels en ondanks het feit dat ze veel gespierder was dan ze ooit was geweest. En ook haar botten waren steviger en lichter geworden. Door de inspanning die vliegen kostte was haar taille slanker geworden, waren haar borstkas en schouders verbreed en haar spieren strakker geworden. De vleugels vielen als een mantel om haar heen, als een enorme draperie die elegant zat opgevouwen tegen haar rug of van haar schouderbladen omlaagboog, maar ze leefden wel. Ze had altijd honger. Ze had nog nooit zo weinig kleren gedragen. De vleugels waren zelf al warm, en haar nieuwe stofwisseling zorgde ervoor dat er warmte van haar af sloeg alsof ze in brand stond.

Peri struikelde en viel bijna. Een opwaartse luchtstroom had vat op haar vleugels gekregen en tilde haar bijna van de grond. Wat ook de bedoeling was.

Peri had haar vleugels vaak genoeg uitgetest in de vliegsportschool. In het begin had ze opgehangen in een soort tuig boven een onzichtbaar veiligheidsnet rondgevlogen door de sportzaal, die breder was dan een voetbalveld. Omdat ze geen risico liep om te vallen, had ze geëxperimenteerd met haar nieuwe vleugels, om te zien hoe het voelde als ze ze uitsloeg, boog en kromde. Het net en het tuigje werden weggenomen en de enige zekerheid die haar toen nog restte was dat ze elke op- en neerwaartse beweging van het luchtstromingsprogramma kende dat op het vluchtsimulatiesysteem draaide, met de extra sterke opgaande stromingen die haar hoog optilden boven de kunstmatige wolken en het hemelse blauw die op de vloer van de sportzaal werden geprojecteerd. En dan waren er nog de vlieginstructeurs, de sterkste vliegers die ze ooit had meegemaakt, die in een oogwenk, in één enkele vleugelslag te hulp konden schieten. En toch ontkwam niemand aan blessures; er waren altijd vliegers met blauwe plekken en gebroken botten, en zelf had ze meer dan eens rondgestrompeld met een enkel in het verband of afgeplakte vleugelveren.

Het was vreselijk ontmoedigend om zo'n trage leerling te zijn. De nieuwe vliegers, de atletische kinderen van een jaar of zes, zeven, buitelden door de sportzaal als zwaluwen. Als ze behendiger en brutaler werden, voerden ze zelfs zogenaamde luchtgevechten op. Die twijfelden niet aan de vogelvaardigheden die in hun hersenen waren opgeslagen: zij konden navigeren aan de hand van de sterren of gepolariseerd licht en kleurgradiënten tegen de hemel.

Peri droomde wel van echt vliegen, maar een deel van haar wilde het liefst in de vliegsportschool blijven. Je kon het best 's avonds oefenen, met nepsterren die boven je hoofd glansden en een vloer die wegviel, waardoor de begrenzingen van de sportzaal leken te verdwijnen. Dan kon ze snelle duikvluchten maken, omgeven door de duisternis, met de uiteinden van haar grote slagpennen omrand met fluorescerend veiligheidspoeder, terwijl andere vliegers langszwenkten met veerpunten die de hare raakten en vleugels die bogen trokken van elektrisch blauw en groen tegen het donker. Heel af en toe had het aangevoeld als echt vliegen.

Hier op de rand van de klip ging het pas echt om vliegen, hier was de opgaande stroming niet geprogrammeerd, hier waren de luchtbewegingen onvoorspelbaar. Hier was ze onhandig, een beginnende arend, en ze deelde de lucht met de wezens die waarlijk heer en meester waren: de meeuwen en de zwaluwen. Hoe zouden die erop reageren dat zij hun domein binnendrong? Zouden ze proberen haar te verdrijven? Een tijdje geleden hadden een paar arenden boven de woestijn een jonge vlieger aangevallen. Ze waren slaags geraakt met haar; een van de twee was in haar haren en veren vast komen zitten, en hoog boven de woestijn hadden ze rondgetuimeld en waren ze staartveren over kop buitelend omlaaggeschoten, zoals vechtende arenden dat doen. Op het nieuws had de vlieger huilend gezegd dat ze dacht dat ze zou sterven.

Vandaag zou Peri sterven. Dat hielden haar hersenen haar voor. Gewoon negeren. Havoc zegt dat je dat gewoon moet negeren. Je hersenen doen wat er van ze wordt verwacht, maar het klopt niet.

Hoeveel vliegers waren er op hun eerste vlucht omgekomen? Net zoveel als er vroeger omkwamen in de eerste twee jaar dat ze autoreden, was dan Havocs vaste grapje. Peri was zeventien. Er waren er bij de vliegsportschool meer geweest zoals zij; sommigen waren zelfs al in de twintig, mensen die hun vleugels hadden gekregen toen ze al volwassen waren. Kinderen konden dat vliegen een plaatsje geven als de zoveelste taak die ze tijdens hun ontwikkeling onder de knie moesten krijgen, maar tieners en jongvolwassenen moesten vliegen tot een obsessie maken. Je kunt leven of je kunt vliegen, had Havoc gebulderd tijdens een extra frustrerende les, en als dat als een keuze voor je voelt, ben je geen vlieger.

De specialist die Peri begeleidde, had gezegd: tweeduizend uur. Het kost tweeduizend uur in de lucht om een vogel te worden.

Peri stapte naar de rand van de klip. Ze moest het loslaten. Ze moest bereid zijn te sterven.

Er kwam een windstoot over de klip gewaaid. Ze zette een wankelende stap, ontvouwde haar vleugels en rende naar voren. Zodra ze van de klip sprong, wist ze dat ze het op het verkeerde moment had gedaan. Ze viel omlaag alsof ze was neergeschoten, en klapwiekte harder dan ze ooit in de vliegsportschool had gedaan.

Dit leidde allemaal nergens toe.

Haar borst- en rugspieren deden zo'n pijn dat ze nauwelijks kon ademhalen.

Vliegen was te moeilijk. Als ze heelhuids zou landen, moest ze haar vleugels maar laten verwijderen. Ze kon onmogelijk de rest van haar leven met het gewicht van die vleugels blijven rondlopen, zonder ze ooit te gebruiken. Het zou erger zijn dan een handicap; ze had haar oude leven opgegeven voor dit nieuwe leven, dat alleen maar zin had als ze het luchtruim koos.

Al klapwiekend vertraagde ze haar val.

Waar was die hellingstijgwind, de opstijgende luchtstroom die tegen de rotswand werd samengedrukt – en verwarmd werd door de warmtecollector die het steen vormde – en haar mee omhoog hoorde te nemen?

Waar?

De wind viel van Peri weg als een wegstervende schreeuw.

Ademhalen.

Ademhalen in het ritme van de vlucht.

Er stroomde kracht terug in haar vliegspieren, de pijn trok weg met de warmte die haar inspanningen opleverden.

Inademen, vleugel omhoog, uitademen, vleugel omlaag, inademen, vleugels omhoog en gebogen om het oppervlak kleiner te maken, uitademen, vleugels omlaag.

Omlaag is de slag die kracht vereist.

Omlaag, omlaag en omlaag.

Omlaag met een grote vleugel, omhoog met een kleine. Omlaag met een grote vleugel, herstellen met een kleine vleugel. Dat was de mantra van de vliegsportschool.

Het is alsof je door de lucht roeit, had Havoc gezegd. Je moet de opwaartse beweging een hoek geven, zoals roeiers hun roeispaan vlakdraaien. Omlaag met een grote vleugel, en herstellen met een kleine.

Eindelijk, daar was de hellingstijgwind. Grijp hem, bestijg hem, als een golf die uit zee naar je omhoogkomt, mis hem niet, laat hem niet voorbijschieten en je laten vallen, laat hem je niet terugblazen over de rand van de klip waar de gevarenzone is met op de loer liggende rotoren en lage lift.

Ze had het goede ritme te pakken. De stijgwind ging steeds sneller omhoog en trok haar mee; het was nog geweldiger dan in haar kinderdromen; in plaats van heftig met haar armen te klapwieken, klapwiekte ze met vleugels die haar omhoogdroegen. Steeds verder omhoog ging ze en steeds sneller ging de stijgwind, even extatisch als een sneltrein, en voor ze het wist was ze boven de kliprand en nog hoger, want nu was er geen plafond, geen limiet aan de vreugde, rondom een eindeloze bol van kristal, onbegrensd, dit was nieuw, nu was ze zo hoog dat ze duikvluchten kon maken door haar vleugels precies op de goede manier te kantelen, dankzij de arenden en de albatrossen die ze had bestudeerd, waardoor hun manoeuvres al bijna een tweede natuur waren geworden – al moest ze er nog wel steeds bij nadenken, daarom was het ook zo gevaarlijk; het was nog niet iets wat in haar spieren zat verweven, maar ze voelde dat het allemaal tot één geheel aan het versmelten was, als danspassen, iets waarover je niet te erg moest nadenken, iets wat je gewoon moest laten stromen, en toch klopte de hoek van de vleugel, de buiging van haar lichaam precies.

Goeie god, jubelde Peri. Ik vlieg!

Ik ... vlieg!

Peri was te geconcentreerd om zich te laten afleiden door de oogverblindende sluier van glinsteringen onder zich, en het licht dat als regen over haar vleugels stroomde, de lucht die zo blauw was dat ze het bijna kon proeven, en zo zuiver als sneeuw. Het was prachtig, maar ze keek er niet naar. Ze ging er alleen helemaal in op, zoals ze nog nooit in de wereld om zich heen was opgegaan.

Daar kwam het: de glijvlucht, de lange, ontspannen curve langs de hemel. De lucht was driedimensionaal, ze beeldhouwde hem in vormen, schilde lange krullen af, sneed hem in spiralen. Nog weer een slag met haar vleugels en ze schoot verder omhoog. Als ze maar hoog genoeg vloog, zou ze tijd hebben om om zich heen te kijken. Ze plaatste haar vleugels in de positie om in een opgaande wenteling te komen. Vlak boven haar was een laag uitgewassen witte wolk. Een plukkerige vacht die over een tafel heen was gegooid. Je moet eronder of erboven vliegen, maar nooit erin blijven hangen – zonder horizon kun je je vleugels niet vlak houden.

Mist stroomde haar mond, haar neus en haar ogen binnen terwijl ze door de koude watten opsteeg. Nu loop je door de witte ruimte, zou Havoc vermanend hebben gezegd. Je moet niet in de witte ruimte lopen. Je weet nooit wat daar samen met jou is. Zodra ze uit de wolk los was, controleerde ze haar vleugels aan de hand van de horizon. Stijgend en dalend volgde ze de contouren van de wolk die haar afschermde van de zee beneden haar. Met inzet van al haar krachten schoot ze naar voren. Hoe snel kon ze vliegen? Het was een vraag die op de vliegsportschool onmogelijk kon worden beantwoord.

Haar spieren trilden van de zenuwen, de inspanning en de uitgelatenheid, en intussen probeerde ze haar sectie van de lucht te doorgronden, de diepte van de oceaan eronder, hoe snel de hemel veranderde, hoe anders wolken, blauwe zee, klippen van bovenaf, uit verschillende hoeken, vanaf verschillende hoogten eruitzagen, maar ze kon het allemaal niet verankeren in haar geest; het stroomde als water om haar heen, en al haar zintuigen stroomden mee.

Ze had nog nooit van haar leven de hemel gezien.

Hoe hoog kon ze vliegen? Waar lag de limiet? Ze was nu al zo hoog dat de aarde onwerkelijk leek. Alleen zij was in de lucht. En elke spiraal was een en al vreugde.

Dit was vliegen.

Dit was waarvoor ze zo hard had gevochten. Hiervoor had ze zoveel op het spel gezet, zoveel doorstaan.

Het moest het allemaal waard zijn.

Ze vloog zo moeiteloos voort dat het was alsof ze droomde, haar vleugels werden niet moe, maar het geluid van een stem drong door in haar vlucht. Het was maar een fluistering, en toch sneed hij scherper door de lucht dan een schreeuw. Er waren verder geen vliegers hierboven bij haar op haar eerste vlucht. Het geluid bracht haar uit haar evenwicht, ze verloor haar concentratie en stortte in een schroefbeweging omlaag. Het kon nog helemaal niet donker worden, daar was ze nog niet lang genoeg voor aan het vliegen, maar nu stortte ze omlaag en zou ze tegen de grond slaan ...

Peri schoot wakker, naar adem happend van schrik. Het was net zo donker als in haar droom. Nog steeds diep in de nacht. Hoe lang had ze geslapen? Hugo lag naast haar zachtjes te snurken. Voor Hugo wist ik niet dat baby's konden snurken.

Ze luisterde met beklemde borst. De stem fluisterde, zweeg, en verplaatste zich over de westelijke helling van de heuvel. Hij was langs Hugo en haar gelopen, maar als hij aan de overkant van de heuvel niemand aantrof, kwam hij terug. Geen stem die antwoord gaf. Met wie was hij aan het praten? Iemand ver weg. Peter? Peter die degene ondervroeg die hij achter haar aan had gestuurd; hij was vast thuis, nog steeds wakker, natuurlijk kon hij niet slapen. Ik ben hier nu al te lang gebleven. Haar hart bonkte zo luid in haar oren dat ze bang was dat het haar zou verraden.

Hij zou me ter plekke vermoorden, mijn lichaam in zee gooien, en Hugo meegrissen.

Diep inademen. Er is maar één plek waar je heen kunt. Eén plek die Peter niet kent. Janeane. Geen mens in de Stad die van Janeane af weet.

Achter Peri rees het hoogste punt op van het Platform, het uitkijkpunt aan de oostkant, in de tegengestelde richting van waarheen de stem zich had verplaatst. Ze stopte Hugo in zijn draagband en bad intussen dat hij niet zou gaan huilen. Hij werd niet helemaal wakker terwijl ze haar gordel omknoopte en naar het uitkijkpunt sloop, waarbij ze opschrok van elk geluidje.

Stilte. Geruis van de wind door veren. Kwam hij terug? Ze moest alles op alles zetten om niet weg te rennen.

De rest van de nacht onafgebroken doorvliegen. Niet rusten. Hij mag me niet volgen. Lukt me dat? Het zal wel moeten. Veren ritselden ondraaglijk luid in de stille lucht. Is hij echt naar mij op zoek?

Geen balustrade langs het uitkijkpunt; de grasvlakte eindigde plotseling en de heuvel viel rechtstandig omlaag weg. Ik heb niets gehoord; weet hij misschien nog niet dat ik hier ben? De hoop hamerde op haar los tot haar borstkas pijn deed. Eén enkele kans. Niet wachten. Nu. De lucht in met het *swoesj* van haar veren zo daverend luid als honderd opvliegende duiven. Steeds verder omhoog.

Peri steeg op tot wel duizend meter boven het Platform voordat ze het waagde van richting te veranderen, naar het noordwesten, met de maan die voor haar ogen wegzonk. Kon ze maar boven wolken komen, maar er waren alleen vage, verre cirruswolken, in het maanlicht glinsterende slierten; cirruswolken betekenden grote hoogte – die ijsslierten begonnen pas boven de zesduizend meter. In elk geval voorspelden ze goed weer.

Daarbeneden is het Platform, dat nepeilandje dat zijn gloed de duisternis in stuurt; eindelijk verlaat ik dan echt Peters wereld, van nu af aan zal ik mijn leven leiden op onbekend terrein.

Ze wierp een blik over haar schouder. De bijna onbeweeglijke zee kabbelde zacht als een verkreukelde zilvergrijze sjaal onder het maanlicht. Rondom viel de lucht leeg en stil weg.

Peri vloog zonder onderbrekingen door, en probeerde de duisternis een uur, of zelfs maar een minuut langer te laten duren in haar wedren tegen de dageraad. Ik moet voor zonsopgang Janeane bereiken. Vanaf het moment dat ze Luisa had gevonden, besefte ze dat ze Janeanes hulp nodig had, maar ze hoopte dat ze eventuele achtervolgers op het verkeerde been zou zetten met haar misleidende manoeuvre om eerst naar het Platform te vliegen. De zee was de Stad niet. En evenmin PReG-land. De zee was nergens. Wat jammer dat ze daar niet overheen kon blijven vliegen. Had ik de vlucht naar Janeane maar beter kunnen plannen. Had ik haar maar kunnen waarschuwen. Had ik er maar voor kunnen zorgen dat ik haar in het donker had kunnen bereiken.

Nog even en de zon zou achter Peri opkomen, maar nu al doorschoot het licht de wolken met kleur en liet het de duisternis voor haar uit oplichten. Niet ver meer, niet ver meer. Doorzetten. Wat vreemd om over dit gebied te vliegen, dat er tegelijkertijd vertrouwd en onbekend uitzag, om het vanuit de lucht te zien, zoals ze nooit had gedacht het te aanschouwen, nu de ochtend het beneden haar tot leven wekte, met kleuren die aan de heuvels likten als vlammen. Ze zou met alle liefde nooit de Stad hebben verlaten. Dit was pas de tweede keer dat ze de Uilen in het donker benaderde. De eerste keer was bij het vallen van de avond geweest. Ze was toen nog heel klein. Drie? Vier? Het was bijna haar allereerste herinnering: die ochtend was ze huilend wakker geworden uit haar nachtmerrie, zoals vaak gebeurde. Hij begon altijd op dezelfde manier: rillend van de kou, met haar haren in de knoop door de ijskoude wind. Voor haar uit donkere torens met hier en daar een licht, ertussen vloeiende lijnen licht en er voorbij duistere vlakten bezaaid met licht. Een zachte warmte hield haar vast: niet bewegen. *Niet bewegen. Anders val je. Blijf staan.* Geen warmte meer. Ze kon niet bewegen, haar armen en benen waren gevoelloos. Ze had het licht, de duisternis en de kou spannend gevonden, maar nu werd ze omringd door gekoer en klapwieken, en ze was vreselijk bang voor die werveling van veren die haar steeds dichter omsloten, haar verstikten en daarna boven haar losbarstten als een grijze stortbui. Ze was alleen. *Swoesj-swoesj-swoesj,* kwam het geluid op haar neerdalen. *Swoesj-swoesj-swoesj,* een weerkerend ritme; ze kon haar hals niet draaien om naar boven te kijken en te zien wat het was. Ze mocht niet bewegen. Het duister lichtte op. De rand kwam naderbij. Het licht bracht angst. Je zult vallen. Het koude metaal onder haar werd warm, begon te branden. De grijze veren waren weggevlogen. Ze hadden haar verlaten. Zij wachtten niet. Ze zag niets, het licht brandde in haar ogen, tegen haar huid. *Niet bewegen. Anders val je.* Alleen licht. Licht dat zich eerst uitstrekte in de warmte en daarna samenbalde, toen de zon groter werd. Het licht pinde haar vast op een punt aan de rand van de wereld. Wachten. Voorbij die muur van de zon was niets. Peri werd wakker met tranen op haar wangen. *Anders val je.*

De onbekende vrouw die haar die ochtend wakker had gemaakt, had haar in een auto gezet, en daarna hadden ze een hele tijd gereden. 'Gaan we naar mama?'

'We gaan naar je nieuwe mama.' De vrouw kocht iets te eten voor haar voor tussen de middag, maar Peri kon niet eten. 'Arme dreumes.' De vrouw schudde haar hoofd.

Bij het vallen van de avond reden ze over een onverharde, slingerende weg; ze passeerden een poort, en het bord weerspiegelde het licht van de koplampen: DE UILEN, in roestige letters, naast een metalen uil met glazen ogen. In de boerderij bleef het kleine meisje op de drempel dralen, tussen duister en licht. Twee vrouwen keken naar haar, de een glimlachend, de ander een en al scherpe hoeken, maar wat haar angst aanjoeg, was die glimlach. Hij was vaag, ongericht. Niet voor haar. Niet echt.

De glimlachende vrouw heette Bronte. 'Je pleegmoeder,' zei de vrouw die haar erheen had gebracht.

Tranen biggelden over Peri's wangen toen Bronte haar te stijf tegen zich aan drukte. Ze wurmde zich los. 'Waar is mama?' Bronte was niet haar echte moeder. Ze voelde niet goed aan, te droog en te mager. Ze kon het kleine meisje niet troosten. Alsof ze niet genoeg had om iets weg te geven. Haar geur klopte ook niet; die deed denken aan iets wat te lang in de kast heeft gelegen. Dat kon je niet zeggen, maar het was wel waar. Had Bronte weleens iets voor haar gevoeld? Het was Peri's eigen schuld, daar was ze tot op het bot van overtuigd; ze had er vanaf het begin een puinhoop van gemaakt.

Daarbeneden was de boerderij, daar stond het huis; met de minuut kon ze de vertrouwde plek duidelijker zien, nu de zon achter haar omhoogklom. Ze zwenkte en keerde terug, ze kon landen op het lapje hard gras voor de veranda. Er liep al iemand buiten, tussen de bananenbomen. Peri daalde. Janeane. Dat kon niet anders. Janeane en die eeuwige bananen van haar.

'Even wachten, tante Janeane, even wachten!' riep Peri als ze achter Janeane aan liep.

Janeane liet haar de groepjes speciale bananenbomen zien die ze kweekte. 'Daar mag je nooit van eten, hoor,' had ze gezegd. 'Je mag geen enkele banaan eten, tenzij ik je er eentje geef, begrepen? Anders word je heel erg ziek. Je zou zelfs dood kunnen gaan.'

'Zal ik niet doen, tante Jan.'

Nu kwam de gestalte tussen de bomen vandaan, met de blik omhooggericht, terwijl Peri een duikvlucht maakte over droge akkers die in een gouden gloed werden gezet door de opkomende zon. De gestalte tilde haar arm op. Peri zwaaide.

Een flits, feller en kouder dan de smeltende munt van de zon. Een luide knal, het neerstorten van een dode tak.

Niet schieten, tante Jan.

Peri vouwde haar vleugels en liet zich vallen als een steen.

De Engeltjes

Ik werd vroeg wakker uit een onrustige slaap. Maandagochtend, veertig uur nadat Peri was gevlucht. Te lang, te lang. Peri was een vlieger. Ze kon overal zijn en de kring van mogelijke plekken waar ze kon zijn werd met het uur wijder.

Het was nog maar net licht toen ik Frisk meenam op mijn rondje hardlopen. Straatverkopers waren al voor zonsopgang hun stalletjes aan het opzetten, en wreven zo mogelijk nog harder in hun ogen dan anders toen ze een magere man met zandkleurig haar voorbij zagen rennen met een leeuw aan een riem die van een stuk snoer was gemaakt.

Toen ik Chesshyre belde, kreeg ik te horen dat hij nog niets had vernomen en dat hij er nu vandoor moest omdat hij een vroege vergadering had. Ik onderbrak hem om te vragen hoe Peri aan haar vleugels was gekomen en waarom hij dat niet had vermeld.

'Vliegers zijn een normaal verschijnsel voor me,' zei Chesshyre. 'Ik zal er net zomin op wijzen dat iemand vleugels heeft als dat hij over twee armen beschikt. En het is trouwens nauwelijks een geheim; je hebt de opnamen van de bewakingscamera gezien.'

'Maar Peri is niet een van jullie. Ze is een kíndermeisje.'

'Ze wilde vleugels. En wij betaalden haar goed.'

'Ik zou denken dat kindermeisjes met vleugels niet al te erg in trek waren. Ze is er toch maar mooi met jullie baby vandoor.'

'Wij dachten daar anders over,' zei Chesshyre. 'Ik vond dat het handig was, om niet te zeggen essentieel, om iemand te hebben die Hugo kon bijhouden als hij eenmaal vleugels begon te krijgen. Er zijn nog een paar andere gezinnen zoals wij.'

'Dan wil ik graag de naam van haar arts. Degene die haar overgang naar vliegen heeft begeleid.'

'Ik heb geen idee,' zei Chesshyre. 'Ik was niet echt geïnteresseerd in haar overstap.'

Daar hoorde ik van op. Het kon niet anders dan een leugen zijn. Blijkbaar stond er iets op het spel.

Ik deed of ik hem in alle onschuld niet geloofde. 'U hebt haar toch zeker wel iemand aangeraden? U kent tenslotte de beste specialisten.'

Chesshyre liet een hol lachje horen. 'Ik zei dat we haar goed betaalden. Ik zei niet dat we haar goed genoeg betaalden om van onze specialisten gebruik te kunnen maken.'

Dat antwoord was net plausibel genoeg om me aan het denken te zetten. Het was geen moment in me opgekomen dat de behandelingen om te kunnen vliegen konden variëren van eersteklas tot derderangs.

Chesshyre popelde om een eind aan ons gesprek te maken. Waarom had hij zo'n haast? Voor het eerst vroeg ik me af of ik misschien niet de enige was die naar Hugo op zoek was.

Nadat ik een afspraak had geregeld met mevrouw Harper van de Engeltjes, was het tijd om me aan de vermoeiende taak te zetten de arts van de Chesshyre-Katons te achterhalen. Ik begon een voor een de nummers te bellen die op mijn lijst stonden, waarbij ik het gesprek op zo'n manier omleidde dat het leek of ik vanaf de afdeling Pathologie belde van het Canobolas-Gerschenkron-ziekenhuis. Ik zei dat ik de testresultaten van Hugo Chesshyre en Peri Almond wilde doorsturen. Na vier missers was het raak. Ik had het kunnen weten; de praktijk van dr. Eliseev leek zo'n beetje de chicste en de duurste op mijn lijst. Vervolgens belde ik de secretaressedienst waarvan ik weleens gebruikmaakte en liet ze een dringende afspraak maken met dr. Eliseev.

Zowel voor het gesprek met Harper als met Eliseev moest ik voor het eerst van mijn leven Flierville in, de chique buurt die zo'n beetje het hele oude zakendistrict van de Stad in beslag nam, dat inmiddels was omgebouwd voor vliegers.

Op weg naar 80 Metre Road, het dichtstbijzijnde station, vroeg ik me af wat het betekende dat er nog geen losgeld was geëist. Als Hugo was ontvoerd voor geld, was de kans dat hij zou overleven heel klein, maar als het een misdaad uit hartstocht was, was Hugo's lot helemaal onvoorspelbaar. Hij liep evenveel kans om het slachtoffer te worden van tegenslag als van kwade opzet.

Bij Central Lines, het centrale station van de Stad, moest ik overstappen op de lightrail, waarmee ik de Point kon bereiken, de enige halte op loopafstand van Flierville. Op weg van de Point naar Flierville bleef ik even staan kijken naar de vliegers, omdat ik geïntrigeerd was door de manier waarop die donkere gedaanten hoog boven me allemaal met de klok mee Flierville binnenvlogen. Vliegers die het luchtruim boven Flierville naderden, leken een soort circuit in de lucht te volgen dat alleen voor hen zichtbaar was. Ze cirkelden rond als een vlucht meeuwen die rond een toren draait, en af en toe kwam er een uit naar beneden. Er was een vlieger met opvallende, bleke vleugels die net de afslag miste en toen nog maar eens een rondje maakte voordat hij afsloeg. Golden er in Flierville verkeersregels die alleen vliegers kenden?

Voor me uit rees er een onregelmatige rand groen op van de bomen langs het beroemde (of beruchte) Ringkanaal dat de hele buurt omgaf als een soort slotgracht. Volgens sommigen sloot het kanaal Flierville af, en dus waren er twee smalle voetbruggen overheen aangelegd. Anderen zeiden dat het kanaal een slimme oplossing was voor het water in de haven dat steeds hoger kwam te staan; dat water werd weggeleid, en tegelijkertijd gaf het Flierville iets unieks. Dagjesmensen keken graag in het water naar de verdronken gebouwen en straten, net zoals ze genoten van de aanblik van vliegers die in hun torens hun eigen gang gingen.

De Larus Marinus-brug was verlaten toen ik hem betrad. Het hek gleed open toen ik mijn slick door de lezer had gehaald waarbij mijn persoonlijke gegevens én een belachelijke toegangsprijs waren geïnd. *Welkom in Flierville, meneer Ezekiel Fowler*, zei het hek.

Ik ging op weg naar de Engeltjes, terwijl ik me intussen afvroeg waarom de straten waarover ik liep zo'n onwerkelijke indruk maakten. Ineens kon ik er de vinger op leggen. Flierville leek niet op een pretpark vanwege die slotgracht; het kwam alleen maar kunstmatig over omdat het de rijkste wijk was die ik ooit had aanschouwd. Waar was het afval? De bouwvallige huizen? Alles was te schoon, te rustig, te nieuw. Nergens een bordje om te waarschuwen voor herstelwerkzaamheden die jaren geleden waren begonnen, maar inmiddels waren opgegeven. Geen vergeelde aanplakbiljetten waarop het stilleggen van allerlei basale voorzieningen werd aangekondigd, en de verwachte hervatting ervan, die nooit werd waargemaakt. Geen vervallen openbare werken. Geen fietsende straatverkopers en hun piepkleine stalletjes die in de Stad rondsuisden en alles verkochten – van verse eieren, kopjes thee, papierdunne plakjes zongedroogde groenten en vlees tot zelfs de energierepen voor vliegers waarop iemand met een kantoorbaan een hele dag voort kon. Niet dat voortdurende gerinkel van fietsbellen, geen kreten van straatverkopers, tokkende kippen of gillende kinderen, geen getinkel van monnikenbelletjes. Ik had hun witte en saffraangele pijen eigenlijk wel in Flierville verwacht, maar zoals bekend zijn de rijken vrekkig, en een monnik kan niet de hele dag voor een maaltijd bedelen.

Dit was de enige plek waarvan ik zeker kon weten dat Peri er niet was ondergedoken.

De straten waren doodstil, maar de lucht boven me wemelde van de rondschietende vliegers, afgetekend tegen de in vuur en vlam staande hemel. Ik moest op mijn hoede zijn. Overal om me heen werd ik eraan herinnerd dat deze plek niet voor mij bedoeld was. Straten en stegen hielden ineens op, weggesneden aan het uiteinde boven afgrijselijke diepten naar kloven van beton. De eerste keer dat ik met zo'n onafgezette diepte aan het eind van een straat werd geconfronteerd, struikelde ik bijna over een stadsklip waaronder gebouwen van twintig verdiepingen opstegen om me te begroeten, met daktuinen vol kleurige bloemen, groenten en bomen. Ik moest snel gaan zitten op het trottoir, in de hoop dat ik niet zou hoeven overgeven.

Achter me schreeuwde iemand en ik liet me languit op de grond vallen. Zeven vliegers in felgekleurde kleding schoten vlak over mijn hoofd en links en rechts langs me heen. Ze waren uit het gebouw achter me omlaaggekomen en maakten nu een duikvlucht langs de rand van de diepte voor me.

Ik draaide mijn hoofd naar links om te zien hoe ze afsloegen en half rennend, half vliegend de oprit naast me op renden, die ik pas had gezien toen ik er met mijn neus bovenop stond. Ik werd duizelig van de manier waarop ze ertegenop renden, steeds hoger en hoger de lucht in, en plotseling kreeg ik heftige beelden van dat ik achter hen aan de helling op rende en het blauw in sprong. Nu ik wist hoe zo'n opstijgplek eruitzag, besefte ik dat ik ze overal, op allerlei hoogten uit daken en aan de zijkant van gebouwen zag uitsteken. Ik had aangenomen dat ze als versiering waren bedoeld, maar nee, het waren opstijg- en landingsplekken.

De vliegers sprongen van de oprit voor me en doken naar de toren beneden. Dankzij hun felgekleurde kleding waren ze goed te volgen, en ik zag hoe ze op vensterbanken en daklijsten sprongen en zich daarna weer de lucht in lanceerden. Ik kreeg de indruk dat ze aan het improviseren waren en elk uithangbord, elke stok en boomtak vastgrepen die ze maar tegenkwamen en hun vaart gebruikten om zich naar het volgende deel van hun baan te zwaaien, die even grillig was als die van een vlinder. Ze zwaaiden met één hand aan een lantaarnpaal of renden een paar passen lang tegen de gladde zijkant van een gebouw op, om daarna weer de lucht in te springen. Deze vliegers speelden een atletisch, uitgelaten spel, gebruikten heel Flierville als een reusachtig klimrek en dreven zichzelf tot het uiterste van hun vermogens om veilig te manoeuvreren, nu eens hoog, dan weer laag, nu eens zijwaarts wegschietend in een smalle steeg, dan weer al schreeuwend omlaag vanaf de hoogste torens.

Duizelig volgde ik de gekleurde stippen, tot ik de vliegers niet langer meer kon onderscheiden. Toen keek ik op mijn slick, waarop trouwens een waarschuwing te zien was voor de kloof in deze straat, maar ik had zo mijn ogen uitgekeken dat ik vergeten was erop te letten.

De Engeltjes was weliswaar midden in Flierville gevestigd, in een antiek gebouw van acht verdiepingen dat een uitstraling had van oud geld, met zijn schone zandsteen, de uitgesleten granieten treden van de stoep voor de ingang en de leuning van echt hout langs de marmeren trap, maar de directrice, mevrouw Harper, was geen vlieger. Ze was een van die kogelvrije, welgestelde vrouwen van middelbare leeftijd met een lage stem vol zelfvertrouwen, en staalgrijs haar en gouden kettingen rond haar hals en polsen, die haar zwarte kleding des te beter deden uitkomen. Ik kende haar type. Het soort dat meteen haar advocaat op je afstuurt zodra ze goedemorgen heeft gezegd.

'Hallo, meneer Flower,' zei mevrouw Harper. 'Meneer Chesshyre zei al dat u vandaag zou langskomen. Ik vind het verschrikkelijk dat er ... een probleem is.'

Mevrouw Harper klonk niet alsof ze het echt verschrikkelijk vond. Ik stak mijn hand uit. Ik was ervan overtuigd dat haar achteloze verhaspeling van mijn naam een tactische zet was. Mensen als zij waren er een meester in om anderen op het verkeerde been te zetten en dat zo te houden ook. 'Fówler. Zeke Fowler. Detective.' Haar handdruk was afstandelijk. Ik gaf haar mijn slick aan.

Harper bestudeerde hem. 'De zaak-Charon?' zei ze met grote ogen. 'Die politieke ontvoering?'

Ik knikte.

Harper keek me nu wat meer op haar hoede aan. Ik had mijn korte periode van roem of roemruchtheid meegemaakt in dat oneindige drama van de grote misdaad, en zij was precies het type dat daar ontzag voor had. Het was maandenlang vrijwel elke dag voorpaginanieuws geweest: de ontvoering van een tienermeisjes-tweeling, dochters van een minister, die ontvoerd waren uit de nachtclub Charon. Ik had ze uiteindelijk opgespoord, gehersenspoeld en wel in de hoofdgemeenschap van de Oorsprong-sekte ergens in PReG-land onder de persoonlijke 'supervisie' van de sekteleider, Zijne Stralendheid, de Doorluchtige Trinity Jones in eigen persoon. Daarna kwamen er allerlei banden aan het licht tussen de sekte en een aantal ondernemingen, waarvan sommige geld schonken aan of op andere manieren nauwe contacten onderhielden met de oppositie. Het schandaal breidde zich steeds verder uit, tot zelfs ik als leider van Taakgroep Wederkomst alle touwtjes niet keurig meer in handen had in mijn hoofd. Eén dochter hadden we gered, die nog steeds werd gedeprogrammeerd. Haar ouders zorgden intussen voor het kind dat ze mee terug had genomen. De andere dochter was nog steeds verloren. Haar vader slaagde er niet in haar terug te halen uit de wildernis van PReG-land.

'U weet waarom ik hier ben,' begon ik.

Harper gaf geen reactie. Ze was niet van plan mijn werk voor mij te doen.

Daarop volgde een kwartier schermutselingen over Peri. Harper bevestigde dat Peri geen vleugels had gehad toen ze voor de Chesshyre-Katons begon te werken. Ze wenste zich niet aan speculaties te wagen over de vraag hoe of waarom ze ze had gekregen, alleen merkte ze op dat het lastig was om een goede hulp te vinden, en dat ik er geen idee van had hoe groot de vraag was naar 'het juiste type meisje'.

Maar wáárom was Peri 'het juiste type meisje'?

Ik bladerde door de catalogus van de Engeltjes die ik van Peter had gekregen. 'Ik lees op die lijst van u dat Peri vrijwel geen ervaring had. Bovendien komt ze uit PReG-land. Waarom geeft u haar dan aan een stel van uw beste klanten, die haar vervolgens zo goed betalen dat ze er een paar splinternieuwe vleugels aan overhoudt?'

Mevrouw Harper zat op haar stoel te schuiven. Eindelijk bezorgde ik háár een ongemakkelijk gevoel.

'Kent u verder nog iemand die op die manier aan vleugels is gekomen?'

'Als dat soort afspraken al bestaat, heb ik daar part noch deel aan, meneer Fowler,' zei Harper. 'Joost mag weten hoe ze aan die vleugels is gekomen.' Ze wierp me een sluwe blik toe.

'Dus dan neem je iemand in dienst uit Nergenshuizen, zonder familie en zonder connecties. Ik zie dat u nog een paar meisjes uit PReG-land hebt. Waarom? Zijn er in de Stad niet genoeg arme meisjes?'

'Zat,' zei Harper. 'Maar meisjes uit PReG-land hebben ook zo hun nut.'

'Wat bedoelt u?'

Harper zuchtte. 'Ze komen uit PReG-land. Ze hebben een tijdelijke werkvergunning, die hun werkgevers moeten blijven verlengen. Of liever gezegd: dat doen wij voor hen.'

'Dus er is makkelijk van ze af te komen.'

'Het is eerder een kwestie van dat er voortdurend een prikkel is om hun best te doen die verdergaat dan alleen een kwestie van geld.'

'Maar waarom Peri? Waarom de Chesshyres? Daar moet toch een reden voor zijn?' Ik keek haar strak aan. Een minuut verstreek. *Ik hou het langer vol dan jij, mevrouwtje.* Ik geneer me niet zo gauw. Nog een minuut. En daar kwam het. Ze begon te praten. Ze had besloten dat ze me in elk geval een brokje informatie moest toegooien om van me af te komen.

'Jawel,' zei Harper uiteindelijk. 'Er zijn nu eenmaal dingen die je niet met oefenen en onderwijs kunt verwerven. Ze was bereid iets voor hen te doen. Iets waarvoor zij bereid waren goed te betalen.'

'En wat was dat dan?' zei ik met opeengeklemde kaken.

'Ze was bereid min te zijn voor de baby.'

Ik knipperde met mijn ogen. 'Min?' zei ik. 'De borst geven, bedoelt u?'

'Ja,' zei Harper. 'Dat is inderdaad wat ik bedoel.'

'Hoe dan?' zei ik.

'Op de normale manier.'

'Ik bedoel, hoe ...'

'O, dat,' zei Harper, de vraag wegwuivend. 'Een kwestie van een paar injecties. Meer niet.'

'Aha. En weet u welke artsen bereid zijn die te geven?'

'Nee, geen idee. Vooropgesteld dat er al een arts bij betrokken was.'

'Natuurlijk,' zei ik. 'Ik wil beslist niet de indruk wekken dat u artsen zou kennen die onscrupuleus genoeg zijn om dit soort procedures los te laten op zo'n jong meisje zonder toestemming van haar ouders of voogd. En in dit geval is de voogd dus de overheid, in de persoon van de minister van Jeugd en Gezin.'

Het was me een groot genoegen om te zien dat de beheerste mevrouw Harper me aangaapte. Ze was zo verbijsterd dat ze net even te lang wachtte om het nog over de boeg te kunnen gooien van 'Ik snap absoluut niet waarover u het hebt'.

Ik had gezien dat er in Pandanus geen Almonds woonden en had aangenomen dat Peri een weeskind was dat onder verantwoordelijkheid van de staat viel. Uit Harpers gezichtsuitdrukking leidde ik af dat ik goed had geraden. Er waren geen ouders die konden opkomen voor het arme kind of er bezwaar tegen zouden maken dat ze als melkkoe werd gebruikt. Dat ontbreken van beschermers in Peri's leven had haar zo aantrekkelijk gemaakt voor Harper.

Harper trok wit weg en liep daarna rood aan, en ik zat intussen breed te grijnzen; dit was mijn eerste doorbraak in deze zaak.

Harper herstelde zich snel en stond op. 'Ik heb ongetwijfeld al meer dan genoeg van uw kostbare tijd in beslag genomen,' zei ze, en ze begeleidde me naar de deur. 'Hartelijk bedankt dat u de moeite hebt genomen om met me te komen praten. Ik wens u heel veel succes met het terugvinden van dat arme kind. Daar gaat het tenslotte allemaal om, nietwaar?'

Ik vroeg me af over welk arm kind ze het eigenlijk had.

Toen ik weer buiten stond, in de toenemende hitte onder de diepe zomerschaduw van de mango- en avocadobomen, keek ik op mijn horloge. De tijd vloog; het was inmiddels elf uur 's ochtends. In elk geval had mijn gesprek met Harper iets opgeleverd. Ik wist welke van mijn contacten ik moest gebruiken om door te kunnen gaan op het aanknopingspunt dat ze me had gegeven.

Ik belde Cam, maar haar telefoon was overgezet naar die van een collega. 'Het spijt me,' zei deze. 'Cam is vandaag niet bereikbaar. Ministeriële aangelegenheden. Rond lunchtijd checkt ze haar berichten.'

Ik bedankte de collega en stuurde Cam een bericht.

Terwijl ik bij het Daedalus-café op mijn beker meeneemkoffie stond te wachten, staarde ik naar de vliegers die lussen door de lucht maakten als zwaluwen. De lucht trilde van de vleugelslagen. Rond de zijmuur van het dakloze gebouw voor me verscheen een groep toeristen die in het midden van het betonnen ravijn bleef hangen, een zwerm reuzenvlinders die zich in roze en geel aftekende tegen de donkere gebouwen. Een windstoot ritselde door de bomen, en ik hoorde ze geschrokken lachen toen ze opzij werden geblazen.

Het was nogal schrikbarend om tussen zoveel grote vliegende schepsels te zitten. Uit mijn ooghoek zag ik soms ineens een reusachtige gedaante langszoeven, met een wervelwind van geluid, waarop mijn hart een sprong maakte en de adrenaline door mijn aderen joeg voordat ik erin slaagde om de vorm van een vlieger te herkennen. Wat was dat voor oeroude paniek die vliegers in me losmaakten?

Op weg naar mijn volgende gesprek drong het vreemde van Flierville nog meer tot me door. Het was allemaal veel overweldigender en angstaanjagender dan ik had gedacht. Waar ik ook keek, terwijl ik mijn nek verrekte tot het pijn deed, overal zag ik aanpassingen voor vliegers: landingsplatformen, open balkons en toegangsdeuren hoog tegen gebouwen aan. De torens waren allemaal voor de helft open, voorzien van enorme ramen en openslaande deuren die half openstonden, zodat de vliegers hun directiekamers konden binnenschieten. Hadden deze gebouwen eigenlijk wel liften? Degenen die hier hun kantoren hadden, vlogen immers rechtstreeks naar hun etage. Misschien was er hier of daar een enkele goederenlift, aangedreven door de zonnecollectoren die de beschilderde en glazen oppervlakken van deze gebouwen vormden. Alle torens waren voorzien van windgeneratoren; de landingsplekken voor de vliegers bevonden zich daar een eind vandaan. Ik nam aan dat het voor een vlieger dodelijk was om zelfs maar met de kleinste generator slaags te raken.

Mijn maag kneep samen bij de aanblik van groepjes vliegers die achteloos rondhingen aan de rand van platformen en balkons zonder balustrade, net als bij Chesshyre thuis, en gezellig onder het genot van een kopje koffie of thee stonden te kletsen, veertig, vijftig, zestig etages hoog.

Voor me uit rees een heel bijzondere toren omhoog, waarlangs groene ranken omlaagdropen. Hij zag eruit als een dakloze, vervallen ruïne die onregelmatig naar omlaag wegbrokkelde, met muren vol strepen kopergroen, felgekleurde aderen en vlekkerig goud. Ik dacht eigenlijk dat het nogal vulgair was om met behulp van metaalbacteriën een patina van echt goud op je tegels en dak te creëren, maar daar vergiste ik me in. Hier had je een stel architecten die wisten hoe je dat spul moest gebruiken. De diepe gloed van het groen en goud was even aangenaam voor de ogen als een shot zuivere koffie of chocola voor de tong. Dit was het Newater-gebouw, dat twee jaar daarvoor was neergezet door Kohn Chesshyre Li.

Er vloog een jonge vlieger voorbij op weg naar schoonheidssalon Wings of Desire op de begane grond van Newater. De ontmoeting met Avis had me moeten voorbereiden op de aanblik van deze vrijwel naakte en toch chique vrouw, slechts gekleed in een paar lapjes stof op strategische plaatsen, die halt hield voor de deur van de salon en een kam tevoorschijn haalde. Ze begon haar vleugels te verzorgen zoals ze even nieuwe lippenstift had kunnen opdoen. Toen ze zich ronddraaide om bij de lastig te bereiken veren te komen, zag je de spieren van haar armen en rug onder haar huid bewegen.

Alleen vliegers waren op deze manier gekleed, of liever gezegd: ontkleed. Al die glanzende huid waarmee ik omgeven was, had niets prikkelends, omdat elk spoortje schaamte of haar kompaan brutaliteit ontbrak. Ze wilden je niet uitdagen om naar hen te kijken; ze waren zo duidelijk als standbeelden. *In hun naakte majesteit leken zij de meesters van allen ...*

Meer chique jonge vliegers gingen naar binnen bij Wings of Desire, dat er tegelijkertijd klinisch en luxueus uitzag met zijn harde, bleke oppervlakken versierd met kleurige druppels en wolken. Klanten installeerden zich op ligstoelen en spreidden hun vleugels uit op beklede frames, zodat de schoonheidsspecialistes aan de slag konden. Een jonge vrouw met witte vleugels zat erbij alsof ze uit marmer was gehouwen, terwijl een menigte schoonheidsspecialistes met behulp van airbrushes, potten plaksel en poeder elke veer voorzag van een randje glitter. Het hele proces zou uren in beslag nemen, en het resultaat zou spectaculair zijn. Misschien was het een bruid. Er kwam een hulpje toegesneld dat de oogverblindende vlekken op muren en grond wegveegde.

Dus dit was de wereld waarin Peri Almond had willen worden opgenomen. Volgens Harper was ze min geworden in ruil voor vleugels. Zo had ze het trouwens niet precies gezegd, hield ik mezelf voor. Opgepast, Fowler, geen overhaaste conclusies trekken.

De vraag bleef maar in me rondzeuren: waarom had Peri de kleine Hugo meegenomen? Dat ze er met hem vandoor was gegaan, paste niet bij haar verlangen om deel uit te maken van deze wereld. Als ik haar motieven begreep, kon ik haar opsporen. Avis had maar doorgekwebbeld over Wilde vliegers. Was Peri Almond misschien een Wilde vlieger geworden van de behandelingen? Ik zocht 'Wilde vliegers' op, maar de zoekresultaten die ik even snel doorkeek, waren hoofdzakelijk een kwestie van horen zeggen, in de zin van: 'De zwager van mijn buurman is verdwenen nadat hij te veel Zefiryn had geslikt.' Er waren wat van veraf genomen vage foto's in de schemering; blijkbaar bevolkten die Wilden dezelfde schemerige uithoeken in de geest van vliegers als waar Bigfoot van oudsher bij gewone mensen zit verscholen. Ik dacht aan de beelden van de beveiligingscamera, Peri's bleke, angstige gezicht, de tedere manier waarop ze over Hugo's haar streelde. Ze zag er in elk geval niet Wild uit. Het was tijd om het volgende stukje van de puzzel te onderzoeken.

Het was behoorlijk riskant om al zo gauw achter de rug van mijn cliënten om te gaan opereren. Daar bleek maar weer eens uit hoe weinig ik hen vertrouwde.

Dr. Eliseev had zijn praktijk samen met zes andere artsen in het grootste gebouw van Flierville, een reusachtige naald van een toren. Over de hele zijkant van de toren gloeide in ijsblauwe letters: DIOMEDEA. Toen ik eenmaal bij Eliseev in de wachtkamer zat, zocht ik het op. Aha, daar had je het: de allergrootste farmaceutische onderneming van allemaal, waar het vernieuwendste onderzoek op het gebied van vliegen werd verricht. Natuurlijk werkte Eliseev binnen de omarming van zo'n bedrijf. Er vloog een lading artikelen over mijn slick, van technische tijdschriften waarin klinische trials werden beschreven tot nieuwsberichten voor het grote publiek over verbeteringen op het gebied van de behandelingen. Het recentste stuk ging over hoorzittingen die binnenkort zouden worden gehouden omdat de onderneming een medicijn dat Zefiryn heette wilde laten opnemen op de lijst medicijnen die vergoed werden. Ik had geen tijd om verder te lezen, voordat ik door Eliseev werd ontvangen.

Eliseev, die evenmin als Harper een vlieger was, was jonger dan ik had verwacht en zag er fit uit, met dik blond haar dat aan de randen grijs werd. Uiteraard wilde hij me niets vertellen over zijn patiënten, maar hij trok wit weg toen ik hem vertelde dat Peri en Hugo vermist werden. Hij moest erg zijn best doen om zijn zelfbeheersing niet te verliezen, en zei: 'Daar hebben ze me niets over verteld.'

'Nee,' zei ik. 'Ze houden het stil.' Ik hield mijn stem en blik in bedwang omdat ik hem niet wilde laten merken hoe vreemd ik zijn reactie vond. Ik had hem duidelijk diep geschokt met mijn mededeling. Waarom?

'Ik heb gehoord dat Peri de kleine Hugo de borst gaf,' zei ik. 'Weet u daar iets van?'

'Natuurlijk niet,' snauwde Eliseev. 'Geen arts met een greintje verantwoordelijkheidsgevoel zou zich voor zo'n procedure lenen bij zo'n jong meisje.'

'Ik neem aan dat u daarmee bedoelt dat u een arts met verantwoordelijkheidsgevoel bent?'

Eliseev verstrakte. Hij stond op, kennelijk met de bedoeling het gesprek af te kappen, maar daar werkte ik niet aan mee. In plaats daarvan ging ik achteruitzitten op mijn stoel, ik liet mijn blik rondgaan in zijn spreekkamer en voerde wat aantekeningen in op mijn slick. De zorgrimpels op Eliseevs voorhoofd werden dieper.

'Kunt u me iets vertellen over Peri's overstap naar de vliegwereld, in de tijd dat ze voor de Chesshyre-Katons werkte?'

Hij schudde zijn hoofd, nog steeds in afwachting van mijn vertrek.

'Kunt u me iets vertellen over vliegers die Wild worden, dokter Eliseev?'

De rimpels ontspanden zich een beetje. Hij zei: 'Ik ken iemand met wie u moet praten. Ik zal u de contactgegevens opgeven van vluchtspecialist dokter Ruokonen.' Dus dat was zijn manier om me uit zijn spreekkamer weg te krijgen: hij bood me een andere, betere arts aan. Een specialist.

Ik probeerde het nog één keer. 'Hebt u enig idee waarom Peri Hugo heeft meegenomen? Vertel me dan in vredesnaam op z'n minst of u denkt dat hij in gevaar is.'

Opnieuw keek Eliseev diep getroffen. Bijna fluisterend zei hij: 'Ik heb geen reden om aan te nemen dat Hugo in gevaar is, maar het heeft geen zin om daarover te speculeren.'

Voor Eliseevs doen was dit zo'n beetje een hele monoloog. Ik knarsetandde: hij wist verdomme iets, maar dat ging hij me duidelijk niet aan mijn neus hangen.

Hij stond bij de deur klaar om me eruit te bonjouren.

'Bedankt, dokter Eliseev. U hebt me geweldig geholpen.' Dat joeg hem duidelijk op stang, en dat was ook de bedoeling. Hij had me absoluut niet geholpen, maar zijn gedrag had me er nog meer dan dat van Harper van overtuigd dat de Chesshyre-Katons iets te verbergen hadden. Ik had de sterke aanvechting om hem toe te sissen dat hij een doodgewone marionet was van de rijken. Het zoveelste werktuig, net als Harper en ik, alleen een beetje hoger op de ladder.

Eliseev liep achter me aan zijn kamer uit. 'Mira ... Mira.' Hij knipte met zijn vingers naar een vrouw van middelbare leeftijd met een roze blouse aan, achter de receptie.

De vrouw keek geschrokken op. 'Dokter Eliseev?'

'De contactgegevens van dokter Ruokonen voor meneer Fowler, graag. En een dubbele rekening.' Voordat de vrouw, die volgens haar naamplaatje Mira Kahdr heette, antwoord kon geven, was Eliseev alweer in zijn kamer verdwenen. Mira hield haar hand op voor mijn slick. Ik nam aan dat Eliseev wraak nam door me een lang consult te berekenen. Jammer dan. Die rekening ging rechtstreeks door naar Chesshyre.

Mira hield haar lippen op elkaar geperst. Was die onbeschoftheid van Eliseev een normaal verschijnsel? Ik had aangenomen dat hij zijn irritatie over mij op haar botvierde. Soms was het handig om dat slag onder druk te zetten, vooral als ze gewend waren om met respect te worden behandeld.

'Fijne dag tot nu toe?' vroeg ik.

Mira keek op en rolde met haar ogen.

'Het wordt zeker weer een lange dag?' vroeg ik.

'Zoals altijd,' zuchtte Mira. 'Waarschijnlijk tot een uur of negen.'

'Dus dokter Eliseev maakt lange uren?'

'Ach, u weet hoe vliegers zijn. Drukbezette types. Alstublieft.' Mira glimlachte even toen ze me mijn slick teruggaf.

Ik staarde naar een kleine privéslick die naast Mira's werkscherm lag, waarop beelden voorbijkwamen van een meisje met lange vlechten. Elf, misschien twaalf jaar oud, in een bruin met gouden schooluniform dat er duur uitzag. Wat voor opofferingen getroostte Mira zich om haar daarheen te kunnen sturen? Ik maakte in gedachten een aantekening van de kleuren van het uniform en het motto op haar badge: PER ARDUA AD ASTRA. Jezus, zou er nog wel een school zijn die géén variatie op dat motto voerde?

'Is dat uw dochter?' vroeg ik. Mira knikte. 'Ja, het is zwaar om zulke lange uren te maken als je kinderen hebt.' Ik haalde mijn eigen slick tevoorschijn, boog voorover en liet haar een foto van Thomas zien. Ondanks zichzelf keek ze toch.

'Schattig,' zei Mira. 'Gaat u vanwege hem naar dokter Ruokonen?'

'Ja.' Zodra ik dat had gezegd, werd het nog waar ook. Ruokonen zou mijn expert worden over de wereld van de vliegers, en niet alleen voor deze zaak, maar ook in verband met mijn dilemma wat Thomas aanging. 'Is ze goed?'

'Jazeker,' zei Mira. 'De beste.'

Er was één ander persoon die ik nog moest opzoeken in het centrum van de Stad.

'Aha, daar ben je,' zei Henryk, op een toon alsof hij eindelijk die bombrief te pakken had gekregen die hij maar niet kon vinden. Ik liep achter hem aan zijn oude politiebureau in, een onder monumentenzorg vallend stenen geval met een van kantelen voorziene dakrand, dat aan de grens stond van die andere zakenwijk, voor niet-vliegers, rondom Central Lines. De ochtend die ik had doorgebracht in Flierville had mijn kijk op de dingen volledig veranderd, waardoor de rest van de Stad er ineens een stuk sjofeler uitzag. Normaal vielen de kampongs van in elkaar geflanste plastic lappen en kratten onder de pijlers van de lightrail me niet eens op, maar nu drongen ze zich aan me op alsof ik ze voor het eerst van mijn leven aanschouwde.

Terwijl ik de trap op liep het politiebureau in, met mijn blik nog steeds gericht op de kampong, zag ik een vrouw in mantelpak voor haar in keurig uniform gestoken dochter uit de krottenwijk in lopen en in de duistere diepten verdwijnen. Zonder een goede baan had je geen toegang tot deze kampong, die ook bekendstond onder de naam Central Lines. Dit waren de aristocraten onder de krottenwijkbewoners, de mensen met een fatsoenlijke baan en een permanente verblijfsvergunning.

Central Lines was de aangewezen plek voor een wegloper om in te verdwijnen, maar ineens drong tot me door dat ik me nog steeds niet echt een voorstelling maakte van Peri's situatie – de gedachte trof me met zo'n kracht dat ik even bleef stilstaan. Natuurlijk. Ik had de vleugels van Peri als een complicerende factor beschouwd in deze zaak, maar nu drong tot me door dat ze het grootste voordeel waren dat ik had. Peri kon inderdaad vliegen, maar er was één ding dat haar niet gegeven was: ze kon onmogelijk niet opvallen. Het zou haar al niet meevallen om in de Stad te verdwijnen, maar in de kampongs of in Ringstad kon ze al helemaal niet in de massa opgaan.

Henryk liep voor me uit de koele stenen gang in van het bureau. Hij zag er lang en strak uit in zijn begrafenispak, met donker haar dat keuriger geknipt was dan anders, en elke rimpel scherper afgetekend. Hij leek moe, en ouder dan de laatste keer dat ik hem had gezien, met een frons tussen zijn ogen die inmiddels permanent was geworden.

'Ik heb je sinds je laatste promotie niet meer gezien,' zei ik. 'Commissaris bij het Regionaal Commando. Indrukwekkend, hoor.'

'Schei uit,' zei Henryk. 'Dat betekent alleen maar dat ik nu van hogerhand achter mijn vodden word gezeten. Ik heb me nooit gerealiseerd wat een hoop geduvel Deakin me vroeger altijd heeft bespaard. Toen ik nog maar een nederige misdaadmanager was, vond ik hem altijd maar een zeikerd. Waar heb ik dit bezoek aan te danken?'

'Aha,' zei ik. 'En ondanks die doornenkroon zie je er toch puik uit. Hoe gaat ie?'

'Die doornenkroon van me is voorgeschreven. Standaarduitrusting en geheel volgens de voorschriften. Ik zie eruit als een begrafenisondernemer omdat ik de hele morgen al zit te wachten tot ik me moet melden op het kantoor van de minister voor een rituele castratie, samen met twee assistent-commissarissen en de ondersheriff. Ik werk bij de politie. Hoe erg kan ik dan helemaal zijn? Ik heb een goeie huurder nodig voor mijn beleggingspandje, en een lange vakantie.'

Dankzij de opmerking over de begrafenisondernemer moest ik ergens aan denken. 'Ik heb een goeie voor je,' zei ik. 'Miljoenen verlangen naar het eeuwige leven terwijl ze zich op een regenachtige zondag te pletter vervelen.'

Henryk glimlachte. 'Tja, dat bestaan van ons, hè? Het is zo vluchtig als herfstwolken. Een leven is niet meer dan een bliksemflits tegen de hemel. Het vliegt voorbij als een bergstroom van een steile helling.'

Het was een oud spelletje van ons, een macaber spel dat we vaak speelden toen we samen gewone agenten waren: zoveel gezegden over de dood zoeken als je maar kunt. De dood staat altijd klaar, vlak achter je linkerschouder. Ik denk dat we net als veel agenten en artsen hoopten dat we de nabijheid van de dood minder angstaanjagend zouden maken als we er maar met een soort vertrouwelijke grappigheid mee omgingen. Ik kan niet zeggen dat het bij mij nou zo goed werkte, maar Henryk had de zen-aanpak nogal hoog zitten, dus misschien had hij er wel wat aan.

'Inderdaad, mijn leven vliegt in elk geval voorbij als een bergstroom van een steile helling. Ik wil je om een gunst vragen, Henryk.'

'Uiteraard. Wanneer krijg ik anders ooit mijn ex-collega's te zien?'

Die stekelige opmerking negeerde ik, zoals gewoonlijk, en ik liep achter Henryk aan zijn kantoor binnen.

'Nu we het er toch over hebben: hoe gaat het met Wilson?'

'Die is dolgelukkig met zijn bestaan als zzp'er,' zei ik. Wilson was een IT'er die voor ons had gewerkt. 'Niet dat ik hem ooit zie. Niemand ziet hem. Ik spreek hem zelfs niet eens. Hij komt nooit van zijn kamer. Ik stuur hem bericht als ik hem nodig heb.'

'Die knaap is verdomme een *hikikomori*,' zei Henryk. Hij ging zitten. 'Je mag één wens doen. En je krijgt tien minuten. Gebruik ze goed.'

Hij haalde zijn slick tevoorschijn, bekeek een bericht, en stopte hem weer weg. Bijna meteen haalde hij hem weer tevoorschijn, waarna hij hem weer wegstopte.

'Dringend?'

'Elke seconde van de dag.'

Ik moest aan Sunil denken, die me op een vroege zondagochtend had gebeld: dag in dag uit, vierentwintig uur per dag, vriend. 'Ja hoor.' Ik deed alsof ik een spijker in een houten kruis hamerde.

Henryk lachte. Ik liep om naar achter zijn bureau en keek over zijn schouder naar zijn scherm. Onophoudelijk kwamen er berichten voor hem binnenrollen. 'Jezusmina,' zei ik. 'Wil je even kijken of er iets is over ene Peri Almond? Met name in samenhang met een kindermeisjesuitzendbureau dat de Engeltjes heet? Kun je al kruisverwijzen met JeGez?'

Henryk trok een scheef gezicht. 'Tuurlijk kan ik dat. Kijk nou, vliegt er een juut met vleugels langs het raam.'

'Ik neem aan dat dat nee betekent.'

Henryk moest haast glimlachen. 'Daar had ik je toch bijna te pakken. In theorie kunnen wij, als we toestemming hebben, toegang krijgen tot JeGez-dossiers, maar in de praktijk is het meestal niet de moeite waard.'

Al pratend was Henryk databases aan het doorzoeken waar ik geen toegang toe had. Ik gaf een korte schets van de zaak. Toen ik de opname beschreef van Peri die er met Hugo vandoor ging, tilde hij zijn fijnbesneden donkere gezicht op en kneep zijn ogen toe. 'Je weet toch wel waar je mee bezig bent, hoop ik, Zeke? Moet je die zaak niet aan ons overdragen?'

'Toe nou, Henryk. Natuurlijk ga ik dat kind niet in gevaar brengen. Nee, er is iets met die ouders. Ze wilden absoluut niet meewerken, in elk geval nog niet. Maar als ik morgen aan het eind van de dag nog geen stap verder ben gekomen, zal ik ervoor zorgen dat ze de politie in kennis stellen.'

Henryk had zijn volle aandacht weer bij de database en gromde alleen. 'Wat doet het uurtarief tegenwoordig nu zo'n beetje, maatje? Leuke secundaire arbeidsvoorwaarden? Nee maar – het meisje heeft geen aandelen. Is dat even een verrassing? Ze staat ook niet in het kiesregister. Is ze minderjarig?'

'Zeventien,' zei ik.

Henryk keek op. 'Er zijn trouwens toch maar heel weinig mensen in PReG-land die nog de moeite nemen om zich te laten registreren voor stemrecht. En dan vragen ze zich nog af waarom ze worden genegeerd en zo'n rotleven hebben.' Hij keek nog eens naar het scherm. 'Hmm. Geen belastingen. Geen bankgegevens, geen onroerend goed, geen vis-, jacht- of wapenvergunning, geen rijbewijs. Die meid speelt zich niet bepaald in de kijkerd. Wacht even. Krijg nou de tering.'

'Wat?'

'Ze heeft niet zomaar een werkvergunning, ze heeft een permanente verblijfsvergunning!' Hij keek me strak aan.

'Nee,' zei ik, 'dat is godsonmogelijk. Laat eens zien.' Peri's verblijfssituatie was al even verbijsterend als haar vleugels.

'Niemand krijgt ooit een permanente verblijfsvergunning,' zei Henryk.

'Verder nog iets?' vroeg ik.

Henryk schudde zijn hoofd. 'Als je die vergunning in aanmerking neemt, moet dat meisje iemand kennen die heel wat in de melk te brokkelen heeft, Zeke. Die mensen wilden niet meewerken, zei je. Dat ken ik. Vliegers zijn verdomde vervelend om mee te maken te hebben. Ik heb het geluk dat ik dat meestal niet zelf hoef te doen. Daar heb ik hoofdagent Durack voor.'

'Durack? Mick? Dus die is ook gepromoveerd?'

'En niet zomaar een beetje, maatje. Die kan tegenwoordig vliegen.

O'Hanlon noemt hem de aartsengel Michaël.' Hij keek even op zijn slick. 'Ben jij daar, Durack?'

'Durack? Vleugels? Waarom?'

Henryk snoof even en stond op. 'Loop even met me mee.' Ik liep achter hem aan de gang op. 'Weet je dat dan nog niet? Ik dacht dat de privésector altijd zo goed op de hoogte was. Het is een kwestie van de nieuwe ontwikkelingen in de misdaad bijhouden. Het komt steeds vaker voor dat vliegers niet-vliegers aanvallen. Ze beroven ze, of erger. Makkelijk zat. Ze sleuren een meisje mee omhoog, en het arme kind kan niets uitrichten, want ze wil wel graag heelhuids op de grond belanden. Af en toe grijpen ze zomaar een niet-vlieger en smijten hem ergens neer. Soms vinden we zo iemand terug, maar vaak is het dan al te laat.'

'Waarom zouden ze dat doen?'

Henryk trok zijn wenkbrauwen op. 'Ben je de eerste wet aangaande menselijk gedrag dan al vergeten? Waarom doen mensen überhaupt iets? Omdat ze het kúnnen. Volg je het nieuws dan niet?'

'Soms.'

'Nou ja, na die hele toestand rond de zaak-Charon zou ik het soms ook met alle liefde negeren. Je zou toch denken dat die idioten van de Oorsprong allang zichzelf in de hens hadden gestoken of een slok gif hadden genomen. Of iets in ons water hadden gegooid.'

'Dan begrijp je hun missie natuurlijk weer helemaal verkeerd,' zei ik, terwijl ik achter Henryk aan door de zaal liep. 'Ze willen gewoon meer kinderen krijgen dan wij en als enigen overeind blijven als de wereldwijde pest toeslaat waarvan ze zeker weten dat die gaat komen. En dan zullen zij overleven omdat ze de enigen zijn die trouw zijn gebleven aan Gods wil.'

'Dus dan moeten we ons echt zorgen maken om onze watervoorziening, voor het geval ze die van God gezonden plaag een handje gaan helpen.'

We kwamen de theekamer binnen, de plek die ik maar al te goed kende van de stuk of tien werkplekken die ik had gehad, met de onvermijdelijke handgeschreven dreigementen aan het adres van iedereen die zijn eigen kopje niet afwaste. Ach ja, de theekopjesfatwa. Die miste ik absoluut niet. Er hing een trainingskalender, een affiche voor een liefdadigheidsloop en een foto van een acteur die een lichte gelijkenis vertoonde met de commissaris en zich tegen een horde zombies verweerde. Eronder had iemand in blokletters geschreven: DE COMMISSARIS IN ONDERHANDELING MET DE POLITIEVAKBOND OVER EEN SALARISVERHOGING.

Een heel stel mannen en vrouwen, al of niet in uniform, onder wie menig bekend gezicht, liep rond en pakte iets te eten en te drinken. Was er nu al een wisseling van de wacht? Er zaten er een paar aan tafel. Ik knikte hen toe.

'Herinner je je Fowler nog, Durack?' Henryk maakte een kop thee voor zichzelf. Dat was waarschijnlijk zijn lunch.

'Wij zijn u niet waardig,' zei een rechercheur die van zijn stoel opsprong en begon te buigen. 'De beroemde Fowler, de grote wreker van Advent, vereert ons met zijn aanwezigheid. Ach nee, dat is waar ook: je hebt die grote kerel Jones met zijn piepkleine ballen niet echt te pakken gekregen.'

'Rustig maar, Lutz,' zei ik. 'Ik vind je best waardig, hoor.'

Een van de vrouwen lachte.

Trinity Jones scheen echt piepkleine ballen te hebben – ik had ze nooit gezien – of 'micro-orchidisme' zoals de artsen het noemden. Hij was de leider van de Oorsprong, en als zodanig de grote voorvechter van het niet-ingrijpen in Gods werk, maar hij leed aan klinefelter, een genetische aandoening waarbij een man een extra X-chromosoom heeft, waardoor hij als geslachtschromosomen XXY in plaats van XY had. Dat hij de Oorsprong met zoveel gezag kon leiden, was volgens zijn volgelingen te danken aan het feit dat hij zijn aandoening buitengewoon nederig en boetvaardig droeg. Ik vond het niet overtuigend. Door die klinefelter moest hij onvruchtbaar zijn, maar ik had zo'n vermoeden dat Trinity met zijn reusachtige baard en zijn gespierde, zij het enigszins gezette bouw, zichzelf forse doses testosteron toediende. Het beeld van Trinity die in de stromende regen op zijn knieën wordt gedwongen werd plotseling als door een bliksemflits voor mijn geestesoog verlicht.

'Aha,' zei Henryk, die naar iemand luisterde op zijn slick.

Mick schudde me de hand. Zijn vleugels hadden een groenzwarte glans, als hanenveren. De enige zwarte vlieger die ik ooit had gezien, en de eerste binnen het politiekorps. Dus juten konden wel degelijk vliegen.

'Hé, Fowler,' zei Mick. 'Hoe gaat ie?' Hij stond met een kop thee in zijn hand, en zijn glanzende vleugels vormden een kom van ruimte om hem heen, afgescheiden door zijn eigen schoonheid. De vleugels maakten een onwerkelijke indruk in die crèmekleurig geschilderde ruimte – iets goddelijks wat deze treurige plek deed oplichten, alsof je een openbaar toilet binnengaat en daar verrast wordt door een gebrandschilderd raam waardoor kleur naar binnen stroomt.

81

Henryk draaide zich om naar Mick, terwijl hij nog steeds luisterde naar iemand anders. 'Heb je weleens iets te maken gehad met een gezin vliegers dat Chesshyre heet?'

Mick schudde zijn hoofd.

'Vliegers,' gromde Lutz. 'Een stelletje bloedzuigende vampiers zijn het. Ik had kunnen weten dat je daarom hier bent, Fowler: voor een praatje met die flitsende nieuwe Roofvogel met zijn chique nieuwe vleugels. Die heeft in zijn eentje een hele theekamer nodig. Met een stokje om op te zitten en een belletje aan zijn poot. En een spiegel.'

'Schei nou uit,' zei Henryk, zonder op te kijken van zijn slick.

'Oké, baas,' zei Lutz.

'Het zijn verdomde lastpakken als ze ontsporen,' gromde een inspecteur, terwijl hij zijn theezakje in de gootsteen gooide. 'Dan hangen ze rond bij pensions en nachtverblijven en vallen arme donders lastig. En maar beweren dat ze de Stad vrij willen houden van schorem uit PReG-land.'

'Eerlijk is eerlijk,' zei een straatagent, 'het ís voor het grootste deel schorem.'

'Komt dat vaak voor?' vroeg ik.

Mick haalde zijn schouders op. 'Vaak genoeg.'

'Ze moesten ze kortwieken,' zei Lutz. 'Doodgewoon eraf knippen.'

'Dat komt er nog wel van. Ze zijn dat wetsvoorstel op ditzelfde moment aan het bespreken,' zei de inspecteur. Ik wist nog hoe hij heette: Thanit.

Mick trok zijn wenkbrauwen op. 'Amputatie lijkt me een tikje ruw, vind je niet, Lutz? Ik heb je nog niet horen zeggen dat ze dieven de handen zouden moeten afhakken.'

'Ach, vleugeltjes zijn toch anders, hè?' zei Lutz op een zeurderig toontje. 'Vleugels zijn iets extra's. Als je iemands hand afhakt, raakt ie gehandicapt. Ik heb geen vleugels, maar je wilt me toch niet vertellen dat ik gehandicapt ben? En al helemaal niet als je in aanmerking neemt dat ik als belastingbetaler die verdomde behandelingen van je bekostig.'

Mick keerde Lutz zijn rug toe, een gebaar dat hij verhulde door zijn kopje om te spoelen.

Ik moest denken aan het nieuwsitem dat ik kort daarvoor had gezien, over de campagne om Zefiryn op de lijst van vergoede medicijnen te krijgen. Ik snapte best dat het weleens kwaad bloed kon zetten om dat soort dingen te subsidiëren.

Ik keek even op mijn slick. Er was een bericht van Cam dat ze later die middag beschikbaar was voor een afspraak. Ik had de meeste kans om bij haar het volgende stukje van de puzzel te vinden. Toen ik keek of ik nog berichten had gekregen van Chesshyre, kwamen er twee berichten binnen van Lily. Nog meer gezeur over de behandelingen.

Henryk liep met me mee naar de ingang. 'Er was nog een reden waarom ik wilde dat je Mick zou zien. Vond je dat hij veranderd was?'

'Afgezien van het feit dat hij tegenwoordig de aartsengel Michaël is?'

'Zag hij er anders uit dan die vlieger die je gisteren hebt ontmoet – Chesshyre?'

'Nou ja, laat ik zeggen dat hij ... groter leek. Veel groter dan toen ik hem kende. Hoe komt ...'

'Dat heb je dan goed gezien. Dat is het Roofvogelprogramma,' zei Henryk. 'De politie moet het betalen dat sommigen van ons vleugels krijgen. Er moet tenslotte iemand zijn die boven de Stad kan patrouilleren. Wat moeten we anders met vliegers aan, als niemand van ons kan vliegen? Vandaar dat ze het Roofvogelprogramma hebben opgezet. Het leger heeft er ook eentje. Dat heeft de rekrutering ook bepaald geen kwaad gedaan, vooral vanuit PReG-land. Die arme donders beseffen alleen niet hoe weinig mensen er maar worden uitgekozen om aan de Roofvogeltraining mee te doen. Maar goed, anders hebben ze al helemaal geen kans om ooit te vliegen.'

'Aha.' Had Henryk geselecteerd willen worden voor het programma? Hij was te oud.

'Ik maak me zorgen om Mick,' zei hij. 'Het is niet alleen maar eenrichtingsverkeer.'

'Wat bedoel je?'

'Ik bedoel dat er nieuwe misdaden bij zijn gekomen en dat wij alles op alles zetten om daar zo min mogelijk ruchtbaarheid aan te geven – we willen niemand op een idee brengen –, maar er zijn hele wijken waar vliegers zich niet kunnen vertonen.' Hij zweeg even. 'Vorige week nog, in het zuiden. Daar hadden ze een net gespannen. Ze hebben hem opgejaagd, gevangen, al zijn veren uitgetrokken en hem in brand gestoken.'

Even stilte.

'Je hebt me geweldig geholpen,' zei ik. 'Bedankt.'

'Waar het mij om gaat is dat Mick betrouwbaar is. Geloof ik. Ik hoop dat ik hem kan vasthouden. Maar er zijn erbij ...'

'Hoezo?'

'Ze veranderen door dat Roofvogelprogramma. Daar is niks vreemds aan. Die types geven me een ongemakkelijk gevoel. En dat geldt niet alleen voor mij. Om te beginnen zijn ze niet bepaald honkvast. Menigeen laat zich inhuren als privékleerkast door vliegers, die hun drie-viermaal zoveel betalen als ze bij de politie verdienen. Daar krijg ik wel zo de tering over in – ze worden op kosten van de gemeenschap gemodificeerd en getraind, en vervolgens ... Maar je verandert er niks aan.'

Daar kromp ik even van ineen, terwijl hij doorpraatte.

'Roofvogelvliegers zijn een geliefd mikpunt van niet-vliegers, dus ze identificeren zich toch al eerder met vliegers. En afgezien van degenen die bij ons vertrekken omdat ze een andere baan hebben aangenomen, raken we er ook een hoop zomaar kwijt.'

'Hoe bedoel je?'

'We raken ze kwijt, Zeke. Ze verdwijnen.'

'Ze worden Wild, bedoel je?'

Henryk haalde zijn schouders op. 'Officieel niet, nee. Laten we het houden op die oude gerechtelijke frase "bij gebrek aan bewijs". Schuldig noch onschuldig. Hoe het ook zij, die verdwijningen zijn vooral een groot probleem bij Roofvogelvliegers van het leger en de politie. Daar verdwijnen er meer van dan van enig ander soort vliegers. De behandelingen zijn anders – heftiger. Als ik je zo over die zaak van je hoor, denk ik dat je voorzichtig moet zijn. Ik snap heel goed waarom Chesshyre jou in de arm heeft genomen, maar ik geef je op een briefje dat hij zich indekt. Hij heeft zich niet bij ons gemeld, dus hij heeft vast de een of andere ongebonden Roofvogelvlieger geregeld. Al je een duif wilt vangen, moet je een havik hebben. En die haviken zijn heel groot en heel gemeen. Kun je me een beetje volgen?'

Dat kon ik zeker. Die knaap met zijn zwarte vleugels over wie Taj het had gehad, was niet de eerste de beste lijfwacht; die was al op de zaak gezet voordat ik Chesshyre zelfs maar had ontmoet.

Buiten het politiebureau belde ik Chesshyre. Hugo was achtenveertig uur geleden verdwenen. Had hij al iets van Peri of iemand anders over Hugo gehoord? Niets, zei hij. Ik beloofde dat ik hem aan het eind van de dag tussentijds verslag zou uitbrengen.

'Dank je,' zei Chesshyre. Hij klonk uitgeput, en nog kleurlozer dan toen ik hem de dag ervoor had ontmoet. 'Wil je alsjeblieft proberen mijn zoon zo snel mogelijk te vinden?' zei hij.

'Jawel,' zei ik. 'Natuurlijk doe ik dat. Ik ga mijn uiterste best doen.'

Het regende toen ik op pad ging naar de lightrail en omhoogkeek naar vliegers die door de kloven van de wolkenkrabbers navigeerden. Ik legde mijn hoofd in mijn nek en met mijn blik op de wolken gericht en de regen die op mijn gezicht neertolde, schoot me te binnen hoe lang het geleden was dat ik naar de hemel had gestaard. Het was net alsof die in beslag was genomen door vliegers en voortaan van hen geworden was.

Er flitste even iets in mijn ogen. De zon kwam van achter een wolkenbank geschoven en zijn licht weerkaatste tegen een glazen klip die rechtstandig boven me opstees. De ijzig blauwe klip zat niet in de aarde verankerd, maar was tussen twee torens bevestigd. Regen gleed langs de wanden omlaag. Vliegers klapwiekten omhoog naar een hoge, boogvormige ingang, en door de doorzichtige wanden waren hun gedaanten zichtbaar als vertekende wervelingen kleur, als de kronkel in de kern van ouderwetse knikkers. Langs één flank van de klip gleed een koord mist omlaag, dat zich al dalend in allerlei patronen vlocht. De patronen veranderden voortdurend.

Misschien vonden juist vliegers het fijn om de bewegingen van de lucht zichtbaar gemaakt te zien.

Ineens wist ik wat ik precies zag: dit was de vliegerskerk die Sunil me wilde laten natrekken. Of in elk geval wilde hij dat ik iemand bespioneerde die er deel van uitmaakte. Het was de kerk die Chesshyre had ontworpen, de Serafijnenkerk.

Gefascineerd boog ik mijn hoofd. Iemand had de toren naast de kerk op straatniveau beklad. In druipende gouden letters van wel drie meter hoog stond er: ALS GOD HAD GEWILD DAT JE KON VLIEGEN, HAD HIJ JE WEL RIJK GEMAAKT. Het was geen wonder dat de kerk was aangevallen. Toen hij was gebouwd, had de hele Stad er schande van gesproken dat er geen ingang was voor niet-vliegers, iets wat bij de wet verboden was. En toch waren die verwaande klootzakken gewoon doorgegaan; niemand had ze tegengehouden, en daar stond hij nu ontoegankelijk te zijn. Sunil had me verteld dat de Serafijnenkerk een sekte was die geloofde dat vliegers de volgende, verhevener fase waren in de menselijke ontwikkeling. Vliegers waren uitverkoren, begenadigd, wezens die verheven waren boven de smerigheid van de aarde. Zij waren de toekomst.

Ik keerde de kerk mijn rug toe. Ik kon vliegers er niet de schuld van geven dat ik mezelf niet de tijd gunde om te genieten van de zonsopgang of de volle maan, de zonsondergang, de wolken of de sterren. Dat lag aan de middelbare leeftijd, drukke bezigheden, verdoving. Thomas had ervoor gezorgd dat ik naar de sterren keek. Op een keer, toen hij nog heel klein was, liep ik laat op de avond met hem in mijn armen over straat naar onze flat, toen hij omhoogkeek en uitgelaten begon te roepen: 'Bellen, papa! Bellen!' En inderdaad, daar stroomden ze boven ons hoofd in een brede rivier van zilveren schuim dat glinsterde in de wind.

Lastpak

Janeane ging op haar knieën zitten en tapete een van Peri's buitenste slagpennen in. 'Niet gebroken, alleen verbogen.'

'Nog een geluk dat het een schampschot was dan,' zei Peri, die voorovergebogen stond, met haar vleugel uitgespreid over de oude bank op de veranda.

'Nog een geluk dat ik niet probeerde raak te schieten, zul je bedoelen,' zei Janeane, terwijl ze overeind kwam en de knieën van haar donkergroene broek afklopte. Aan de voet van de trap stond haar rode schaapshond naar haar te kijken. 'Ik wilde je alleen maar wegjagen.'

'Ja, en dat deed je geweldig. Zag je dan niet dat ik een baby bij me had?'

Janeane fronste haar voorhoofd. 'Mijn ogen zijn uiteraard niet meer wat ze geweest zijn. Ik schrok me een ongeluk toen je zomaar uit de lucht kwam vallen. Ik dacht verdomme dat ik zo meteen nog een lijk te verbergen zou hebben.'

'Het was veiliger om me te laten vallen,' zei Peri. 'Ik moest zorgen dat je me snel herkende.'

'Ja, en welbeschouwd heb ik je een plezier gedaan door je weg te jagen voordat mijn buren je echt uit de lucht zouden schieten. Die hebben het niet op pottenkijkers, en de meesten zijn stukken minder vriendelijk dan ik. Het is hier niet veilig voor je, Peri. Je kunt hier echt niet blijven.'

'Dat weet ik. Maar als je van me af wilt, zul je me moeten helpen.'

Janeane keek naar Peri's uitgestrekte vleugel en naar Hugo, alsof ze die voor het eerst zag. 'Wat een mager scharminkel. Moet je jezelf nou eens zien. Hoe heb je dit allemaal voor elkaar gekregen?' Ze schudde haar hoofd. 'Hoe is het je in vredesnaam gelukt om de Stad in te komen? Ik heb Cody een paar jaar terug eens horen mopperen dat je niet meer voor hem werkte, dat je naar de Stad was vertrokken en niet had kunnen of willen uitleggen waarom. Goed zo, meid, dacht ik nog. Daar hoor je thuis.'

'Mama'lena,' zei Peri.

'Ken ik niet,' zei Janeane. 'Ik heb weleens van haar gehoord. Cody heeft ... had weleens iets met haar te maken. Ze was vertrokken, zei hij. Maar waarom ... Hoe heeft ze je geholpen om de Stad in te komen?'

Peri deed haar ogen dicht. Dus Mama'lena was vertrokken. Had ze genoeg gekregen van Venetia en gebruikgemaakt van haar contacten om haar ergens anders heen te loodsen? Misschien was ze hun lang genoeg van dienst geweest. 'Het is een lang verhaal, tante Jan. En ik kan hoe dan ook niet terug naar de Stad. Ik moet naar ergens ver weg, waar niemand me kent. Een andere stad. Je hebt gelijk, PReG-land komt niet in aanmerking.' Haar ogen schoten open. 'Dus nu moet jij me helpen om op de plek te komen waar Ash woont.'

Janeane snoof. 'Ver weg? Ash woont helemaal niet gewoon ver weg, Peri. Die woont verdomme voorbij de bekende wereld. Dus dat betekent dat je ofwel echt gek bent, ofwel ...'

Ofwel dat je diep in de problemen zit.

Een diepe zucht. 'Ik kan je wel helpen, maar dan moet je me niet vertellen waar dit allemaal over gaat.' Janeane pakte haar geweer en liep het trapje af, naar de hond, die van uitgelatenheid om haar nadering achter zijn eigen staart aan rende. Ze floot en hij stapte achter haar aan.

'Zijn die eetbaar?' Peri pakte een banaan uit de grote groengele handvormige mand die naast de deur stond.

Janeane knikte zonder om te kijken. 'Ik ben over een paar uur terug,' riep ze over haar schouder. 'Nergens heen gaan, en zorg dat niemand je ziet.'

Peri pelde de banaan en voerde Hugo kleine stukjes. Toen ze hem op de bank neerzette, trok hij zichzelf overeind met zijn handjes aan de rugleuning. Hij vond het leuk om zichzelf overeind te trekken en om aan Peri's hand rond te stappen, maar Peri was blij dat hij nog niet zelfstandig kon lopen.

'Buh-buh-buh-brrr,' zei Hugo, terwijl hij haar ernstig aankeek, met een licht wiebelend hoofdje. Het leventje van een baby leek dan misschien zorgeloos, maar het gaf wel handenvol werk. Er was zoveel te doen: geluiden die vervolmaakt moesten worden, spieren versterkt, handen die onder controle moesten worden gekregen.

Peri viste een Zefiryn-gel uit haar gordel, trok de strip eraf en slikte de gel weg met een hap banaan. Ze haalde haar aquakussen tevoorschijn, nam een slok en bood hem Hugo aan, die er gulzig water uit zoog. 'Hoog tijd voor een verschoning, mannetje.'

'Ba,' zei Hugo. 'Ba-ba-ba-ba.'

Janeane en de hond liepen de heuvel op die achter de boerderij verrees. De Zefiryn begon al te werken, en Peri's ogen kregen de scherpte van arendsogen, een ervaring die haar lichaam doortrok met een gevoel van warmte en plezier. Janeane en de hond verdwenen in de zee van bananenbomen die vanaf de heuveltop omlaagstroomde. Peri had alle haren in de vacht van de hond kunnen tellen, elke glanzende vlaggenflard die aan de bomen klapperde, elke gele komma aan elke hand met vruchten. De bananen. De handel. De reden waarom ik niet bij Janeane kon blijven, en de reden waarom zij nooit weg kan. Janeane leidt al jaren een bestaan buiten de wet; zij kan me leren hoe dat moet.

Met Hugo op haar heup liep Peri de treden af naar het harde gras waarop ze een uur tevoren was geland, en ze zette Hugo op de grond in de schaduw van de bomen. Al over het gras rondkruipend hield hij even halt om een geel bloemetje uit te trekken. Peri liep achter hem aan, ving hem in haar armen, en kuste zijn kruintje; hij rook rijk en droog, als een zoet boterkoekje. Ze zette hem weer neer zodat hij verder kon met zijn verkenningstocht. Hij kirde van plezier. Hij hield van het gras, van het licht dat door de sprieten viel en schaduwen op zijn handen maakte.

'Fis?' zei Hugo met een frons. 'Fis?' Hij klopte op het gras. 'Fis!'

Dus die mis je! Frisk. Valt het je dan niet op dat je ouders er niet zijn? Waarschijnlijk niet. Peter speelde af en toe weleens met je, als ik erbij was. Maar ze hadden het allebei meestal te druk om op je te letten. Te druk om met je te spelen. Zelfs om je vast te houden.

Peri keek omhoog naar de bomen met de kleine blaadjes die het zonlicht zeefden. Appelbomen, zonder bloemen, en nog geen vruchten te zien, in volle nazomerse bladertooi. In het voorjaar vlagen witgevlekte roze bloesems. En 's avonds witte bloemenkoepels die opgloeiden in het wegtrekkende licht. 'We redden ons met water uit de tank, Hugo. Daar verderop wasten we ons.' Ze wees naar een lange tak die uitstak in de richting van het huis. 'Daar hing Janeane een oude jutezak op bij wijze van douche.' Ze had nog nooit zo'n heerlijk gevoel gehad als wanneer het warme water over haar lichaam omlaagstroomde en de wind langs haar heen blies onder het douchen. Dat en de ijskoude beek die poeltjes vormde tussen de stenen, met water als bruine gelei waar golfjes en insecten de doorzichtige huid ervan deden rimpelen. Ze dompelde vaak haar gezicht onder water en liet dan haar mond en ogen vollopen met die gelei. Daarna rook haar huid naar regen.

'We kunnen een wandeling gaan maken, Hugo. Om te zien of Janeane nog koeien overheeft. En dat arme oude paard Nutmeg is vast al dood. Dat verzorgde ik altijd.'

Maar Janeane had gezegd dat ze nergens heen moest gaan en Peri was uitgeput. Toen ze naast Hugo op het gras knielde, vielen haar ogen toe. Ze pakte hem op en nam hem mee naar het koele, donkere huis. Dat was niet veranderd, alleen kleiner geworden. Er hingen meer spinnenwebben tussen de planken waaruit de muren bestonden. En daar had je de alkoof waar zij had geslapen, nog steeds met alleen een gordijn bij wijze van deur. Ze schoof de lap opzij en ging naar binnen. Haar oude bed stond er nog steeds, overdekt met papieren en oude rommel. Ze maakte het bed vrij en zeeg erop neer, al was het bed te klein om plaats te bieden aan haarzelf en haar reusachtige vleugels. De ene vleugel vouwde ze onder zich weg, de andere sloeg ze open en liet ze buiten het bed afhangen naar de grond, met Hugo weggestopt tegen haar zij daaronder.

Het was middag toen Peri ontwaakte. Het was warm geworden in huis, onder het zinken dak dat tikte van het uitzetten. Door de warmte kwam er een volle geur los, een aroma dat zo diep in haar hersens was getrokken dat ze ineens weer het kleine kind was dat in die kamer wakker werd en door het kleine raam het licht zag vallen door dwarrelend stof, en die heerlijke geur rook die omhoogkrinkelde van de vloer. Lijnzaadolie waarmee de vloerplanken doortrokken waren. Ze hoorde Janeane in de keuken bezig, en het geklik van de nagels van de hond die op en neer liep over de veranda.

Na al die jaren was Janeane nog precies dezelfde. Nog altijd even weinig nieuwsgierig, even weinig geneigd tot troost en nog net zo praktisch als vroeger. Peri was zomaar komen opdagen om hulp te vragen, en het was duidelijk dat ze in de problemen zat, maar Janeane wilde het niet weten. Hoe minder ze wist, hoe minder kans dat ze Peri zou verraden. Hoe minder ze betrokken zou kunnen raken bij wat Peri van plan was. En Janeane wist maar al te goed dat ze iets van plan was. Iedereen die Janeane kende, hield zich bezig met zaken waar je je maar beter niet mee kon bemoeien.

Peri dacht terug aan de tijd dat ze op de boerderij woonde, toen ze niet eens had beseft dat ze gelukkig was. In elk geval af en toe. Janeane had haar vaak mee het woud in genomen en haar van alles verteld over de vogels en de slangen die ze zagen, hoe je jezelf moest controleren op teken en hoe je die moest lostrekken. Als Peri weer eens een nachtmerrie had gehad, nam Janeane haar nooit in haar armen; ze kwam eenvoudigweg niet op het idee. Als Peri moest huilen, wachtte Janeane tot ze was uitgehuild. Terwijl Bronte altijd op Peri's angst en woede reageerde door nog nadrukkelijker ontdaan te raken dan Peri. Bronte verstikte Peri met haar eigen tragedies. Later, toen Peri eenmaal voor de kleine Hugo zorgde, begreep ze dat Janeane en Bronte geen flauw benul hadden hoe ze voor kleine kinderen moesten zorgen. Janeane praatte tegen Peri als tegen een volwassene, en legde uit hoe ze bananen kweekte, haar auto repareerde, en hoe je met paarden en koeien moest omgaan, en Peri deed erg haar best om haar te begrijpen en na te volgen.

Toen Peri vijf was, verzorgde ze het voer en het water voor de dieren op de boerderij. Aan het geluid dat de oude windmolen maakte, kon ze horen dat er iets niet goed functioneerde. 'Ik heb op de boerderij heel wat meer aan haar dan aan jou, maatje,' had Janeane weleens snuivend gezegd, en dan keek Bronte haar woedend aan, want dat was helemaal waar. Bronte ging liever de Stad in om daar een nachtje te blijven als ze weg kon komen, en als dat niet kon, bleef ze binnen zitten drinken.

'Wat ben je toch een treurig meisje,' had Janeane eens tegen Peri gezegd. 'Er kan geen lachje af. Ik weet het niet ... Is dat normaal?'

En toch was het de gelukkigste tijd van haar leven, daar bij de Uilen, ook al wist Peri dat ze er altijd alleen maar een bezoeker was. Toen Peri ouder werd, dacht ze vaak dat ze, toen ze als drie-, vierjarige net op de boerderij woonde, zich vast nog dingen herinnerd had van haar vader en moeder, maar die herinneringen waren nooit ververst door de aanwezigheid van haar ouders, door de verhalen die ze vertelden, of hun foto's, en dus waren ze langzamerhand vervaagd tot er niets meer van restte dan die ene nachtmerrie. Een werveling van grijze veren, het brandende dak. 'Niet bewegen, anders val je.' Die stem is haar enige herinnering. 'Waar zijn papa en mama, wat is er met ze gebeurd?' had ze gevraagd aan de vrouw in de auto, aan Janeane en zelfs aan Bronte. Ze zeiden dat ze het niet wisten.

Peri stond op en trok het gordijn opzij. Janeane keek op. Ze stond bij de keukentafel Peri's gordel te doorzoeken.

'Aha, fijn dat je die mee naar binnen hebt genomen,' zei Peri, en ze stak haar hand uit. Janeane was dus bezorgd genoeg om nieuwsgieriger te zijn naar Peri's zaken dan ze liet merken. Shit, ik ben ook veel te slordig, om mijn spullen zomaar buiten te laten liggen. Ik heb dat hele vluchtelingengedoe nog niet helemaal te pakken. Maar goed, er zit helemaal niks belastends in die gordel. Waarom zou dat ook?

'Ik heb niets verkeerds gedaan, Janeane.'

'Natuurlijk niet. Alleen ... Is de hele Stad dan niet groot genoeg voor je? Is PReG-land soms te klein? Jij moet weer zo nodig helemaal naar het andere einde van het land. Maar natuurlijk geloof ik je als je zegt dat er niks aan de hand is. Het gaat me ook niets aan. Behalve dan dat ik waarschijnlijk de halve politie van de oostkust over de vloer krijg voor een babbeltje.'

Peri zuchtte.

'Maar goed. Kopje thee?'

Op een kruk aan de keukentafel, waardoor ze haar vleugels op de grond kon laten hangen, liet Peri Hugo op haar knie paardjerijden, terwijl ze naar Janeane zat te kijken, die kokend water in emaillen bekers schonk.

Janeane bracht ze naar de tafel en zette ze neer, waarna ze zelf ging zitten en haar lange benen met gekruiste enkels voor zich uitstrekte. Ze keek naar Hugo. 'Ik zie de gelijkenis,' zei ze tegen de baby. 'Ik leerde je moeder kennen toen ze nog maar een paar jaar ouder was dan jij. Ik heb altijd wel gedacht dat ze een moederlijk type was – je had moeten zien hoe ze mijn beesten verwende – en toch moet ik toegeven dat ik hiervan opkijk.' Ze wierp Peri een fronsende blik toe. 'Hoe oud ben je nou helemaal? Oud genoeg om moeder te zijn, blijkbaar. Al zie je er zelf nog uit als een kind.'

Peri stond op het punt haar hoofd te schudden. Nee, je begrijpt het verkeerd, Hugo is niet ... Maar als ze dat zei, zou ze Janeane al te veel verklappen. Dat ze niet de moeder van Hugo was, was precies het soort informatie dat Janeane nu juist níét moest weten. Als Janeane te bang werd, zou ze Peri weleens van de boerderij kunnen verjagen voordat ze haar hulp had geboden. Of, wat nog erger was: Janeane zou zich gedwongen voelen om het aan iemand te vertellen, die haar Hugo dan zou afpakken.

'Ma,' zei Hugo. 'Ma. Ma-ma-ma-ma-ma.'

Peri kon het niet laten om te glimlachen en drukte hem even tegen zich aan.

Janeane glimlachte zonder een sprankje plezier; de verticale rimpels tussen haar ogen werden alleen maar dieper.

Peri nam kleine slokjes van haar thee, die ze buiten Hugo's bereik hield. Ze keek om zich heen in de keuken en herinnerde zich hoe de volwassenen, Janeane en Bronte, en later Brontes vriendje Shane, vroeger rond deze tafel zaten te praten en dat zij had liggen luisteren in haar bed in de alkoof, omdat het dunne gordijn hun woorden niet kon dempen. Shane was degene die alles had verpest; Bronte was met hem meegegaan naar zijn hut dichter bij zee, in Pandanus, en ze had erop gestaan Peri mee te nemen. Waarom? Dat had ze nooit begrepen. Ze betekende niets voor Bronte, behalve een blok aan het been.

Peri had op de boerderij willen blijven. Bij Shane moest ze op de met glas dichtgebouwde veranda slapen. 'Kom nou met ons mee, tante Janeane,' had ze gesmeekt.

'Ik ben je tante niet,' had Janeane met opeengeklemde kaken gezegd. 'Zeur me nou niet zo aan mijn kop.'

En die avond had Peri vanuit haar alkoof Janeane horen zeggen: 'Ik kan de boerderij niet in de steek laten, dat weet jij net zo goed als ik. Ik moet de zaak draaiende houden. Ik ben nu eenmaal farmaboer. Ik heb klanten met wie ik contracten heb voor de lange termijn. Ik kan niet ineens van gedachten veranderen en er zomaar vandoor gaan. Dan zou ik een stelletje behoorlijk pissige types achter me aan krijgen. Je weet toch wel wat farmaboeren doen, hè Shane? Ik neem toch aan dat Bronte je alles heeft verteld over onze plattelandsidylle in de heuvels en de industrie die deze hele regio draaiende houdt, al doen jullie stedelingen liever alsof jullie nergens van weten. Dus je weet hoe het in zijn werk gaat, hè? We kweken plagiaatmedicijnen en -vaccins in bananen door de genen in onze vruchten te enten. We kweken die middelen in bananen omdat die makkelijk wegeten, en er is een enorme markt voor, omdat het stukken goedkoper is dan het echte spul.'

Veel later, toen ze eenmaal bij Peter in huis woonde en ze besefte dat ze helemaal opnieuw aan haar ontwikkeling was begonnen, de ontwikkeling voor haar echte leven, het leven waarnaar ze had uitgezien en waarvoor ze plannen had gemaakt, drong het tot Peri door dat Janeane het pijnlijk had gevonden om farmaboer te worden, maar minder pijnlijk dan als ze het land had moeten opgeven. Er schoten haar weer dingen te binnen die Janeane tegen haar had gezegd als ze over de boerderij rondliepen, dingen die ze nu ineens begreep; Janeane had het land niet willen opgeven. De vervallen boerderijen overal om hen heen stuitten haar tegen de borst. Wat voor werk kon ze anders doen? Als ze niet ging *farmen*, zou ze net zo eindigen als Bronte.

Peri was dat afgeluisterde gesprek nooit meer vergeten, omdat vanaf dat moment de ellendigste tijd van haar leven was aangebroken.

'Je houdt niet van me,' had ze tegen Janeane gezegd. 'Je bent mijn tante niet.'

'Dat zei ik toch al?' had Janeane geantwoord.

Nu zat Peri naar Janeane te kijken terwijl ze haar thee dronk. Zou Janeane zich nog herinneren dat ze dat tegen haar had gezegd?

'Ga je weleens naar Venetia?'

'Schei uit, zeg,' zei Janeane. 'Dat gat.'

'Ik kan me nog heel goed herinneren wat jij eens hebt gezegd; je zei dat het een beetje op Venetië leek: vies water waar je straten zou verwachten.'

'Dat heb ik nooit gezegd. In elk geval ging je eindelijk naar school toen je hier weg was.'

'Ja.'

Janeane keek naar haar handen.

Peri zette haar beker neer. 'Ik was vreselijk blij,' zei ze, 'toen Bronte en Shane uit elkaar gingen. Daarom vond Bronte me waarschijnlijk ook een klein kreng. Ik verwachtte dat ze me mee terug hierheen zou nemen. Naar de boerderij. Het woud. Jou.'

Janeane knipperde even met haar ogen.

Venetia. Toen Shane Bronte uiteindelijk de deur uit gooide, had Peri gedacht dat Bronte en zij ergens bij het grote strand in Pandanus zouden gaan wonen. Het was de mooiste plek die ze ooit had gezien, met palmen op droge rotsige heuveltjes aan de noordkant, rotspoeltjes aan de zuidkant en de bocht van het zand omzoomd met gras. Iets verder landinwaarts, in de rij winkeltjes aan de overkant van de weg, was Café Naxos, de stamkroeg van surfers en vissers, omdat hij vroeg openging en laat sloot. Peri was dol op Naxos. Soms nam Janeane haar mee daarnaartoe voor een milkshake, als ze op bezoek was in Pandanus.

Maar Shane reed voorbij het grote strand en Café Naxos, de winkels en houten huisjes, met de schamele bezittingen van Bronte en Peri die in de achterbak van zijn bestelwagentje stonden te rammelen, toen hij een bocht nam en over een oneffen pad verder hotste. Een paar minuten later hield hij halt voor een poorthuis. Aan weerszijden van het vervallen bouwsel, met ramen die al tijden geleden kapot waren geslagen, strekte zich een hek uit. Peri trok haar neus op van de stank die af sloeg van de bergen afval die ze achter het hek zag liggen.

Ze passeerden een bord waarop stond: WOONWAGENKAMP VENETIA.

Op het met kogelgaten doorzeefde bord stond een vervaagde afbeelding van een man in een gestreepte trui die een rare, halvemaanvormige boot voort punterde. Shanes wagentje knarste over afval en vol afgrijzen staarde Peri naar een rijtje krotten dat over een greppel vol stilstaand groen water hing.

Shane sloeg langs een muur van vuilnis rechts af naar een modderig pad in de richting van de zee. Toen hij de bestelwagen stilzette en ze voor een kleine, metalen woonwagen uitstapten, rook Peri zowel zout water als afval; de stevige bries die vanaf de oceaan kwam aanwaaien verjoeg de ergste stank. Er klonk voortdurend gekrijs van zeemeeuwen die op de bergen vuilnis afvlogen. Ze keek verbijsterd om zich heen. Bronte moest zich hebben vergist, hier konden ze onmogelijk wonen; maar nee, Bronte maakte de deur van de caravan open en droeg haar spullen naar binnen.

Van achter een woonwagen stond een stel haveloze kinderen naar Peri te gluren, en met een schok herkende ze een oudere jongen van haar school: Ryan, een pestkop en een dief. Hij had vaak genoeg haar karige lunchpakket gestolen dat ze zelf bij elkaar had gescharreld van wat er maar in de keuken van Shanes hut te vinden was geweest. Peri had het gevoel dat haar adem in haar keel bleef steken. Ze gaapte angstig om de lucht voorbij de blokkade in haar keel te krijgen.

Tot nu toe was Peri bij elke verandering in haar leven slechter af geweest dan daarvoor, en dat ging ook nu weer op. Ze smeet haar tas in de woonwagen en stapte naar buiten. Ryan kwam onder aan het trapje staan, met een stel van de kleinere kinderen in zijn kielzog.

'Dus nou zit je hier?'

'Voor een paar nachten,' zei Peri, terwijl ze haar haar uit haar gezicht streek.

Ryans glimlach flitste korter over zijn gezicht dan de witte schichten die boven hun hoofd rondtolden en doken. 'Dat zeggen ze allemaal, ja.'

Toen Peri het trapje af kwam, stapte Ryan achteruit. Hij was mager en scheef. Zijn haar was zo droog als stro en zijn kleren waren smerig. Peri deed haar best om hem en de andere kinderen die nu om haar heen dromden niet te ruiken.

'Mijn bende,' zei Ryan. 'De Waterratten. We laten je de boel zien.'

Tegen het eind van de week jeukte Peri's hoofdhuid van de luis en wist ze dat Bronte niet van plan was naar de Uilen terug te keren. De Waterratten hadden haar het grootste deel van Venetia laten zien. Ze hadden laten zien waar de gemeenschappelijke waterkraan was en hadden uitgelegd dat ze om vijf uur 's ochtends met haar emmer in de rij moest gaan staan als ze vers water wilde hebben. Ze hadden haar laten zien waar de vrouwen en meisjes van het kamp zich ontlastten: aan de lijzijde van een duin aan de oever van de smerige lagune die op het strand uitsijpelde.

De Waterratten hadden haar laten zien waar ze zelf woonden: in roestige zeecontainers, tenten, oude auto's, kisten en hutten van gras en takken die overeind werden gehouden met planken die onder de meeuwenuitwerpselen zaten. Het was nauwelijks te geloven, maar het woonwagentje van Bronte was een van de betere plekken om te wonen in Venetia.

Het belangrijkste wat de Waterratten Peri bijbrachten was eten stelen. Ze hadden laten zien waar de bananen- en papajabomen stonden, waar elke wilde pompoen en elke passievruchtenrank groeide. De Waterratten stalen meestal niet rechtstreeks uit de hutten of de kookpotten. Als je betrapt werd, liep je grote kans op een aframmeling. 'Of ze sturen hun hond achter je aan,' had Ryan gewaarschuwd. Overal zwierven hongerige honden rond, dus Ryan had Peri geleerd om altijd een scherpe steen bij zich te hebben en hoe ze daarmee moest mikken. Peri werd een geoefend werpster; ze hoefde alleen maar haar hand op te tillen of de honden schoten bij haar uit de buurt.

Peri was groter dan de andere Waterratten, dus moest zij het stelen grotendeels voor haar rekening nemen. In de tweede week namen de jongens haar mee naar een hut die volkomen verschilde van alle andere in Venetia. Hij lag verborgen in zijn eigen kleine oerwoud van brood-, mango- en bananenbomen, omgeven door vuurrode bloemen van wilde gember. Hij was groter en steviger dan de andere, met op de eerste verdieping een balkon met uitzicht op zee. Het raam glom van het echte, onbeschadigde glas en de wanden glansden van de bleekblauwe golven en smaragdgroene palmen. Later begreep ze dat het glas zonder barsten in het raam van Mama'lena betekende dat ze belangrijk was in Venetia; ze genoot protectie.

'Ga dan,' moedigden de Waterratten Peri aan, terwijl ze achter hun hand stonden te snuiven en te giechelen. Peri haalde haar schouders op en stapte in de richting van de laagst hangende tros bananen. Net toen ze hem bijna had losgetrokken, daalde er een hand op haar schouder neer met de kracht van een zandzak. Ze werd met een ruk omgedraaid door een grote, woedende vrouw, en zag nog net de Waterratten over een duin van vuilnis verdwijnen.

De vrouw sleurde Peri mee haar hut in en gaf haar een harde klap op haar achterste. Peri hield haar blik omlaaggericht op de oranje-met-roze jurk die de vrouw aanhad.

De rode sjaal met glinsters die door het lange, zwarte haar van de vrouw geweven zat, fonkelde toen ze gilde: 'Jij bent een kleine lastpak, hè? Wist je dan niet dat je niet mag stelen?'

Peri stond met haar ogen te knipperen.

De vrouw klopte op het zware zilveren kruis rond haar hals. 'Nou? Wist je dat of niet?'

Peri knikte. Daar nam de vrouw genoegen mee, en ze pakte de bananen, zei dat Peri moest gaan zitten en gaf haar een kop thee en een boterham met jam.

Verbijsterd keek Peri de kamer rond. De muren waren overdekt met afbeeldingen die gemaakt waren van een heel scala aan bijeengeraapte prullen. Sommige moesten vast goden en engelen voorstellen, want die hadden vleugels – vleugels van roestig staaldraad bezet met scherven porselein. Over de hele achterwand liep een regenboog bezet met vlinders en nog meer engelen. Peri stond op om hem beter te bekijken. De kleuren waren afkomstig van stukjes van plastic bloemen en speelgoedjes, afgescheurde repen van melkpakken, kartonnen dozen en platgeslagen blikjes, flarden lint van poppenjurken, blauwe en roze scherven van schelpen en door de zee gladgeschuurde stukjes glas.

Zo had Peri Mama'lena leren kennen.

Mama'lena liet Peri haar haren kammen om van de luizen af te komen, terwijl Mama'lena haar een hoofdstuk uit de Bijbel voorlas. Peri kwam erachter dat dat de prijs was die ze moest betalen om eten te krijgen: je moest luisteren naar Bijbelteksten. Het was een prijs die Ryan en de andere Waterratten te hoog vonden, maar Peri kon het niet schelen. Ze ging elke dag op bezoek bij Mama'lena. Ze vond het fijn om zich te laten voorlezen. Ze vond het fijn dat een volwassene aandacht aan haar besteedde. Ze leerde zelfs Mama'lena's lievelingsverzen uit de Bijbel voor te dragen. 'Je bent een van de weinige kinderen hier die kunnen lezen,' had Mama'lena gezegd. 'Maar zingen kun je nog niet. Dat zal ik je bijbrengen.' En ze leerde Peri hymnen en liedjes uit haar dorp op een van de Eilanden. Peri verstond de taal niet, maar de liedjes vond ze prachtig. Wat ze het vaakst zongen, was Mama'lena's lievelingsliedje, *Isa lei*, tot Mama'lena de tranen in de ogen sprongen.

'Isa lei, de purperen schaduw valt. Dat gaat over mijn dorp,' zei Mama'lena dan.

Peri hield van de nevel die in de hut hing van de wierook en het houtvuur, en van de geur van rook en zeep die om Mama'lena heen hing, en ze hield van Mama'lena's warme, stevige armen om zich heen. Waar ze niet van hield was het oudere meisje, van een jaar of elf, twaalf, dus praktisch een volwassen vrouw, die ook vaak bij Mama'lena over de vloer kwam en Peri dingen toesiste als 'kleine trut, stomme trut'. Mama'lena sprak haar bestraffend toe als ze weer eens zag dat het oudere meisje Peri had geknepen of aan haar haren trok: 'Laat dat arme kind nou eens met rust, Neveah.' Maar Peri liet zich niet zo makkelijk losweken. Er was meer voor nodig dan Neveahs jaloezie om haar te verdrijven.

Toen ze een paar maanden in Venetia zaten, verbande Bronte Peri naar een uitbouwtje van canvas dat ze aan de zijkant van de woonwagen had opgezet. Meestal had Bronte 's avonds wel een kerel over de vloer, dus in zekere zin was Peri opgelucht dat ze aan hen kon ontkomen. De stof was echter maar dun, en toen het winter werd, was het tentje overdag bloedheet en 's nachts ijskoud. Op de avonden dat Mama'lena zich niet bezighield met Neveah, bleef Peri tot zo laat mogelijk bij haar.

'Die moeder van je is geen knip voor d'r neus waard,' zei Mama'lena soms.

'Ze is mijn moeder niet,' snauwde Peri dan.

'Wie is ze dan wel?' vroeg Mama'lena een beetje plagerig.

Daar had Peri geen antwoord op.

Peri schoof de lege beker weg. Ze zette Hugo op de grond, rekte haar armen en schouders, en schudde haar kastanjebruine vleugels uit, die glansden in de middagzon die steeds lager binnenviel door het keukenraam. Hugo staarde strak naar het zeegroen dat langs hun onderkant flitste. Was hij ook al onder de indruk van haar vleugels? Vroeg hij zich af waar de zijne waren? Iedereen die hij kende, had vleugels. Begon hij te zien dat hij anders was? Haar vleugels waren schitterend; ze was zelf schitterend. Ze was een totaal ander wezen geworden, dat met niemand in Pandanus te vergelijken was. Maar zou er in Pandanus iemand zijn die haar benijdde? Peri dacht aan de tijd dat ze bij Peter in huis was geweest, met telkens weer nieuwe verrassingen, zaken waar geen mens in Pandanus ooit van had gehoord, en ze besefte dat ze haar op z'n minst daarom zouden benijden. Ze had nu al meer gezien en meer gedaan dan mensen daar ooit hadden gedaan.

Stel je voor dat ik mijn vleugels op school zou laten zien, zoals ik vroeger altijd fantaseerde. Belachelijk. En gevaarlijk. Mama'lena zou de enige zijn die onder de indruk was, en die kan ik niet opzoeken. Ik weet niet eens waar ze is. Zou ze nieuwe meisjes hebben, meisjes die ze klaarstoomt om de kippenren te verlaten?

Hugo kroop op Janeane af. Die staarde naar hem alsof hij haar elk moment kon bijten.

'Hoe ben je eigenlijk op het idee gekomen?' vroeg Janeane met een knikje naar Peri's vleugels. 'Er zijn hier maar weinig mensen die zoiets zouden bedenken. Maar goed, je hebt hier ook eigenlijk nooit echt gepast.'

'Kijk hier, Hugo,' zei Peri, terwijl ze onder de tafel gluurde. Ze gaf hem een koekje. Hugo ging zitten en begon erop te sabbelen.

Peri kwam weer overeind. 'Het kwam door dat tv-programma *Vrije vogels*. Geldzak – is die er eigenlijk nog? – had de oom van Ryan een tv gegeven. En niet de eerste de beste, maar zo'n VapourView, waarmee je beelden op mist projecteert.'

Peri vroeg zich af of Janeane Geldzak wel kende. Als dat zo was, liet ze het in elk geval niet merken. Geldzak woonde indertijd niet in Venetia, maar kwam er vaak langs voor zaken. Wat voor zaken wist Ryan niet. Iedereen kende Geldzak en zijn grote, groene tank die over alles heen reed wat maar op zijn pad kwam: vuilnishopen, bananenbomen, en zelfs zo nu en dan een hutje. Iedereen had wel iets te melden over Geldzak, over misstappen die werden afgestraft, meestal met een plotselinge verdwijning, en diensten die werden beloond. In Peri's ogen had hij veel weg van de God van Mama'lena – hij wist wat er speelde in Venetia en deelde naar eigen inzicht straffen en beloningen uit.

Ryans oom had een televisie overgehouden aan onduidelijke gunsten die hij Geldzak had verleend, en tijdens de tweede televisieavond bij Ryans oom thuis had Peri een plaatsje toegewezen gekregen op de halfvermolmde veranda, vanwaar ze door het open raam over de hoofden van de menigte die voor de televisie zat het programma had gezien dat haar leven had veranderd.

Vrije vogels.

Peri kon zich nog precies het moment herinneren dat ze voor het eerst vliegers had gezien, echte levende mensen met vleugels. Dat was aan het begin van het programma, toen de gevleugelde gastheer en -vrouw Marlon McGuire en Cushla Brandt onder dramatische muziek op de locatie van die week landden.

Peri had roerloos zitten staren en nauwelijks durven ademhalen. *Niet bewegen.* Ze had weleens over vliegers gehoord, maar had er nog nooit eentje gezien en had ook nooit geprobeerd zich een mens met vleugels voor te stellen. En daar stond Cushla Brandt boven op een wolkenkrabber, met de wind die door haar haren streek en rondom torens met hun rasters van licht, en reclameborden die kil blauw en warm roze knipperden. *Ik ken dit. Dit heeft iets met mij te maken.* Peri probeerde zich iets te herinneren, maar ze kon zich moeilijk concentreren met Cushla Brandt en Marlon McGuire erbij, die overal heen konden vliegen waarheen ze maar wilden – *je hoeft niet te wachten, je valt heus niet*, mensen met dezelfde glorieuze macht als de engelen van Mama'lena, maar dan beter. Zij waren echt.

Peri probeerde zich te concentreren op wat Cushla Brandt zei. Aan het eind van de serie werd een gewoon persoon uitverkoren om net zo verheven te worden als zij. Eerst moest je in een hele reeks wedstrijden laten zien wat je in je mars had: abseilen, vrij klimmen, de ultramarathon, hanggliden, zonder kaart of kompas het veld in.

Met tollend hoofd zocht Peri zich voorzichtig een weg de veranda af. Haar wereld was volkomen op zijn kop gezet. Ze was zo duizelig van de hoop dat het leek of ze elk moment kon barsten. Ze hoorde eigenlijk al zingend en dansend over het modderige pad naar Mama'lena toe te lopen. En waarom ook niet? Huppelend begon ze te zingen: '*I once was lost but now am found, was blind but now I see.*' Nu kende ze zelf ook die vervoering die Mama'lena zei dat ze voelde. Voor het eerst van haar leven voelde Peri zich echt gelukkig.

Ze wist wat haar te doen stond. Ze was echt blind geweest en was nu ziende, net als degene uit het lied dat Mama'lena haar had geleerd. Ze had vastgezeten in de donkere put van Venetia. En nu hadden ze haar laten zien dat ze onder een hemel vol sterren leefde, die ooit de hare zou zijn. En er was nog iets wat ze begreep: haar nachtmerrie, de nachtmerrie die met haar mee was gereisd naar Venetia, probeerde haar iets duidelijk te maken. Ze had in de Stad gewoond. Natuurlijk. Ze was anders dan de mensen in Venetia, en zelfs anders dan de mensen in Pandanus. Ik hoor daar niet thuis, ik heb er nooit thuisgehoord. Peri moest denken aan de lange reis naar de Uilen. Ze waren vast helemaal uit de Stad gekomen. Die Stad waar ze aanspraak op kon maken; hoe eerder ze daar terug was, hoe eerder ze haar vleugels kon krijgen – en misschien kon ze zelfs haar ouders opsporen. Al was daar niet veel kans op, waar of niet? Ze waren vast omgekomen bij een ongeluk, of verdronken, of ze waren een andere tragische, schuldeloze dood gestorven. Ze hadden haar niet zo laten opgroeien als ze nog in leven waren geweest. *Niet bewegen. Anders val je. Blijf staan.* Maar ik beweeg wel. Ik blijf niet staan. Nu weet ik wat me te doen staat. Je kunt niet vallen als je vleugels hebt.

Mama'lena zei dat God haar leven vrijheid en betekenis zou geven. Peri wist dat Mama'lena zich vergiste. Vleugels, die zouden haar vrijheid geven. Je kunt niet vallen als je vleugels hebt. Peri had nu houvast voor elk moment dat ze wakker was. Al haar gedachten en handelingen werkten toe naar haar transformatie. En het mooiste was nog dat Mama'lena dat verlangen van haar goedkeurde. 'Ik zal je helpen. Vanaf het moment dat ik je leerde kennen, wist ik dat je een bijzonder mens was. Ik moet je dingen vertellen over mijn kerk. Daar hebben ze allemaal vleugels. Zij hebben een manier gevonden. Dé manier. De nieuwe manier.'

'Waarom heb jij dan geen vleugels, Mama'lena?'

'Hier? Die heb ik hier niet nodig, kind. Die zullen aan gene zijde op me liggen te wachten, als beloning.'

'Dus ik zag,' zei Peri tegen Janeane, 'wat er mogelijk was: dat echte mensen, en zelfs heel gewone mensen vleugels konden krijgen, als ze geluk hadden en heel erg hun best deden.' Ze lachte. 'En de paar jaar daarna deed ik er alles aan om mezelf klaar te stomen voor het vliegen. Hardlopen, springen, duiken. Ik was het snelste meisje van mijn klas, ik zat in alle atletiekploegen, deed aan alle teamsporten mee. Ik trainde zo intensief dat ik regelmatig een spier scheurde, en een keer zelfs een hamstring. Ik kneusde ribben. Hoe meer ik aan sport deed, hoe minder tijd ik doorbracht in Venetia. Ik heb zelfs een seizoen lang aan boogschieten gedaan toen dat werd aangeboden door een van die eindeloze reeks tijdelijke leerkrachten die we hadden. Om mijn reflexen aan te scherpen, snap je.'

Janeane legde haar handen in haar nek en rekte hem uit. 'Ik heb me nooit gerealiseerd dat televisie je leven zo kan veranderen.'

'Hah.' Het drong tot Peri door dat ze het fijn vond om met Janeane te praten. Met wie anders kon ze het over haar verleden hebben? Voor iedereen in de Stad, behalve Luisa, had ze geen verleden en was ze geboren op de dag dat ze voor het eerst de Stad betrad.

'Als jij vleugels wilt krijgen, zul je om te beginnen uit deze toestand moeten zien weg te komen,' zei Mama'lena vaak tegen Peri, en dan knikte Peri. 'Maar hoe krijg je dat voor elkaar? Dat is de grote vraag. Je hebt een plan nodig. Niet iedereen komt zomaar de Stad binnen. Ík heb een plan, ík kan je helpen.'

Janeane stond op. Ze draaide zich om en boog haar hoofd om door het raam te kunnen kijken naar de zon, die wegzonk achter de heuvel.

'Morgen gaan we plannen maken,' zei Janeane. 'Vanavond zoek ik wat spullen bij elkaar die je nodig zult hebben.'

Peri ontwaakte in de duisternis en luisterde. Heel even had ze geen idee waar ze was. Ze tuurde de duisternis in en spitste haar oren. Een stem. IJl, droog, zacht. Langzaam ging Peri overeind zitten om haar veren niet te laten ritselen. Ze tastte de ruimte langs haar zij af. Hugo lag weggestopt onder een laken te slapen, tussen haar en de muur, met zijn armpjes boven zijn hoofd uitgestoken in zo'n echte babyhouding van totale overgave en vredigheid.

Heel voorzichtig stond Peri op. Ze vouwde haar vleugels dicht tegen haar lichaam aan, de veren warm op haar huid en een onbekende zachtheid waar ze nog steeds van schrok. Ze moest zichzelf er nog altijd aan helpen herinneren dat ze deel van haar uitmaakten.

Op haar tenen sloop Peri naar het gordijn. De geur van het avondeten hing nog steeds in de keuken. Janeane zat aan de keukentafel zacht te praten. Er was niemand bij haar in de kamer. Er klonk geritsel toen ze iets voor zich uitspreidde op de tafel, iets waar ze op keek terwijl ze met iemand aan het praten was, wie het ook mocht zijn – een buurman, een klant duizend kilometer bij haar vandaan. De politie. Nee, niet de politie. Maar wie dan wel?

'Nee,' zei Janeane. 'Dat denk ik niet. Zo zit het niet. Nee, nee, gun me verdomme wat meer tijd, zeg. Ik zal mijn best doen, maar volgens mij snap je niet hoe het zit ...' Ze zweeg midden in haar zin en staarde recht naar de alkoof. 'Wacht even,' zei Janeane, en ze stond op, waarbij ze haar stoel schrapend naar achter schoof. Peri hield haar adem in. Janeane vouwde het voorwerp op dat voor haar op tafel had gelegen, ging naar buiten en schoof de hordeur zachtjes dicht. Peri hoorde dat ze weer begon te praten terwijl ze bij het huis vandaan liep.

Peri ging weer op het smalle bed liggen. Ze kon onmogelijk uitmaken met wie Janeane in gesprek was of waar het over ging, maar in elk geval wilde ze niet dat Peri het kon horen. Was ze van plan haar te verraden? Peri probeerde te bedenken wat ze nu moest doen. Ze had nog steeds Janeanes hulp nodig.

Een dik, groen plantaardig licht viel door het smalle raam naar binnen en kleurde de witte chenille beddensprei. Hugo lag snuffend en snurkend wakker te worden. Op haar zij liggend gaf Peri hem de borst. Het huis voelde leeg aan. Van hoger op de heuvel klonk het droge knappen en neerstorten van takken. Janeane was daarboven zeker iets aan het omhakken. Peri had niet zo lang moeten doorslapen.

'Goed,' zei Janeane een paar uur later, en ze vestigde haar blik op Peri. Ze hadden geluncht en Peri had afgewassen. Hugo lag op een deken op de grond te spelen met een collectie twijgjes, steentjes en andere dingen die Peri voor hem bij elkaar had gezocht. De pup van Janeane lag vlak buiten de hordeur te hijgen in de middaghitte en zijn zwoegende lijf liet de deur klepperen. 'We moeten praten. Ik heb vrijwel alle informatie die je nodig hebt. Ik heb zelfs een paar klanten en contacten gebeld dat ze naar je moeten uitkijken. Zodat ze niet op je gaan schieten.' Ze keek omlaag naar Hugo, die met een gedroogde peul zat te schudden, waardoor de zaadjes erbinnenin rammelden. Het klonk als een regenbuitje op een zinken dak.

Janeane wreef over haar wang. 'Volgens mij moet je dit niet doen.'

'Weet ik. Maar ik heb geen keus.'

'Lastige zaken leiden tot slechte wetten,' zei Janeane. 'En lastige keuzes tot slechte beslissingen.'

Peri haalde haar schouders op. 'Er zijn gewoon geen goede beslissingen die ik kan nemen, tante Jan. Alleen slechte en minder slechte. Je moet me helpen.'

'Dat probeer ik ook,' zei Janeane met een zucht van ergernis. 'Zie je dat dan niet? Ik probeer je te helpen. En die kleine knaap ook. Wat jij wilt doen is niet verstandig, niet veilig. Dat arme knulletje is gisteren bijna neergeschoten, en dan ben ik je verdomme nog goedgezind! Ik heb geen flauw idee hoeveel duizend kilometer uitgedroogde aarde er ligt tussen hier en de plek waar jij zoals je zegt heen wilt, maar ... hoe komt het in godsvredesnaam dat jij je Ash nog kunt herinneren?'

Peri snoof. 'Waarom niet? Hij was wél een van je belangrijkste klanten, en je had het er altijd over hoe exotisch hij was, dat hij zo'n eind weg woonde dat het bijna een ander land was, en dat ze daar niet eens bananen hadden omdat het er te droog was.'

Janeane gromde even, boog naar voren en zette haar ellebogen op tafel. Peri herkende het gebaar. Janeane was tot een besluit gekomen en ze zou zich er niet van af laten brengen. 'Je hebt me nog steeds niet verteld hoe Mama'lena je de Stad in heeft gekregen. En waarom.'

Peri keek Janeane strak aan. Janeane zou geen vinger meer uitsteken als Peri verder haar mond hield. Nou ja, het maakte nu ook niet meer uit. Waarom zou ze het haar niet vertellen?

'Mama'lena hamerde er altijd op dat ik geen verwend nest mocht worden als ik uit Venetia wilde ontsnappen naar de Stad. Ze knipte mijn haar af en gaf me een mes, en ze liet me zien hoe ik het moest gebruiken. Ze zei: "Je steekt iemand hier en dan trek je het mes zo omhoog, zie je wel? Ze mogen niet op de foute manier naar je kijken. Ryan en zijn oom hebben te horen gekregen dat ze een oogje op je moeten houden, maar je moet ook voor jezelf kunnen opkomen. Je kunt niet naar de Stad als je een verwend nest bent. Je bent niks waard als je net als die andere meiden met een baby zit opgescheept. Je mag zelfs geen tattoo nemen, begrepen? Je bent een knapperdje. Je bent wat waard. Dus laat jezelf nou niet verpesten. Mijn meisjes hebben een goede reputatie."'

'Haar meisjes?' riep Janeane uit. 'Wat verkocht ze dan eigenlijk precies?'

'Nee,' zei Peri. 'Zo zat het niet. We hebben het wel over Mama'lena, hè? Haar kerk is alles voor haar. Ze heeft er contacten. Allemaal vliegers, dus die hebben geld. Die hebben macht, dus ze kunnen werkvergunningen voor de Stad regelen, en dat soort dingen. En zij zocht meisjes voor ze, om voor hen te werken. Die mensen wilden geen types die er onbeschaafd uitzagen, en zeker geen types die getatoeëerd, zwanger of ziek waren of zo.'

Janeane keek even met een wat zachtere uitdrukking op haar gezicht naar Hugo.

O jee, besefte Peri, ze denkt dat ik ontslagen ben omdat ik een kind heb gekregen. En waarschijnlijk met iemand met wie ik me niet had moeten inlaten. Mooi. Dan gaat ze me zeker helpen.

Peri zweeg even. Wat voor werk moest ze tegen Janeane zeggen dat ze had gedaan? Ze kon niet het risico lopen te vertellen dat ze kindermeisje was geweest; dan zou Janeane misschien raden dat Hugo haar kind niet was.

'Ze kunnen namelijk geen goed personeel vinden, weet je. Het is het oude verhaal. Vliegers zijn allemaal te rijk en te verwend om iets voor elkaar te doen. De mensen van de kerk wisten dat iemand met wie Mama'lena kwam aanzetten goed zou zijn, weet je. Voorzichtig. Rechtschapen.' Toen ze dat zei, vroeg Peri zich af of dat werkelijk waar was. Ze wist alleen van zichzelf echt iets af. Neveah had nu niet echt de indruk gewekt dat ze een net mens was. 'En,' voegde ze eraan toe, 'allemaal zo vreselijk dankbaar dat ze in de Stad werden toegelaten – in tegenstelling tot sommige armoedzaaiers die zich daar al probeerden staande te houden – dat ze goedkope, hardwerkende arbeidskrachten waren die bleven hangen zolang hun tijdelijke werkvergunning maar werd vernieuwd.'

Janeane hield haar hoofd scheef. 'Wacht even.'

Peri wachtte rustig af en keek intussen hoe Hugo de peul met zijn lippen bevoelde. Hij gooide hem weg en keek verwachtingsvol naar haar.

'Nu even niet, Hugo.'

Zijn onderlip begon te trillen.

'Hè, toe nou.' Peri hees zichzelf overeind, raapte de peul op en gaf hem terug aan Hugo, die hem meteen weer weggooide.

Peri keek om zich heen op zoek naar iets om hem mee af te leiden. Ze deed een keukenkast open. Kopjes, glazen, borden. Ze ging op haar hurken zitten, deed een lager kastje open en haalde er een kleine pan uit. Ze vond een houten lepel. Wat was Janeane aan het doen? Geen idee wat er in haar omging. Ze zei wel dat ze Peri zou helpen, maar stel dat ze daarmee bedoelde dat ze haar zou aangeven? Misschien dacht ze wel dat dat de beste manier was om haar en Hugo te beschermen of om haar eigen huid te redden. Als dat zo was, moest ze Janeane wijsmaken dat ze nog wat langer wilde blijven en dan onverwacht wegglippen, zodat ze een voorsprong had.

Janeane kwam terug en schoof een stoel naast Peri naar achteren. Ze kromp even ineen toen Hugo opgewekt met de lepel op de pan begon te timmeren.

'Ba!' zei Hugo. 'Ba-ba-ba!'

'Goed,' zei Janeane met luide stem, 'het meeste wat je nodig hebt, heb ik hierop gezet.' Ze tikte op het scherm van de slick die ze vasthield en bladerde door kaarten, lijsten en nummers.

'Die kan ik niet meenemen,' riep Peri. 'Daar kunnen ze me mee opsporen.'

Janeane trok haar wenkbrauwen op. 'Dacht je niet dat ik er heus wel een paar achter de hand heb die niet te traceren zijn? In mijn branche? Waar zit je verstand?'

Dat zal vast wel. Maar hoe kan ik weten of deze speciale slick veilig is?

'Wat ik eigenlijk echt nodig heb, tante Jan,' zei Peri, 'is nog wat uitrusten. Vind je het goed dat ik nog een paar dagen blijf? Tot overmorgen, bijvoorbeeld – woensdag?'

Janeane trok een gezicht alsof ze hierover moest nadenken, maar ze knikte, een beetje te snel. 'Ja hoor,' zei ze. 'Ik moet toch nog wat zaken kortsluiten. Een paar mensen heb ik nog niet te pakken kunnen krijgen. Tegen die tijd moet het wel zo'n beetje rond zijn.'

Die nacht bleef Peri wakker nadat Janeane naar bed was gegaan. Rechtop in bed zat ze informatie van de slick over te schrijven op velletjes papier, die ze daarna in haar gordel stopte. Ze tekende de kaarten na, maar kwam tot haar verbazing tot de ontdekking dat ze alles automatisch opsloeg tot in de kleinste details. Ze staarde naar de getallen en adressen, maar die kon ze niet makkelijker in haar geheugen opslaan dan anders. Dus. Blijkbaar ontwikkelden zich nog steeds nieuwe ruimtelijke vaardigheden. Zouden er nog meer gaven de kop opsteken wanneer ze er niet op verdacht was?

Peri legde de slick en haar gordel op de grond en ging op haar zij liggen. De warmte van overdag hing nog steeds in het kamertje. De lange, gouden avond was zo warm geweest dat ze Hugo na het avondeten had meegenomen naar de beek om nog wat te poedelen.

Ze deed haar ogen dicht, en wegzeilend zag ze het glinsterende goudbruine water van de beek waar ze Hugo in liet drijven. Janeane was op het zand gaan zitten en zei niets, maar keek alleen omhoog naar het stralende blauw van de avondlucht, die nu langzaam verkleurde naar azuur. Er rolde een witte gedaante in het water heen en weer. Luisa. Nee, niet in deze plas. Alleen was het nu niet meer de beek, maar de smerige lagune bij Venetia. Daar hoor je al evenmin thuis, Luisa. De allerlaatste keer dat Peri in de buurt van de lagune was geweest, was op een middag toen ze veertien jaar was.

Op een doelloze zaterdagmiddag was ze naar het eind van het strand gedwaald, over de lawine van zwarte rotsen op de punt geklauterd, en langs oude bedden en uitgebrande auto's naar de oever van de lagune gelopen.

Er dreef iets vreemds in het midden van de bruine lagune. Peri ging op haar tenen staan om het beter te kunnen zien. Er dobberde iets fel-rood-en-groens in het smerige water.

Peri liep omzichtig naar de oever. Ze wilde dat het voorwerp zich zou ontwikkelen tot iets herkenbaars. Weggegooide kleren. Een felgroen hemd. Een rode plastic tas.

Maar dat gebeurde niet.

Peri had waarschijnlijk geschreeuwd, maar het enige wat ze zich kon herinneren was een lange tunnel die zich voor haar uit en achter haar uitstrekte, zodat ze ver van alles vandaan was en piepklein, omgeven door duisternis, behalve een rondje licht een heel eind voor haar uit, een kring in de witte kleur van de angst die haar toonde wat ze niet kon verdragen te aanschouwen.

Een klein meisje met een groen truitje en een rode jurk eronder, dat te ver weg en te diep in het smerige water dreef. Peri zag de lappenpop die ze nog in haar hand had. Het was een van de Waterratten, een klein, zwijgzaam meisje dat Carmel heette, en altijd een lappendeken van blauwe plekken op haar gezicht en armen had, nieuwe blauwe plekken die oudere, naar geel verkleurde plekken overlapten, en soms krabben en sneeën.

Niet lang na die dag was de stiefvader van Carmel gestorven. Een ongeluk. Hij had gillend op de deur staan hameren om eruit te komen, terwijl zijn hut tot de grond affikte.

Hoe wist ze dat? Ze had de vlammen niet gezien en de man niet horen schreeuwen. Maar Mama'lena wel. Ze had het rustig beschreven en treurig haar hoofd geschud om de zondaars die moesten branden, of dat nu in deze wereld of in de volgende was. Pas veel later besefte Peri dat de dood van Carmels stiefvader Ryans inwijding was geweest in de volwassenheid, op verzoek van Mama'lena, goedgekeurd door Ryans oom, en misschien wel in opdracht van Geldzak in hoogsteigen persoon, als een gunst voor Mama'lena. Hoe wist ze dat? Door de uitdrukking op het gezicht van Mama'lena, en door Ryan, die na de brand ineens zwieriger ging lopen.

Wacht niet langer. Ga weg. Toen ze Carmel had gevonden, wilde Peri niets liever dan meteen en voorgoed uit Pandanus vertrekken. 'Je moet wachten. Je bent nog te jong. Er is nog geen werk voor je in de Stad,' had Mama'lena gezegd. Ze regelde een baantje voor na school voor Peri, bij Cody's Kwekerij Ommekeer. 'We hebben een plan om de Stad in te komen,' had ze gezegd. 'Je komt er niet zomaar binnen. Je hebt geld nodig. Ze laten je niet toe als je niet wat geld hebt. En je moet een vergunning hebben. Zonder dat kom je de stadsgrens niet over. Ik zal een tijdelijke vergunning voor je regelen, maar je zult zelf aan een permanente verblijfsvergunning moeten zien te komen.'

Toen ze twee jaar bij Cody had gewerkt kreeg ze eindelijk Mama'lena's toestemming en – wat nog belangrijker was – haar hulp om de bus naar de Stad te nemen. Steeds opgetogener zat ze uur na uur in de bus, die traag voortschommelde naar de Stad. De Stad die zich om elke bocht glinsterend aan haar kon openbaren. Een hele tijd voordat ze iets anders kon ontwaren dan de onafzienbare troep van Ringstad en zijn illegale vertakkingen die waren uitgegraven in de ruwe grond, hield de bus halt. Ze bleven een halfuur staan. Drie kwartier. Eindelijk stapte er een gemeenteambtenaar in, die langzaam door het gangpad optrok om vergunningen te controleren. Met droge mond en bezwete handpalmen wachtte ze af. Zou die tijdelijke werkvergunning van Mama'lena goed genoeg zijn? Was hij eigenlijk wel echt? Zeker de helft van de passagiers werd de bus uit gezet door potige bewakers die achter de ambtenaar aan liepen. Verslagen sjokten ze Ringstad in. De ambtenaar stak haar hand naar Peri uit. Aarzelend gaf Peri haar de vergunning. De ambtenaar bestudeerde het geval langdurig. Daarna keek ze op Peri neer; ze glimlachte en gaf haar de vergunning terug. 'Welkom in de Stad.'

Terwijl de bus over de laatste brug naar de Stad zelf ratelde, draaide Peri haar hoofd naar links, op zoek naar de kerk. Mama'lena had gezegd dat ze de blauwe ster in de richting van de zee zou zien stralen. Uiteindelijk ving ze er een glimp van op. Met tussenpozen doemde hij glanzend blauw op in de smalle spleten tussen de donkere schermen die andere gebouwen vormden. Ze probeerde de kerk zo lang mogelijk in het oog te houden en verrekte haar nek. Toen de bus aankwam bij het busstation in het centrum van de Stad, wist Peri nog steeds zo ongeveer in welke richting de kerk zich bevond. Met tas en al ging ze op pad, en ze keek haar ogen uit. Die grote zwarte gedaanten tegen de hemel boven haar die van hot naar haar vlogen, dat waren vliegers.

Eindelijk, nadat ze jaren geen stap had kunnen zetten – *niet bewegen, anders val je* – kwam alles met een adembenemende snelheid in beweging. Ze had zich precies aan Mama'lena's aanwijzingen gehouden. Bij de kerk werd ze met open armen ontvangen; ze kreeg werk, en zelfs geschenken. Ze was iets bijzonders. Het was een droom. Het was voorbeschikt. Het was haar bestemming, het pad dat naar vleugels zou leiden. En die vleugels zouden haar naar de vrijheid dragen.

Morgen neem ik Hugo en alles wat ik weet mee, de kaarten in mijn hoofd, en ik vlieg voorbij alle kennis. Ik zal over de woestijn heen vliegen en niemand aan deze zijde zal me ooit weerzien.

Het ministerie

Op weg naar het ministerie van Jeugd en Gezin klonken de afscheids-
woorden van Henryk nog na in mijn oren: *Je hebt een havik nodig om
een duif te vangen.* Jezus – dat Roofvogelprogramma! Die zaak was al
heikel genoeg om me er ook nog eens zorgen over te moeten maken of
ik soms gevolgd werd door de Roofvogel die Taj was tegengekomen.
Maar ik moest toegeven dat er wel wat in zat om een onderzoeker in de
arm te nemen die Peri discreet zou opsporen, om vervolgens een Roofvogel achter haar aan te sturen om haar uiteindelijk in de kraag te vatten. Tegen een Roofvogel als Mick zou ze het geheid afleggen. Een
Roofvogel zou trouwens wel erg de aandacht trekken, zeker in dit deel
van de stad. Ik betwijfelde of ik hier werd gevolgd.

Dit uitstapje naar Jeugd en Gezin – beter bekend als JeGez – had ik
al veel te vaak gemaakt. Als beginnend agent was ik toegevoegd aan
een multidisciplinair reactieteam of MDRT, een samenwerkingsverband
met de JeGez en de Gezondheidsdiensten bij gevallen van huiselijk
geweld en kindermishandeling. Ik was nog heel jong, pas drieëntwin-
tig, toen ik bij het team kwam, en al was Cam maar twee jaar ouder
dan ik, ze had tot mijn ellende heel goed gezien hoe verloren en angstig
ik me voelde. Ze had me wegwijs gemaakt, laten zien hoe het er aan de
onderkant van de Stad aan toeging, in de hoop dat het team meer aan
me zou hebben als ik sneller volwassen werd.

En nu was ik er weer. Ik voelde het vertrouwde samenknijpen van
mijn maag bij de aanblik van het witte middelgrote gebouw met zijn
gladde vloeren die me aan een reusachtige dossierkast deden denken.
En dat was het ook: in elke kamer, op elk bureau, lagen stapels verhalen, duizenden en nog eens duizenden verhalen, die voor het grootste
deel slecht afliepen. Ik had in mijn vorige leven als agent veel te veel
met deze dienst te maken gehad. Dat was ook een reden geweest om
weg te gaan, al kon ik er nooit helemaal van loskomen.

Ik pakte mijn pasje en nam de lift naar boven. Het was heerlijk om
uit de hitte weg te komen. Toen de liftdeuren openschoven, stond Cam

al op me te wachten. Ze ging op haar tenen staan om me op de wang te kussen. In een politiebericht zou staan dat ze 'een Euraziatisch uiterlijk' had. Dat zou echter een misleidende omschrijving zijn geweest, aangezien haar ouders dik blond haar voor haar hadden uitgekozen, dat nogal merkwaardig afstak bij haar langgerekte zwarte ogen, haar bruine huid en haar brede roze mond. Dat soort beschrijvingen op basis van achterhaalde opvattingen over ras had weinig zin meer, nu ouders vrijelijk konden experimenteren met het uiterlijk van hun kinderen, maar de politie liep nu eenmaal altijd achter bij dit soort zaken. Cam had een gebloemde blouse aan op een zwarte broek, waarmee ze zoals gewoonlijk een dubbele boodschap overbracht: bovenop kleurig, maar met een sobere, geruststellend conformistische ondergrond.

Ik had nooit begrepen hoe Cam het voor elkaar kreeg. Ze had een gezin: een dochter, Dara, en een vrouw, Marianne. En toch werkte ze zich jaar in jaar uit te pletter bij de dienst. Het was veel zwaarder om als maatschappelijk werker bij de dienst te zitten dan om agent te zijn, en toch had ik daar na twintig jaar de buik van vol gehad.

Ik liep achter Cam aan door de gang en vervolgens door nog een veiligheidsdeur. 'Gelukkig werkt dat oude, vertrouwde opbergsysteem van je nog steeds uitstekend,' zei ik toen we een kantoor binnenstapten en zij de deur dichttrok. Haar bureau verdween onder de stapels mappen en papieren, de grond was bedekt met stapels dossiers van een meter hoog, en op de boekenplanken en een laag tafeltje lagen nog eens bergen mappen. Ik verplaatste de dossiers op de bezoekersstoel naar de grond en ging zitten.

Cam schudde haar hoofd. 'Als je eens wist hoe doodsbang ik van die dossiers word,' zei ze. 'Het zijn stuk voor stuk landmijnen. Er ligt daar ergens een dood kind, of meer – niet dat ze nu al dood zijn, maar ooit komt het zover, en dus durf ik hun dossiers niet weg te bergen. Elk moment kan een van die dossiers me onderuithalen. Elke dag kijk ik ernaar, en dan denk ik: welke wordt het? Wordt het dat kind dat nu al zes keer door de huisarts is aangemeld omdat hij te mager is of onder de blauwe plekken of de schurft zit? Of die pasgeboren baby die maar niet ophoudt met huilen omdat hij de verslaving van zijn moeder heeft meegekregen? Of het gezonde kind met die psychotische moeder die haar elk moment kan smoren, zoals ze dat bij de vorige twee heeft gedaan – waarvoor ze niet is veroordeeld – omdat ze er niet tegen kan dat dat kind de hele tijd achter haar aan hobbelt? Je weet het niet. Het is een loterij – wat zeg ik: het is je reinste Russische roulette. Met dit verschil dat ik niet degene ben die doodgaat. En elke dag dat ik eens om vijf uur weg wil in plaats van om zes uur, of om zes uur in plaats van zeven uur, denk ik: stel je nou voor dat het die ene melding wordt waar ik nog geen werk van heb gemaakt?'

Ik knikte.

'Maar goed,' zuchtte Cam, 'waarom ben je geïnteresseerd in dat meisje Almond? Ik heb haar dossier opgezocht, maar er is blijkbaar al een tijdje niets meer te melden geweest. Er zijn weleens wat berichten van haar pleegmoeder binnengekomen, maar die zijn zo'n twee jaar geleden gestopt.'

'Dat zal zijn geweest toen Peri naar de Stad kwam,' zei ik. 'Heeft de pleegmoeder de dienst daar niet van op de hoogte gesteld?'

'Nee,' zei Cam. Ze liet een scheef lachje zien. 'En je weet waarom. Die zat niet te springen om haar pleegvergoeding kwijt te raken.'

'Hmm. Hoe dan ook, Peri ziet kans de Stad in te komen – Joost mag weten hoe – en meldt zich bij een uitzendbureau voor kindermeisjes, en dan ook nog eens een heel exclusief bureau dat gespecialiseerd is in vliegergezinnen, en ze haalt een van de allerbeste gezinnen binnen die er maar te vinden zijn. Waarom? Blijkbaar omdat ze bereid was hun baby te zogen.'

Cam schudde haar hoofd.

'En het wordt nog mooier,' zei ik. 'Terwijl ze bij dat gezin werkt, ondergaat ze op een gegeven moment de benodigde behandelingen. En ze krijgt vleugels!'

'Dat is duur betaalde melk,' zei Cam.

'Zeg dat wel. Maar waar het echt om gaat, is dat Peri is verdwenen.'

'O.'

'Ze is ervandoor met de baby van het gezin en ik moet haar opsporen, Cam. Ik moet weten wat er in dat dossier staat, waar ze misschien heen gaat, bij wie ze zou kunnen aankloppen voor hulp.'

'Verdwenen,' zei Cam vlak. 'Met hun baby.' Ze nam haar hoofd even in haar handen. Zo'n dramatisch gebaar had ik haar nog nooit zien maken. 'Shit,' zei ze, en ze tilde haar hoofd weer op. 'Als je eens wist hoe het zat. Dat arme kind. Het is verschrikkelijk.'

Als ik eens wist hoe het zat. Dat wilde ik maar wat graag, al wist ik dat het geen zin had om Cam te vragen ermee voor de draad te komen. 'Nog een geluk dat de ouders naar mij zijn gestapt en niet naar de politie,' ging ik verder. 'Daarom moet je me helpen, Cam. Het is overduidelijk voor iedereen beter als ze de zaak niet aanhangig maken, maar gewoon hun kind terugkrijgen. Ook voor de dienst.'

'Er zit me een partijtje krantenkoppen in dit verhaal om u tegen te zeggen,' zei Cam. Ze boog naar voren met haar armen over haar buik geslagen, alsof ze al buikpijn kreeg bij de gedachte alleen.

'Ja, en niet voor niks,' zei ik. 'Ik zou die verhalen zelf ook verslinden. Alle moderne angsten zitten erin: vleugels, geen vleugels, geld, geen geld, de onderklasse, baby's, dat je tegenwoordig geen goed personeel meer kunt krijgen, dat die rijkaards maar klootzakken zijn – noem maar op.'

Cam zuchtte. 'En hoe je het ook wendt of keert, het is de schuld van de dienst. Maar haar dossiers zijn nu eenmaal vertrouwelijk.' Ze gebaarde naar een stapel aan de rechterkant van haar bureau. 'Ik mag je niet vertellen wat daarin staat. En dit gesprek mag ook niet hebben plaatsgevonden, dat weet je. Ik zal zelf discreet navraag doen bij de pleegmoeder, alsof het gewoon om een routinematig heronderzoek gaat.'

'Moet dat echt?' vroeg ik. 'Kun je niet een dag wachten? Ik heb liever dat ze onvoorbereid is als ik haar een bezoekje breng.'

'Ik heb het behoorlijk druk, Zeke. Het kan best een dag of twee duren voordat ik aan dat heronderzoek toekom. Een heronderzoek dat duidelijk een beetje te lang op zich heeft laten wachten.' En alsof ze ineens op een ander onderwerp overschakelde, vroeg Cam opgewekt: 'Zin in een kop thee?'

'Daar zit ik nou de hele tijd al op te wachten.'

Cam stond op en liep het kantoor uit, waarbij ze de deur dichttrok.

Ik begaf me naar de dossiers die Cam heel hulpvaardig had aangewezen. Ik moest dit deel van ons ritueel zorgvuldig afmeten. Ik had een paar minuten de tijd, meer niet. Ik had waarschijnlijk het meest aan de bovenste, meest recente documenten, dus die begon ik in te lezen in mijn slick. Er was geen tijd om kieskeurig te zijn; ik moest er eenvoudig zo veel mogelijk zien te krijgen.

Even later stond Cam alweer bij de deur met een blad met theespullen in haar handen. Ik schoof een stapel mappen opzij en Cam zette het dienblad neer. Terwijl ze melk door haar thee zat te roeren vroeg ze: 'Hoe is het met de kleine Tom?'

'Die is al niet zo klein meer. Maar het gaat goed.'

'Hoe vaak zie je hem?'

'Tja, daar hebben Lily en ik net weer nieuwe onderhandelingen over afgesloten. Nu is het om het weekend, een paar weken hier en daar tijdens de vakanties, en af en toe een doordeweekse avond als Lily vrijaf wil. Morgenavond, bijvoorbeeld.'

Cam knikte. 'Dat valt vast niet mee.'

'Nee, daar heb je gelijk in. Als ik jou was,' probeerde ik er vruchteloos een luchtige draai aan te geven, 'zou ik niet scheiden. Het is het allemaal niet waard. Er zijn vast allerlei goede redenen, maar ook heel veel verkeerde. Als je een kind hebt, is er meer voor nodig dan dat je alleen verveeld en ongelukkig bent.'

Cam lachte. 'Ach ja, de grote volwassen leugen, dat kinderen willen dat hun ouders gelukkig zijn. Jezus, kreeg ik maar één dollar voor elke keer dat een ouder dat argument gebruikte om zijn eigen zelfzuchtigheid te rechtvaardigen. Kinderen maken zich er niet druk om of je wel of niet gelukkig bent. Dat is jouw verantwoordelijkheid en niet de hunne.'

'Ongetwijfeld,' zei ik, en intussen zat ik te bedenken hoe snel ik ervandoor kon gaan zonder onbeleefd te lijken. Maar dit deel van mijn onderzoek kon ik echt niet afraffelen, aangezien Cam naar alle waarschijnlijkheid de enige was die met bruikbare aanwijzingen over Peri zou aankomen.

'En, wat voor iemand is de nieuwe man?'

'Als je van een kerel houdt die arrogant, neerbuigend, verwaand en bevoogdend is – en je moet toegeven dat heel veel vrouwen dat doen – dan is hij fantastisch. Thomas vindt hem niet aardig, in elk geval in mijn bijzijn. Dus koopt Richard van alles voor hem, en Tom wordt steeds verwender.'

'Maar verder gaat het dus goed met hem.' Cam glimlachte. Ze wilde niets liever dan verhalen horen over kinderen die gelukkig en bemind waren.

'Over het geheel genomen wel, ja. Maar onze scheiding heeft Tom geen goedgedaan. Hij heeft last van nachtmerries. Dan wordt hij wakker en begint te schreeuwen van: "Papa, papa!" En meestal ben ik er dan niet. Vroeger troostte ik hem altijd. We hadden een vast ritueel, want die nachtmerries waren altijd dezelfde: dat hij in een donker bos was achtergelaten. Als hij huilend wakker werd, vertelde ik hem over het pad van witte kiezels dat naar huis leidde, en beschreef ik de bomen die erlangs stonden en het maanlicht op de kiezels. En dan zei hij altijd: "Jij bent nooit bang, papa." En dan zei ik: "Wij zijn niet bang, dappere Thomas." Ik zuchtte en wierp een blik op mijn horloge.

'Dappere Thomas,' zei Cam. Ze keek naar de dossiers die achter me lagen, en tot mijn afgrijzen zag ik tranen in haar ogen glinsteren. 'Hij zal ook dapper moeten zijn. Ik weet niet hoe het met jou zit, Zeke, maar ik ben bang.'

'Ja,' zei ik. *Ik ook*, had ik bijna gezegd, maar ik deed het niet. 'Moet je horen, Cam, ik wil je niet achter je broek zitten, maar ik wilde je nog één ding vragen: Lily's nieuwste bedenksel is dat Thomas vleugels moet krijgen. Ze staat erop dat ik mijn goedkeuring geef aan de behandelingen en dreigt zelfs met juridische stappen omdat ze vindt dat het een soort mishandeling is als ik hem de kans ontneem om te vliegen. Ik stel me zo voor dat jij me gaat vertellen dat dit net zo belachelijk is als het klinkt.'

Cam haalde haar schouders op. 'Belachelijk is het zeker, maar we hebben het hier wel over Lily. Je kunt niet zomaar aannemen dat het een loos dreigement is. Ze weet hoe je rond moet shoppen en de juiste rechter moet vinden. Maar de echte vraag is wat jij denkt dat het beste is.'

'Dat weet ik nog niet. En daar kom ik waarschijnlijk ook nooit achter. En als ik er al ooit achter kom, is het per definitie te laat.'

Zwijgend begeleidde Cam me naar de verlaten lobby. Ik gooide mijn pasje op de balie en keerde me naar haar om. 'Volgens mij wil je me wat vertellen,' zei ik. 'Er is hier verder niemand, dus voor de dag ermee.'

'Er is inderdaad iets eigenaardigs aan de hand,' zei Cam. 'Ik zei net dat er al een tijdje niet veel meer gebeurd is met Almonds dossier, en dat is ook zo.'

'Maar?' zei ik.

'We houden altijd de bewegingen van al onze dossiers bij, net als de politie. Twee jaar geleden heeft iemand dat dossier opgevraagd, maar er staat nergens vermeld wie de boel heeft ingekeken.'

'Wat betekent dat?'

Cam begon te fluisteren. 'Dat betekent dat de ambtenaar die het dossier heeft doorgegeven wel heeft gemeld dat het haar bureau had verlaten, maar dat degene die het vervolgens heeft ingekeken niet heeft aangegeven dat hij het in zijn bezit heeft gehad voordat het terugging naar de archiefafdeling. Net als al onze dossiers is dat van Almond vertrouwelijk, dus het is maar goed dat ik nog eens navraag doe bij haar pleegmoeder, want dan heb ik een reden om het nog eens te bekijken als ik erover word ondervraagd. Binnenkort is er ongetwijfeld stront aan de knikker over deze zaak. Dus van nu af aan moet je zo discreet mogelijk zijn, Zeke. Niet meer langskomen en niet meer naar mijn werk bellen.'

'Als jullie ook maar een beetje op politiemensen lijken, storen jullie je regelmatig niet aan het protocol: mensen halen dingen weg, bekijken ze, stoppen ze terug en nemen niet de moeite om ze keurig in het systeem te coderen omdat ze daar de tijd niet voor hebben of het vergeten of zo.'

'Natuurlijk. Ik vraag me alleen maar af waarom iemand na al die tijd ineens besluit dat dossier te bekijken.' Ze gaf me een klopje op mijn arm en stapte terug in de lift.

Toen mijn trein het station aan 80 Metre Road binnenreed, was het inmiddels donker. Het station lag aan de overkant van de Stad vanaf JeGez, min of meer in de buurt van de zakenwijk. Terwijl ik in de trein zat, barstte er even een hevig noodweer los, met een moessonachtige regen die zich met zo'n heftigheid uit de donkerblauwe avondhemel stortte dat de mensen op straat eruitzagen alsof ze onder een waterval hadden gestaan en de goten in schuimende, smerige rivieren veranderden.

Tegen de tijd dat ik uitstapte, was de stortbui alweer bedaard. De damp sloeg van de straten, die krioelden van de forenzen die op weg naar huis waren, en allemaal net zo zweterig en oververhit waren als ik, en de meeste ook nog eens volkomen natgeregend, met druipend haar dat tegen hun schedel zat geplakt en doornatte kleren die aan hun lichaam kleefden.

Mijn favoriete djembé-band, met hun beroemde solospeler Papa Amadou Mackenzie-Sene, ook wel bekend als PapaZie, koninklijk in zijn blauw-rood gestreepte kiel, speelde op de lage bakstenen muur rond Ventura onder een slinger roze lantaarns die door het groepje mangobomen voor het huizenblok was gevlochten. Het dochtertje van PapaZie, Kossiwa, was in haar felst gekleurde roze-met-gouden rok op de muziek aan het dansen.

Ik ging in de rij staan bij de warong van Murni voor saté, om een excuus te hebben om onder het eten te staan luisteren. Ik at bijna nooit meer thuis. PapaZie gaf me een waardig knikje toen ik langs de band liep en Kossiwa een creditslick toestak. Normaal gesproken zou ik op een avond als deze naar de band blijven luisteren, maar Frisk wachtte op me en ik moest aan de slag met de documenten die ik bij JeGez had 'geleend'.

Toen ik de deur had opengedaan, luisterde ik even of ik Frisk hoorde, maar er klonk geen geluid. Ik liep naar de keuken en trok de koelkast open om er vlees voor de leeuw uit te halen, waarbij ik in het voorbijgaan ook meteen een biertje voor mezelf pakte. 'Frisk!' riep ik. 'Friiiisk! Kom eens hier, Frisk.'

In zijn haast om de keuken te bereiken, glibberde Frisk over de vloerplanken.

'"Jaagt u de buit bijeen voor de leeuwin en verzadigt u haar hongerige welpen?"' zei ik tegen hem terwijl hij at, al was 'eten' niet het juiste woord. 'Jij hebt een ander woord nodig, Frisk, zoiets als *smarflen. Schroempfen.*'

Frisk ging onverstoorbaar door met smarflen.

'In het Oude Testament staat van alles over leeuwen, Frisk. Mijn geschiedenisleraar op St.-Ivo vertelde ons dat de grootste doodsoorzaak onder reizigers in het Romeinse Rijk leeuwen waren. Die mensen opaten.'

Frisk reageerde niet op deze informatie.

'Maar goed, jij staat vast niet op het punt om een reiziger op te peuzelen. Dat is maar goed ook; anders had ik je beter niet vanochtend mee uit joggen kunnen nemen.'

Frisk zat zich grommend vol te proppen.

Ik raapte de kam op waarmee ik Frisks manen die ochtend had gekamd. Er zaten goudkleurige en zwarte haren tussen de tanden.

'Je bent prachtig, Frisk, maar er is wel voor gezorgd dat je geen kwaad meer kunt doen. Je voorouders aten de mijne op, maar nu zijn wij groter dan jullie doordat we jullie hebben laten krimpen. Is de wereld straks vergeven van de miniaturen? Piepkleine walvissen voor in het aquarium? "U slaat de krokodil aan de haak? Is hij uw tamme speelvogel aan de lijn gelegd voor uw dochters? Een lichtend spoor laat hij na; niemand op aarde kan hem aan, schrik is hem onbekend."'

We leggen hem niet alleen aan de lijn voor onze dochters, we nemen ook nog eens een patent op hem. Copyright: één klein monster. Kenmerken: 1. Onbevreesd. 2. Uniek. 3. Laat lichtende sporen na in de vissenkom.

Met een biertje in de hand liep ik de woonkamer binnen met Frisk in mijn kielzog. Ik brouwde mijn bier zelf in de kelder, waar mijn flessen de ruimte deelden met de wijn van Vittorio. Af en toe werd ik wakker omdat een van zijn flessen explodeerde.

Ik keek de kamer door. 'Dit is nou niet bepaald de omgeving waaraan je gewend bent, hè Frisk? Lily vond het ook helemaal niks. Sterker nog: ze vond het hier zo vreselijk dat ze verhuisde.' Ik had ook nooit met Lily moeten trouwen. Ik was gewaarschuwd. Tijdens onze studie kunstgeschiedenis-rechten volgden we dezelfde colleges kunst, maar zij rondde de studie af en ik stopte er al voor het eind van het eerste jaar mee. Dus hoe zou ik ooit tegen haar opgewassen kunnen zijn? En zodra ik bij de politie ging, zat dat er ook niet meer in. 'Je doet nog steeds iets met de wet,' zei ze weleens, half en half opgewonden bij het idee dat ik iets ongepolijsts, iets gevaarlijks had, maar haar carrière nam een reusachtige vlucht en die van mij verliep horizontaal; ik zou niet alleen geen commissaris zijn tegen de tijd dat zij bij het hooggerechtshof zat, maar ik was al weg bij de politie. Naarmate je ouder wordt, is geld nog het enige wat sexy aan je is, en haar collega's, onder wie Richard, hadden heel wat meer centen dan ik.

Frisk sprong op de bank en ik ging naast hem liggen. Hij klauterde boven op me en wreef met zijn kin over mijn arm. Ik krabde hem over zijn sterke kaken en hij pufte een paar keer. Ik had inmiddels in de gaten dat puffen en zuchten zijn leeuwenmanier was om affectie te uiten.

Toen ik binnen was gekomen, had ik meteen gezien dat het lichtje in de hoek van de uitgeschakelde VaporView knipperde. Ik zwaaide met mijn hand naar het scherm om het tot leven te brengen, duwde Frisk naar mijn benen en ging overeind zitten luisteren. Lily. En natuurlijk weer gezeur over de behandelingen.

'Ik begin er nog maar weer eens over omdat Thomas nu op de juiste leeftijd is, en hoe langer we wachten, hoe lastiger het voor hem wordt en hoe duurder voor ons. Dus of je je maar zo snel mogelijk wilt melden. Ik ga een afspraak voor hem maken voor een eerste gesprek volgende maand, dus het is heel belangrijk dat we het hier binnenkort over hebben.'

Ik krabde op mijn hoofd en drukte mijn kort afgeknipte nagels tegen mijn hoofdhuid. Aan het eind van Lily's boodschap werd ik overspoeld door een golf woede. Hoe durfde ze te dreigen om zonder mijn toestemming een afspraak te maken? Typisch iets voor Lily. Ze wist als geen ander dat niets zo goed werkt als een voldongen feit. Als ik niets ondernam, zou ze haar plan gewoon doorzetten, en als mijn zoon eenmaal een vogel was, kon ik hem moeilijk meer terugveranderen. Ik kon de zaak niet lang meer rekken. We hadden het wel zo achteloos over die behandelingen, maar wat hielden ze precies in? Ik had meer informatie nodig. Ik haalde de slick met de contactgegevens van dr. Ruokonen uit mijn zak en belde haar praktijk. Het was al laat, maar er was nog een assistent aanwezig. Natuurlijk was de vermaarde vluchtspecialist drukbezet, maar ik kreeg te horen dat ze overmorgen nog wel een gaatje voor me hadden, omdat ik was doorverwezen door dr. Eliseev. Ik had het gevoel dat ik dankbaar moest zijn.

De volgende boodschap was van Chesshyre, en opnieuw viel het me op hoe uitgeput en dun zijn stem klonk; hij had geen nieuws, maar in dit geval was dat slecht nieuws.

Ik dwong mezelf van de bank op te staan en aan de eettafel te gaan zitten, die als mijn kantoor fungeerde. Het werd tijd om me over de dossiers van Peri te buigen. Als ik daar niets in tegenkwam wat ik nodig had, zou ik het misschien nu al opgeven en de hele zaak aan de politie overdragen, een dag eerder dan de deadline die ik mezelf had opgelegd. Terwijl ik door de documenten bladerde die ik te pakken had gekregen, dacht ik terug aan mezelf zoals ik aan Cams bureau had gezeten en snel de bladzijden van haar dossier had omgeslagen op zoek naar de documenten die de kern uitmaakten van Peri's verhaal, terwijl ik ook wel wist hoe dossiers in elkaar zaten en dus bang was dat ik maar heel weinig van enige betekenis zou vinden. Het is nooit het complete officiële dossier dat mensen zich voorstellen bij een overheidsdocument. Erger nog: er ontbrak zelfs een duidelijke lijn in het verhaal, dus er zat weinig anders op dan maar je eigen onvolledige versie te bedenken aan de hand van de brokstukken.

Ik raakte hoe langer hoe geïrriteerder, terwijl ik de stapel betekenisloze documenten doorzocht. 'Jezus,' zei ik, ik wreef over de korte stekeltjes boven op mijn hoofd. 'Waarom slaan mensen dit soort onzin in vredesnaam op? Alleen maar omdat ze daarmee aantonen dat ze dingen doen, al zijn die dingen dan volslagen nutteloos.' De belangrijkste dingen waren vast helemaal niet opgeschreven, al waren er wel hier en daar korte verwijzingen naar de reden waarom Peri in een pleeggezin terecht was gekomen: haar vader die was verdwenen, en haar moeder die haar boven op een hoog gebouw had achtergelaten, het arme kind. De meeste documenten gingen niet eens over Peri zelf; ze was doodgewoon de reden achter al die bijeenkomsten, telefoontjes en boodschappen.

Ik was bijna bij het einde van de gekopieerde documenten beland toen ik hem ineens zag: een brief van ene Bronte Shaw uit woonwagenkamp Venetia in Pandanus, aan de dienst. De pleegmoeder, die om geld vroeg.

Een adres. Een kostbare aanwijzing. Ik was zo opgetogen dat ik in beweging moest komen en stond op. Door de kamer ijsberend dacht ik erover na wat me te doen stond. Nu had ik een adres in PReG-land dat ik moest natrekken. Ik riep een kaart tevoorschijn op het grote VaporView-scherm en zoomde in op de regio Pandanus. Waar zou Peri anders heen gaan? Die Shaw was het enige wat ze had dat voor familie kon doorgaan.

In haar brief en al haar telefoontjes naar de dienst vroeg Shaw om meer geld. De zorg voor Peri was gewoon een baan geweest, een bron van inkomsten. Ik keek op van mijn bezigheden, getroffen door het besef dat dit meisje voor niemand de kern van het bestaan uitmaakte. Ze leverde iets op: geld voor Shaw, melk en zorg voor de ouders van Hugo, werk voor mij, hoofdpijn voor Cam. De kleine Hugo vormde de uitzondering. Peri kon weleens het middelpunt van zijn leven uitmaken. Als ik mijn werk goed deed, zouden ze dat allebei kwijtraken.

Ik haalde de kladversie van mijn verslag voor Chesshyre tevoorschijn, fatsoeneerde het, voegde er een alinea aan toe en verstuurde het. Het was kort, maar ik kon hem in elk geval meedelen dat ik Peri op het spoor was. Ik voelde me niet geroepen om in details te treden en namen te noemen als Venetia of Shaw.

Ik pakte nog een biertje en ging weer op de bank zitten, om na te denken over de voorbereidingen op mijn trip naar PReG-land, terwijl ik Frisk onder zijn kin krauwde. Ik streelde zijn manen, zijn brede voorpoten en zijn nobele leeuwenkop, en hij soesde weg. Hij rook naar sinaasappelen, dezelfde lucht als mijn aftershave. Ik had hem zeker die ochtend geaaid met dat spul nog aan mijn handen. Ik duwde hem opzij en stuurde Henryk een bericht om hem te laten weten waar ik heen ging en wanneer ik van plan was terug te zijn. Ik verwachtte geen steun van de politie en die zou ik niet krijgen ook, maar Henryk was een vriend van me, en mocht ik in de wildernis van PReG-land verdwijnen, dan wilde ik dat in elk geval één competent persoon wist waar hij naar me moest gaan zoeken.

Ik ging naar buiten om bij Taj te kijken, die tot zijn kleinste omvang ingevouwen op de oprit stond. Taj was de enige auto van Ventura en voor een extra bedragje boven op de jaarlijkse onderhoudskosten had hij een parkeerplaats toegewezen gekregen en een plekje in de bewakingsronde van Bronson, de dikke, luie, schrikachtige nachtwaker van Ventura. Ray was er alleen overdag om een oogje op Taj te houden. Taj gloeide even blauw op om aan te geven dat hij me had herkend.

'We gaan morgen vroeg op pad. Zorg dat je om halfvier klaarstaat.' Ik moest me aan een krap schema houden, wilde ik naar Pandanus kunnen rijden en toch op tijd terug zijn om Thomas op te halen, maar ik was niet van plan om een avondje met mijn zoon te laten lopen. Ik moest gewoon maken dat ik op tijd terug was.

'Oké.'

Op weg naar mijn bed bleef ik nog even bij de tafel staan om door de documenten in mijn werkdossier te bladeren. Ik begreep nog steeds niet wat Peri's motief was geweest om Hugo te ontvoeren, en wat ik in haar dossier had zien staan vond ik verontrustend. Dit meisje was verwaarloosd, dat was overduidelijk. Was ze verhard door het leven dat ze achter de rug had, en misschien zelfs wel jaloers op dit kind? Ineens schoot me te binnen dat ik het beste bewijs dat ik had doodleuk negeerde, namelijk Peri's eigen woorden. Ik las ze nog eens door, maar nu kritischer dan eerst.

Lieve Hugo,
Ik wil je vertellen over een dag die we samen hebben doorgebracht; niets bijzonders, maar een fantastische dag. We zaten onder de groene beuk en jij lag op je speciale kleedje, dat kleedje met de dieren erop, dat je zo graag aaide. Ik tilde je op en hield je in mijn armen. Je draaide je hoofd om en kuste me op mijn wang. Eén keer. Een babykusje, zo zacht als een nieuw blaadje aan de beukenboom.

Dat was toch niet het soort brief dat een kindermeisje schreef? Welk kindermeisje schrijft nou brieven aan een baby?

Lieve Hugo,
Het was heel verleidelijk om te proberen je aan het lachen te maken. Het was al genoeg om een bal op een rare manier over de grond te laten rollen, waardoor hij tegen de muur of een raam aan vloog en jij er razendsnel giechelend achteraan begon te kruipen. Of ik zette een zacht speeltje – het dikke nijlpaard, bijvoorbeeld – overeind en duwde het dan om. En nog eens en nog eens. En jij maar lachen en lachen.

Lieve Hugo,
Ik heb deze briefjes voor je geschreven om je te laten weten hoe het was toen je nog heel klein was. Omdat jij het je niet kunt herinneren. En ik was degene die erbij was. Degene die je zag en naar je luisterde en die wist hoe jij was.

Ik draaide de beelden van de bewakingscamera nog eens af op mijn slick. Telkens opnieuw stapte dat bezorgde meisje snel en omzichtig het huis uit, ze sloot de deur en streelde over Hugo's hoofdje. Ik bestudeerde haar gezicht. Peri gaf om deze baby. Hoe was het mogelijk dat een meisje van wie zo weinig was gehouden toch kans had gezien om liefde in haar hart vast te houden? Dit was de sleutel tot het raadsel. Haar gevoelens voor dit kind. En dat wist Chesshyre verdomde goed. Wat was het toch waarvan hij tot elke prijs wilde voorkomen dat ik erachter kwam? Wat in het verhaal van dit eenzame meisje kon haar verknochtheid aan Hugo verklaren? Identificeerde ze zich met hem? Een gevoel van verlies? Hugo was waarschijnlijk veilig. Wat hoopte ik dat ik gelijk had.

Hinderlaag

Op weg naar de Uilen kwamen we geen verkeer tegen. De weg verliep van grind naar vastgereden aarde, die te oordelen naar de diepe voren al heel lang geen bulldozer meer had gezien.

'Wat is dat verdomme, Taj?'

'Arend, maatje.'

'Christus,' zei ik toen we de enorme vogel passeerden die ondersteboven tegen een hekpaal zat gespijkerd, met zijn vleugels uitgespreid vastgezet aan de afrastering. 'Wat een lekker stelletje hier.' Ik trok mijn wapen uit mijn beenholster en legde het op de zitting naast me. Ik verdween geleidelijk aan uit de gewone wereld, verzwolgen door een kwaadaardig moeras dat bevolkt werd door onzichtbare oerwoudschurken.

Ineens leek Venetia een behoorlijk beschaafd oord.

Ik was vanochtend even na vieren opgestaan, had mijn wapen gecontroleerd, een reservebrandstofcel in Tajs achterbak gelegd, en Taj nog een keer nagetrokken om hem te ontdoen van eventuele volgapparaatjes. Elke stap op mijn tocht dieper PReG-land in was nog sinisterder, nog gevaarlijker dan de vorige. Ik was over de illegale vertakkingen van Ringstad heen gereden via de randweg die aansloot op de snelweg langs de oceaan, en was door de Rode Quarantainezone aan de buitenrand van de Stad op het eens zo mooie platteland terechtgekomen, dat gruwelijk lelijk bleek te zijn in het roodgouden licht van de opgaande zon, dat de donkere vegetatie langs de snelweg bescheen.

De bomen waren scheefgegroeid onder de verstikkende webben monotoon groen. De oceaankant van de snelweg werd overspoeld door een zee van struiken waarvan de ovale, glanzende bladeren de lucht in staken. Voorbij de met groen overgroeide bomen en bermen aan de ene kant en de glanzende struiken aan de overkant ving ik slechts af en toe een glimp op van stranden overdekt met geelbruin wier. Wat was er toch zo vreselijk misgegaan?

Superonkruid. Land, meren en rivieren, en zelfs de omringende zeeën waren overgroeid geraakt door een stijgend tij van onkruid: purperwinde, waterhyacint, bietou, wakame – noem maar op. Het land werd al jaren overwoekerd met onkruid, maar sommige planten waren gekruist met genetisch gemanipuleerde gewassen en waren resistent geraakt tegen ziekten en verdelgers, waardoor ze vrijwel onuitroeibaar waren geworden. Een stuk land dat niet voortdurend werd vrijgemaakt, werd binnen de kortste keren overwoekerd.

WELKOM IN DE NOORDELIJKE GROENE ZONE, stond er op een bord toen we de weg op reden vanuit de wasstraat langs de weg waar ik Taj had schoongespoten, waarbij ik met name zijn wielen goed onder handen had genomen, in navolging van de opdracht die ik bij het verlaten van de Rode Zone had meegekregen. EEN INITIATIEF VAN DE FEDERALE OVERHEID IN SAMENWERKING MET REGIONALE EN PLAATSELIJKE OVERLEGORGANEN. DOOR SAMEN TE WERKEN KUNNEN WE DE REGIO'S PRODUCTIEF HOUDEN!

'Knap verontrustend,' zei Taj toen we de snelweg weer op reden. 'Als ze hadden gehoopt dat dat uitroepteken geruststellend was, hebben ze de plank behoorlijk misgeslagen. Het is kennelijk heel wat erger met dat superonkruid gesteld dan we wisten.'

'Hoe komt het nou toch, Taj, dat ik van de vijfhonderd-en-een kunstmatige persoonlijkheden nu weer zo nodig de cynicus moet treffen?'

'Ik ben het model persoonlijk assistent, weet je nog wel? Ik pas op je. Jij zou niks opschieten met een onverbeterlijke optimist.'

Naarmate we dieper de Noordelijke Groene Zone in reden en het langzamerhand meer begon te lijken op de golvende landerijen die ik me uit mijn jeugd herinnerde, maakte mijn gespannen aandacht plaats voor ongerustheid. Afgezien van de inval in de kampong van de Oorsprong toen ik met de zaak-Charon bezig was, was het een hele tijd geleden dat ik me in PReG-land had gewaagd, en ik was er nog nooit in mijn eentje geweest. De inval was een zenuwslopende operatie in de stromende regen geweest onder mijn leiding, samen met de overmatig bewapende en overmatig gretige Bijzondere Bijstandseenheid. De mooiste herinnering die ik had aan die zaak was het moment waarop ik de zwaarbebaarde en doornatte Trinity Jones in zijn schitterende mantel en omhangen met sieraden op de knieën gedwongen zag worden in de modder voor een van zijn zonne-energiejachten, door een BBE-agent die zo dik in de wapenrusting zat dat hij wel een enorme kever leek met zijn glanzende omhulsel.

Een stuk minder fijn was het geweest om Zijne Stralendheid nog geen twee jaar later uitermate sereen de rechtbank te zien verlaten, nadat hij officieel niet-schuldig was verklaard. De sekte beschikte over zeer ruime middelen en had de strijd aangebonden, geassisteerd door de beste advocaten die ze maar voor geld konden krijgen. We hadden nooit de bron kunnen ontdekken van die eindeloze geldstroom.

Trinity die niet schuldig zou zijn – dat soort dingen had er jaren geleden voor gezorgd dat ik de hele rechtshandhaving voor gezien had gehouden; ik kon niet geloven in een rechtssysteem dat zo naïef was dat het maar twee uitersten kende: schuldig en onschuldig. Henryk hield van de frase 'bij gebrek aan bewijs'. Met andere woorden, je bent zo schuldig als wat, maar het is ons niet helemaal gelukt om dat te bewijzen, dus o wee als je gaat rondbazuinen dat je onschuldig bent. Dat was een heel wat realistischer kijk op de wereld dan zulke dichotomieën als schuldig-niet schuldig; goed-slecht en hemel-hel. Wie gelooft er nu in zoiets, tenzij je bent blijven hangen in de manier van denken van een kind van drie?

Een halfuur nadat we de arend hadden gezien, en terwijl Taj langs gaten, sporen en weggespoelde stukken weg laveerde en ik afrasteringen afspeurde op zoek naar een huisnummer of een naam, begon ik me zorgen te maken dat we het eind van de weg naderden. Ik moest denken aan de regenwolken die zich samenpakten boven Pandanus. Alsof hij mijn gedachten kon lezen zei Taj waarschuwend: 'We krijgen problemen als het gaat regenen voordat we weer op de grindweg zitten. Als ik jou was zou ik serieus overwegen om te keren, maatje.'

Noch de eindeloze krottenwijken die oprezen uit het stof van Ringstad, noch het land dat als een mummie lag ingebakerd in zijn lijkwade van onnatuurlijk groen, of de naargeestige stadjes waar we doorheen waren gereden, hadden me voorbereid op het enige adres dat ik kende voor Peri en haar pleegmoeder Bronte Shaw: Venetia.

Ik probeerde zelfverzekerder te kijken dan ik me voelde toen ik Venetia binnenliep en Peri's jeugd betrad. Ik liep langs het bord bij de ingang dat zo doorzeefd was met kogelgaten dat je nauwelijks kon lezen wat erop stond, langs hopen afval die tot boven mijn hoofd reikten, langs vrouwen die kleren aan het wassen waren in het smerige kanaal met oevers van aangestampte vuilnis, langs een muur van gammele hutjes op fragiele stelten langs het kanaal, met een trage vloed van afval die onder de bouwsels de oever op spoelde, elke hut een wirwar van geroeste golfplaat, plastic verpakkingsmateriaal, met metaaldraad doorregen palen, gerafeld touw en gebroken gipsplaten, en elke wankele hut zag eruit alsof hij met één duw zou omvallen.

In die eerste paar minuten dat ik in Venetia was, stak ik meer op over wat Peri kon drijven dan Chesshyre ooit had geweten.

Ringstad was een ware vesting van geordendheid in vergelijking met Venetia; langzamerhand begon ik te begrijpen waarom zoveel mensen dit soort plekken ontvluchtten op zoek naar de belofte van een nieuw leven.

En dat terwijl datgene wat hun, wat Peri in de Stad te wachten had gestaan keihard was. Het was zo moeilijk om aan een permanente verblijfsvergunning te komen dat zelfs al zou PapaZie bijvoorbeeld een bewoner weten over te halen om met hem te trouwen, het nog ruim twintig jaar duurde voordat hij zelf een verblijfsvergunning kreeg. En als je die niet had, kreeg je niets van de Stad: geen gezondheidszorg, geen bescherming, geen enkele vorm van dienstverlening. En als ze besloten je eruit te gooien, maakte het geen verschil of je langs de snelweg onder plastic woonde of in een hoge flat, en ook niet of je zes dagen, zes weken of zes decennia in de Stad werkte.

En dat was nog niet eens het ergste. Je kinderen waren degenen die pas echt de prijs betaalden, omdat ze geen geboortebewijs bezaten, in geen enkel archief voorkwamen en dus geen burgers waren, maar rondzweefden als fantomen en voor altijd veroordeeld waren tot een schemerbestaan. En toch had Peri het onmogelijke voor elkaar gekregen. Het was haar gelukt om voorgoed aan PReG-land te ontsnappen. Het moest wel iets heel belangrijks zijn wat ervoor had gezorgd dat ze dat allemaal op het spel zette.

Ik liep om een reusachtige berg vuilnis heen die werd aangevallen door krijsende meeuwen en probeerde de stank van smerig water, uitwerpselen, rottende planten, zout en de rook van de kookvuurtjes niet in te ademen, terwijl ik me deze plek voorstelde zoals Peri hem moest hebben gezien. Na haar jeugd in deze omgeving moest ze wel het gevoel hebben gehad dat ze in de hemel terecht was gekomen toen ze eenmaal in Chesshyres huis woonde. Maar toen ik eraan dacht hoe ontregelend zelfs ik Chesshyres woonplek had gevonden, zoals die als een geslepen diamant in steen was gezet, met zijn miniatuurleeuw, de gevangen rivier en boom, de kunstmatige hemel en sterren, de gevleugelde meesters, was het niet zozeer de vraag waarom Peri het uiteindelijk niet had gered, maar eerder hoe het kwam dat ze zich er zo goed doorheen had geslagen. In elk geval tot het moment dat ze hun baby had gestolen en ervandoor was gegaan.

Mijn slick. Taj waarschuwde me.

Er vloog iets zwaars en puntigs tegen mijn wang. Ik hapte naar lucht toen er nog een steen tegen mijn hoofd sloeg. Er sijpelde bloed mijn mond in. Ik keek verdwaasd om me heen, maar zag niemand, behalve een vrouw die links van me bij haar kookvuur stond. Ze hield haar hoofd gebogen, terwijl er vanuit de vuilnishopen voor me uit stenen en scherpe stukken afval op me afvlogen. Ik begon me terug te trekken. Het had geen zin om mijn wapen tevoorschijn te halen; ik kon mijn aanvallers niet onderscheiden en zodra zij zagen dat ik een wapen had, was ik er geweest. Er suisde een glazen pot langs mijn oor, waarop ik alle pogingen tot een waardige terugtocht liet varen en het op een lopen zette.

'Gaat dat klusje even van een leien dakje,' zei Taj toen ik instapte en het portier met een klap dichttrok. 'Ik weet niet of je het hebt gezien, maar ik heb schade opgelopen. Klein gespuis heeft mijn zijspiegel eraf gebroken en in mijn zijkant gekrast ... Jemig, maatje, gaat het wel? Moet ik je naar het ziekenhuis brengen?'

Toen ik tien minuten later op adem zat te komen achter een kop thee in Café Naxos in Pandanus, werd wel duidelijk waarom Chesshyre niet alleen een Roofvogel, maar mij net zo goed nodig had om achter Peri aan te zitten. Geen vlieger, en zeker geen zwaargebouwde vlieger met een militaire training achter de rug als een Roofvogel, kon iets in PReG-land ondernemen zonder gigantisch op te vallen. Die kon onmogelijk over straat lopen, laat staan iemand ondervragen zonder dat iedereen in de wijde omtrek daarvan op de hoogte was. Zo'n schepsel was hier volslagen nutteloos.

Ik liet de foto van Peri zien aan de bejaarde man achter de tapkast. Hij haalde zijn schouders op. Ze zag er wel bekend uit, maar hij had geen idee wie ze was en bij wie ze zou aankloppen voor hulp.

De serveerster trok wit weg toen ze mijn bestelling kwam brengen, en haar blik bleef hangen aan mijn bebloede hoofd en wang, die vreselijk prikten en die ik, te oordelen naar haar gezichtsuitdrukking, niet al te best had schoongemaakt. Roofvogels waren niet de enigen die hier uit de toon vielen. Mijn opvattingen over onopvallende kleding – spijkerbroek, schoon T-shirt, licht jasje – zaten er een lachwekkend eind naast, en nu ik was bekogeld, was het er niet beter op geworden. Zoals ik er nu uitzag, zou Peri me nauwelijks vertrouwenwekkend vinden, als ik haar al zou opsporen.

Opnieuw zond Taj me een waarschuwing. Hij was nog gespannener dan ik. Ik keek naar de overkant van de straat, waar ik hem had geparkeerd, en zag tot mijn irritatie dat hij uitgebreid werd geïnspecteerd door drie jongemannen, een stelletje plaatselijke boeven, te oordelen naar de manier waarop ze rondparadeerden.

Ik rekende af en liep naar de auto. Een van de mannen – of liever gezegd: een jongen, al was hij dan nog zo pezig en ratachtig, en had hij een of ander wapen bij zich – kwam naar me toe en bekeek me van top tot teen, met zijn tot vuisten gebalde handen diep in de zakken van zijn zwarte jack. Ik wierp een blik op zijn schoenen. Natuurlijk. Zijn slag droeg altijd schoenen die een gemiddeld weekloon kostten.

'Hij is het,' zei Rattenjong, die duidelijk de leider was, tegen de andere twee. 'Ik hoorde dat je gedonder hebt gehad,' zei hij, terwijl hij zich naar mij omdraaide. Grijnzend gebaarde hij met zijn kin naar de auto. 'Mooi karretje. Ontzettend cool. Doodzonde dat je het zomaar laat vernielen.'

'Hé, dat kan ik verstaan, hoor.'

'Mond dicht, Taj.' Geweldig. Deze knaap was kennelijk een plaatselijke ordehandhaver, anders zouden ze hem niet op de hoogte hebben gesteld van het incident in Venetia. Dus nu kwam hij even poolshoogte nemen.

'Ik hoopte al dat ik een woordje met je kon wisselen,' zei ik.

Rattenjong zette een pas naar achteren. Hij kon onmogelijk weten hoe veel of weinig ik van hem af wist.

'Jij bent niet van de politie,' zei hij aftastend.

'Nee. Denk maar niet dat een politieman hier in zijn eentje gaat rondlopen. De kwestie is dat ik naar iemand op zoek ben. Als ik haar vind, zal ik daar erg blij mee zijn, en bovendien voorkomt dat dat het hier straks krioelt van de agenten.'

'Haar?' Rattenjong werd een tikje nieuwsgieriger. Hij had mijn hint opgepikt dat informatie geld zou opleveren. Misschien stond hij nu af te wegen of hij me een aanwijzing zou kunnen geven zonder degene voor wie hij werkte kwaad te maken.

'Je zou de boel hier een enorme dienst bewijzen,' zei ik. 'Je wordt de grote held. Een hele troep stadse smerissen hiervandaan houden, die soms ... hoe zeg je dat ... nogal onbehouwen tekeergaan. Beginnen meteen te schieten. En meestal raak. Altijd hebben ze de pest in als ze weer eens hierheen moeten komen, waar of niet? En dat reageren ze op iedereen af.'

'Meen je dat nou?' zei Rattenjong.

'Kunnen we even praten?'

'We praten al.'

Ik keek omhoog naar de hemel. Boven de zee pakten zich regenwolken samen. Ik liet mijn vinger langs Tajs gepolijste zijkant gaan en voelde de krassen. 'Het is vertrouwelijk.'

Rattenjong gaf een ruk met zijn hoofd en de andere twee trokken zich terug.

Ik liet hem de foto van Peri zien die ze bij de Engeltjes hadden gemaakt.

Hij zette grote ogen op. Bingo. Snel liet ik hem de andere foto van Peri zien, die waar ze met vleugels en al op stond.

'Godsamme,' riep Rattenjong. 'Ze heeft het voor mekaar gekregen. Altijd al gedacht dat die meid gestoord was. Dus het is haar verdomme echt gelukt.' Hij keek op met ogen die zo dood waren als kiezels. 'Ik heb haar niet gezien.'

'Nee,' zei ik, 'dat had ik ook niet verwacht. Luister, ze zit niet in de problemen, maar als ik haar niet vind wel. Ze heeft een fout gemaakt en ik kan haar helpen die weer recht te zetten, zodat ze niet de politie achter zich aan krijgt, en jullie allemaal ook niet.'

Rattenjong haalde zijn schouders op.

'Ze zou zelfs haar vleugels kunnen kwijtraken.'

'Ik zeg toch dat ik d'r niet heb gezien?'

'Is er verder nog iemand hier in de stad die ze kende? Iemand naar wie ze toe zou gaan als ze hulp nodig heeft?'

'Naar wie was je op zoek?'

'Haar pleegmoeder. Bronte Shaw.'

Rattenjong snoof. 'O, die. Die is gecrepeerd aan een overdosis.'

Heel interessant. Wie zou er nu dan in Venetia de dienst oplichten door de pleegvergoeding op te eisen?

Rattenjong keek over zijn schouder naar de twee andere mannen. Plotseling riep hij: 'Moet je horen, ik ga jou echt niks vertellen!'

Hij duwde me keihard tegen Taj aan. 'En flikker nou op!' Maar zachtjes mompelde hij: 'Cody, Fig Tree Road.'

De straten erheen vormden een woestenij van afgesloten rolluiken en stoffige, gebarsten ramen, maar Cody's Kwekerij de Ommekeer was een van de weinige vrolijke plekken in Pandanus. Ervoor was een breed gazon van nieuwe graszoden die samen een soort lappendeken vormden: vierkanten fluorescerend paars, neonblauw en zuurgeel. En een man die vast Cody in eigen persoon was, stond op zijn felgekleurde grasveld op me te wachten. Er stak een briesje op. Blijkbaar had Rattenjong hem gebeld in de vijf minuten die het me had gekost om het adres te vinden.

Er kwam een wolk over die de kleuren even dempte en toen weer verder gleed. 'Best aardig,' zei Cody aarzelend, met een onder de zomersproeten zittende hand gebarend naar de nu weer pijnlijk felgekleurde grassen. 'Heel spectaculair, maar je moet er wel erg goed voor zorgen. Je kunt ze niet al te onverwoestbaar maken, weet je. Voor je het weet heb je er weer een superonkruid bij. Deze heten Accenten. Eigentijdse Accenten, of zoiets onzinnigs.'

Wie van de mensen hier uit de buurt zouden bij Cody kopen? Ik zag Rattenjong nog niet zo een-twee-drie zijn geld in Eigentijdse Accenten steken. De enigen die hier handeldreven, waren vast de farmaboeren in de heuvels. Het grootste deel van zijn handel voltrok zich geheid onder de toonbank, buiten de boeken, met de verkoop van nagemaakt zaaigoed.

Cody trok zijn vissershoedje met de kleur van smerig zeeschuim over zijn kleurloze wenkbrauwen en nam een zanderig pad tussen citrusbomen in potten door. 'Ryan stelde dus voor dat ik je zou helpen, en als ik maar even weet aan welke kant mijn boterham is gesmeerd, doe ik dat ook. Maar goed, hoe moet ik nou weten waar Peri heen zou gaan? Ze heeft gewoon een paar jaar voor me gewerkt, meer niet. Kijk rond zoveel je wilt, maar ze is hier echt niet.'

'Er is vast nog wel iemand die ze kent, iemand anders die haar zou helpen.'

Ik legde uit wat Peri had gedaan en benadrukte dat de politie achter haar aan zou gaan als ik haar niet kon vinden. 'Hugo's ouders zijn rijk, en ze zullen het echt niet opgeven,' zei ik. 'Ze kunnen de mensen hier het leven behoorlijk zuur maken.' Ik keek de kwekerij rond, naar de citrusboompjes met hun donkere bladeren met hier en daar een felgekleurde vrucht, de bloemen, de kruiden. 'Ze zien er echt niet tegen op om de hele boel ondersteboven te laten halen.'

Fronsend krabde Cody op zijn hoofd. 'Nou ja, Peri's pleegmoeder had een zus,' zei hij uiteindelijk. 'Janeane Shaw. Die woont in de heuvels.'

'En ze heeft hier vast in de loop der jaren heel wat gekocht.'

Cody wierp me een blik toe.

'Kijk aan, voor jou. En zorg ervoor dat Rat... Ryan dit krijgt,' zei ik, terwijl ik Cody een stapeltje contanten toestak die ik in een zakje had gerold dat ik in Taj had gevonden.

'Maak je geen zorgen. Ryan zorgt wel dat hij aan zijn rechtmatige deel komt.'

De weg liep zigzaggend om bananenplantages heen steil omhoog. Het onkruid langs de weg woekerde hier nog dichter dan elders. Als Taj hier panne kreeg of ik werd gebeten door een slang, zou ik mijn handen mogen dichtknijpen als ik hulp vond. Die bananenplantages bewezen dat de mensen die hier woonden farmaboeren waren. Cody had me het adres van Janeane Shaw opgegeven: de Uilen, Upper Trunk Road. 'Je wilt wel zo vriendelijk zijn om mijn naam niet te laten vallen, hè maat?'

'Ik laat je even weten,' zei Taj nadat er enige tijd was verstreken met alleen het knerpende geluid van kiezels en aarde onder zijn wielen, 'dat we nu in een communicatief zwart gat zitten.'

'Satellieten?'

'Nee, geblokkeerd, verstoord of niet doorgegeven. De mensen hier schijnen gebruik te maken van een oud kabelsysteem, maar daar heb jij niks aan.'

Heel handig. Dat ontbreken van satellietdiensten was dan misschien lastig voor hen, maar tegelijkertijd maakte dat het ook onmogelijk om hen in de gaten te houden. Als er doorgiftepunten werden opgezet, zouden die binnen de kortste keren onbruikbaar worden gemaakt. Ik was inmiddels zo gespannen als een veer. Als ik hier verdween, zou niemand me kunnen vinden.

'Ik raad je aan om te keren.'

'Meen je dat nou?' Die dag werd Taj aan situaties blootgesteld die gedrag bij hem losmaakten dat ik nog nooit van hem had gezien. Die gekruisigde arend zat hem kennelijk erg hoog.

Net toen ik serieus overwoog Tajs advies te volgen, verscheen er langs de weg een hek. Een paar minuten later eindigde het hek bij een poort van gaas met bovenaan een uit metaal gesneden uil met glazen ogen. Een betere aanwijzing zou ik waarschijnlijk niet krijgen. Ik stapte uit, opende de poort, Taj reed erdoorheen, en ik deed hem weer dicht. Toen ik weer in Taj zat, zette ik mijn slick op mijn beroepsnoodfrequentie, al besefte ik dat ik daar op deze plek niets aan zou hebben, en ik stopte mijn wapen terug in mijn beenholster.

Het pad liep door dicht struikgewas. Na een paar honderd meter leidde het een beek in. Verder de heuvel op zag ik door de bomen een oud, grijs pand van één verdieping. Aan de overkant van de beek liep het pad verder naar het huis.

'Ik blijf hier wel staan,' zei Taj en hij kwam langzaam tot stilstand.

'Ik laat je liever niet aan deze kant van de beek achter, Taj, zo vlak bij de weg.' Bovendien vond ik het vreselijk om zo'n soort huis te voet te benaderen – die types hadden altijd honden. 'Mik maar op het midden. Zie je die bandensporen aan de overkant?'

'Bij dezen dien ik formeel een protest in. Mijn garantie dekt dit risico niet.'

'Ik zal het meenemen in de overwegingen, Taj. En nou rijden. De mensen die hier wonen rijden zo vaak door die beek.'

Taj reed naar voren en plonsde het water in; zijn wielen begonnen te tollen en hij kreeg greep op de ondergrond. Mijn stemming klaarde op. Ondanks zijn gezeur kreeg Taj geen problemen; we waren er bijna doorheen.

Er klonk een misselijkmakende bonk. Tajs neus schoot omlaag. Een gat in de bodem van de beek, en natuurlijk wist Taj die te vinden. De motor viel uit.

Verdomme, verdomme, verdomme. Krijg de tering.

Ik probeerde de motor weer aan de praat te krijgen. Niets. Ik deed het portier open en stapte uit. Nu stroomde de beek Taj binnen. Het water kwam steeds hoger te staan, dus ik deed het portier aan de passagierskant open. Dit was toch verdomme niet te geloven. Nu liep die rotbeek door Taj heen. Hij zweeg. Ik voelde me misselijk. 'Glim ze, maatje.'

Ik kon niet meer terug, dus ik klom de andere oever op en sopte naar het huis.

Klik. Ik verstijfde.

'Handen omhoog. Langzaam omdraaien. Ik zweer je dat als je ook maar iets probeert, ik zo je kop eraf schiet.'

De stem klonk droog – kwaad, maar beheerst. Met mijn handen in de lucht draaide ik me langzaam om. Al mijn angsten over deze klus kwamen een voor een uit. *Nooit vergeten dat het altijd nog erger kan.*

Ze stond vlak voor de opeengepakte bomen, met haar geweer op schouderhoogte op mij gericht.

'Janeane Shaw?'

Ze was slank, met kort grijs haar onder een pet van konijnenvilt, en lange benen in een smoezelige lange broek boven afgetrapte wandelschoenen. Een piepkleine, roodbruine schaapshond keek naar haar omhoog en toen naar mij.

De vrouw kwam dichter naar me toe, met haar geweer op mijn borst gericht. Ze zag er in elk geval uit alsof ze wist hoe ze met het ding moest omgaan. Ik wist zeker dat dit de plek was waar Peri heen zou gaan voor hulp.

'Je wapen,' zei ze. 'Heel langzaam tevoorschijn halen.'

Ik trok mijn broekspijp omhoog.

'Maak de holster los en schop hem hierheen.'

Zodra ik dat had gedaan, haalde ze het wapen tevoorschijn, maakte het open, liet de patroonhouder eruit vallen, stopte het lege wapen in de ene en de patroonhouder in de andere zak.

Reikhalzend keek ze om me heen naar waar Taj in de beek stond weggezakt, en ze schudde haar hoofd. De bomen piepten in de krachtige namiddagwind. Het noodweer dat zich boven Pandanus samenpakte, kwam kennelijk deze kant op.

Ze keek met toegeknepen ogen weer naar mij. 'Ik zie dat je hier al vrienden hebt gemaakt. Wat moet je?'

'Ik ben op zoek naar Hugo Katon-Chesshyre en Peri Almond.'

Daar keek ze van op. 'Ben jij de vader?'

'Nee, Hugo's vader heeft me in de arm genomen om hem op te sporen. Nou ja, zijn vader én zijn moeder.'

'Wat?' De vrouw, die vast en zeker Janeane was, leek volkomen sprakeloos.

'De ouders van Hugo,' zei ik, 'hebben mij in de arm genomen om hem op te sporen. Peri heeft de baby meegenomen en is ervandoor gegaan. Niemand weet waarom. Moet je horen, Janeane, je zou niet alleen Hugo's ouders helpen, maar ook een kwetsbare baby en Peri zelf. Je zou toch niet willen dat Peri in de problemen kwam omdat ze een kind heeft ontvoerd? En daar wil je zelf ook niet voor in de problemen komen. Je ziet wel dat ik niet van de politie ben, maar als ik Hugo niet vind ...'

Janeane keek even naar haar hond en toen weer naar mij. Was de hond een pup of een verkleinde versie, net als Frisk? Of zo'n nieuwe Eeuwige Pup? Mijn hersens gingen ermee aan de haal. Waarom zou je je tevredenstellen met een saai volwassen dier, als je iets kon krijgen wat zijn leven lang zo'n schattig speels poesje of hondje bleef?

'Dus Peri Almond is hier?'

'Dat zei ik niet.'

'Maar je hebt ze gezien.' Ik boog langzaam naar haar toe en stak mijn slick uit.

Janeane bestudeerde hem even, bladerde langs mijn gegevens naar de foto's van Peri, Hugo en vader en moeder Chesshyre, en gaf hem weer terug. 'Jezus. Kom mee.'

Janeane stormde voor me uit naar het huis. Ze was zo vreselijk kwaad dat ik me afvroeg wat Peri haar had verteld. Ze was er vast niet al te graag mee voor de dag gekomen dat ze iemands baby had ontvoerd.

Janeane bleef onder aan de trap naar het huis staan.

Ik buitte meteen mijn voordeel uit. Zodra ik naast haar stond, zei ik: 'Er is een groot verschil tussen een jonge vrouw helpen die op de vlucht is met haar kind en een ontvoerder helpen.'

'Ja, dat snap ik verdomme ook wel,' siste Janeane. Ze liep de treden op en draaide zich om. 'Blijf hier. Je kunt toch nergens heen.'

Even later kwam Janeane weer het huis uit en de trap af vliegen, en ze was nog woedender dan eerst.

'Wat is er?'

Ze keerde zich naar me om. 'Ze heeft haar spullen meegenomen. Zo te zien is ze er al vandoor. Je hebt haar vast op stang gejaagd.'

Nee, alsjeblieft, je bedoelt toch niet dat ik haar net ben misgelopen?

Even een stilte. 'Er is één plek waar we nog kunnen kijken. Maar dan moeten we heel voorzichtig en heel stil zijn.'

Ik knikte.

'Je kunt haar nergens toe dwingen,' zei Janeane. 'Je weet dat ze kan vliegen, dus het enige wat je kunt doen als we haar vinden is praten. En vergeet niet dat je mijn hulp nodig hebt om dat wrak van je uit mijn beek te krijgen.'

O god, Taj. Hoe lang zou hij daar nog staan, met al dat water dat door zijn binnenste stroomde? Hoe zou hij eraan toe zijn als ik eindelijk weer terug was? En hoe moest ik hiervandaan komen, terug naar de Stad?

Janeane sloop over het bospad met haar geweer in de hand en de hond die alles op alles moest zetten om haar bij te houden. Zo zacht als ik maar kon liep ik achter ze aan.

Een eind van het huis vandaan klauterden we omlaag naar een woest stromend deel van de beek. Nadat we die een kwartier lang hadden gevolgd kwamen we bij de plek waar hij zich bij een rivier voegde die in diepgroene poelen stroomde, waar het water met het geluid van krakend cellofaan over stenen kabbelde. Via een pad van platte stenen onder ondiep water staken we over naar de andere kant van de rivier. Janeane keek naar het zand, liep langs de rivier en fronste haar voorhoofd.

'Ze is hier wel geweest.'

Afdrukken in wit zand: veren, de rand van een vleugel, een voetje.

Janeane snuffelde rond in de struiken en bomen die vanaf de oever omhoog groeiden, en gaf me met een zwaai te kennen dat ik moest komen.

'Slecht nieuws. Ze is op weg omhoog naar de Moeraskaap. Het lijkt erop dat ze bij ons vandaan vliegt.'

Er glansde iets smaragdgroens in Janeanes hand. Een veer.

Janeane rende weg over een pad dat steil omhoogliep vanaf de rivier. Ondanks mijn dagelijkse rondje hardlopen crepeerde ik zowat van het gehijg en de steken in mijn zij. Ik bleef even staan om op adem te komen en mijn kuiten verkrampten meteen. De pup vloog langs me heen en kwam weer terugstuiteren; die had het geweldig naar zijn zin. De wind rukte aan de bomen.

Janeane ging langzamer lopen en stak haar hand op.

We liepen verder en de wind maskeerde onze nadering.

Janeane maakte een beweging alsof ze op de lucht klopte: halt houden. Ze schoot vooruit, uit het zicht om een bocht in het pad.

Ik hoorde een kreet, en onmiddellijk zette ik het op een lopen. Voor me uit zag ik Janeane achter een jonge vrouw aan rennen. Voor hen hield het pad op en daar voorbij en beneden strekte zich een vallei uit. De opname van de bewakingscamera was heel kort geweest, maar haar lengte en de rijke, roodbruine kleur van haar vleugels waren onmiskenbaar.

Onder het rennen opende ze die reusachtige vleugels; de stijgende wind kreeg al vat op ze, en zonder zelfs maar te klapwieken was Peri al een meter of twee van de grond gekomen en elk moment kon de rotswand onder haar wegvallen.

'Peri!' riep Janeane, terwijl ze met moeite tot staan kwam. 'Ho, Peri. Kom terug!'

Peri bleef boven de rotsrand hangen. Ze schreeuwde iets wat ik niet kon verstaan, maar Janeane, die dichter bij haar was en bijna de kastanjebruine vleugels kon grijpen om haar omlaag te sleuren, schudde wild haar hoofd.

'Ik heb hem niet hierheen gehaald,' brulde Janeane. 'Dat heb jij gedaan!'

Een rukwind kreeg vat op Peri en blies haar opzij. Ze scheerde een klein stukje omhoog, maar nog steeds gevaarlijk dicht bij de steile rotswand. Nu zag ik het lichte groenblauw langs de onderkant van haar vleugels flitsen. En ik zag de baby in zijn draagzak tegen Peri's borst vastgesnoerd. Hugo, zo dichtbij.

'Praat dan alleen met hem,' schreeuwde Janeane tegen de opstekende wind in. 'Ik heb hem ontwapend. Je bent veilig. Je kunt niet vliegen in dit weer. Alsjeblieft.'

Met gespreide vleugels draaide Peri haar gezicht in de wind, nog steeds maar een paar meter boven de rotswand.

Ik was helemaal hierheen gekomen, en daar waren ze, Hugo en zij, maar voor hetzelfde geld zaten ze op de maan. Ik kon ze onmogelijk daarboven bereiken.

Op de valreep

Peri vouwde haar vleugels half op en liet zich zakken, tot ze op de rand van de rots balanceerde. De wind kreeg haar te pakken en even wankelde ze. Nee, nee, nee. Daar zat ik nu echt op te wachten: dat het meisje vlak voor mijn neus van de rots zou storten. Met het kind.

Janeane stak haar hand uit. 'Praat gewoon met hem. Niemand kan je ergens toe dwingen.'

Peri liep op me af en bleef met opgeheven kin staan. Uitdagend.

Ik kon maar beter mijn ogen neerslaan. Ik deed mijn zonnebril af en keek naar Hugo. Niet te geloven dat hij hier echt was. Ik had zijn beeltenis zo intensief bestudeerd dat zijn donkere haar en zijn kalme ogen op mijn netvlies stonden gebrand. Zijn benen waren opmerkelijk lang en elegant voor een baby, alsof hij de vorm van zijn volwassen mannenlichaam al in zijn babylijfje droeg.

Janeane deed een stap achteruit en bleef Peri strak aankijken.

Voorzichtig keek ik nog eens naar Peri, die nog steeds op een paar passen van de diepe afgrond achter haar stond. Ze vouwde haar kastanjebruine vleugels verder op en opnieuw zag ik de flits van hun groenblauwe onderkanten. Op de plekken waar ze door de zon werden geraakt zag je purperrode glinsteringen. Ze was lang, recht van rug en gespannen, met blote, gespierde armen, maar ze hield Hugo teder vast. Haar donkere haar zat naar achteren getrokken in een paardenstaart. Het was zwaar en glom als gepolijst hout.

'Janeane zegt dat je alleen bent.' Haar stem klonk schor, alsof ze had gehuild.

Ik knikte. Nu ik zo dichtbij stond, werd ik getroffen door haar grote donkerbruine, overschaduwde ogen. Van verdriet? Uitputting? Ze zag er tegelijkertijd heel jong uit en toch ouder dan zou moeten.

Hugo keek me aan. Schopte met zijn benen. Kirde. 'Baby Hugo maakt een gezonde, goed verzorgde indruk,' noteerde ik alvast in gedachten in mijn rapport voor Chesshyre.

'Hugo ziet er goed uit,' zei ik.

Peri gaf geen antwoord. Ze draaide aan een zilveren ring aan haar rechterhand.

De roodharige pup had zichzelf volkomen uitgeput door de heuvel op te rennen, en hij lag nu voor pampus op de door de zon verwarmde stenen van het pad, met een trekkend pootje.

Ik probeerde het nogmaals. 'Hoe gaat het met u, mevrouw Almond? Alles in orde?'

'Als je geen agent bent, wat ben je dan wel?' vroeg Peri.

'Ik ben privédetective, mevrouw Almond, en ik ben in de arm genomen door meneer Chesshyre om Hugo op te sporen. U boft heel erg dat de politie er niet bij betrokken is. Nog niet. Ik zie dat Hugo gezond en wel is, en nu komt het er vooral op aan om hem naar zijn ouders terug te brengen.'

Peri zei niets. Haar gezicht stond strak en koppig, en de wind ritselde door haar veren. Ze week geen duimbreed. Wat voor troef dacht dit meisje eigenlijk dat ze achter de hand had? Misschien was ze wel echt getikt. Diep ademhalen. Niet kwaad worden. Ik staarde naar Peri's ring met een gestileerde meeuw of misschien albatros – het was te klein om het te zien. Niet bepaald een verrassend motief. Had ze die gekocht toen ze haar vleugels had gekregen, als symbool voor haar overgang? Wie zou hem anders aan haar hebben kunnen geven? Chesshyre zeker niet. Het was absoluut niet zijn stijl. Ik moest denken aan wat hij had geïnsinueerd. Geloofde Peri echt dat ze een relatie had met Chesshyre, dat ze vat op hem had?

'Luister, Peri,' zei ik, 'meneer Chesshyre begrijpt dat je een vergissing hebt begaan. Hij is er echt niet op uit om je te laten straffen.'

Peri's mond vertrok. Zo te zien vond ze niet dat Chesshyre ruimhartig was.

Geïrriteerd ging ik verder. 'Ik heb gezien waar je vandaan komt, Peri, ik ben in Venetia geweest. Ik weet hoeveel je te verliezen hebt.'

Peri kromp ineen, zoals ik had gehoopt. En Janeane ook. 'Als je meewerkt, lukt het misschien zelfs wel om je permanente verblijfsvergunning in de Stad te houden. Dat is immers het kostbaarste wat je bezit.'

Peri keek naar haar vleugels omlaag. Goed dan, haar vleugels lagen haar nog nader aan het hart. 'Je mag niet het risico lopen dat je hiervoor wordt vervolgd. Straks raak je nog je vleugels kwijt als je wordt veroordeeld. Waarom ben je er zomaar ineens vandoor gegaan?'

Peri rechtte haar rug, alsof ze tegelijk met haar houding haar gedachten overeind zette. Ik deed een voorzichtige stap naar voren.

'Ik moest gewoon weg. Ik had geen keus. Er was iets gebeurd ... En ik moest Hugo meenemen.'

'Wat was er dan gebeurd, Peri?'

Peri schudde haar hoofd en zette een halve pas naar achteren.

Daarna nam ze weer het woord, heel zacht. Ik boog naar voren. 'Een kennis van me, ook een kindermeisje – die heb ik dood gevonden.'

Janeane en ik wisselden een blik.

'Jezus, Peri! Wat krijgen we nou?' zei ik. 'Je vindt een dode, en dan ga je ervandoor?'

Ze knikte.

Janeane zag bleek. Haar schietarm hing slap langs haar zij.

'Wat was er gebeurd?'

'Dat weet ik niet. Ze was ongerust; ze vertelde dat ze een ander kindermeisje was tegengekomen dat ze als kind had gekend, maar ze kon het meisje niet aan de praat krijgen. Het meisje deed net of ze haar niet kende. Dus Luisa – dat is die vriendin van me, Luisa Perros – zei dat ze ging proberen meer over het meisje te weten te komen. Ze wilde een afspraak met me maken en zei dat er anderen waren. Toen ik ... Toen ik ...'

'Jij hebt haar gevonden?'

'Ja, ze was aangespoeld in de Salt Grass Bay.'

'En jij denkt dat ze is vermoord? Hoe dan?'

'Met haar implantaat. Ze kunnen je zo uit de hemel laten vallen.'

'Hoe weet je dat dat is gebeurd?'

Peri snoof even en veegde haar neus droog. 'Ik weet het gewoon.'

'Wat bedoelde ze met "anderen"?'

'Weet ik niet. Andere kindermeisjes, denk ik.'

'Wat heb jij dan voor bijzonders?'

Peri wendde haar blik af.

'Wie denk je dat haar heeft vermoord? Als dat al het geval is?'

'Dat weet ik niet,' zei Peri, en ze zette nog een halve pas achteruit. Ze staarde naar de grond. 'Ik kon hem niet alleen achterlaten, in het huis. Ik kon daar niet blijven en ik kon hem ook niet achterlaten.'

'Ik snap waarom je bang was, Peri,' zei ik. 'Dat kan geen mens je kwalijk nemen. Dat zijn verzachtende omstandigheden. Dit kan geregeld worden, Peri. Het kan allemaal op zijn pootjes terechtkomen, en dan zijn jullie allebei veilig.'

'Ze gaven niet om hem,' zei Peri. 'Ze waren van plan hem weg te sturen.'

Ik staarde haar aan. Dit werd te gek. Toe nou, Peri, maak het nou niet nog ingewikkelder dan het al is. Het is doodeenvoudig. Je bent weggelopen omdat je doodsbang was, en je hebt baby Hugo meegenomen uit verantwoordelijkheidsgevoel; je wilde hem niet alleen achterlaten. Daar moesten we het vooral maar bij laten.

'Je begrijpt het niet,' zei Peri. 'Je moet het begrijpen.' Met een stem die iets kinderlijk klaaglijks kreeg zei ze: 'Het is niet eerlijk.' Ze zuchtte eens diep, in een poging wat rustiger te worden. 'Peter en Avis hadden geen tijd voor Hugo. Grote verrassing, nietwaar? Zulke drukbezette, belangrijke mensen. Ze gaven hem nog weleens een kus voor het slapengaan, als hij helemaal schoon na zijn bad naar ze toe werd gebracht. Ik hield mezelf voor dat dat wel anders zou worden als Hugo ouder werd en me niet meer zo hard nodig had, weet je wel, om hem te voeden. Maar Peter en Avis hadden altijd wel een goede reden om het te druk voor hem te hebben.' Ze zweeg even.

De wind liet een krullende lok haar over Hugo's voorhoofd vallen. Peri streek hem weg. Hugo pakte haar hand en begon te lachen. Een allerliefste baby. Een gelukkige baby, zo te zien. Er moest iemand zijn die van hem hield. Ik slikte om het stof uit mijn keel te krijgen dat ik had binnengekregen toen we door de struiken renden. Ik kon me Tom al bijna niet meer voorstellen als baby. Het was lastig om me te herinneren hoe hij op deze leeftijd was geweest.

Er schoof een wolk voor de zon. Hier was geen beschutting; de wind kwam onbelemmerd over de rotswand aangieren en rukte aan alles – bomen, zand, bladeren, onze kleren – en met zo'n geweld dat je onmogelijk kon nadenken.

'Twee weken geleden is alles veranderd,' zei Peri, en ze verplaatste haar blik van mij terug naar Hugo. Ze vouwde een vleugel open, schudde hem geïrriteerd heen en weer en krabde aan een plek alsof ze door iets werd gestoken. 'Hugo was ergens voor getest, en de uitslag was binnengekomen. Die mocht ik natuurlijk niet zien, maar Avis raakte totaal overstuur. Hij kon blijkbaar geen nestjong worden. Geen vleugels krijgen.' De wind schudde haar door elkaar en kreeg vat op haar opengevouwen vleugel; ze wankelde en wist haar evenwicht te hervinden. 'Het leek wel alsof Avis altijd al had geweten dat hij niet een van hen was.'

Peri begon op en neer te lopen, twee passen naar de kant van het pad en dan weer naar het midden. Geen goed teken. Ze was zichzelf aan het opdraaien. 'Stel je die arme Hugo voor, die leert lopen en praten, en dat is allemaal niet spannend voor hen, niet goed genoeg. Het enige wat hij ziet, is dat hij hen verdrietig en bezorgd maakt. Dag in dag uit. Dat kleine leventje.' Tranen liepen over Peri's wangen, terwijl ze langs me heen staarde alsof ze taferelen zag die ze in het huis van de Chesshyres had gezien. Met de rug van haar hand veegde ze de tranen weg.

'En toen hoorde ik Avis en Peter drie dagen geleden ruziemaken. Zij zei dat Hugo ergens heen moest waar hij veilig was. Ze vroegen die trut van de Engeltjes om maandag langs te komen. Zij zou Hugo meenemen. Waarom kwam ze anders langs? Dat had ze nog nooit gedaan.'

Peri keek me uitdagend aan, met nieuwe tranen die over haar wangen rolden. 'Ze was van plan om hem weg te sturen.'

'Dat begrijp ik niet,' zei ik. 'Wat dan nog, als Hugo geen vleugels krijgt? Kunnen ze dan niet later alsnog vleugels aanbrengen, zoals ze dat bij andere mensen doen?'

'M-m-misschien,' zei Peri. Ze moest hard huilen. Hugo raakte uit zijn hum. Zijn mondje vormde een trillende O. 'Ze zei dat het maar voor even was. Tot ze hem konden genezen. Maar snap je het dan niet?'

Een geweldige windvlaag deed de bomen schudden. *Krak!* Janeane sprong op. 'Christus! Dat was veel te dichtbij.' Een paar meter beneden ons was een grote tak dwars over het pad gevallen.

Peri stond inmiddels te schreeuwen, en niet alleen om zich verstaanbaar te maken boven de wind. 'Daarom is het dus te laat, snap je wel? Te laat, te laat, te laat ...'

Hugo had het op een krijsen gezet en zonder op de afgrond te letten stapte Peri bij me vandaan; ze zag mij niet, noch het pad of iets wat er op dat moment was. De wind kwam in vlagen en sloeg haar bijna omver. Die reusachtige vleugels, haar grootste kracht, brachten haar nu in gevaar.

Er zat niets anders op dan het er maar op te wagen. Ik sprintte naar voren en greep Peri's arm. 'Vooruit, het komt goed. Toe nou maar,' zei ik sussend, terwijl ik haar van de rand vandaan probeerde te krijgen. Waar het op aankwam, was mijn stem, want voor hetzelfde geld had ik een kinderversje opgedreund. Het was net zoiets als een in het nauw gedreven dier geruststellen, of een kind door een brandend huis loodsen.

Een stap, nog een stap, terwijl ik de druk zachtjes en dringend houd, zonder haar mee te sleuren, dan deinst ze terug als een angstig paard. Rustig aan maar. Zodra ze loopt wordt het makkelijker voor haar om door te gaan, hier naar beneden, nog een stukje het pad af, even op adem komen ... Wat zou ik er niet voor overhebben om uit die verdomde wind te komen.

Janeane liep achter ons aan en bleef tussen ons en de afgrond.

'In de Stad voel je je misschien niet veilig,' zei ik, terwijl ik mijn hand op haar arm liet rusten, 'maar hier ben je helemaal niet veilig. Ik kan je twee opties bieden. Jij en Hugo gaan met mij mee terug naar de Stad; dan gaan we dit allemaal regelen, en uitzoeken wat er met Luisa is gebeurd. Jij treedt op als getuige, en degene die dit op zijn geweten heeft verdwijnt achter de tralies. Dan ben je veilig. En je houdt je permanente verblijfsvergunning. Of, als je je daar veiliger bij voelt, geef je Hugo aan mij; dan breng ik hem terug. Dan kun jij verdwijnen.'

Peri liet haar schouders zakken – het beeld van een beschaamd, verslagen kind – maar nog steeds gaf ze het niet op. 'Nee!'

O god. Wat was hier aan de hand? Chesshyre had me niets verteld over waar ik mee te maken zou krijgen, en er was duidelijk meer wat ik niet wist.

Ik liet mijn hand van Peri's arm vallen en liep een paar stappen vooruit over het pad. Janeane zette haar geweer op de grond met de loop omlaag, bij wijze van wandelstok. Ik draaide me om, om Peri recht in de ogen te kijken. Ze had Hugo tot bedaren gebracht. Nu lag hij hevig te gapen. Een fonteintje kiezels schoot onder mijn hiel vandaan en trof de pup, die wakker werd en met moeite overeind kwam.

'Wat zijn nu helemaal je opties, Peri? Je bent nog geen achttien en je bent op de vlucht nadat je een ernstige misdaad hebt gepleegd. Waar denk je te gaan wonen?'

Nukkig zei ze: 'Ik heb een plek waar ik heen kan. Ik weet wat ik doe.'

'Echt waar?' vroeg ik. 'Dus je neemt Hugo van zijn ouders af en gaat een leven als vluchteling leiden? Is dat echt het beste wat je hem te bieden hebt?'

Dat was raak. Peri keek me woedend aan, maar het verzet ebde uit haar weg.

'Domme meid,' zei Janeane. 'Natuurlijk geef je Hugo terug. Jij weet ook wel dat je dat moet doen. De detective heeft je een prima verdediging aan de hand gedaan; daar zou ik maar mooi op ingaan.'

De pup blafte. Dit was het moment waarop een Roofvogel kon toeslaan. Ik had Peri gevonden, hier, open en bloot, en ik had die figuur rechtstreeks naar haar toe geleid.

Een vlucht witte papegaaien vloog over. Hun gekrijs deed denken aan wat ik me altijd voorstelde bij de kreten van een of ander prehistorisch schepsel. 'Hak!' riep Hugo uit. Hij wees naar de hemel. Peri streelde hem over zijn arm en was zich blijkbaar totaal niet bewust van mijn schrik. Dat ze zou worden achtervolgd door een Roofvogel, was kennelijk niet bij haar opgekomen. Zij dacht dat ik de enige was over wie ze zich zorgen moest maken.

'Je moet met me mee terug naar de Stad,' zei ik.

'Nee,' zei Janeane. 'Niet met jou.'

'Hè?' zei ik.

Peri keek er ook van op. 'Maar net zei je dat ik terug moet naar de Stad, tante Jan.'

'Dat is zo, en dat moet je ook doen. Maar niet met hem. Je moet Hugo niet uit handen geven voordat je zeker weet dat het goed zit met je eigen toekomst. Als je de baby eenmaal uit handen hebt gegeven, is het afgelopen. Ze kunnen alles met je doen wat ze maar willen. Dat heb je gezien bij je vriendin Luisa. Als je terug bent in de Stad, heb je hulp en advies nodig. Ik zal je de naam van iemand geven.'

Ja lekker, dan kan ik het dus wel vergeten. Ik dacht dat ik de overwinning binnen handbereik had, maar in plaats daarvan dolf ik het onderspit. *Ik heb hier schoon genoeg van.* Ik was zo verschrikkelijk kwaad dat ik me moest afwenden en de grootste moeite moest doen om de aanvechting te onderdrukken Hugo te grijpen en het op een lopen te zetten. Als we niet vlak bij die rotafgrond hadden gezeten, als Hugo niet in die draagdoek zat vastgebonden aan Peri, als Janeane niet had rondgelopen met dat verdomde idiote, ouwe geweer van haar, en als ik niet bang was geweest dat ze zo meteen nog Hugo's hoofd eraf zou schieten terwijl ze probeerde mij te raken, had ik het nog gedaan ook. Het was inmiddels wel overduidelijk wat het allemaal voor nadelen had dat ik niet meer bij de politie zat. Ik was alleen, ik had geen hulptroepen, en die hulptroepen zouden ook nooit komen.

Ik haalde diep adem en beet op de binnenkant van mijn wang. 'Ga dan maar terug naar de Stad met Hugo en vraag daar om advies, als je er maar voor zorgt dat het mij een goed resultaat oplevert. Ik moet Hugo zo vlug mogelijk aan de Chesshyres overdragen, anders stappen ze ermee naar de politie.'

'Nee,' zei Peri. 'Dat doen ze niet.' Ze vouwde beide vleugels open en sloeg ze om zich heen, zodat Hugo aan het zicht onttrokken was. Ze haalde diep adem, alsof ze op het punt stond het diepe in te springen. Janeane en ik keken haar strak aan. 'Ik weet waarom ze niet naar de politie zijn gegaan.'

'O?' zei ik. 'En waarom was dat?'

'Wat heeft Harper je over mij verteld?'

'Ze zei dat je bij het gezin Chesshyre-Katon aan de slag kon omdat je bereid was hun kind te zogen. En dat je zo aan je vleugels bent gekomen.'

Peri zette grote ogen op. 'Hè?' zei ze, en ze barstte bijna in lachen uit.

'Dat is een goeie. En geloofde je dat?'

Ik haalde mijn schouders op.

'Dan heb je dus geen flauw idee wat vleugels kosten. Die melk is nog maar een aanbetaling. Wil je weten wat het werkelijk kostte?'

Ik hield mijn adem in.

'Ik kan het je net zo goed meteen vertellen.' Peri raapte een takje op en brak het in tweeën. Ze leek ineens harder, ouder, toen ze zei: 'Ik heb ze een kind gegeven. Ik heb een kind, hun kind gedragen, en in ruil daarvoor hebben ze mij vleugels gegeven.'

Janeane hapte even naar adem.

Verbijsterd keek ik haar aan. 'Wát?' Daar zou ik Chesshyre driedubbel de strot voor moeten dichtknijpen.

'Wat een verrassing, hè? Avis kon of wilde het waarschijnlijk niet, dus toen heb ik er eentje voor ze gekregen. Hun genen, mijn lichaam. Om maar te maken dat Avis een baby kon krijgen zonder gedoe, striae, pijn, moeilijk lopen en maandenlang niet kunnen vliegen. Daar houden vrouwelijke vliegers niet van: om vast te zitten. Soms komen ze nooit meer de lucht in na een zwangerschap, heb ik weleens horen zeggen.' Peri trok haar vleugels weg van haar zijden en vouwde ze achter haar rug; ze sloeg haar armen om Hugo heen, die in slaap was gevallen in het donkere nest dat haar vleugels vormden.

Janeane bracht haar hand naar haar hoofd, alsof ze probeerde te voorkomen dat het zou openbarsten.

'Jezus christus,' zei ik. Dan lag alles volkomen anders. Alweer. Een baby weghalen bij zijn echte moeder was wel wat anders dan achter een ontvoerder aan zitten. Geen wonder dat Chesshyre mij had ingehuurd. De stukjes vielen keihard op hun plaats, als een stelletje mahjongstenen aan het eind van een spel van een avond lang. Chesshyre die leugens vertelde over Peri die zogenaamd verliefd op hem was, die uit angst dat zij uit de school zou klappen probeerde haar als eerste te vinden, haar in diskrediet te brengen. En die vreemde kleine Avis in haar blote kleding met die strakke buik van haar die me had dwarsgezeten zonder dat ik begreep waarom. Die onbeschadigde buik van haar was nooit uitgerekt bij een zwangerschap. En geen wonder dat Eliseev zo zenuwachtig was geweest; die had waarschijnlijk die hele verdomde toestand uitgedokterd.

'Wat heb jij dan voor bijzonders?' had ik Peri gevraagd. En dat had ze me nu verteld. Was Luisa ook bijzonder geweest?

Het was van een adembenemende genadeloosheid. Misschien waren ze er niet echt op uit geweest om Peri kapot te maken, door een kind uit een pleeggezin te nemen en haar lichaam te gebruiken om een baby voor zichzelf te regelen en haar aan te houden voor de melk; het kon hun gewoon geen flikker schelen hoe dat voor haar moest zijn.

Janeane had helemaal gelijk gehad met haar advies. Peri had alle reden om Hugo zelf mee terug te nemen naar de Stad en om juridisch advies te vragen.

Janeane keek nog steeds diep geschokt. Ik wendde me tot Peri.

'Dus even voor de duidelijkheid,' zei ik. 'Jij hebt Hugo gebruikt om vleugels te krijgen.'

'Nee,' zei Peri zacht, omdat ze Hugo niet wakker wilde maken, maar het klonk alsof ze elk woord afbeet. 'Zo ligt het niet helemaal. Zonder mijn vleugels was er gewoon geen Hugo gekomen.'

Nu zag ik een volkomen ander persoon dan het angstige jonge meisje dat ik een halfuur eerder had leren kennen. Nu ze het over die overeenkomst had, klonk ze als het geharde kind dat Venetia had overleefd.

'Heb je een contract ondertekend voor deze overeenkomst?'

'Dat dacht ik niet,' zei Peri. 'Er speelde zoveel – medische tests, verklaringen van afstand die ik moest ondertekenen voor de behandelingen en ingrepen – dat ik het allemaal niet kon bijhouden.'

'Misschien,' zei ik. 'Maar je was minderjarig, dus je kon eigenlijk helemaal geen toestemming geven voor zo'n overeenkomst, en ik kan je wel vertellen dat je voogd beslist geen toestemming heeft gegeven.'

'Wat bedoel je? Welke voogd?'

'Ho,' zei Janeane met haar ene hand in de lucht gestoken en in de andere haar geweer. 'Zo is het wel genoeg. Zetten jullie dat gesprek maar voort als jullie in de Stad zijn. Maar nu wil ik dat jullie van mijn land vertrekken. Mensen zijn hier een tikje nieuwsgierig. Dat barmhartige samaritaan-gedoe van een kopje thee en een koekje, helpen met je auto en je dan weer wegsturen, dat werkt tegenwoordig niet meer.' Ze maakte een wenkend gebaar naar Peri. 'Ik wil mijn slick terug.'

'Hè?'

'De informatie, de kaarten en de contactgegevens die ik je heb gegeven. De plannen zijn veranderd. Je gaat terug naar de Stad, met Hugo. Geef op.'

'Die heb ik niet,' zei Peri. 'Hij ligt nog bij je thuis.'

'Ook goed. Vooruit,' zei Janeane. Ze begon ons zo ongeveer onder bedreiging van haar geweer het pad af te drijven.

'Je gaat toch wel met Hugo naar de Stad, hè Peri?' Ik ging naast haar lopen. 'Want als dat zo is, kan ik wel iets regelen en ervoor zorgen dat je veilig bent, maar als je op de vlucht blijft, zal geen rechtbank ter wereld sympathie voor je opbrengen.'

'Ja,' zuchtte Peri. 'Ik zal hem terugbrengen. Mensen als de Chesshyres krijgen altijd hun zin, nietwaar?'

'Ik moet je wel waarschuwen dat dat plan van Janeane ernstige problemen met zich mee kan brengen. Als je erop staat om hem zelf terug te brengen, heb ik geen idee wat Chesshyres reactie zal zijn. Ik kan hem alleen proberen over te halen geduld te hebben, en ik heb reden om aan te nemen dat er een Roofvogel achter je aan zit. Als die je opspoort, zal hij zich niet in de eerste plaats druk maken om jouw veiligheid.'

Peri zei niets.

Geërgerd haalde ik een hand door mijn haar. 'Nou ja, wil dit plan ook maar enige kans van slagen hebben, dan zal ik Chesshyre – Peter – een termijn moeten geven voor Hugo's terugkeer.'

'Een week,' zei Peri.

'O nee,' zei ik. 'Dat accepteren ze nooit. Twee dagen. Laten we vrijdagochtend afspreken bij mijn flat.'

'Ik moet terugvliegen,' zei Peri nors. 'Ik zal mijn best doen om er op tijd te zijn, maar dat hangt niet alleen van mij af. Je hebt ook nog het weer en ...'

'Je hebt drie dagen de tijd,' zei ik. 'Meer niet. Vandaag is het dinsdag. Dus woensdag, donderdag, vrijdag – je hebt tot zaterdag de tijd. Laat je adviseren, maar wel snel. Zorg ervoor dat je op tijd bent. Ik sta niet in voor wat er anders gebeurt. Luister,' voegde ik er impulsief aan toe, 'ik zal proberen je te helpen. Als je maakt dat je op tijd bij me bent, zal ik mijn best doen bij de contacten die ik heb. Goed?' Het is niet echt makkelijk om in je eentje de aardige én de kwaaie agent te spelen.

Ik wierp een blik over mijn schouder. Janeane leek niet onder de indruk, maar Peri keek me aan. Zij geloofde me. Die harde, onschuldige Peri. Dat jonge gezicht. Ik kon me nauwelijks herinneren hoe het was om zo jong te zijn.

'Je hebt me nodig,' zei ik, 'om Chesshyre te bewijzen dat Hugo gezond en wel is.' Ik bleef staan en haalde mijn slick tevoorschijn. 'Even een foto.'

Janeane trok een wenkbrauw op, maar Peri schoof Hugo een stukje omhoog in de kromming van haar arm. Ik deed een stap dichterbij. 'Ik strijk even zijn haar uit zijn gezicht,' zei ik, terwijl ik een lok voor zijn ogen vandaan schoof. Toen Peri terugdeinsde, was ik alweer achteruit gestapt.

Ik nam de foto. 'Je stelt alleen maar iets uit wat onvermijdelijk is. Begrijp dan toch dat ik alleen maar wil wat het beste is voor Hugo.'

'Ik ook,' zei Peri. 'Ik ook, neem dat maar van me aan.'

De pup rende langs ons en vloog een pad in dat naar links afboog in de buurt van de voet van de heuvel.

'Ik heb alles verpest,' zei Peri, zo zacht dat ik mijn hoofd naar haar toe moest buigen om haar boven de wind in de bomen uit te verstaan. 'Nu kan ik niet eens meer voor hem zorgen. Dat is het enige wat ik wilde: dat hij één iemand zou hebben die van hem hield en dat hij dat zou weten. Iemand die hem niet als een mislukkeling beschouwt, die van hem houdt als een heel, volmaakt mens.'

'Waarom, Peri?' vroeg ik. 'Waarom is dat zo belangrijk voor je?'

Ze keek weg.

Ik zette mijn zonnebril weer op. Mij best, dan vertel je het niet. Iedereen heeft wel een treurig verhaal. Dat van haar ging me niets aan.

Janeane gebaarde met een ruk van haar hoofd naar het pad dat de hond had genomen. 'Neem die weg maar,' zei ze tegen Peri. 'Ik kom straks naar je toe om je te helpen pakken voor de terugreis morgen.'

'Ik moet nog wat vragen stellen over Luisa,' zei ik. Peri's onthulling had een nieuwe richting aan het onderzoek gegeven, maar Janeane schudde haar hoofd.

'Daar hebben jullie genoeg tijd voor wanneer Peri Hugo terugbrengt.'

'Je hebt geld nodig.' Ik haalde een creditslick tevoorschijn.

'Niet aannemen,' zei Janeane. 'Die wordt gebruikt om je op te sporen.'

Ik probeerde niet te glimlachen.

'Ik heb geld,' zei Janeane.

Ik schreef mijn gegevens op het enige velletje papier dat ik bij me had – het bonnetje van Café Naxos – en gaf het aan Peri.

'Ik zal tegen mijn buurman Vittorio zeggen dat hij jou en Hugo binnen moet laten als ik er niet ben.'

Toen ik zag hoe bezorgd Peri keek, glimlachte ik naar haar. 'Frisk is er ook. Daar zullen jullie allebei van opknappen. Ik ben niet tegen je, Peri, geloof me nou.'

'Vooruit,' zei Janeane.

Mijn kleine graal, mijn queeste, mijn pot met goud, of hoe je het ook wilde noemen, was onder handbereik; het was moeilijk te verkroppen dat ik me moest omdraaien en Hugo moest achterlaten. Ik liep snel achter Janeane aan.

Janeanes oeroude wagen ploegde vooruit en sleurde die ziel van een Taj achterwaarts uit de beek. Ze besproeide zijn motor met het een of ander en startte hem, en tot mijn onuitsprekelijke opluchting kuchte hij een paar keer en kwam toen tot leven. Ze zette hem weer af.

'Slimme wagen,' zei ze. 'Jammer dat hij net niet slim genoeg was om die kuil in de beek te vermijden.'

'Laat het me weten als Peri morgen vertrekt.'

'We hebben hier geen bereik.'

'Je wilt ongetwijfeld heel graag dat ik dat geloof. Je doet maar wat je moet doen.'

Janeane gaf geen antwoord.

'Bedankt dat je me uit de beek hebt getrokken. Blijf op de uitkijk voor andere vliegers. Als je er een ziet, is dat geen goed nieuws.'

Tot mijn verrassing gaf Janeane me mijn wapen en patroonhouder terug. 'Ik heb je uit de beek getrokken omdat ik je zo snel mogelijk van mijn terrein af wilde hebben. Volgens mij ben jij aan een nieuwe auto toe,' voegde ze eraan toe, terwijl ik door de beek naar Taj waadde. 'Om de een of andere reden komen ze er nooit helemaal meer van bij als er eenmaal een beek doorheen is gestroomd.' Ik neem aan dat ze het leuk vond om dat te zeggen, al klonk ze zo vlak dat het moeilijk uit te maken was.

Het eerste wat al niet klopte, afgezien van de nattigheid en de lucht die er in Taj hing, was dat ik de motor zelf moest starten. En dat was het dan. De motor draaide, de auto kwam in beweging, maar er was geen Taj. Het was een auto, meer niet. Het was een treurige ervaring om bij de Uilen weg te rijden.

Toen we van de Upper Trunk Road afsloegen, trilde mijn slick, een teken dat er bereik was. Ik had het gevoel dat ik die dag veel verder weg was gereden dan de paar uur naar Pandanus. De mensen van Venetia waren niet gewoon een onderklasse die buiten de wet leefden, ze leken eerder in een volkomen ander land te wonen, en toen ik eenmaal de Uilen had bereikt, was ik teruggereisd in de tijd, alsof Janeane met haar oeroude auto en oeroude geweer en dat afgelegen huis van haar een manier had bedacht om in het verleden te leven.

Door die diepe kloven in tijd en ruimte werd de sprong die Peri had gemaakt des te opmerkelijker. Toen ik Venetia had gezien, begreep ik waarom Peri zich had opgeofferd om vaste grond onder de voeten te krijgen in de wereld van Chesshyre. Uit wat ik in haar dossier had zien staan leidde ik af dat in elk geval haar vader een vlieger was geweest, dus had ze vroeger waarschijnlijk tot de stadselite behoord, zelfs al voor haar behandelingen. Met haar lengte, haar atletische gestalte, haar sluike haar en smetteloze huid leek ze veel meer op Chesshyre dan op Janeane of de mensen in Venetia, ook als ik haar vleugels buiten beschouwing liet.

Toen ik nog uren van de Stad vandaan was, belde ik Chesshyre. Ik zette me schrap om met hem te kunnen praten zonder kwaad te worden.

'Is Hugo bij je?' vroeg hij zodra hij mijn stem hoorde.

'Dat nou niet precies,' zei ik. 'Maar hij is veilig. Ze brengt hem terug.'

'Wát? Waar heb je ze gevonden?'

Een redelijke vraag, maar ik voelde er niets voor om zijn Roofvogel aanwijzingen te geven, voor zover ik hem al niet rechtstreeks naar Peri had geleid.

'Voor ik daar antwoord op geef, wil ik eerst even iets verduidelijken. Ik heb mijn best gedaan, en nu moeten we het meisje vertrouwen. U hebt er goed aan gedaan om mij in de arm te nemen, maar er is natuurlijk wel iets wat ik mis, en dat zijn vleugels. Ik kon haar niet in de kraag vatten.' Het is niet niks om normale mensen te arresteren; ik had door heel wat steegjes gerend en me over heel wat hekken gehesen. Maar als het op het arresteren van vliegers aankwam, snapte ik heel goed waarom de politie daar Roofvogels voor nodig had. 'Heel verstandig van u om geen vlieger achter haar aan te sturen, meneer Chesshyre. Twee vliegers die in de lucht met elkaar in de clinch gaan om een baby zou veel te gevaarlijk zijn.'

Chesshyre zei niets. Verdomme.

'U hebt niet toevallig nog een plannetje achter de hand?'

'Ik snap niet wat je bedoelt.'

'Luister, meneer Chesshyre, ik heb die Roofvogel bij u gezien.'

Die had ik natuurlijk niet gezien, maar Taj wel.

'Een privébeveiliger,' zei Chesshyre. 'Meer niet.'

'Goed, dus u hebt niet zelf een Roofvogel. Ik wil alleen maar benadrukken dat als Peri of Hugo iets overkomt vanwege die niet-bestaande Roofvogel, u daarvoor verantwoordelijk bent. U maakt de meeste kans om Hugo ongedeerd terug te krijgen als u Peri niet de stuipen op het lijf jaagt. Ze is al bang genoeg.' En ik kon hem niet vertellen waarom dat was. Als die vriendin van haar, die Luisa, echt was vermoord, moest ik omzichtig te werk gaan. Ik begon in de gaten te krijgen wat een klein wereldje het was, dat wereldje van de vliegers, en ik wilde tot elke prijs voorkomen dat iemand een seintje kreeg, al was het maar per ongeluk.

'Ik kon zien dat ze goed voor Hugo zorgt,' verzekerde ik hem. *Je wist heus wel dat ze hem niets zou aandoen.* 'Alles in aanmerking genomen is het allemaal prima verlopen.' *In aanmerking genomen dat je me in geen enkel opzicht de waarheid hebt verteld over deze zaak.* 'We weten allebei dat ze geen andere keus heeft dan de kleine Hugo terug te geven. Maar ze is nog heel jong.' *Te jong om jullie baby voor jullie te krijgen, ongevoelige klootzak.* 'Heel jonge mensen hebben vaak geen inzicht in de krachten waarmee ze te maken hebben, hoe slecht hun kansen ervoor kunnen staan. En dat is precies wat hen gevaarlijk kan maken. Onze belangrijkste troef tegenover haar is dat u haar niet aangeeft.'

'We willen alleen Hugo veilig terugkrijgen.'

'Mooi,' zei ik. *Waarom vraag je me eigenlijk niet wat de reden is dat Peri Hugo heeft meegenomen?* Dat zou iedereen hebben gevraagd. Maar je weet het antwoord al, dat is het. Jullie gaan hem wegsturen, en zij is zijn draagmoeder. Ze is veel te sterk aan hem gehecht. Je hebt mij in de arm genomen om dat hele gesprek te kunnen vermijden.

Het noodweer dat al de hele tijd boven me hing sinds ik op de terugweg was van de Uilen en Pandanus, vond het eindelijk tijd worden om los te barsten. De wind liet de auto rammelen. De regen roffelde neer alsof iemand een brandweerslang op me richtte. Water stroomde in een ondoorzichtig zilveren gordijn omlaag over de voorruit. Ik vond het vreselijk om Taj niet bij me te hebben op de terugweg, maar ik ging langzamer rijden en uiteindelijk stopte ik helemaal, om mijn gesprek met Chesshyre af te ronden.

Ik had nog een troef die ik kon uitspelen. Het is altijd verstandig om iets achter de hand te houden, maar nu was het vooral belangrijk om ervoor te zorgen dat Chesshyre op het rechte pad bleef.

'Ik heb trouwens een volgapparaatje op Hugo aangebracht. We kunnen voortdurend in de gaten houden waar hij is en ervoor zorgen dat Peri zich aan de afspraak houdt.'

'Mooi,' zei Chesshyre. Ik zei er niet bij dat ik pas signalen kon opvangen zodra Peri gebied binnen was gekomen waar een netwerk bereik had. Ik wilde net zo goed voor haar veiligheid als voor die van Hugo dat Chesshyre dacht dat ik precies wist waar Peri uithing.

Ik had goede hoop dat ik deze zaak snel zou kunnen afwikkelen. Zaterdag aan het eind van de ochtend zou Hugo weer thuis zijn en zaterdagavond kon ik mijn eindrapport op papier hebben en mijn rekening indienen. Ik hield mezelf voor dat ik niet vaak te eten zou hebben als ik me uitsluitend leende voor zaken die moreel gezien volledig door de beugel konden.

Tegen de tijd dat ik Henryk eindelijk te pakken had, was het noodweer een beetje afgenomen en was ik al een eind in de Rode Zone. 'Ik heb iets voor je, maatje,' zei ik, met mijn blik gericht op de ondergelopen, donker wordende weg voor me.

'Aha,' zei Henryk, 'dus je draagt de zaak over?'

'Dat is niet nodig,' zei ik. 'Ik heb Peri gevonden. De baby is gezond en wel, en ze gaat hem terugbrengen. Maar ze is vreselijk bang; ze zegt dat ze op de ochtend dat ze wegliep het lijk van een ander kindermeisje, ene Luisa Perros, heeft gevonden in de Salt Grass Bay. Dat bewijst natuurlijk verder niets; ze kan gewoon zijn gevallen. Misschien is het toch de moeite waard om naar te kijken. We moesten de dossiers van de Engeltjes maar eens bekijken – volgens mij zit daar iets helemaal scheef, en ...'

'We?' riep Henryk uit. 'Wé moeten helemaal niks.'

'Maar Peri is getuige ...'

'Mooi zo. Neem haar maar mee hierheen. Dan kan ze een verklaring afleggen. Als we de kans krijgen, nemen we een kijkje bij de Salt Grass Bay. Maar ga nou niet mijn tijd verdoen door me te vragen jouw karweitjes op te knappen.'

Voor ons uit verscheen een gloed, een golf van licht die omhoogstroomde tegen het donkere scherm van de hemel. De auto gaf een piep. We hadden de duisternis van PReG-land achter ons gelaten en reden de Stad binnen.

Ik kwam uiteindelijk behoorlijk laat Thomas ophalen, wat nog eens verergerd werd door het feit dat ik werd staande gehouden en ondervraagd aan de poort van Silver Palms, de afgesloten wijk waar Lily en Richard woonden – wat niet verbazingwekkend was, als je in aanmerking nam dat de auto en ik allebei doornat waren, onder de modder en het stof zaten, en er volslagen onfatsoenlijk uitzagen. Lily kwam de trap van haar chique huis af lopen om Thomas in zijn autozitje vast te gespen, maar zodra ze zag in wat voor toestand Taj verkeerde, probeerde ze het bezoek te cancelen. Haar wenkbrauwen schoten omhoog toen haar blik viel op de schrammen op mijn wang, het bloed dat in mijn haar zat vastgekoekt en de smerige vlekken in mijn kleren en schoenen van mijn kennismaking met Venetia en de beken en rivieren op het terrein van de Uilen. Ik wist Lily te vermurwen door haar te vertellen dat ik een afspraak met dr. Ruokonen had gemaakt en nadacht over haar 'standpunt' – zoals ik het formuleerde – dat Thomas vlieger moest worden.

Zodra ik die woorden had uitgesproken, wist ik dat ze waar waren. Ik was diep geschokt door mijn bezoek aan PReG-land en begon te geloven dat hoe meer afstand we konden aanbrengen tussen Thomas en de onderklasse, hoe beter het was. Maar ik voelde er niets voor om me door haar te laten platwalsen; ik wilde uit dr. Ruokonens eigen mond vernemen wat die behandelingen precies inhielden, en pas dan zou ik een besluit nemen.

Ik was veel vermoeider dan ik had willen zijn voor een logeerpartij van Thomas. Ik was vroeg op pad gegaan, maar de rit naar huis had me volkomen uitgeput. Ik had niet beseft hoeveel gedoe Taj me normaal altijd uit handen nam. Toen ik eenmaal terug was in de Stad, werd ik gek van irritatie toen ik moest proberen een route te bedenken over wegen die nog begaanbaar waren.

Thuis in Ventura liet ik het bad vollopen voor Thomas, waarna ik dankbaar mijn natte, stinkende kleren afstroopte, onder de douche ging en schone kleren aantrok, terwijl Thomas, die helemaal weg was van Frisk, zoals ik al had gehoopt, hem tegen zijn haren in zat te strelen. Frisk trok zich terug in mijn klerenkast.

Thomas installeerde zich in het bad en beschreef rondjes door het water met zijn lievelingsspeeltje, een purperrode kwal met lichtjes erin. Als hij hem losliet, deinde hij langzaam door het water naar de rand van het bad, waar hij als een paarse maan zijn huiselijke zee bescheen. Ik keek via de badkamerspiegel naar Tom terwijl ik nog iets probeerde te doen aan mijn sneeën en schaafplekken.

'Ik heb er genoeg van,' deelde Thomas mee. Ik boog me voorover om de stop eruit te trekken.

'Dat kan ik ook!' gilde hij, met alle zelfrespect van zijn drieënhalf jaar dat in opstand kwam. 'Ik doe het! Zelf!'

'Toe maar, Thomas,' zei ik, in de hoop zijn woedende geschreeuw tot bedaren te brengen. 'Trek jij dan maar aan de stop. Vooruit, maatje.'

Met een van verontwaardiging vertrokken mond en groene ogen waar elk moment de tranen in konden springen, stak hij zijn hand uit en verwaardigde hij zich de stop eruit te trekken.

Een van de lastigste kanten van het feit dat Thomas niet bij mij woonde, was om hem bij te benen, niet alleen in de plotselinge, snelle ontwikkeling van zijn vaardigheden, maar ook in alle ceremonies waarmee elk moment van zijn dagelijkse bestaan was omgeven, en die voortdurend veranderden. De rituelen van het dagelijks leven van een klein kind zijn net zo ingewikkeld, onwrikbaar en uitgebreid als die van een religieuze sekte, en net als bij de wet is onwetendheid geen excuus. Ik lag altijd achter, ik zat altijd nog op het zevende niveau van de ziggoerat, terwijl zijn dagelijks leven in feite al het achtste niveau had bereikt.

'Er is een heleboel werk voor jou in deze wereld, papa,' merkte Thomas wijsneuzig op toen ik hem uit het bad tilde. Hij stak zijn hand uit naar de snee in mijn gezicht. Ik ging op de rand van mijn bed zitten met Thomas tussen mijn knieën, terwijl ik hem afdroogde. Hij giechelde zodra ik hem hier en daar even kietelde. Ik kuste hem onder het afdrogen, en zijn wang was zachter dan room tegen mijn huid. Hoe lang zou ik hem nog zo onbelemmerd kunnen knuffelen? Wat zou ik het missen, dat heerlijke gevoel om hem vast te houden en dat droge, biscuitachtige luchtje van hem op te snuiven. Dat waren het soort genoegens waar ouders het nooit over hadden, niet omdat ze verboden waren, maar omdat ze zo heftig waren dat je ze voor jezelf moest houden. Andere ouders begrepen het wel, tegen hen hoefde je er niets over te zeggen, en mensen zonder kinderen zouden het nooit begrijpen; die dachten dat als je hartstochtelijk genoegen schepte in de volmaaktheid van een ander lichaam, dat altijd alleen maar over seks ging.

'Wat heb je een ruw gezicht, papa,' piepte Thomas, terwijl hij op mijn borstelige kin klopte.

Toen ik die avond met Thomas aan tafel ging, kwam Peri's situatie me nog ellendiger voor. Ik was eraan gewend om me schuldig te voelen tegenover Thomas, vanwege al dat heen-en-weergeschuif met hem tussen mij en Lily en Richard. Maar in elk geval was hij gewenst; hij was het middelpunt van twee huishoudens.

'Bomen praten, papa,' drong Thomas aan.

Dat ging over een verhaaltje dat ik onverstandig genoeg had bedacht om Thomas zijn broccoli te laten opeten. Ik moest de stemmen van de bomen nadoen, die zich zorgen maakten dat de reus Thomas hen ging opeten. 'Neuh,' zei ik dan als de ene tegen de andere boom, 'die eet ons niet op, hij is ons helemaal vergeten en eet alleen zijn vis op. Zie je wel? Hij kijkt naar de andere kant ... O nee, hij draait zich om. Nee, alsjeblieft, eet ons nou niet op! Aarrrghhh!' En dan prikte Thomas, die zo vreselijk hard moest lachen dat ik vaak bang was dat hij zich nog zou verslikken, een stukje broccoli aan zijn vork en bracht dat langzaam naar zijn mond, zich verkneukelend om de wanhopige smeekbeden van de boom om alsjeblieft gespaard te blijven.

'Kijk, papa, ik heb de boom opgeëet.'

Het avondeten kostte heel wat tijd.

Toen ik Thomas zijn verhaaltje had voorgelezen – *Hans en Grietje*, op z'n minst tweemaal – en zijn tanden had gepoetst, stopte ik hem in bed met zijn wolkenpyjama aan, ik kuste hem op zijn hoofd en zei dat hij vast zou slapen als een roos. Thomas wilde weten of een roos dan ook sliep. Ik zei dat ik dacht van wel. Vervolgens wilde hij met de onvermoeibare precisie die me aan zijn moeder deed denken weten wat voor kleur die roos dan had. Rood. Je lievelingskleur. En nu gaan slapen.

Hij riep me terug. 'En als ik nou bang word, papa?'

Ik ging op Toms bed zitten en pakte zijn hand. 'Dappere Thomas. Wij zijn toch zeker niet bang?'

Ik haalde een biertje uit de keuken, ging aan de eettafel zitten, schoof een stapel papieren opzij die voor mijn bureauslick lagen, en maakte me op om mijn rapport voor Chesshyre te schrijven. Ik zette het bierflesje op tafel en sloeg er mijn handen omheen, omdat ik even niet wilde bewegen of nadenken.

Het was heerlijk om zomaar te zitten, me bewust te worden van een onbekend gevoel in mijn maag, een soort knoop die los ging zitten. Ik slaakte een diepe, langzame zucht. Voor het eerst sinds ik op zondag mijn flat had verlaten, tikte mijn interne klok niet de uren weg sinds de ontvoering, dat afgrijselijke wegglippen van de tijd dat de achtergrond vormde van elke gedachte. Ik ademde in en uit, en dacht na over Peri en Hugo.

Wie van jullie kan met al zijn zorgen een el toevoegen aan zijn lengte? Wat een onweerlegbaar argument was geweest voor de macht van God, het lot, de natuur, was inmiddels zo fragiel als een grassprietje dat buigt in de wind. Nu konden we dat wel. We konden met al onze zorgen een el toevoegen. Of vleugels. Of wat we maar konden bedenken.

En was de consequentie daarvan dat we woedend werden als we onze zin niet kregen? Was dat de prijs voor onze almaar groter wordende macht? Een almaar kleiner wordende acceptatie van zoals de dingen nu eenmaal zijn? *Stuur dat kind maar terug, dit hadden we niet besteld.* De Chesshyres wilden waar voor hun geld. En dat hadden ze niet gekregen. Daarom had Peri zich zo ongerust gemaakt om Hugo. De misdaad die ze had gepleegd was in feite een crime passionnel. Niet van het gebruikelijke soort, maar dat was het wel. Begrijpelijk. Zij was een kind geweest dat elk moment kon worden geretourneerd. En de rotzooi die ik nu moest opruimen was het soort rotzooi dat je kreeg als het leven zelf een transactie was.

Ik had Peri beloofd dat ik zou uitzoeken wat er met Luisa was gebeurd, maar toen ik de databases doorzocht waar ik toegang toe had, vond ik niets over haar. Ik nam Henryk zijn weinig enthousiaste reactie niet kwalijk. Maar Cam wilde het misschien wel weten als ze bij de Engeltjes snode plannen hadden; haar afdeling verleende het bureau tenslotte de vergunning om zijn werk te doen.

'Sorry dat ik je thuis bel, Cam,' begon ik.

Ze zweeg terwijl ik haar vertelde dat ik Peri had gevonden.

'Peri had het over een vriendin van haar, Luisa Perros, die ook kindermeisje was. Ik heb het sterke vermoeden dat zij ook door de Engeltjes is geleverd. We moeten erachter komen of er meer meisjes zijn, afgezien van Peri, die bij pleegouders zaten en uiteindelijk bij de Engeltjes zijn terechtgekomen.'

'Daar komt niets van in, Zeke,' zei Cam. 'We gaan niet zomaar snuffelen. Als je namen krijgt van de Engeltjes, kan ik heel misschien van daaruit terugwerken, maar ik ga geen dossiers natrekken voor het geval dat. Daar zouden we veel te veel gedonder mee krijgen.'

Gedonder, dacht ik toen Cam ophing. Nog een geluk dat ik er niet bij had gezegd dat Perros dood was.

Ik boog me weer over mijn bureauslick. Ik was hard op weg om mijn voormalige collega's tegen me in het harnas te jagen. 'Janeane Shaw, zus van pleegmoeder van onderzocht persoon,' dicteerde ik. 'Slank gebouwd, een meter zeventig lang.' De meeste mensen in mijn branche mislukten, wist ik, en ze mislukten omdat ze er niet in slaagden een fatsoenlijk rapport op te stellen voor hun klanten. Mensen kozen nu eenmaal niet voor dit beroep omdat ze zo bedreven waren in het schrijven van rapporten. Terwijl dat juist cruciaal was: je moest het verhaal onder controle hebben. Als je er niet iets begrijpelijks van kon maken of de greep erop kwijtraakte, kon je het vergeten.

Ik rekte me uit, gooide het lege bierflesje weg, en ging weer zitten om de buitengewoon belangrijke samenvatting te herschrijven. Er zeurde iets in mijn achterhoofd, iets waar ik hoognodig nog eens naar moest kijken. Ik las mijn tussentijdse rapport tweemaal door. Het was een meesterlijke mengeling van openhartigheid, geruststelling en leugens door dingen weg te laten, al zei ik het zelf. Ik had het niet over Peri's motieven of over haar plannen om juridisch advies in te winnen. *Elke dag heeft genoeg aan zijn eigen kwaad.*

Ik bladerde door mijn dossier. Kijk aan, de catalogus van de Engeltjes. Daar moest ik naar kijken. Ik nam hem bladzij voor bladzij door. Luisa stond er niet in, maar dat zei niets. De catalogus had slechts betrekking op een halfjaar. En toch kon hij handig zijn. Ik stuurde de informatie naar Cams huisadres. Ze was toch al geïrriteerd, dus kon ik de boel net zo goed nog wat verder drijven.

Ik laadde de foto van Peri en Hugo, voegde die toe aan het rapport, stuurde dat naar Chesshyre, ververste Frisks waterbak en ging bij Thomas kijken.

In de deuropening naar Toms slaapkamer bleef ik even in het halfdonker naar zijn ademhaling luisteren. Wat heeft de toekomst voor jou in petto? Thomas lag met zijn gezicht naar de muur. Ik staarde naar zijn smalle rug, de knikkers van zijn ruggengraat, de schouderbladen die zo scherp waren dat ze elk moment door zijn huid leken te kunnen prikken. Daar zouden de vleugels komen, die zijn benige jongenslijfje zouden verzachten. Mijn kleine jongen met een boog glanzende veren op zijn rug. Wat voor kleur zouden ze hebben? Lily wilde vast iets opzichtigs. Woede greep me bij de keel bij de gedachte aan Thomas als een product, als iets wat wij zouden vormgeven. Toen dacht ik terug aan Venetia. Na mijn bezoek aan PReG-land had ik er alles voor over om hem boven zo'n soort leven te verheffen.

Ik draaide me net om om zelf naar bed te gaan, toen ik een geluid opving. Ik verstijfde. Geschuifel op de oprit aan de zijkant van Ventura, luid geritsel, een diep gegrom. Dat was Frisk – ik had hem na het eten naar buiten gelaten – en dat gegrom herkende ik. Hij was kwaad. Zijn gegrom veranderde in een hoog gepiep, dat ik nog nooit had gehoord. Het klonk alsof hij bang was.

'Wat krijgen we nou?'

Een luide klap.

Ik pakte een lamp en mijn wapen, glipte naar buiten, en trok de deur dicht. Frisk ging inmiddels zo hard tekeer dat mijn oren pijn deden.

Een enorme, donkere gedaante vloog met zo'n snelheid voorbij dat ik tegen de grond sloeg. Buiten adem krabbelde ik overeind. Het *woesj* van de lucht die door reusachtige slagpennen suisde, trommelde op mijn oren. De grootste vlieger die ik ooit had aanschouwd steeg vlak voor me omhoog. Door de luchtverplaatsing van zijn vleugels sloeg ik bijna alweer tegen de grond. Ik richtte mijn lamp omhoog. Zijn gezicht was afgedekt met een masker; over zijn neus zat een metalen snavel die glinsterde als een mes. Hij cirkelde even boven ons rond en benam het zicht op de hemel. Toen was hij verdwenen.

Frisk zat aan mijn voeten te grauwen en te sissen met al zijn tanden bloot en ogen als flitsend gouden schijven, die het licht uit mijn lamp weerkaatsten. Ik zag een schepsel dat ik nog niet kende.

'Goed zo, Frisk,' zei ik. 'Je hebt zojuist onze Roofvogel in de val laten lopen.'

Het genadeloze element

De volgende ochtend, woensdag, de ochtend van mijn afspraak met dr. Ruokonen, kwam Richard al vroeg langs om Thomas op te halen. Ik had slecht geslapen en was bij elk geluidje wakker geschoten. Omdat mijn angst dat ik door een Roofvogel zou worden gevolgd nu keiharde werkelijkheid was geworden.

Het eerste telefoontje die ochtend was van Chesshyre. Ik praatte met hem terwijl ik rondrommelde in mijn flat: vers water voor Frisk klaarzetten en de paar bordjes van Toms ontbijt naar de gootsteen brengen. 'Hebt u mijn rapport ontvangen?' vroeg ik. Wat ik eigenlijk bedoelde, was: roep die engerd van je terug. Die heb je niet meer nodig.

Het sloeg ook nergens op; waarom hield die Roofvogel mij in de gaten in plaats van Peri? Was hij snel genoeg om mij te volgen en vervolgens achter haar aan te gaan? Chesshyre kon er toch niet twee op de zaak hebben gezet?

'Ja, ik heb je rapport ontvangen,' zei Chesshyre. 'Bedankt.'

'Nog maar drie dagen te gaan.' Ik deed de deur open om Frisk in de voortuin te laten, die vervolgens om de beurt tegen alle mangobomen pieste. Wat viel er verder nog te zeggen? Ik had niets meer te melden dan toen ik slechts negen uur geleden mijn rapport had opgesteld, maar tot mijn eigen afgrijzen besefte ik dat dat het laatste was wat ik kon toegeven. Chesshyre wist niet beter dan dat ik een volgapparaatje had geplant en dus precies wist waar Peri en Hugo zich bevonden. Hij moest dat vooral blijven geloven, in het belang van hun veiligheid.

'Dus je volgt haar de hele tijd?' zei Chesshyre.

'Ja,' loog ik.

Ik vertelde Chesshyre dat ik dankzij het volgapparaat wist dat Peri en Hugo aan hun terugtocht waren begonnen. Ik hoopte bij God dat dat waar was. Als het niet zo was, en die Roofvogel van Chesshyre kwam daarachter, kon je je afvragen wat er dan gebeurde. Voorlopig was Chesshyre echter dolblij. Hij vroeg me die middag naar zijn nieuwe torenproject, Nevelstad, te komen, maar hij wilde niet zeggen waarom.

Frisk kuierde met me mee naar binnen en ik stuurde een bericht naar mijn monteur Thien om Taj later die ochtend in te roosteren.

Daarna belde Sunil om me aan mijn kop te zeuren over die klus in verband met de Serafijnenkerk. Hij wilde samen koffiedrinken in een van onze vroegere stamkroegen, Kamchatka Joe, om negen uur. Toen ik de oprit afreed, ontweek ik Rays ogen en deed ik net of ik niet zag hoe erg hij schrok van de staat waarin Taj verkeerde. Tegen de tijd dat ik de kans kreeg om aan zijn stank te ontsnappen bij de garage van Thien, nieste ik en traanden mijn ogen van de schimmel die al in zijn vochtige interieur omhoogschoot. Glimmen was er nu niet bij voor die arme Taj. Janeane had makkelijk praten over de nieuwe auto die ik nodig had – die van haar dateerde van voor de zondvloed –, maar ik kon me geen nieuwe veroorloven, al helemaal niet als ik moest meebetalen aan de behandelingen van Tom.

Terwijl ik op de trein zat te wachten waarmee ik in de buurt van de overheidskantoren, het parlementsgebouw en Kamchatka Joe kon komen, vroeg ik me af wat voor klus het was die Sunil voor me had. Koffiedrinken met Sunil was nooit zomaar koffiedrinken. Sunil was nooit niet aan het werk, en hij was altijd met van alles tegelijk bezig; daar stelde hij een eer in. Elk kopje koffie dat hij met een vriend dronk, was ook een werkvergadering, elk potje tennis verstevigde ook politieke banden en leverde hem waardevolle roddels op.

Terwijl de trein meanderend naar het zakendistrict reed, bereidde ik me voor op mijn afspraak straks met Ruokonen. Ik las recente artikelen door over de behandelingen en zocht met name naar negatieve reacties en bijwerkingen. De meeste artikelen die ik vond, klonken onverdeeld positief.

'Zwarte operaties,' was het eerste wat Sunil zei toen hij opstond van zijn stoel in het halfduister achter in Kamchatka Joe, en hij gaf me een klap op mijn schouder. Glunderend trok hij zijn schone witte manchetten onder zijn jasmouwen vandaan en zijn knappe gezicht straalde van plezier. 'Wat fijn om je te zien, maat,' zei hij, waarna hij zich afkeerde om het gesprek te beëindigen dat hij met zijn slick aan het voeren was geweest. Toen we aan het ronde tafeltje gingen zitten, stuurde Sunil een boodschap aan een vriendje, of waarschijnlijk aan een hele groep vriendjes.

Zwarte operaties. Dat was de manier waarop Sunil een fatsoenlijke draai gaf aan het graven naar de vuile was van leden van de oppositie. Normaal gesproken waren dat routineklussen, een kwestie van oud materiaal boven water halen, het een bij het ander optellen en de boel een beetje aandikken. Maar ditmaal wilde Sunil meer.

Hij nam een slokje van zijn koffie, boog zich naar me toe en zei: 'De minister wil precies weten wat deze knaap van plan is. We regelen een sollicitatiegesprek voor je bij hem, zodat je zijn kantoor kunt binnenkomen.'

'Oké, prima,' zei ik. Dit soort werk betaalde goed en hield me van de straat, dus toen Sunil me een hand gaf en wegliep, terwijl hij alweer iemand anders aan de lijn had, was ik blij dat ik een nieuwe klus in het verschiet had, ook al kon ik een hele tijd toe met wat het werk voor Chesshyre me opleverde.

Terwijl ik na Sunils vertrek nog even mijn gedachten op een rijtje zette, flitste er een lichtje op mijn slick. Het volgapparaatje was begonnen uit te zenden; Peri en Hugo waren kennelijk het luchtruim binnengekomen waar wel bewakingsinformatie werd doorgegeven. Toen ik hun locatie opzocht op de kleine kaart ter grootte van het scherm, zag ik dat ze richting het zuiden gingen, naar de Stad. Ik legde mijn slick op tafel en wierp voor alle zekerheid nogmaals een blik op het scherm. Even later keek ik voor de derde keer. Peri hield woord! Ik was onuitsprekelijk opgelucht; mijn leugen tegen Chesshyre was waarheid geworden. Maar ik kon hem moeilijk bellen om hem het goede nieuws te vertellen – wat hem betrof had hij dat goede nieuws al gehoord. Nu had ik alleen nog informatie nodig van Janeane. Als het een beetje meezat, zou ik van haar horen voordat ik die middag met Chesshyre had afgesproken, zodat ik hem nogmaals kon verzekeren dat het plan op rolletjes liep.

Ik bestelde nog een koffie om het te vieren. Het ging goed. Ik barstte van het werk en het geld. Sunil en ik hadden al een schetsmatig aanvalsplan voor de zwarte operatie. Een van de lastigste klussen die ik ooit had gehad was beter verlopen dan ik had mogen verwachten. En het zag ernaar uit dat mijn zoon vlieger zou worden. Ik had er weliswaar gemengde gevoelens over, maar ik wist in elk geval dat ik deed wat het beste voor hem was. Het zou betekenen dat Lily me eindelijk met rust zou laten. En als het een beetje meezat, had ik Taj over een dag of twee terug.

Toen ik mijn aantekeningen nog eens doorlas, drong tot me door dat er iets eigenaardigs was aan deze nieuwe opdracht. Het dossier met belastende info dat ik moest samenstellen betrof een parlementslid voor een onbelangrijke partij, een lid van de Serafijnen. Een vlieger, zoals Sunil zondag al had gezegd. Vliegers begonnen in rap tempo mijn nieuwe specialisme te worden. Binnen een paar dagen was ik van iemand die weinig van vliegers wist en zich al helemaal niet voor hen interesseerde, uitgegroeid tot iemand die zowel beroepsmatig als persoonlijk zo ongeveer nergens anders meer aan dacht.

Maar dat kwam later. Ik sloeg de laatste bittere, heerlijk sterke slok koffie achterover, betaalde de schandalige rekening, en ging op pad naar mijn afspraak. Ik moest over een halfuur bij dr. Ruokonen zijn.

Ik was omhooggeklauterd naar ongetwijfeld de grootste boomhut die ooit is gebouwd; hij strekte zich uit rond de stam van een eik en over lange takken. De eik zelf stond tussen twee kantoorgebouwen in een groen stukje wei dat Diomedeapark heette. Het materiaal waarvan de boomhut was gebouwd, leek op niets wat ik ooit had gezien; aan de buitenkant weerspiegelde het bladeren, wolken en hemel, en daarom zag ik hem ook pas toen ik er recht onder stond, maar af en toe rimpelde het even als water, alsof het elk moment kon verdwijnen. Aan de binnenkant waren de muren doorzichtig. Terwijl ik op dr. Ruokonen zat te wachten gluurde ik tussen de bladeren door naar buiten, totdat mijn oog werd getroffen door een enorm VaporView-scherm tegen de binnenwand, waarop beelden rouleerden van vogels en vliegers in hun spectaculaire vlucht, tegen slierten wolken belicht door de ondergaande zon, neerstortende watervallen en fonkelende torens. Bovenaan op het scherm liep de tekst AQUILA NON CAPTAT MUSCAS.

Ik was net met mijn schoollatijn toegekomen aan *aquila* – arend – toen dr. Ruokonen verscheen, een pezige vrouw van in de veertig met vleugels in de kleur van gepoetst tin, en me haar spreekkamer in wenkte. Haar haren hingen over haar voorhoofd in dezelfde kleur van gepolijst metaal als haar vleugels, en haar jukbeenderen waren hoog en geprononceerd. Ze droeg een zijdeachtig grijs hemdje dat er duur uitzag, op een lange broek in donkerder grijs. De kleren waren op maat gesneden en het hemdje liet haar gespierde armen vrij.

We namen snel de wederzijdse geloofsbrieven door en ik keek er erg van op dat er geen sprake was van enige herkenning toen ze mijn slick bekeek. Nou ja, je leert er elke dag iets nieuws bij. Wie had ooit gedacht dat ik teleurgesteld zou zijn als ik iemand tegenkwam die nog nooit van de zaak-Charon had gehoord?

De buitenmuren van Ruokonens spreekkamer waren ook doorzichtig en vanaf mijn zitplaats kon ik heel ver kijken, wel tot aan Green Square Park en de andere kant op naar het parlementsgebouw, door de ravijnen die gevormd werden door de andere gebouwen. De wind ritselde door de bladeren en rukte aan de takken van de eik. Geen vlieger die zich hier ooit opgesloten zou voelen. Met het uitzicht vanuit de kruin van een grote boom, over groen gebladerte, voelde ik me zweven als een donzig wolkje door de lucht. Een vloedgolf van uitgelatenheid stroomde door mijn lichaam. Pure verrukking. God, dacht ik, en dit is vast nog maar een flauwe afspiegeling van wat zij voelen als ze vliegen.

Ruokonen zat op een eigenaardig voorwerp achter haar bureau, een licht deinende zuil met een afgevlakte bocht erin bij wijze van zitting; een speciaal voor vliegers ontworpen stoel. De zuil liep door tot aan het midden van Ruokonens bovenrug, maar er waren geen armleuningen, geen rugleuning, niets wat haar vleugels in de weg zou zitten, die achter haar naar de grond afbogen.

'Het lijkt wel alsof er niets tussen ons en de hemel zit,' zei ik met een gebaar naar het uitzicht.

'Ja. Ik ben van mening dat het bij mijn werk hoort om een paar van de mogelijkheden te laten zien, meneer Fowler.' Ruokonen ging een beetje achteruitzitten tegen de zuil van haar stoel. 'Wat houdt het in om vlieger te zijn? Dat kan van alles inhouden. Wat het in elk geval niet moet inhouden is dat je de dingen blijft doen zoals ze altijd zijn gedaan, maar dan mét vleugels. Dus deze spreekkamer draagt niet alleen uit hoe ik tegen de wereld aankijk, de manier waarop ik wil werken, maar ik gebruik hem ook om mensen een breder idee te geven van de manier waarop ze het vliegen in hun leven kunnen gebruiken.'

'Ik snap het,' zei ik. 'U wordt dan ook zeer aanbevolen.'

Ruokonen boog haar smalle hoofd. 'Wat kan ik voor u doen?'

'Ik wil meer te weten komen over vliegen,' zei ik. 'Mijn vrouw – mijn ex-vrouw – wil dat onze zoon de behandelingen ondergaat. Ik vind dat ik daar geen toestemming voor kan geven zolang ik niet weet wat dat allemaal met zich meebrengt.'

Ruokonen strekte haar benen voor zich uit, kruiste ze bij de enkels en pakte een pen van haar bureau. De pen gloeide hemelsblauw op toen ze ermee op haar handpalm tikte, waardoor het logo van Diomedea werd verlicht dat over de hele lengte van de pen liep. Het was hetzelfde logo dat ik op het gebouw van Eliseev had zien staan. Haar vleugels ruisten over de vloer. 'Dat is heel verstandig,' zei ze. 'Het probleem is dat ik u wel alle relevante informatie kan geven, maar ik weet niet of dat wel zal helpen om die beslissing te nemen. Uiteindelijk is het een emotionele beslissing. Dat neemt niet weg dat u gelijk hebt dat u meer wilt weten. Wat er bij de behandelingen komt kijken?' Ze ging rechtop zitten en keek me strak aan. 'U moet goed begrijpen dat daar heel veel bij komt kijken.'

Ruokonen legde de lichtgevende pen weer op haar bureau. 'Er is een omvangrijke hoeveelheid aanpassingen nodig om een mens in staat te stellen te vliegen. Veel meer dan de meeste mensen beseffen. Het meeste kun je niet zien. De vleugels zijn het meest in het oog springende deel van de transformatie, maar zonder alle ondersteunende veranderingen zijn die niet meer dan een verkleedkostuum. Als u wilt begrijpen waarom er zoveel moet worden gedaan, dient u iets te begrijpen van de natuurkundige achtergrond van vliegen. Lucht is geen ondersteunend medium, meneer Fowler. Laten we zeggen dat lucht meedogenloos is tegenover fouten.' Er verscheen een luguber lachje rond haar lippen. Ik veronderstelde dat ze zojuist een van haar favoriete wrange aforismen had gedebiteerd.

'Toen mensen voor het eerst van vleugels werden voorzien, waren ze uitsluitend esthetisch bedoeld,' ging Ruokonen verder. 'Mensen vonden ze mooi staan, maar ze konden er niet mee vliegen. Die vleugels waren veel kleiner dan die van tegenwoordig. Aanvankelijk probeerden we niet eens aanpassingen uit te voeren om vliegen mogelijk te maken. Omdat de meeste mensen aannamen dat dieren ter grootte van een mens eenvoudig niet konden vliegen. Natuurkundig werkt het gewoon niet voor ons. De benodigde hoeveelheid opwaartse druk is simpelweg ...' Ze haalde haar schouders op in een trage beweging, met haar handpalmen naar boven, alsof de krachten die daarbij kwamen kijken niet in woorden uit te drukken waren.

'Laat ik het zo zeggen,' ging ze door. 'De grootste vliegende vogelsoort heeft een maximumgewicht van tien à vijftien kilo. En de meeste vogels zijn niet zo groot. De meerderheid van de nog levende vogelsoorten weegt tussen de tien en de honderd gram. Dus hebben we hier te maken met een gewichtsfactor van vijf- tot tienmaal datgene waar de klasse Aves een oplossing voor heeft weten te vinden, en volgens mij is Aves de succesvolste klasse uit de geschiedenis van het leven op aarde.'

Ruokonen wierp een blik op haar slick, waarna ze haar ogen weer op iets voorbij mijn schouder richtte. 'Neem je de oude klasse van de pterosaurussen, dan vind je een stel enorme vliegers. De grootste, de quetzalcoatlus, wordt geschat op een maximumgewicht van tweehonderdvijftig kilo. En alles wijst erop dat dat een behendige vlieger was, al zal het hem heel wat tijd hebben gekost om de lucht in te komen. Maar blijkbaar kan het dus wel.'

Een van Ruokonens eigen veren, met zijn grijze bovenkant en glanzend roze onderkant, daalde op haar bureau neer. Ze liet haar vingers langs zijn baarden gaan. Ik zag dat de veer nog van iets anders glansde dan alleen zijn eigen schittering: langs de randen flonkerde veiligheids-poeder.

'Maar we moeten nog met iets anders rekening houden, meneer Fowler. Vogels en andere vliegende wezens beschikken alleen maar over het materiaal dat ze door de evolutie is aangeboden. Huid, spieren, botten, vet, veren. En daarmee hebben ze wonderen verricht. Wonderen. Als je werkelijk begrijpt wat ze hebben bereikt, is het niet te geloven. Die aanpassingen zijn reusachtig, extreem. Natuurlijk hebben we leentjebuur bij ze gespeeld, maar wij hebben wel iets wat zij niet hebben.' Ze liet even een stilte vallen voor het effect.

Ik boog naar voren. Haar enthousiasme over dit onderwerp werkte erg aanstekelijk.

'Wij beschikken over het vermogen om nieuwe materialen te ontwikkelen en binnen veel kortere tijd met aanpassingen te experimenteren. Wij zijn bijvoorbeeld in staat om botten te vervangen door een hybride van koolstofvezels en bot. Die hybride vormt een lichtgewicht, flexibel en uitzonderlijk sterk zelfherstellend raamwerk. Daardoor hebben we het gewicht aanzienlijk kunnen verlagen.'

'Wacht eens even.' Ik schoot overeind. 'Dus jullie vervangen hun botten?'

'We halen ze er niet uit,' zei Ruokonen met een klein lachje. 'Bot groeit voortdurend aan, meneer Fowler. Dat proces veranderen we iets, waardoor de hybride er binnen tamelijk korte tijd in wordt opgenomen. En dankzij het feit dat dat hybride bot zo sterk is, hoeven we niets te veranderen aan de vorm van de borstbeenderen om er de vliegspieren aan vast te kunnen maken. Neem een vogel als de duif: die heeft een versterkt borstbeen in de vorm van de voorsteven van een schip, de zogenoemde kam, waaraan de vliegspieren vastzitten. Wij zijn er niet alleen in geslaagd zo'n ingrijpende verandering in onze vorm te vermijden door sterkere botten te fabriceren, maar ook door spieren te kweken die een grotere explosieve kracht kunnen opbrengen, wat betekent dat die spieren niet zo groot hoeven te zijn als de vliegspieren van een vogel. De spieren die het mogelijk maken om te vliegen zijn zo krachtig dat ze gewone spieren onmiddellijk kapot zouden trekken als die aan die kracht zouden worden blootgesteld.

Deze transformatie is een ingewikkelde opeenvolging van procedures, die uiteraard begint met een screening, en ik hoef u niet te vertellen dat kinderen niet horen te weten dat ze worden getest. We observeren ze tijdens het spelen, bij sportevenementen; we onderzoeken hun uitgebreide medische en genetische geschiedenis, en ga zo maar door.

Stel je voor dat ze zakken – wat niet het juiste woord is, maar zo voelen ze het nu eenmaal. Het idee dat je de kans krijgt om te kunnen vliegen, en dat die je dan weer wordt ontnomen. Omdat je niet goed genoeg bent. Dat moet worden voorkomen.'

Ik was ineens erg gespannen en merkte dat ik mijn adem inhield. Wat Ruokonen hier beschreef, beviel me helemaal niet. Het klonk alsof ik zelf ook moest worden gescreend. Ik had al genoeg geleden onder de zware tests die ik had moeten ondergaan om in aanmerking te komen voor een ziektekostenverzekering voordat ik aan de slag ging bij de politie, en dit klonk alsof ik iets vergelijkbaars zou moeten doormaken.

Ruokonen was nog steeds aan het woord. Ik moest echt opletten, maar mijn hoofd sloeg op hol van alle vreemde dingen die ze uitlegde. Ruokonens woorden gaven me een beetje een dom gevoel. Net als de meeste niet-vliegers had ik aangenomen dat de hele overstap naar vliegen eenvoudig (wat heet) een kwestie was van vleugels toevoegen. En nu besefte ik dat ik nauwelijks had geweten hoe ingewikkeld vliegen wel niet was. Ik had er zelfs minder van geweten dan mijn eigen grootvader, die tenminste nog had ervaren hoe het was om in een vliegtuig te zitten. Dat had ik nog nooit gedaan. Ik was volkomen sprakeloos, zo ingrijpend als de transformatie bleek te zijn. Maar ik moest mijn gevoelens opzijzetten en goed luisteren; dit was mijn enige kans om echt te begrijpen wat er met Thomas zou gebeuren, voordat het hele proces in gang werd gezet.

'Als de persoon in kwestie geschikt blijkt te zijn, volgt de toediening van het juiste DNA, zowel aan de persoon zelf als aan een kweek van zijn cellen waaruit we de vleugels zullen laten groeien. Voor een ouder kind of een jongvolwassene, voor wie we de vleugels apart moeten laten groeien, kweken we ze van de cellen van het kind zelf, en we programmeren ze om zich te ontwikkelen als de dingen die nodig zijn, dus als botten, veren enzovoort. Dat gaat net als wanneer we bijvoorbeeld huid kweken voor mensen met brandwonden. In dit stadium kan men de kleur en het patroon op zijn vleugels kiezen ...'

'Vanwaar die veren?' onderbrak ik haar. 'We zijn geen vogels.'

Ruokonen fronste haar voorhoofd. 'Nee, we zijn geen vogels, maar qua functie zijn veren de best denkbare aanpassing. Ik denk dat iedereen het erover eens is dat ze geen vleugels van naakte huid willen, net als die van vleermuizen. Die zijn niet alleen lelijk, ze zijn ook stukken minder praktisch. Hebt u er weleens over nagedacht waarom vleermuizen nachtdieren zijn, meneer Fowler?'

Ik schudde mijn hoofd.

'Probeer maar eens een vleermuis in de zon te laten liggen, en kijk dan wat er met zijn vleugels gebeurt. Die zullen verbranden, en daar blijven zoveel littekens van over dat hij niet meer kan vliegen. Veren hebben daarnaast voordelen als draagvlak; ze zijn uitzonderlijk licht en stijf, en hebben een grote variëteit aan kleuren en patronen, maar daarnaast hebben ze ook het voordeel dat ze zich kunnen delen.'

Ruokonen drukte op een knop en er verscheen een afbeelding op haar slick van een zwevende arend. 'Kijk eens naar de uiteinden van haar vleugels – ziet u hoe de grote slagpennen verspreid liggen als vingers? Dat doen grote vogels, en zo doen wij dat ook. Daarmee verlaag je de luchtweerstand en vergroot je de stijgkracht, waardoor de energie die nodig is om te vliegen wordt verlaagd. Zoiets kun je niet doen als je naakte vleugels hebt; dat is een van de redenen waarom vleermuizen aan de kleine kant zijn. Ik wil niet beweren dat vleermuizen slechte vliegers zijn, want ze vliegen uitstekend. Ze zijn alleen beperkt in hun mogelijkheden vanwege de materialen waarmee ze moeten werken.'

Ruokonen rekte zich uit, liet haar schouders rollen en schudde even met haar vleugels, waarna ze ze op hun plaats liet zakken. 'Voordat we die vleugels laten groeien, moeten we beslissen over hun afmeting en vorm. Alle vliegende wezens zijn onderworpen aan de wetten van de aerodynamica. Vliegvermogen en soort vlucht waarvoor een vlieger het meest geschikt is, worden onder andere bepaald door de volgende vier factoren: vleugeloppervlak, slankheidsverhouding, vleugelbelasting en vleugelvorm.'

'Even kalm aan, graag,' smeekte ik. 'Slankheidsverhouding, vleugelbelasting?'

Ruokonen wapperde met haar hand. 'Die termen leg ik gaandeweg wel uit. We beginnen met het opstijgen, het meest veeleisende aspect van vliegen. Het vermogen om van de grond te komen wordt voor het grootste deel bepaald door de verhouding tussen vliegspieren en totaal lichaamsgewicht. Ideaal gesproken moeten je vliegspieren om van de grond los te komen ongeveer vijfentwintig procent uitmaken van je lichaamsgewicht. We zijn erin geslaagd om dat terug te dringen tot zo'n negentien procent, vanwege de grotere explosieve kracht van de vliegspiervezels die we hebben ontwikkeld. We zijn er erg trots op dat we de aanpassingen zo hebben ontworpen dat mensen rechtstreeks van de grond kunnen opstijgen. Dat konden de eerste vliegers niet, dus moesten die van een gebouw of een klip af duiken. We zijn nu toe aan de tweede generatie vliegers, meneer Fowler, en bij elke nieuwe groep verfijnen we onze technieken nog weer verder. Dat neemt niet weg dat je nog altijd een stukje moet rennen om genoeg stijgkracht te krijgen om van de grond te komen. Je moet op z'n minst net even boven je overtreksnelheid zien te komen.'

'Het valt me op dat vliegers nog steeds meestal van gebouwen of klippen opstijgen,' zei ik.

'Natuurlijk,' zei Ruokonen. 'Van de grond opstijgen is fysiek de zwaarste inspanning die er maar is.'

'En de andere factoren?' vroeg ik. 'Vleugelvorm en ... Wat was het ook weer? Slankheidsverhouding?'

'Neem een havik. Die heeft korte, brede vleugels die volmaakt zijn om te manoeuvreren in lastige situaties en om een prooi te vangen. Die heeft een lage slankheidsverhouding. Een albatros heeft lange, smalle vleugels, volmaakt om mee te zweven en voor snel, weinig energie vergend vliegen. Die heeft een hoge slankheidsverhouding.'

Ruokonen haalde haar vingers langs het model van een vliegerskelet dat op haar bureau stond. Het was ongeveer een halve meter hoog. Alle botten waren tot in de kleinste details uitgewerkt en konden scharnieren. Ze streelde de uitgestrekte vleugelbotjes. 'Het is net of je een extra stel armen hebt, maar dan in aangepaste vorm. Hier zit het opperarmbeen, en dit middelste deel bestaat uit het spaakbeen, de ellepijp en de polsbotjes. Dit is het langste stuk van de vleugel. Dit deel aan het uiteinde bestaat uit de aaneengegroeide middenhandsbeentjes. Aan de voorrand, hier dus, zitten de veren vast, en aan de achterrand kunnen ze bewegen, net als bij een vogel, en aan die kant kunnen ze zich dus uitspreiden. Zoals u ziet, bestaat de vleugel voor het grootste deel uit veren – dit skelet zegt niet veel over de vorm van de vleugels zelf.'

Toen ik naar het model keek, naar dat aangepaste skelet met zijn geïntegreerde vleugelbotten, werd ik overspoeld door misselijkheid. Wat ik hier zag, was een hybride wezen dat vogel noch mens was, maar iets anders. Een zoogdier hoort geen armen en benen te hebben en dan nog eens een extra stel ledematen. Drie paar ledematen. Als een insect. Wat was het dan? Wat waren ze? Welke kant ging het op met ons?

'En dan komen we nu bij de cruciale getallen,' zei Ruokonen. 'De getallen waar het echt op aankomt, namelijk de vleugelbelasting. Vleugelbelasting is de verhouding tussen de massa die moet worden gedragen en de stijgkracht per vierkante centimeter van het vleugeloppervlak. Een lage vleugelbelasting is omstreeks de halve gram per vierkante centimeter vleugeloppervlak. Vogels met een lage vleugelbelasting komen makkelijk van de grond en zijn goed in zweven. Neem lammergieren. Een hoge vleugelbelasting is omstreeks de 1,8 gram per vierkante centimeter, wat een snelle, krachtige vlieger oplevert met een enorm uithoudingsvermogen, zoals een eend, maar zo'n vlieger zal wel minder makkelijk van de grond komen en in de lucht niet erg wendbaar zijn. Men heeft weleens gesteld dat een vleugelbelasting van 2,5 gram per vierkante centimeter de grens is waarboven vliegen niet meer mogelijk is.'

Ik knikte, al zeiden die cijfers me niet veel. Ik zag wel dat Ruokonen er opgetogen van raakte; ze bloosde een beetje en haar ogen glansden. Dit was duidelijk het onderdeel van haar praatje waar ze pas echt enthousiast van raakte.

'En dan nog dit,' ging ze verder. 'Met een vleugeloppervlak van laten we zeggen twee bij een meter heeft een mens die vijftig kilo weegt een vleugelbelasting van 1,25 gram per vierkante centimeter. Dat is bij uitstek geschikt om mee te vliegen. Niet dat je nu per se voor die vorm zou moeten kiezen. Die zou moeten worden aangepast aan het soort vliegen waar je voor gaat. Door het gewicht omlaag te brengen en de spierkracht op te voeren is het ons gelukt om de omvang van de vleugels terug te dringen en toch nog enige manoeuvreerruimte te hebben qua vliegspecificaties, om de dimensies te wijzigen al naargelang de verschillende soorten vlucht, zonder die gunstige vleugelbelasting te verspelen.'

'O,' zei ik. 'Maar hoe kies je dat dan, in vredesnaam?'

'We bieden stadsvliegers bijvoorbeeld een compromisvorm aan,' zei Ruokonen, 'waarmee ze behoorlijk wendbaar zijn en toch het vermogen hebben om te soaren en lange vluchten te maken.' Er verscheen een plaatje op de slick van een vlieger met gespreide vleugels. 'Niet dat ze dan het uithoudingsvermogen van een albatros hebben, of de behendigheid van een havik, maar ze hoeven tenslotte ook geen oceaan over te vliegen of hun eten al vliegend te vangen. Voor algemeen gebruik en pleziervluchten is het een goede vorm. De vormen van vogelvleugels hebben zich ontwikkeld omdat hun eigenaren ze nodig hebben om te overleven. Wij kunnen ons de luxe veroorloven om vleugels te nemen – wij betalen voor de energie die het kost om te vliegen, zou je kunnen zeggen. Vogels moeten er zuinig mee omspringen. Wij niet.'

Ik probeerde me voor te stellen waartoe de Roofvogel in staat was. 'Als die vleugelbelasting zo belangrijk is,' zei ik, 'hoe komt het dan dat sommige vliegers andere mensen kunnen dragen?'

'Daar speelt op z'n minst één van een aantal factoren mee,' zei Ruokonen. 'Denk om te beginnen eens aan een arend die een lam vangt.

Die arend duikt, dus hij heeft al een voorwaartse kracht. Als een vlieger iemand optilt, komt hij waarschijnlijk ook van bovenaf omlaaggesuisd. En ten slotte is zo'n vlucht altijd van korte duur, hoe het verder ook afloopt. Als u begrijpt wat ik bedoel.' Ze trok een wenkbrauw op.

'Als de vleugels zijn gegroeid, maken we ze chirurgisch vast, en de plekken waar ze worden vastgemaakt zijn al geprepareerd om met de vleugels te versmelten. Er is geen sprake van afstoting, aangezien de cellen grotendeels uit eigen DNA bestaan, ook al zijn ze aangepast, en het lichaam herkent het toegevoegde genetische materiaal als dat van zichzelf. Bij de behandelingen die ik net heb beschreven, gaat het uiteraard om de manipulatie van somatische cellen. Dat zijn de cellen in het lichaam die geen DNA doorgeven aan de volgende generatie. Bij kiemcelaanpassing – wanneer we veranderingen aanbrengen in kiemcellen, dat wil zeggen in de eitjes en het zaad van de ouders – krijgen de nieuwe kinderen gewoon vleugels en alle andere noodzakelijke aanpassingen, net zoals de rest van hun lichaam groeit.'

'Wacht eens even,' zei ik. 'Nu hebt u het over veranderingen die worden doorgegeven. Voorgoed. Dus dan voeg je niet gewoon DNA aan een individu toe, maar verander je de hele blauwdruk.'

'Ja,' zei Ruokonen. 'Bij sommige nieuwe kinderen. Het zijn er niet veel. Nog niet. Maar de aanpassingen die nodig zijn om te kunnen vliegen verlopen zo aanzienlijk soepeler. Het is ook veel eleganter om die vleugels vanzelf te krijgen in plaats van dat ze worden aangebracht.'

Uit Peri's woorden had ik afgeleid dat de Chesshyres verwachtten dat Hugo vanzelf vleugels zou krijgen. Als architect verlangde Peter natuurlijk naar die elegantie waarover Ruokonen het had. Had een van hen, of hadden ze allebei kiemcelaanpassing ondergaan in Hugo's belang? Ik dacht aan Eliseev. Beschikte die over voldoende kennis daarvoor? Nou ja, Diomedea was in elk geval een van de weinige ondernemingen met voldoende capaciteit, de brute kracht van geld, machines en ervaring voor dat soort werk, en Eliseev werkte in hun gebouw, al hield dat niet automatisch in dat ze met elkaar in verband stonden.

'Het kan zijn dat het eleganter is om vanzelf vleugels te krijgen, maar hoe krijgt een mens dat voor elkaar?' Wat ik bedoelde was: hoe haalt een mens het in zijn hoofd? Ik zette alles op alles om een rustige toon aan te slaan en zei: 'Het is één ding dat iemand die dingen voor zichzelf kiest, maar het wordt een ander verhaal als je beslist dat je nakomelingen tot in de eeuwigheid ook worden veranderd.'

'Er zijn massa's mensen die er net zo over denken als u. Dat neemt niet weg dat er dankzij kiemceltherapie al heel wat aandoeningen de

166

wereld uit zijn geholpen. En ik kan niet zeggen dat ik nu veel stemmen hoor opgaan om daar een eind aan te maken.'

'Hoe zit het met de Oorsprong?'

Ruokonen haalde haar schouders op, alsof ze het beneden haar waardigheid vond om zelfs maar het bestaan van dat soort fanaten te erkennen.

'We hebben gewoon niet het recht om dat soort beslissingen te nemen. Het gaat niet alleen om hun nakomelingen, maar over ons allemaal. Jullie splitsen ons op in twee soorten. Of meer. God mag weten hoeveel. Elegantie is geen goede reden.' Ik zweeg, uit onvermogen om mijn krachtige gevoelens onder woorden te brengen.

'Uiteraard hebt u recht op uw eigen mening,' zei Ruokonen. Ik nam aan dat ze eraan gewend was om om te gaan met de tegenstrijdige gevoelens die vleugels opriepen bij niet-vliegende ouders. Ze moest nu eenmaal een overtuigend verhaal ophangen over vliegen om ouders over te halen ermee in te stemmen dat hun kinderen werden omgebouwd tot nestjongen.

Bedaard ging ze verder: 'U hebt me gevraagd te beschrijven wat er gebeurt, en dat vertel ik u. Als uw zoon eventueel de behandelingen ondergaat, komt daar geen kiemcelaanpassing bij kijken, al zou dat later wel kunnen gebeuren, als uw zoon wil dat zijn kinderen makkelijker kunnen vliegen.'

'En als een baby van twee vliegers nu geen nestjong wordt? Kunnen die behandelingen dan nog steeds worden uitgevoerd?' Met andere woorden, kan een kind als Hugo toch nog altijd een vlieger worden, net als zijn ouders?

Ruokonen dacht na. 'Nou ja, zoals ik al heb aangegeven, zullen vliegers niet spontaan een nestjong krijgen, tenzij ze kiemcelaanpassing hebben ondergaan. Het is een nogal omstreden terrein. Er is nog niet zoveel informatie beschikbaar, maar de cijfers die wel al beschikbaar zijn wijzen erop dat tot zo'n twintig procent van de peuters met vliegende ouders die kiemceltherapie hebben ondergaan toch niet spontaan vleugels krijgt. In dat soort gevallen is de gebruikelijke aanpak om geen verdere behandelingen uit te proberen. Dat is misschien een te voorzichtige benadering, maar u moet dan wel weten dat de behandelingen in zo'n vijftien tot twintig procent van alle andere gevallen ook niet aanslaan; vandaar dat men aanneemt dat deze baby's ook geen goede kandidaten zijn. Daar ben ik persoonlijk echter niet van overtuigd. Er is eenvoudig nog niet genoeg bewijs voor het een of het ander, aangezien er nog maar zo weinig van die kinderen zijn.'

Dus twintig procent van alle behandelingen mislukte. En dat nog wel na die strenge selectieprocedures. Dat was een hoog percentage, vooral als je in aanmerking nam wat een reusachtige investering het was om alleen al die tests te ondergaan.

Ruokonen praatte door. 'De vleugels groeien of worden bevestigd, het genetische materiaal wordt toegevoegd en dan is er nog de medicatie. Bij een kind is in de DNA-therapie ook het moment geprogrammeerd waarop het vliegen tot ontwikkeling komt, net als dat met lopen het geval is. En tevens het navigatievermogen van een vogel.

Voor oudere kinderen en volwassenen is de medicatie anders afgesteld, op basis van leeftijd, en voor een deel dienen die medicijnen om iemand de neurale plasticiteit te bezorgen die nodig is om zulke dingen te verwerken als de veelomvattende omwenteling in je fysieke vaardigheden en zelfs in je zelfbeeld en proprioceptie, die ook ingrijpend verandert. U hebt er geen idee van hoe groot de veranderingen in het functioneren van de hersenen zijn die je nodig hebt voor de ruimtelijke eisen die vliegen stelt, maar ook door de uitbreiding aan sensorische informatie die binnenkomt van het toegenomen lichaamsoppervlak dat de vleugels zelf bieden.'

'Maakt Zefiryn deel uit van die medicatie?' vroeg ik.

Ruokonen stond op van achter haar bureau en liep naar een doorzichtige wand om uit te kijken over de bomen. Ze keek er blijkbaar niet van op dat ik van dat medicijn had gehoord. Het middel speelde nogal een prominente rol in de artikelen die ik even had doorgenomen, en dat was geen wonder, aangezien het een van de meer choquerende onderwerpen was die een journalist vanuit het Wilde Westen van de vliegkunst de wereld in kon sturen.

'Zefiryn maakt inderdaad deel uit van de medicatie. Het is een opmerkelijk nuttig middel, vooral om de sensorische informatie die nodig is om te kunnen vliegen scherper af te stellen, maar net als dat voor andere medicijnen geldt, dient het alleen te worden ingenomen onder medisch toezicht. In de praktijk gebruiken alle vliegers het. Zefiryn is niet illegaal. Voorlopig is de status ervan onduidelijk; er zijn nog geen officiële richtlijnen voor het gebruik ervan. Ik zit in een van de commissies die zich over de kwestie buigen.' Ze kwam terug en ging weer achter haar bureau zitten.

'Volgens sommige mensen is het verslavend,' zei ik.

Ruokonen sloeg haar blik ten hemel. 'Elk farmacologisch werkzaam middel kan worden misbruikt,' zei ze. 'Elk middel, in feite. Natuurlijk zijn er mensen die echte gebruikers worden.'

'En de bijwerkingen?'

'Ik neem aan dat u die hebt opgezocht.'

'Nou ja, ik heb over het gebruikelijke werk gelezen,' zei ik. 'Aanvallen van transpiratie. Gewichtsverlies. Bevingen. Verlies van affect. Maar het zijn vooral de geruchten die ik interessant vind, bijvoorbeeld dat het genoemd wordt in verband met verdwijningen ...'

'Geruchten,' zei Ruokonen, 'zijn doodgewoon geruchten, meneer Fowler. Geen gegevens, geen bewijzen. Ik twijfel er niet aan dat u het belang inziet van bewijzen. Goed, andere aspecten van de medicatie zijn erop gericht het lichaam blijvend bij te staan bij de aanpassing aan de veranderende stofwisseling die nodig is voor de eisen die vliegen aan het lichaam stelt.'

'Dus hun stofwisseling wordt opgejaagd,' zei ik.

'Grof gezegd wordt die inderdaad versneld, ja. Een vlieger onttrekt tweemaal zo efficiënt zuurstof aan de lucht als u. Ze doen het in een aantal opzichten op dezelfde manier als vogels, via luchtzakjes in hun botten. Die luchtzakjes zijn verbonden met de longen. Deze zakjes zijn ook behulpzaam bij het regelen van de temperatuur doordat ze vliegers in staat stellen de overmaat aan warmte af te voeren die door het vliegen wordt gegenereerd. Het is een opmerkelijk elegant gebeuren, aangezien de vleugels zelf als blaasbalg functioneren; al vliegend pompen ze enorme hoeveelheden lucht in deze zakjes en de longen.' Ze schudde haar hoofd van bewondering voor zo'n zuinig mechanisme.

'Betekent die versnelde stofwisseling dat vliegers minder lang leven?'

'Beslist niet,' zei Ruokonen.

'Dat weet u toch nog niet?' zei ik. 'Zijn er al cijfers bekend?'

'Voor zover ik weet niet.'

'Dus u weet gewoon nog niets over de effecten van dit alles op de lange termijn?'

'Zoals ik al zei, zijn we nu bezig aan de tweede generatie vliegers, al waren er wel al eerder hier en daar wat prototypes. Maar de eerste generatie vliegers is nog niet bejaard.'

'Zijn er bijwerkingen? Dat kan haast niet anders.'

'Ik heb nog geen recente cijfers, maar het is geen geheim dat de vruchtbaarheid weleens te lijden kan hebben onder de behandelingen.'

'De vruchtbaarheid?' zei ik haar na. 'Voor hoeveel mensen geldt dat?'

'Misschien zo'n twintig procent van de vliegers zal problemen hebben.'

'Wat? Wat houdt dat precies in?'

'Die cijfers hebben betrekking op paren waarvan beiden vlieger zijn.

De cijfers liggen iets beter wanneer de vrouw geen vlieger is. Per persoon zijn vliegers wel vruchtbaar – vrouwen hebben bruikbare eitjes, mannen hebben actief sperma. Maar die resulteren minder vaak in baby's dan we zouden willen.'

'Dat is een forse prijs die je dan betaalt,' zei ik. 'Wat denkt u dat er precies misgaat?'

'Het is niet mijn specialisme, maar ik denk dat het probleem niet in de conceptie zit. Als ik me bezighield met onderzoek op dat terrein, zou ik de innesteling onderzoeken. Misschien slaagt de vrouw er niet in een voldragen kind te krijgen. Misschien is het percentage lichaamsvet te laag, of de hormoonspiegels kloppen niet. En eerlijk gezegd zijn er heel wat vliegers die niet eens zwanger willen worden.'

Daar houden vrouwelijke vliegers niet van, om vast te zitten. Soms komen ze nooit meer de lucht in na een zwangerschap, heb ik weleens horen zeggen.

Dus regelden de Chesshyres dat Peri hun kind kreeg voordat ze vleugels mocht hebben. Dat klopte wel zo'n beetje met wat ik wist over haar lidmaatschap van de vliegsportschool en Hugo's leeftijd.

'En wat nog meer?' vroeg ik. 'Er zijn vast meer bijwerkingen.'

'Nou ja, het hele gebeuren is in feite één groot bijeffect,' zei Ruokonen. 'Het is lastig om onderscheid te maken tussen de kern en al die dingen die je bijwerkingen zou kunnen noemen. Elke dag je veren gladstrijken, zevenmaal per dag eten, minstens een uur per dag vliegen, je tot in lengte van dagen aan de medicatie houden – dat zijn geen bijwerkingen, dat zijn allemaal dingen die erbij horen als je vlieger bent. Ik zei al dat sommige behandelingen mislukken. Die mislukken op het punt waar de persoon in kwestie zijn zelfbeeld moet veranderen. Lichamelijk gezien loopt alles op rolletjes, maar zo iemand wordt gewoon geen vlieger – die blijft een persoon met vleugels. Je wordt een ander mens als je vlieger wordt. Andere dingen worden belangrijk voor je.'

'Zijn die andere dingen zo belangrijk dat sommige vliegers Wilden worden?' vroeg ik.

'Dat is een sprookje,' zei Ruokonen, net even te snel voor het ontspannen toontje waar ze eigenlijk op mikte. 'Sommige vliegers gaan tot het uiterste van hun vermogens. Af en toe raakt er iemand verdwaald of hij valt uit de lucht, en dan beweren mensen dat ze Wild zijn geworden. Kletspraat. Onnozele paniekzaaiers.'

'Hoe weet u dat zo zeker?' vroeg ik. Typisch artsengedrag: die arrogante weigering om over iets ongemakkelijks te praten. Pas als het zo overduidelijk was dat het eenvoudigweg niet meer kon worden ontkend, zou de officiële versie van de werkelijkheid worden aangepast aan wat iedereen allang wist.

Ruokonen stond op. 'Ik heb een pakket informatie samengesteld voor ouders. Een ogenblik.'

Toen ze de kamer uit was, keek ik even op mijn slick. Een boodschap, van Henryk: SGB NAGETR. GEEN LK! AFGLPN MT FLWKL. MAAT.

Oké, Henryk, daarom hoef je nog niet te schreeuwen. Mij best. Geen lijk. Dus alle sporen naar Luisa liepen tot nu toe allemaal dood. Ik kon wel wachten tot Peri terugkwam en haar dan uitvragen over alles wat ze maar over die vriendin van haar wist. Maar ik wilde niet wachten. Dus stuurde ik een bericht naar hikikomori Wilson, mijn vroegere techneut en mijn enige hoop om iets te weten te komen over de Engeltjes. Ik wist niet of Luisa via dat bureau aan werk was gekomen, maar het was de moeite waard om het na te trekken, en ik had sowieso meer informatie en namen van dat bureau nodig. Ik dacht even na en stuurde Wilson vervolgens nog een PS. Als hij toch bezig was, kon hij dan ook eens zien wat hij met de systemen van Eliseev kon aanvangen?

Ik stond op en liep naar de boekenkast tegen de achterste binnenwand. Op de eerste plank die ik bekeek, stond een reeks dikke studieboeken. *De anatomie van vliegers. Vliegers: enige ziekten en parasieten. Erfgenamen van de wind: papers van het twaalfde jaarlijkse symposium over vliegen georganiseerd door Reykjavik Diomedea–MicroRNA/Corvid. Het oog van de orkaan: normen en waarden rond vliegen. DSM-XX-TR registersupplement vliegers, tweede editie: gids bij het handboek diagnose en statistieken betreffende geestelijke stoornissen. Vluchtspecs: Tijdschrift voor vluchtspecialismen.*

Ik pakte het tijdschrift. 'Geldigheid subtypes voor met vliegers geassocieerde geestelijke stoornissen als erkend in DSM-XX: specifieke diagnostische criteria: overeenstemming algemeen arts-vluchtspecialist', luidde de titel van het hoofdartikel. Ik legde het tijdschrift terug. De technische literatuur was even ontoegankelijk als ik had verwacht. Deze boeken stonden er maar voor de show, behalve misschien de essays. Alles wat maar even technisch was, had Ruokonen ongetwijfeld op een slick staan en werd voortdurend bijgewerkt. Op de plank eronder stond een zwart boek met zilveren letters op de rug: *Zeven raven: rijmpjes en sprookjes voor moderne kinderen*. Ik pakte het boek en bladerde het in het wilde weg door, tot mijn aandacht werd getrokken door iets wat me bekend voorkwam. Het heette *Bonaparte*, en het was het rijmpje dat Avis was begonnen te zingen. Ik las het hele geval:

Baby, baby, stoute baby
Nu moet echt je snaveltje dicht
Stil zijn, stil zijn, nu meteen
anders komen er ruwe vleugels in zicht

Baby, baby, het is een echte reus
Groot en haveloos, harteloos en wild
En hij peuzelt echt elke dag
Een stout kind op, ongevild

Baby, baby, als hij je hoort
Wanneer hij komt vliegen langs dit huis
Suist hij meteen pijlsnel om je te grijpen
Als een havik een kleine muis

Hij zal je meenemen, hoger en hoger
Tot boven ijzige wolken zal hij je wiegen
En daar zal hij je loslaten, kindje
En tot je valt zul je vliegen.

Dat was hardvochtig genoeg om authentiek te zijn. Het was ongetwij-feld gebaseerd op iets oerouds. Ik zette het boek terug en liep naar de doorzichtige buitenmuur. Ik werd me steeds meer bewust van de schei-ding tussen vliegers en niet-vliegers. Onze medische en wetenschapp-elijke werkelijkheid verschilde, we ervoeren de fysieke wereld ingrij-pend anders, maar het was nog niet bij me opgekomen dat ze een eigen cultuur, eigen verhalen zouden hebben, en zelfs hun eigen manier om hun kinderen op te voeden. Wat voor vader kon ik nog helemaal voor Thomas zijn als ik het belangrijkste element in zijn leven niet met hem deelde? Hoeveel bescherming en advies kon ik hem bieden op een ter-rein waar ik nooit enige ervaring zou opdoen?

Ruokonen kwam terug en gaf me een kleine slick. 'U moet dit maar eens goed bekijken, als u werkelijk wilt dat uw zoontje de behandelin-gen ondergaat.'

'Dank u voor uw tijd.' Alsof ik daar niet voor had betaald. *Want jul-lie dekken alles toe met leugens, kwakzalvers zijn jullie, allemaal.* Dank je, Job.

Ruokonen was al met iemand anders aan het praten op haar slick. 'Ja, ja,' zei ze, 'dat heb ik toch al gezegd? Daar heb ik al tijd voor vrijge-maakt. Ik ga een getuigenverklaring afleggen bij de autoriteiten. Je denkt toch niet dat ik een afspraak bij de minister vergeet? Stel dr. Summerscale dan maar gerust en zeg dat ik er zal zijn.'

Op weg naar buiten bleef ik even staan. 'Hebt u kinderen, dokter Ruokonen?'

Ruokonens gezicht bleef onbewogen. 'Nee.'

'Wat betekent *Aquila non captat muscas*?'

'Een arend probeert geen vliegen te vangen, meneer Fowler. Het betekent ...'

'Ja, ik begrijp wat het betekent,' onderbrak ik haar. 'Vermoei me nou maar niet met de triviale details. Want voor de rest vind ik het allemaal wel erg groot.'

'Moet u horen,' zei Ruokonen, iets vriendelijker. 'Ik benijd u er absoluut niet om dat u een beslissing moet nemen. Ik begrijp het – nou nee, ik begrijp het niet, ik leef met u mee. Het is vast niet makkelijk.'

'Was het voor u de moeite waard?'

'Het lijkt me dat het antwoord overduidelijk is.' Ze schudde met haar vleugels. Er flikkerde even een roze glans.

'Dat wel,' zei ik. 'Maar ik schiet er niets mee op. Ik kan het iedere vlieger ter wereld vragen, en dan schiet ik er nog niets mee op.'

Met een duizelend hoofd klauterde ik de boom uit. Ruokonen had gelijk gehad: met al die informatie was de boel er niet duidelijker op geworden. Terwijl ik de wei overstak, wierp ik een blik omhoog naar een hemel die inmiddels koperkleurig was van het latezomermorgenlicht. De zon had de kleine weibewoners buiten westen geslagen en het gras lag er stil bij. Een ekster vloog uit de eikentakken over de Stad heen weg.

Hebt u samen met Hem het firmament tot een gladde spiegel getimmerd ... De havik wiekt op en vliegt naar het zuiden met een brede slag, is dat te danken aan uw wijsheid? De gier bouwt zijn nest hoog, is dat een voorschrift van u? Nou nee. Maar we namen vleugels, en bouwden onze nesten hoog, op ons eigen voorschrift. Of het aan onze wijsheid te danken was, dat was de vraag, nietwaar? De grote vraag naar hoeveel centen dat eigenlijk allemaal gaat kosten, die vliegen is geworden. Dat was een onderwerp dat we niet hadden besproken, en toch was het de meest cruciale: hoeveel gaat het kosten?

Hoeveel gaat het kosten?

Is er wel iemand die daar een antwoord op heeft?

En toch kon ik Thomas zien vliegen, daar boven de wolken. Zwevend op de warme lucht boven de woestijn. Scherend over de golven. Mijn kleine jongen, die ik dan voorgoed kwijt zou zijn. Kwijtraken zou ik hem toch. Maar hoe moest ik het verdragen dat hij een volkomen ander wezen zou worden, met de genen van iemand anders die tussen hem en mij kwamen te staan? Niet zomaar een ander wezen, maar ook van een totaal andere orde, een totaal andere klasse. De vraag was niet meer wat Thomas allemaal zou kunnen, maar wat hij zou worden. Al was het enige wat werkelijk verschil maakte de vraag waar hij gelukkiger van zou worden. En dat wist je niet zeker. Dat kon je nooit zeker weten.

Toen ik naar het dichtstbijzijnde station liep, belde Thien.

'Ja?' zei ik, nog net een fiets ontwijkend die met twee bananenbomen op de bagagedrager gebonden voorbijzoefde.

'Wil je het goede of het slechte nieuws horen?' vroeg ze.

'Kom maar op.'

'Het spijt me heel erg, maar we kunnen Taj niet meer tot leven wekken. We kunnen de AI opnieuw installeren, zodat de auto weer kan navigeren, maar Tajs geschiedenis en persoonlijkheidsprofiel kunnen we niet meer terughalen.'

'Hè?' Ik was diep geschokt. Het was geen moment in mijn hoofd opgekomen dat het ze niet zou lukken Taj te reanimeren. Dat Taj nu voor altijd weg was. Taj, die sinds ik voor mezelf was begonnen het enige was geweest wat min of meer in de buurt kwam van een partner, besefte ik nu.

'We hebben je auto doorgelicht,' ging Thien verder. 'Ik heb zo'n idee dat je niet wist dat er een roodrug met jullie meeliftte.'

'Jezusmina, Thien.' Een roodrug was een van de allernieuwste volgapparaten. 'En ik had hem nog wel nagekeken voordat ik de Stad uit ging.'

'Klote, hè? Neem het jezelf maar niet kwalijk. Die rotdingen komen er bij het soort tests dat jij uitvoert uit als inerte massa, modder of een dood insect. Wij geven een fortuin uit om dit soort ontwikkelingen bij te houden. En dat doen we alleen maar vanwege de contracten die we hebben met de overheid en beveiligingsdiensten. En het mooie is dat toen jij met Taj de beek in dook, je dat gevalletje ook hebt verkloot. Dit heeft iemand een aardige duit gekost.' Thien klonk ineens een stuk vrolijker. 'Blijkbaar is er iemand die jou heel belangrijk vindt.'

'Ja,' zei ik. 'Fijn hoor. En wat was precies het goede nieuws? Dat heb ik zeker gemist?'

Nevelstad

Ik had niet verwacht dat Chesshyre me mee zou nemen naar de top van zijn toren, maar hij stond erop. Terwijl de lift de hemel tegemoet schoot, zakte mijn maag omlaag. EINDE GEMENGDE ZONE flitste even aan op het scherm toen we steeds sneller omhoogvlogen. Wat betekent dat nou weer, wilde ik net vragen, toen me ineens de adem werd benomen. De vloer onder mijn voeten was plotseling doorzichtig geworden. Opeens zag ik door de wanden en onder mijn voeten alleen nog een oprijzend panorama van de Stad. Het koude zweet brak me uit onder mijn oksels, en mijn ademhaling werd oppervlakkig en gejaagd.

Ik controleerde nog eens Hugo's positie, zoals ik dat elke paar minuten had gedaan vanaf het moment dat het signaal was doorgekomen; Peri en Hugo waren nog steeds op weg in zuidelijke richting. Dat was een hele geruststelling, na het ongemakkelijke gevoel dat de Roofvogel van gisteravond had losgemaakt en het besef dat ik was gevolgd. Ik had alleen nog steeds niets van Janeane gehoord.

'Aha,' zei de investeerder, ook een vlieger, die zich ongevraagd bij Chesshyre en mij had gevoegd aan de voet van Nevelstad, 'ik verheug me erop om de voorsteven te zien.'

Een bericht. Wilson meldde dat hij later die avond waarschijnlijk iets te melden had. Hij zou pas na kantoortijd proberen in te breken in de systemen van de Engeltjes en Eliseev.

ZET JE ZINNEN OP NEVELSTAD, HET HEERLIJKE LEVEN WAARVOOR JE GEMAAKT BENT, verscheen dringend op het scherm. Waarop er beelden voorbijstroomden van de stratosferische kronkeling van de middelste toren met bovenop een uitstekende voorsteven die door wollige wolken kliefde als een schip door hoge golven. Als hij klaar was, zou hier een heel bos op groeien, met watervallen die zich over de rand omlaagstortten langs de steunbeer van honderden meters lang die de voorsteven ondersteunde. Ongeveer op een derde van de hoogte omlaag langs de middentoren dijde er vanuit de toren iets uit wat op de bovenkant van een nevelwoud leek en uitliep in een fijnmazig bladerdak boven de Stad.

'We zijn net het deel van de toren binnengekomen dat zal gaan draaien,' zei Chesshyre tegen de investeerder.

'Draaien?' vroeg ik. De lift remde af.

'De toren heeft wel iets weg van de opengebroken mechanische spiraal van een bloem die zich opent, wat een heel praktische vorm is, omdat de massa van het bouwwerk afneemt naarmate je hoger komt. Die verdeling van de massa maakt het bouwwerk stabieler, mede dankzij de voorsteven met zijn steunbeer. Vanaf het nevelwoud op twee derde van de hoogte zal het bovenste deel elke negentig minuten een omwenteling van driehonderdzestig graden maken.'

De lift kwam tot stilstand. De deuren openden zich naar de blauwe lucht. De investeerder sprong als eerste het niets in, gevolgd door Chesshyre. En alsof dat al niet erg genoeg was, stond er op het schermpje van de lift: 250E VERDIEPING. TOEGANG ALLEEN VOOR VLIEGERS.

Chesshyre draaide zich om en trok zijn wenkbrauwen op. 'Kom op,' zei hij met een klein lachje. Hij liet een siddering door zijn vleugels varen tot aan de uiteinden, een heftige beweging die iets van irritatie leek uit te drukken en al zijn veren met een papierachtig geritsel liet ruisen. De rilling maakte een golf peperige sandelhoutgeur los die ik met Chesshyre associeerde. Hoe meer tijd ik met vliegers doorbracht, hoe meer ik erachter kwam dat ze er een heel eigen taal op na hielden, een scala aan vleugelgebaren, van het grootse uitrekken van opengevouwen vleugels tot een subtiele rilling. Die taal was een van de vele dingen waardoor vliegers ons gewone stervelingen zo onbekend voorkwamen. 'Het kan absoluut geen kwaad.'

Geen kwaad? Wat kon er precies geen kwaad aan die lancering naar de top van Chesshyres duiventil een kilometer boven de aarde?

Behoedzaam stapte ik de lift uit. Tot mijn afgrijzen stond ik in het niets, zonder dak boven mijn hoofd en geen balustrade tussen mij en de rand van het gebouw.

Voor ons strekte zich de vlakte uit van de voorsteven, die breed was aan de basis, waar wij stonden, en taps toeliep tot een scherpe punt in de verte. De bodem, die nog niet was voorzien van het woud en de watervallen die op het liftscherm in het vooruitzicht werden gesteld, golfde groen en zilver in de zachte wind.

'Deze kant op,' zei Chesshyre, en tot mijn verbijstering liep hij een paar treden af naar de voorsteven en begon hij het brede oppervlak over te steken, achter de investeerder aan, die een spoor trok door de glanzende grassen alsof hij door water liep. Het was een bedwelmende ervaring om in de lucht over een alpenwei te lopen. Met alpenbloemen doorschoten grassen ritselden rond mijn knieën en lieten een muskusachtige geur los als ik ze vertrapte. De grassen golfden tot aan de rand van de voorsteven, die aan alle kanten in dezelfde steile hoek terugliep als een gebogen scheepsromp.

Recht voor me voorbij de scherpe punt van de voorsteven kwam een donderwolk geluidloos tot ontploffing, met witte en grijze zwellingen die zo razendsnel naar buiten en boven uitwaaierden dat ik het gevoel had dat ik zelf omhoog werd gesleurd, en ik voelde dat ik overspoeld werd door een golf uitgelatenheid en luchtziekte.

'Ik ga die thermiekbelgenerator van je uittesten,' riep de investeerder naar Chesshyre.

Naarmate de voorsteven smaller werd, vertraagde ik mijn pas. Die stralende donderwolk kon elk moment een stortbui loslaten op dit onbeschermde veld. 'Meneer Chesshyre!' riep ik. Toen hij zich omdraaide, sprong de investeerder van de voorsteven af en een ogenblik later kwam hij over ons hoofd teruggeblazen.

'Dit is geen weer om een thermiekbelgenerator uit te testen,' mompelde Chesshyre.

De voorsteven wees oostwaarts, en voorbij de donderwolk kon ik helemaal over de Stad heen naar de zee kijken. Ik boog mijn hoofd achterover en zag de wind het aambeeld van de donderwolk naar het westen jagen, waar ik door de nog onvoltooide bovenste verdieping achter me een onderbroken zicht had op het laagste deel van de bergen die uit de vlakte verrezen. Naar het noorden en zuiden strekten zich nog meer buitenwijken uit, en daar voorbij de glinsterende kust. Hier en daar braken zonnestralen door de voortjagende wolk en de wind kreunde laag en harmonisch over de vlakte en door de toren. De investeerder was inmiddels een stip geworden die naar het westen en omlaag bewoog. Zou hij nog terugkomen of doodeenvoudig verdwijnen op die abrupte manier die vliegers erop na hielden?

'Vreemd,' zei Chesshyre toen hij naast me kwam staan. 'Ik kan me er geen enkele voorstelling van maken hoe het daar moet zijn.' Hij wees naar de horizon en zijn hand beschreef een nauwkeurige, elegante boog – het gebaar van een architect die een ruimte aangeeft, waarmee hij de kust schetste die in de verte verdween.

Hij had het over PReG-land, iets wat voor hem moeilijker voor te stellen was dan het heelal. En misschien was dat maar goed ook. Hij had geen idee van de gevaren die Peri en Hugo bedreigden in dat vijandige gebied. En dat kon ik hem niet kwalijk nemen ook; ik had het zelf pas gezien toen ik in Café Naxos zat.

'Straks zul je zien waarom we hier zijn,' zei Chesshyre, en als het gevleugelde roofdier dat hij ook echt was, liep hij naast me voort door zijn hemelhoge savanne.

Gerustgesteld door Chesshyres solide aanwezigheid in mijn nabijheid waagde ik me in de buurt van de rand. Zijn enorme vleugels schermden me af van de wind.

Ten slotte bereikten we de punt van de voorsteven. De randen waren aan weerszijden nog geen halve meter bij me vandaan. Voor ons uit stak een smalle punt, als de boegspriet van een schip, en aan het eind daarvan schemerde een vorm die nauwelijks meer leek dan de onderbreking van het licht. Met toegeknepen ogen probeerde ik de randen van het bouwsel te ontdekken. Het bewoog zachtjes in de wind. Zonder aarzeling stapte Chesshyre op de boegspriet. Hij keerde zich afwachtend naar mij om. Als hij nou echt dacht dat ik dat zou gebruiken als brug, vergiste hij zich.

Hoe kwam Chesshyre erbij om mij mee hierheen te nemen? Het was hier niet veilig voor mensen als ik, en dat zou nog steeds niet het geval zijn als de toren helemaal af was.

De brug vormde een smalle reep boven een duizelingwekkende diepte, zonder zijkanten of balustrades. 'Nee,' zei ik. 'Daar kan ik niet op.'

Er trok even een glimlach over Chesshyres gezicht. 'Jawel, dat kun je wel. Er is iets wat je moet zien.' Hij stond met zijn vleugels gedeeltelijk ontvouwen om in balans te blijven, en stak zijn hand naar me uit.

Nu zat ik in een lastig parket. Ik wilde zijn hand niet vastpakken om als een klein kind te worden meegenomen. Zodra ik maar even de wereld van de vliegers betrad, of dat nu in het bakje aan de kabel was, toen ik de boom van Ruokonen in klom, of hier, in paniek aan het begin van dit pad, was ik ineens weer terug in mijn jeugd, die tijd vol wonderbaarlijke mogelijkheden en plotselinge verschrikkingen.

Chesshyre stond met uitgestoken hand te wachten, en zijn blauwe veren ritselden in de wind. Ik kon niet meer terug; om te beginnen kon ik niet op eigen kracht terug naar vaste bodem, want ik had gezien dat Chesshyre met zijn stem het veiligheidsslot van de lift bediende. Toen ik die verdomde lift was binnengegaan, had ik me aan Chesshyre uitgeleverd.

'Maak je geen zorgen,' zei Chesshyre. Zijn stem klonk rustig, zelfs een beetje spottend, maar zijn houding had iets geforceerds en hards gekregen. Hij begon zijn geduld te verliezen. Ik zweette; mijn huid voelde koud en wasachtig aan. 'In het onwaarschijnlijke geval dat je valt, ben ik sterk genoeg om je op te vangen.'

Jezusmina, wat moest dat voorstellen – een nauwverholen dreigement? Deed hij dit soort dingen voor de lol? En of ik me Chesshyre kon voorstellen die een avondje op stap was en dan een of ander arm meisje mee hierheen zou nemen en haar zou dwingen zich over te geven. Zo'n kind zou als was in zijn handen zijn en datzelfde kille plezier in zijn ogen zien als ik nu zag.

Ineens wist ik zeker dat hij daar heel goed toe in staat was. Heel even begreep ik afgrijselijk genoeg precies waarom hij daar een intens genoegen aan zou beleven; het was een bewijs dat hij kon beschikken, niet alleen over zijn eigen krachtige lichaam en zijn vliegvaardigheden, maar ook over het leven van een van die lagere wezens, de niet-vliegers. En dat in zijn eigen ruimte, de ruimte die hij had geschapen.

Ik slikte, stapte op de brug en greep Chesshyres hand vast. Zijn handpalm was droog, en toen zijn hand zich rond de mijne sloot, voer er een schok door me heen van de warmte die van zijn huid af sloeg. Die opgevoerde stofwisseling ook. Zou Thomas zo warm aanvoelen? Mijn knieën werden slap terwijl de brug in vreemde bochten omhooggolfde. Onder onze voeten en boven ons hoofd dreven wolkenflarden voorbij. Als Chesshyre me niet had vastgehouden, was ik gevallen. Nu wist ik zeker dat hij dit Peri had aangedaan, dat hij haar hierheen had meegenomen, haar hier had gepakt. Peri met haar lange ledematen, en Chesshyres blauwe vleugels die haar bedekten, op deze spriet hoog in de invallende schemering.

Chesshyre trok me mee naar het midden van de brug. De wolk kolkte omlaag en hulde ons in koud grijs. 'Ik moet zeker weten dat ik je kan vertrouwen,' gromde hij met een lagere, kwadere stem dan ik tot nu toe had gehoord. Hij verplaatste zijn greep naar mijn schouder en ik kromp ineen toen zijn vingers me vastpakten. 'Je bent al met deze zaak naar de politie gestapt, hè? Niet liegen!'

Ik keek naar hem omhoog. Ik wist dat hij me had laten volgen, en nu pas, nu het te laat was, begreep ik waarom hij me had meegenomen naar deze brug, waar hij me kon ondervragen en mijn hoogtevrees kon gebruiken om me te martelen tot hij zeker wist dat ik de waarheid sprak. Ik ben bepaald geen beginneling op het gebied van ondervragingstechnieken en dit had ik moeten zien aankomen. Als politieman had ik vaak genoeg gezien hoe snel een zakelijk gesprek kon omslaan in een levensgevaarlijke hinderlaag, maar nu ik eenmaal voor mezelf werkte, was dit soort situaties veel minder duidelijk omschreven. Wanneer moest ik Chesshyre aan de kaak stellen, terwijl iets wat een contract moest voorstellen tussen een klant en een detective was omgeslagen in een situatie tussen besluiper en beslopene? Zonder dat feit te erkennen glipten we heen en weer over die grens, zoals toen ik de avond tevoren de Roofvogel betrapte die mij bespioneerde.

'Natuurlijk kunt u mij vertrouwen,' zei ik, naar adem snakkend, en intussen dreunde door mijn hoofd: *hij weet dat ik heb gelogen, hij weet dat ik heb gelogen.* Door gaten in de mist zweefden bouwsels op me af die honderden meters beneden ons waren. Ik was bereid alles te zeggen. 'Ik ben niet naar de politie gegaan. Ik heb hulp gekregen van een oude vriend van me. Dat is alles. Dacht u niet dat ze allang bij u voor de deur hadden gestaan als ik daarover loog?'

Chesshyre keek me strak aan. Ik voelde zijn adem heet op mijn wang. Zijn vingers klemden zich nog steviger om mijn schouders. Het deed echt pijn, maar het zou zelfmoord zijn geweest als ik had geprobeerd hem af te schudden.

Mijn slick trilde in mijn zak. Godzijdank. Misschien hadden we daar wel het onomstotelijke bewijs dat ik de waarheid sprak, zodat ik levend van deze brug af zou komen. 'Ik kan hier niet praten,' zei ik hijgend. 'Ik moet u heel dringend iets vertellen. Over Hugo.'

'Wat?' zei Chesshyre.

'Eerst van de brug af.'

Chesshyre keek me nog even strak aan, greep mijn pols, en nam me mee van het pad af dat uitliep in een doorschijnende ruimte die boven de afgrond hing als een bloem met een gebogen stengel.

Toen ik eenmaal veilig uit de buurt van de deur was, haalde ik mijn slick tevoorschijn en zag dat er eindelijk een bericht was van Janeane.

'Dit is de bevestiging,' zei ik, nog steeds trillend van de angst en de pijn, 'dat Peri met Hugo op weg is naar de Stad, zoals we hadden afgesproken. Dus schei nu maar uit met mij te bespioneren. Misschien dat u nu eindelijk gelooft wat ik vertel,' voegde ik eraan toe. Chesshyre rukte me de slick uit handen. Hij mocht blij zijn dat ik hem geen stomp verkocht voor wat hij me op die brug had aangedaan. Ik had hem het liefst buiten westen geslagen.

En dus had ik gemengde gevoelens toen Chesshyre me mijn slick teruggaf, met een uitdrukking op zijn gezicht die ik nog nooit had gezien. Zijn gezicht straalde van zuivere, onversneden blijdschap. Het was iets wat met zo'n kracht over hem kwam dat ik er zelf de terugslag van voelde. Als ik niet zo licht in mijn hoofd was geweest van die opeenvolging van emoties, van angst naar woede en opluchting, had ik me misschien wel haast gegeneerd gevoeld bij de aanblik van zoveel onverhuld gevoel op het gezicht van iemand die zo gereserveerd was. Hij zag er euforisch uit, als iemand die onverwacht de hele wereld aan zijn boezem drukt.

'Wat een fantastisch nieuws,' zei Chesshyre. 'Dankjewel.'

Hij was bijna uitgelaten. 'Fantastisch,' zei hij nog eens. 'Je hebt goed werk geleverd.'

Ik moest even op adem komen, en intussen keek ik om me heen. 'Ruimte' was misschien een te gewoon woord voor deze plek. 'Cocon' was vast een betere omschrijving van dit golvende, doorschijnende geheel waar geen scherpe hoeken waren tussen vloer, wanden en dak, van een materiaal dat zo helder was als water, net als de wanden van Ruokonens boomhut. Op dat moment bestond het uitzicht hoofdzakelijk uit de textuur en de beweging van wolken.

'Dit is mijn kantoor,' zei Chesshyre.

Natuurlijk. Het was een ruimte die een man als hij waardig was. Hij had dit geschapen, de mooiste plek in zijn eigen gebouw, dus waarom zou hij die niet voor zichzelf opeisen?

Dus zo zou het nu gaan. We hoorden net te doen alsof er niets was gebeurd op de brug. Ik moest mijn woede en angst opzijzetten en die plotselinge opgewektheid van Chesshyre maar accepteren. Wat voor keus had ik anders?

Onder me schoof een grijze wolk weg, en plotseling keek ik omlaag naar iets wat eruitzag als een reusachtig schaakbord, met zwarte en witte vierkanten omgeven door een donkere wal.

'Ik wil u iets zeggen,' zei ik, en ik draaide me om van de buitenmuur om Chesshyre aan te kijken. Hij had een slick van zijn bureau gepakt en wierp nu een blik op mij, met ogen die groot werden van schrik.

'*Sanctus Ivo erat Brito,/ Advocatus, et non latro/ Res miranda populo.*'

Hij staarde me aan. 'Dat meen je niet? Heb je op St.-Ivo gezeten?'

Ik glimlachte.

'Jezus, wat zal je vader teleurgesteld zijn geweest. Een jongen van St.-Ivo die bij de politie gaat!'

Daar moest ik hard om lachen. 'Nee. Oké, ja.'

Hij droeg voor: '"De heilige Ivo was een Breton en een advocaat, maar niet oneerlijk – iets verbazingwekkends in de ogen van het volk". Elke ochtend tijdens de bijeenkomst in de aula zat ik naar dat schilderij van hem te kijken: de advocaat die met een boek in zijn hand tussen de rijke en de arme gedingvoerder troonde, met een engel bij zijn hoofd en een leeuw aan zijn voeten. Weet je nog hoe ze hem noemden?'

'Jawel,' zei ik. 'Elke dag van mijn politieopleiding. De heilige Ivo, advocaat van de armen. Patroonheilige van de rechters, de advocaten en de juristen. En van de wezen. Een hoogst interessante lijst.'

'En vergeet de in de steek gelatenen niet,' zei Chesshyre.

'Nee,' zei ik. 'Ik doe mijn hele werkende leven al mijn best om die niet te vergeten.' *Maar jij hebt de Serafijnenkerk ontworpen. Ga je daar tegenwoordig heen, in plaats van naar de kerk uit je jeugd?* Vliegers krijgen niet alleen hun eigen stad tussen de wolken, maar er is ook al een godsdienst die speciaal voor hen is bedoeld, al zitten de engelen nu dan zonder werk, met al die gevleugelde types die op eigen kracht aan de poorten van hun eigen hemel verschijnen.

Chesshyre maakte een gebaar naar een beschaduwde muur aan de overzijde. Het hele oppervlak lichtte op en er verscheen een ingewikkeld, gelaagd ontwerp; hij maakte een cirkelbeweging met zijn hand door de lucht en het ontwerp draaide. Het was een deel van Nevelstad.

'Moet je dit zien,' zei Chesshyre, terwijl hij met behulp van handgebaren door dwarsdoorsneden van Nevelstad bladerde. Voor het eerst kreeg ik werkelijk een idee van de omvang en complexiteit van de geplande stad, die nog heel wat uitgebreider was dan het complex waar we nu in stonden; hij strekte zich over het hele centrale deel van de Stad uit. Nevelstad zou een compleet leefgebied voor vliegers omvatten. Ze konden er wonen, werken, spelen, studeren, winkelen, zwemmen en vliegen zonder hem ooit te hoeven verlaten. Als deze stad in de lucht af was, zouden wij niet-vliegers letterlijk in hun schaduw leven.

Mijn hoofd duizelde ervan. Ik stelde me voor dat Thomas in Nevelstad woonde, in een van deze duizelingwekkende kantoren werkte, naar een plekje boven een waterval vloog, met zijn kinderen speelde in het park dat aan de rand van een afgrond hing, dat hij zijn hele leven zou doorbrengen zonder ooit de grond aan te raken. Ik stelde me voor hoe ik hem zou opzoeken als een oude man die ertoe veroordeeld is om hem op een van de lagere niveaus te ontmoeten, terwijl Thomas' werkelijke leven ontoegankelijk en onvoorstelbaar voor me zou zijn.

Ik wees naar stukken in het ontwerp die eruitzagen alsof ze vervallen waren, alsof ze wegvielen tegen de lucht, wat me deed denken aan het dakloze gevoel dat ik in Chesshyres huis had gekregen. 'Die stukken daar zijn niet echt onaf, hè?'

'Nee. We laten zo veel mogelijk ruimte open in de lucht. Wij smachten naar ruimte, al is het maar in de vorm van steile afgronden en kloven. Daarom zijn vliegers en niet-vliegers er ook niet zo goed in om een ruimte te delen. Wij krijgen last van claustrofobie; zij krijgen hoogtevrees.'

Dus nu hoorde ik ineens bij een 'zij'.

Overweldigd ging ik op een bankje tegen de muur naar de nieuwe stad zitten kijken. Was dat het wat Chesshyre me had willen laten zien? Chesshyre bewoog zich in een wereld die me volslagen onbekend was, en net als Peri kon ik me niet voorstellen dat Hugo een plek in deze ruimte zou vinden. De ironie van de situatie ontging Chesshyre blijkbaar: hij had deze aparte wereld voor vliegers geschapen – 'Daarom zijn vliegers en niet-vliegers er ook niet zo goed in om een ruimte te delen' –, voordat hij zich had moeten neerleggen bij het feit dat Hugo niet spontaan vleugels zou krijgen. Chesshyre en ik waren elkaars spiegelbeeld en worstelden met hetzelfde dilemma. Hij was een vliegende vader met een zoon die niet zou vliegen; ik was een niet-vliegende vader die misschien een vliegende zoon zou krijgen. Allebei probeerden we om te gaan met een kind dat totaal anders was dan degene die we hadden verwacht, op wie we hadden gehoopt of die we konden begrijpen.

Chesshyre stapte op me af. 'Was echt alles goed met Hugo?' vroeg hij, en de rimpels tussen zijn ogen werden dieper. Hij legde heel even zijn hand op mijn arm, alsof hij kon voelen of ik de waarheid sprak.

Ik knikte.

'Wat een arrogantie,' zei Chesshyre. 'Die pretentie van dat kleine ... Wie denkt ze wel niet dat ze is? Hoe kan ze nou denken dat zij beter is voor Hugo? En Joost mag weten aan wat voor gevaren ze hem allemaal heeft blootgesteld! We hebben Hugo alles gegeven. Alles.'

Dat zal wel. Maar hoe kan Hugo zonder vleugels ooit jullie wereld erven?

Chesshyre ijsbeerde heen en weer. Plotseling bleef hij staan. 'Wat heeft Peri je eigenlijk verteld, Fowler?'

Daar had je dan eindelijk de vraag die ik al de hele tijd verwachtte. Het was niet in Peri's belang als ik nu antwoord gaf.

'Dat doet er niet toe, meneer Chesshyre. Ik ben aangetrokken om een klus te doen. Dat heb ik gedaan. En ik wil precies wat u wilt: dat Hugo gezond en wel thuiskomt.'

'Natuurlijk.' Chesshyre ging rechtop staan en wreef over zijn nek. 'Ik vind dat wachten verschrikkelijk. Elke minuut lijkt wel een uur te duren.' Ineens greep hij zo snel als een kat die aan een vlooienbeet krabt een vreemdsoortige kam uit de bovenste la van het bureau en haalde hem over een plekje op een van zijn vleugels.

Hij gooide de kam terug en drukte zijn handen tegen zijn ogen.

'Zal ik je eens wat vertellen, Fowler? Ik hou van mijn zoon. Wat dat kind ook heeft gezegd of gedaan, dat is de keiharde waarheid.'

Ik zag de pijn op zijn gezicht. Hij zag er moe uit. Op dat moment had ik met hem te doen.

'Je vraagt wel erg veel van me, Fowler. Ik moet je vertrouwen en ik moet op Hugo wachten.'

Kijk aan, dat was waarschijnlijk het enige wat Chesshyre kon opbrengen in de richting van een verontschuldiging voor het feit dat hij me op de brug had bedreigd.

'Het duurt nu niet lang meer,' zei ik, vriendelijker dan ik me voelde. 'Maar, Peter,' voegde ik eraan toe, en ik kon zien dat hij opkeek van het onverwachte gebruik van zijn voornaam, wat ook de bedoeling was, 'je moet me echt vertrouwen. Zoals je hebt gezien, is Peri op de terugweg. Doe in vredesnaam niets om haar of je zoon in gevaar te brengen. Je moet die Roofvogel van je terugroepen.'

'Ik heb geen idee waarover je het hebt.'

'Toe nou, Peter! Dat verdomde beest was gisteravond bij mijn flat. Hij joeg ...'

Ik zweeg. Ik had eraan willen toevoegen dat hij mijn eigen zoon in gevaar had gebracht, maar er tekende zich zo'n oprechte verbijstering en daarna zo'n angst op Peters gezicht af dat ik stilviel. Hij wist echt niet waar ik het over had. En dat was het slechtste nieuws dat ik in lange tijd had gehad.

Als een bezetene nam ik de lijst door van mensen die van deze zaak op de hoogte waren. Avis. Harper. Eliseev. Wie zou er nog meer een Roofvogel achter me aan hebben kunnen sturen? Waarom?

'Ik moet ervandoor,' zei ik. Ik wilde zielsgraag terug naar vaste grond. Door de duisterder wordende muren zag ik bliksemflitsen en ik hoorde het diepe gerommel van de donder.

Chesshyre kwam knipperend met zijn ogen weer tot leven. 'Deze kant op.' Hij stapte de ruimte uit en ging tot mijn grote opluchting niet op weg naar de brug, maar liep omlaag over een pad dat ik niet eens van bovenaf had gezien toen we zijn kantoor waren binnengekomen. Het pad liep naar een deur in de gebogen steunbeer onder de voorsteven. Toen we op de deur af liepen, met de donder en bliksem die om ons heen tekeergingen, gleed de deur opzij en ik stapte snel de veilige ruimte binnen.

Op weg door een gang met aan onze linkerhand kamers zag ik rechts de dichte regen vallen langs ronde vensters die op patrijspoorten leken. Even later verdichtte de regen zich tot een spervuur van wit en ik hoorde een heftig gebons, alsof een hele menigte stenen naar Nevelstad gooide.

Er kwam een vlieger door de gang op ons af lopen – nee, eerder af schrijden, en Chesshyre riep uit: 'Halley!'

'Peter. Ik probeer je al de hele tijd te pakken te krijgen. Ik weet wel dat je de klok rond werkt, maar je kunt het niet maken om je onbereikbaar te houden in de weken voor SkyNation. Al helemaal niet als je de grote ster bent dit jaar.'

SkyNation. Ik had weleens eerder over die feesten gehoord, maar had er nooit op gelet. Een zwelgpartij van drie dagen lang alleen voor rijke vliegers was nu niet direct iets wat me interesseerde.

Een lange vrouw van begin middelbare leeftijd kwam op ons af snellen, met een waas van glinsterende kou aan haar vleugels, alsof ze het woeste weer op haar vleugels mee naar binnen had genomen. Haar haren en veren zaten plat van de ijskristallen, alsof ze met poedersuiker was bestoven. Haar jas en donkere lange broek zaten onder de modderspatten. Haar ogen en roze wangen blonken zoals bij kinderen die hebben gerend en gespeeld.

Ze schudde haar veren uit en keek vervolgens vragend naar Chesshyre en mij. Het was duidelijk dat ze van hem een verklaring verwachtte voor mijn aanwezigheid; ze was de eerste persoon die ik meemaakte die zich tegenover Chesshyre een autoritaire houding aanmat.

Ik was verbijsterd. Het was een opmerkelijke vrouw, stevig gebouwd voor een vlieger en een geheel van donker en licht, een bleke huid en een donkere oogopslag, met vleugels die een tekening in grijs, zwart en gebroken wit hadden die aan die van een havik deed denken. Haar haar zat hoog opgestoken op haar hoofd.

'Dit is Zeke Fowler,' zei Chesshyre. 'En dit is Halcyon Kohn, Zeke.' Dat verklaarde haar kalmte. Dit was Halcyon Kohn, de gevierde Halcyon Kohn. Ik was zo-even voorgesteld aan de senior partner van de firma. Ik moest denken aan Peri op haar eenzame vlucht terug naar de Stad samen met Hugo. Naarmate ik langer in de wereld van de vliegers vertoefde, kwam het me steeds opmerkelijker voor dat een meisje uit PReG-land zich bij deze elite had weten te voegen, al was het dan maar als lid van het personeel.

Kohn boog haar hoofd en gaf me vervolgens tot mijn verrassing een hand. Ze wendde zich tot Chesshyre en zei: 'Arto Flores heeft weer naar je gevraagd, Peter. Hij wordt zo wanhopig dat hij nu mij al begint lastig te vallen.'

Chesshyres stemming was plotseling omgeslagen; daarnet was hij nog opgetogen over het nieuws dat Hugo op de terugweg was, maar nu leek hij bijna even slecht op zijn gemak als ik. Wat waren vliegers toch veranderlijk; lag het aan de behandelingen, aan al die medicijnen die ze gebruikten? Chesshyre trok zijn wenkbrauwen naar Kohn op, alsof hij wilde zeggen: en?

Kohn glimlachte verward. 'Ik begrijp niet waarom je hem niet gewoon als klant neemt. Hij is rijk en hij wil een centrum bouwen voor een dansopleiding voor vliegers. Probeer je hem alleen te laten merken wie hier precies de baas is?'

'Ik heb het druk,' zei Chesshyre. 'Moet je horen, Halley. Ik mag Flores best, maar hij is wel het wandelende bewijs dat iemand ontzettend slim kan zijn en toch over het visuele inzicht van een fruitvlieg kan beschikken.'

Halley. Dus dat was haar bijnaam. Blijkbaar waren die twee goed bevriend. Ik had Chesshyre tot nu toe nog niet zo levendig met iemand zien praten.

'Ik heb geen tijd om hem op te voeden en ik ben niet in de stemming om voor elk klein dingetje een gevecht te moeten leveren.' Chesshyre zag er zo streng uit dat ik bijna moest lachen. Wat voor tests moesten klanten wel niet ondergaan voordat Chesshyre zich verwaardigde om voor hen te werken?

Kohn zag me kijken en stond zichzelf een vage rimpeling rond haar ogen toe om aan te geven dat ze er misschien wel net zo over dacht als ik.

'Goed dan,' zei Chesshyre. 'Ik praat zelf wel met hem.'

'Doe dat dan nu,' zei Halcyon Kohn. 'Anders komt het er niet van. Ik begeleid meneer Fowler wel naar de uitgang. Ik wil toch even op de dertigste verdieping kijken.'

'Ik hou je op de hoogte,' zei ik tegen Chesshyre toen Kohn me voorging.

Kohn zette net zulke grote passen als ik onder het lopen; ze was minstens even lang als ik, al maakten haar vleugels haar uiteraard wel zwaarder. Ze hield haar hoofd scheef als een grote valk en zei zacht: 'Dus u bent op zoek naar de kleine Hugo? Gaat het goed?'

'Ja.'

'Is Hugo in veiligheid? Komt hij gauw terug?'

'Ja,' herhaalde ik. 'Hij is in veiligheid.'

Ze liet een zucht ontsnappen. 'Wat een opluchting. We hebben ons allemaal vreselijk ongerust gemaakt, en ik durf Peter bijna niets te vragen. Ik snap niet hoe hij gewoon heeft kunnen doorwerken. Al is dat misschien maar goed ook.'

'Ja.'

Dus Kohn wilde me uithoren. Dat was prima, want ik wilde haar net zo goed uithoren. Ik mocht de kans niet laten lopen om haar onder vier ogen over de zaak te spreken, helemaal niet nu er allerlei dingen gebeurden, zoals die Roofvogel die mijn flat was komen bekijken om redenen die ik nog niet vatte. Ik wist niet alles wat er gaande was, en nog erger was dat Chesshyre dat kennelijk ook niet wist.

'Dus u kent Hugo?' begon ik.

'Zover zou ik niet willen gaan. Ik heb hem een paar keer gezien.'

Door de patrijspoortramen die we passeerden viel fel zonlicht door het omlaagstromende water dat het gebouw na de stortbui afscheidde.

'En Peri Almond?'

Kohn fronste haar wenkbrauwen.

'Het kindermeisje.'

'Ach ja, natuurlijk. Ze stond Peter weleens op te wachten bij kantoor als ze met Hugo de Stad in was geweest.'

'Vond u het vreemd dat een plattelandsmeisje als Peri vleugels had?'

'Ik zou het niet weten, meneer Fowler.'

'Het is van het grootste belang, mevrouw Kohn, dat u me alles vertelt wat u weet over de manier waarop Peri aan haar vleugels is gekomen.'

Kohn hield even haar mond. 'En waarom is dat relevant?'

'Peri heeft Hugo meegenomen,' zei ik. 'Hugo wordt veilig en wel teruggebracht, maar hij is er nog niet, en ik moet alle factoren kennen die invloed kunnen hebben op Peri's gedrag.'

Kohn bleef staan en draaide zich om om me aan te kijken. Ik keek strak terug. Ze schudde met haar veren en er kwam een zware, poederachtige bloemengeur van haar vleugels. Ze kneep haar ogen toe en rechtte haar rug. Ik voelde een steek van uitgelatenheid die ik altijd voelde wanneer ik zag dat iemand had besloten te praten.

'Ik wist dat Peri voor Hugo zorgde.'

'Vond u dat ze goed met hem omging?'

'Ja,' zei Kohn. 'Ze ging heel ontspannen met hem om, en misschien irriteerde dat Avis. Dat was in elk geval het gevoel dat ik kreeg. Het zal wel een cliché zijn, omdat er iets waars in schuilt. De moeder is jaloers op het kindermeisje dat heel veel tijd doorbrengt met haar baby en dus meer op haar gemak is bij hem dan zijzelf.'

'En u vond niet dat Peri een beetje ... onevenwichtig was?' zei ik omzichtig.

Kohn schudde haar hoofd. 'Dat zou ik niet weten. Er was duidelijk wel iets aan de hand. Avis ...' Ze aarzelde.

'Alstublieft,' zei ik heel zacht. 'U bent niet disloyaal. Wat u me ook maar kunt vertellen kan ... Peter helpen. En Hugo.'

Kohn zuchtte. 'Hebt u Avis al ontmoet?'

'Ja. Ze was erg gespannen.'

Kohns gezicht vertrok. 'Zo is ze altijd.'

'O. U bedoelt dat er ... een vacuüm was en dat Peri dat heeft gevuld?'

'Zoiets.'

Wat bedoelde ze? Wat was er werkelijk gaande in dat huis? Dat zijn de risico's die je neemt, lijkt me: als je je hele leven uitbesteedt, moet je er niet van opkijken als een ander ineens jouw leven leidt, waar of niet? Dat nam niet weg dat Peter een collega en een vriend van Kohn was, en ik had verondersteld dat ze Peri als een monster zou beschouwen, degene die volledig schuldig was aan wat er was gebeurd. Het was opmerkelijk dat ze dat blijkbaar niet deed. Ik wilde vragen of ze iets af wist van de regeling die was afgesproken tussen Peri en de Chesshyres, maar als ik de zaak zou verraden, zou Chesshyre me echt vermoorden. Ik waagde me zo dicht bij het aansnijden van het onderwerp als ik maar durfde.

'Kent u hun arts, dokter Eliseev? Hebt u zich nooit afgevraagd hoe het mogelijk was dat Peri Hugo de borst kon geven?'

Kohn wierp me een doordringende blik toe en keerde zich daarna om. Dat ze hier geen antwoord op wenste te geven, kwam me op dat moment vreselijk onheilspellend voor, alsof ze veel meer wist dan ze me wenste te vertellen. We waren aan het eind van de gang gekomen en toen ik de deur uit stapte en weer aan de brede kant van de voorsteven stond, knipperde ik in het plotselinge zonlicht. De onweerswolken waren uiteengereten in grijze flarden die ver boven mijn hoofd wegdreven, en de weide lag onder hoog opgetast wit dat pijn deed aan mijn ogen.

'Ach, dit is geweldig,' zei Kohn. 'Ik heb me hier enorm op verheugd.' Haar lage stem steeg van opwinding terwijl ze uitkeek over de ijsvlakte, waarvan het smeltwater wegstroomde over de randen van de voorsteven, zoals op het reclamebord werd beloofd.

'Wat is dit?' vroeg ik.

'Niet te beschrijven. Je moet het zien.'

Kohn stak plonzend het natte veld over, en voor de tweede keer liep ik over de weide, die nu glibberig was van het ijs en de regen. Kohn was op weg naar de noordkant van de voorsteven, en toen ik naar de plek liep waar zij bijna over de rand heen hing, hoorde ik het geruis van het water dat over de rand de hemel in stortte. Water sijpelde mijn schoenen binnen. Omzichtig kwam ik zo dicht bij de rand als ik durfde, omdat ik voor geen goud wilde uitglijden. Wat was er zo fantastisch dat ik blijkbaar per se van Kohn moest zien?

Een rukwind joeg een wand van druppels de lucht boven ons in, waarna ze tot damp vervlogen. Dit dunne waas bolde over ons heen in doorzichtige sluiers van vuurrood, goud, zeegroen, blauw en paars van het water dat door de stralen van de middagzon werd omgetoverd in een zee van zuivere kleuren. Zoiets had ik nog nooit gezien. Een net van indigoblauw ontrolde zich aan onze voeten en splitste zich op in repen azuur. We bleven stilstaan, omgeven door een werveling van kleuren die om ons heen buitelde en vervolgens wegviel langs de flank van Nevelstad, in stromen kleur die iriserend over de papierwitte toren liepen.

We zeiden niets en verroerden geen vin; we stonden zo dicht bij elkaar dat ik Kohns ademhaling tegen mijn wang voelde, in afwachting van een kanteling van de aarde waardoor de hoek van inval van de zonnestralen zou veranderen en deze glinsterende jacht van regenboogkleuren zou worden uitgeschakeld.

Door het transparante neerdalende gordijn van kleuren zag ik weer het enorme schaakbord op de grond beneden ons. 'Wat is dat?'

'Dat? Dat is een huisbelgenerator. Wist u dat Peter beschouwd wordt als de beste thermiekbelontwerper ter wereld?'

'Dan moet ik u toch vragen ...'

'Neem me niet kwalijk,' zei Kohn. 'Een huisbel is een thermiekbel die zich altijd op dezelfde plek voordoet. Dus als je slim bent, kun je een plek ontwerpen die bepaalde eigenschappen heeft, zoals die afwisselend lichte en donkere plekken omgeven door een donkere afbakening, die steeds dezelfde thermiekbel genereert. Uiteraard is die van Peter zo ontworpen dat er in deze omgeving altijd een paar huisbellen zijn.'

Het licht verdween uit het water. Ik had geen gevoel meer in mijn voeten en trok me terug van de rand.

Kohn voegde zich bij me. 'Peter is briljant. Ik hoop dat u dat inziet.' Eindelijk waren we op weg naar de liften. Was dit dan haar antwoord op mijn vragen over de Chesshyres? Moest ik Peter niet beoordelen naar normale maatstaven? Was ze bang dat mijn speurtocht hem zou schaden?

Terwijl we op de lift stonden te wachten, keek Kohn naar me zoals Chesshyre naar me had gekeken toen ik naar zijn huis gekomen was; ze wilde deze plek door mijn ogen bekijken. 'U bent de eerste niet-vlieger die hier boven komt,' zei ze. 'Het verbaast me dat Peter u heeft meegenomen.'

En anders mij wel.

'U hebt zich staande gehouden. En u hebt er zelfs een beetje van genoten.'

Daar moest ik om glimlachen. Je hebt geen flauw idee, mevrouwtje. Ze glimlachte terug. Was deze vrouw, deze vlieger, deze senior partner van de firma, soms met me aan het flirten? Het was zo lang geleden dat dat voor het laatst was gebeurd dat ik mezelf voorhield dat ik vrouwen niet meer kon inschatten. Ik interpreteerde doodeenvoudige vriendelijkheid verkeerd.

De liftdeuren gingen open en ik stapte naar binnen, al was het niet met de enorme opluchting die ik had verwacht. Een groot deel van mijn angst was verdwenen na mijn confrontatie met Chesshyre op de brug.

'Eerlijk gezegd kan ik iemand als u goed gebruiken,' zei Kohn.

'Wat zou u ervan vinden om SkyNation mee te maken? Als gast van Kohn Chesshyre Li?'

Ik staarde Kohn aan. Dus ze had wel degelijk iets van me nodig. Maar wat? En waarom? Zo'n uitnodiging was een unieke kans. Zelfs vliegers hadden de grootste moeite om toegang te krijgen tot Sky-Nation, wist ik. Je moest contacten hebben. Die had ik nu.

'Ik dacht dat SkyNation alleen voor vliegers was.'

Kohn schudde haar hoofd. Toen de lift de gemengde zone binnenging, werd de vloer ondoorzichtig. 'SkyNation is hoofdzakelijk voor vliegers. Het is niet alleen een feest; het is ook een soort laboratorium waar we verschillende manieren uittesten waarop vliegers kunnen leven. Wat betekent het om vlieger te zijn? Betekent het alleen maar dat je kunt vliegen? Zo eenvoudig ligt dat niet.' Nu klonk Kohn net als Ruokonen. 'Ik zit met het probleem dat ik dit jaar een vergunning heb moeten aanvragen voor SkyNation omdat het voor het eerst boven de zakenwijk wordt gehouden. Een voorwaarde voor die vergunning is dat er een bepaald quotum niet-vliegers aanwezig moet zijn, en dat aantal heb ik bij lange na nog niet gehaald. Peter kan het geen bal schelen; die voelt zich er te goed voor om zich druk te maken over dat soort zaken. Ik ben degene die contact moet onderhouden met het departement. De meeste niet-vliegers krijgen al de zenuwen als ze alleen maar aan SkyNation denken, al heb ik inmiddels wel een paar bergbeklimmers gevonden, en een stel bouwvakkers zonder hoogtevrees. U hebt zich hierboven aardig staande gehouden, vandaag, dus ik denk dat u het uitstekend zult doen.'

'Echt waar? Misschien. Het hangt ervan af wanneer het is,' zei ik.

'Het begint vrijdag over twee weken.' Kohn gaf me een onregelmatig gevormde platte blauwe slick ter grootte van mijn handpalm, een lapje afgescheurde hemel. 'U hebt dit nodig om binnen te komen. Hij staat op mij afgesteld. Zonder dit ding kan zelfs ik u niet helpen. Menigeen zou er heel wat voor overhebben om zo'n geval te pakken te krijgen. Dus pas er goed op.'

De lift ging langzamer. We hadden de dertigste verdieping bereikt.

'Dank u, mevrouw Kohn,' zei ik, toen ze de lift uit stapte.

Voordat de deuren dichtschoven, zei ze: 'Noem me alsjeblieft Halley.'

Alweer een bewijs van die veranderlijkheid van vliegers. Had ik er echt zin in om tijd in de lucht door te brengen met zo'n stelletje impulsieve, getikte types?

Misschien wel. Zodra de lift de grond had bereikt, sprong ik eruit. Het liefst wilde ik rennen en springen als een kind – van plezier, verbazing en opluchting. In plaats daarvan liep ik snel naar de lightrail met mijn hoofd achterover en mijn blik naar de hemel gericht, in de regen die alweer in enorme vlagen ronddwarrelde, en ik was nog meer met mezelf ingenomen dan toen ik Nevelstad binnenging. Het was een prachtkans om van dichtbij meer te weten te komen over vliegers. Dat was wel het minste wat ik aan Thomas verplicht was.

Ik zag een donkere gedaante boven Nevelstad rondcirkelen. Hij moest wel reusachtig zijn als hij er vanaf de grond al zo groot uitzag.

Natuurlijk had ik me niet zo ingenomen moeten voelen. Hugo was nog niet terug, ik werd geschaduwd door een Roofvogel, en ik negeerde mijn belangrijkste regel: het kan altijd nog erger.

Bij de toegang tot de lightrail wierp ik nog weer even een blik op de hemel. Niet veel vliegers te bekennen – daar was het weer niet goed genoeg voor – maar die ene, grote vlieger leek me te hebben gevolgd. Tenzij hij zo hoog daarboven rondcirkelde dat het alleen maar zo leek. Ik was behoorlijk in het nadeel: voor mij was hij niet meer dan een flinke stip, terwijl hij van die hoogte, als hij Zefiryn gebruikte, mij en wie er verder ook maar op straat was even scherp kon onderscheiden als een arend. Werd ik gevolgd? Ik voelde me een konijn dat door een havik achterna wordt gezeten.

Tijdens de rit terug naar het station aan 80 Metre Road maakte ik aantekeningen over het werk dat ik die dag had verzet, terwijl ik een schermpje op mijn slick openhield waarop ik het signaal kon bijhouden van Hugo's volgapparaat.

Na een minuut of tien met mijn hoofd uitsluitend bij de aantekeningen te hebben gezeten wierp ik weer een blik op het signaalschermpje.

Ik gaf een klap op de slick en schudde hem heen en weer. Verdomme. Er was iets mis met het scherm. Je kon zien dat het signaal van slag was, zigzagde en alle kanten op schoot. Ik vergrootte het scherm, maar dat hielp niet. De stip die het volgapparaat aangaf, zoefde onzinnig over het scherm. Ik opende andere schermen, maar die werkten allemaal goed.

'God, god, godverdomme,' mompelde ik. Ik schudde nog eens met de slick, maar het signaal kwam niet tot rust.

Ik veegde mijn handpalmen af aan mijn knieën en sloeg met de muis van mijn hand tegen mijn voorhoofd, alsof ik daar helderder van zou gaan denken. Als het niet aan de slick lag, wat was er dan in godsnaam met het volgapparaat aan de hand? Peri kon het onmogelijk hebben ontdekt. Terwijl ik zat te kijken naar de waanzinnige capriolen van het apparaat, drong de gruwelijke gedachte zich aan me op dat ik naar de werkelijkheid zat te kijken. Dat er iets gruwelijks gebeurde met Peri en Hugo.

Tegen de tijd dat ik mijn flat had bereikt, was het signaal een paar keer aan en uit geknipperd en toen helemaal verdwenen.

DEEL II

Havocs basisregels voor vliegers:

Probeer in het midden van de lucht te blijven.
Blijf uit de buurt van de randen.
De randen herken je aan het verschijnen van grond, gebouwen, zee, bomen en interstellaire ruimte. Het is veel
lastiger om daar te vliegen.

[Roofvogels] zijn aanzienlijk minder talrijk dan roofzuch-
tige viervoeters; het lijkt een verstandige ingreep van de
natuur dat hun vermogens al even beperkt zijn als hun
aantal; want als de snelle vlucht en de scherpe blik van de
arend gepaard gingen met de kracht en de vraatzucht van
de leeuw [...] zou geen list aan de een en geen snelheid aan
de ander weten te ontkomen.
– Thomas Bewick, *The History of English Birds*

De val

Peri had zich nog nooit zo uitgelaten gevoeld als toen ze bij Janeane vertrok. Toen ze indertijd uit Venetia was weggegaan, was ze vervuld geweest van gespannen verwachting. En bij haar ontsnapping uit de Stad had ze op adrenaline gedraaid. Toen vreesde ze voor haar leven en meende ze voortdurend het klapwieken te horen van degenen die achter haar aan zaten.

Nu ging ze het onbekende tegemoet. Vandaag was haar nieuwe leven begonnen. Ik heb mijn vleugels, hield ze zichzelf voor, en ik heb jou, Hugo, en mijn vrijheid, ook al heb ik daarvoor Zeke en Janeane moeten wijsmaken dat ik naar de Stad terug zou gaan. Dat geeft ons in elk geval wel een voorsprong van een paar dagen.

Daarom was het ook nogal ontmoedigend om meteen op de eerste ochtend van dat nieuwe leven te ontwaken uit haar oude nachtmerrie dat ze hoog in de lucht boven de Stad bevroren was achtergelaten, totdat de zon haar huid vastbakte aan het steeds hetere metaal onder haar. *Niet bewegen. Anders val je. Blijf staan.* Ik had zo gehoopt dat ik dat allemaal achter me had gelaten. Maar helaas.

Peri roeide met gestage slagen van haar vleugels door de lucht, waarbij de vleugeltoppen elkaar telkens boven haar en dan weer onder haar raakten. Ze hield haar armen tegen haar zij. Het was een zuiver, duizeligmakend plezier om door de doorzichtig blauw-en-gouden lucht te scheren. Moet je zien, mannetje, hoe die wollige wolkenscheepjes boven ons hoofd voorbijzeilen.

Hugo was in zijn wolkenpak gestoken tegen de koude lucht, beschermd met een muts, wanten, een zacht jasje, een warm bundeltje dat veilig tegen haar aan lag. Met zijn gezichtje van haar afgekeerd keek hij naar de lucht. Zie je hoe mooi die is, mannetje? Hij genoot en lag op zijn eigen babymanier te babbelen en te kraaien van plezier. Op weg naar de kust vloog er een zwerm roodstaartraafkaketoes krassend voor hen omhoog; de zwerm splitste zich op naar links en rechts om hen heen en kwam daarna voor hen uit weer samen. Hugo kraaide. 'Grauw, grauw,' kraste hij ze na.

Toen Zeke Fowler ons had gevonden, Hugo, was ik vreselijk bang omdat ik dacht dat ik net als Luisa zou eindigen. Hij moet begrijpen waarom ik niet terug kan.

Zeke vroeg me tot wat voor soort leven ik jou veroordeelde, maar waar het om draait is dat ik heel goed weet wat ik jou bespaar. Hij weet niets van vliegers, en jij evenmin, arm mannetje, maar ik wel. Ik ben een van hen. Ik denk dat ik dat altijd ben geweest, al voordat ik mijn vleugels kreeg. Ik weet wat voor effect de behandelingen hebben, hoe genadeloos en vastbesloten je moet zijn om te zorgen dat ze werken. Alleen volmaaktheid kan er voor vliegers mee door. Maar jij bént volmaakt. En als je ouders dat niet zien, dan zijn het gewoon geen echte ouders, waar of niet? Je moet niet denken dat ik je bij je vader en moeder heb weggehaald – ze waren je al in de steek aan het laten, Hugo.

Een schaduw viel over hen heen, en Peri rilde toen er een dichte wolk tussen haar en de zon schoof. Ze keek over haar schouder, maar zag niemand achter haar. Was het echt waar wat Zeke vertelde: dat er een Roofvogel achter hen aan zat? Als iemand haar nu volgde, zou het nog steeds lijken alsof ze op weg was naar de Stad. En zelfs al werden ze uit de verte geschaduwd door een Roofvogel, dan waren ze nog steeds veilig. Zolang ze maar naar het zuiden bleven vliegen.

De laatste drempel was de uitgestrekte rivierdelta een paar uur verderop. Als ze zuidwaarts bleef vliegen, hield ze haar belofte aan Zeke. Maar als ze bij de delta afsloeg en stroomopwaarts zou vliegen, het gevaarlijke, droge hart van het continent in, op weg naar waar Ash woonde, zoals ze van plan was, dan bezegelde ze haar eigen lot en dat van Hugo. Op dat moment zou ze erachter komen of ze echt werd gevolgd. Op dat moment zou de Roofvogel toeslaan. Als ze hem maar een poosje kon voorblijven, had ze in elk geval één voordeel: ze wist waarheen ze op weg was, dankzij de informatie en de contacten van Janeane. Ze had zich voorbereid en had een voorraadje energierepen en water meegenomen. Een Roofvogel zou heel roekeloos moeten zijn om haar onvoorbereid te volgen op een gevaarlijke vlucht over dat bloedhete, dorre gebied.

De stad waar Ash woonde, haar laatste toevluchtsoord, met gebouwen die als witte schelpen langs een oceaan lagen die ze nooit had aanschouwd, was altijd ver weg geweest. Altijd al waren mensen daarheen ontsnapt in de hoop er een nieuw leven te kunnen beginnen. Naarmate de jaren verstreken, vlogen er steeds minder vliegtuigen heen en werden de wegen niet meer onderhouden, zodat de stad zich steeds verder terugtrok in de onbereikbaarheid. Het was de ideale plek om te verdwijnen.

Had zich al eens eerder een eenzame vlieger aan de tocht gewaagd die Peri op het punt stond te ondernemen? Ze had wel uit haar vel kunnen springen, zo jong, sterk en gelukkig als ze zich voelde. Ze was klaar voor de uitdaging die voor haar lag.

Het moment van de waarheid komt als ik landinwaarts afsla.

Peri gaf Hugo even een kneepje. Hij kirde en schopte met zijn beentjes tegen haar dij. 'Ik hoop dat je het me zult vergeven, Hugo. Er komt een dag dat je het begrijpt.'

Peri was die ochtend vroeg op pad gegaan, nog voor de zon op was, toen de wereld nog koel en grijs was. Het was het veiligst om bij deze heuvels vandaan te zijn voordat iemand haar duidelijk afgetekend kon zien tegen de stralende hemel. Ze zou zo lang mogelijk ten zuiden van Pandanus doorvliegen en dan verder boven de zee. Boven de zee was het veiligst, omdat daar minder mensen waren.

Toen ze die ochtend naar het zuiden vloog, raakte Peri vooral van het land in vervoering. Ze genoot van de formele, industriële schoonheid en van gespannen opwinding waren al haar zintuigen in opperste staat van alertheid. Ze vermoedde dat ze op zo'n tweehonderd meter hoogte vloog en vanaf hier kon ze de patronen van kleur en textuur goed zien: velden die scherp afgetekend waren als tegels, vierkanten ruwe rode aarde die in voren waren opengescheurd, naast rechthoeken smaragdgroene weide, met naden die eruitzagen als sneden.

Peri wist dat de oude boerderij waar ze overheen vloog, met rondom de in de aarde gekraste groeven en sporen als een weggekraste tekening op oud papier, van de familie Lane was, en de bruine stroom die tussen de heuvels door slingerde was de Fish Creek, waar ze als klein meisje tussen de schildpadden had gezwommen. Laaghangende slierten ochtendmist klampten zich vast aan de richel van de lage piek die Janeane en haar vrienden de Gin Shop Hill noemden, zodat de engte nog maar vaag te zien was onder een dicht wit spinnenweb.

De zwakke ochtendthermiekbellen die opstegen van donkere velden en de zinken daken van boerderijen waren een fijne verrassing voor haar. Blauwthermiekbellen noemde Havoc ze, omdat er geen wolken boven ontstonden. 'Elke zuil opstijgende lucht brengt een even grote hoeveelheid dalende lucht met zich mee,' had Havoc gezegd. 'Maar maak je daar geen zorgen over; je zult niet vallen als je erin terechtkomt, omdat die dalende lucht over een groter gebied is verspreid.'

Sommige thermiekbellen maakten zich los van de warme plek waar ze waren ontstaan en zweefden dan met de wind mee; Peri had pas in de gaten dat ze er in eentje was beland op het moment dat ze ineens omhoog werd gegooid door een van die onzichtbare bellen opstijgende lucht. Het was een opwindend duwtje in de rug en de extra energie kwam haar heel goed van pas.

Gifgroene weiden lagen als gekreukelde zijde naast rijen lavendelstruiken als grof uitgehouwen stenen. Door de opwarmende lucht stegen een voor een heldere geluiden op: de dalende kreet van een kraai, het gereutel van een oude trekker, cicaden die losbarstten in getjirp.

Ze schrok van een stip die over velden gloeiend goud bewoog, tot ze zich realiseerde dat de zwarte vlek haar eigen schaduw was. Ze stak heel klein af tegen die uitgestrekte landerijen; Hugo en zij zweefden boven het gesmolten goud en leken zich niet te verplaatsen, al vloog ze nog zo snel.

Ten slotte maakten de velden plaats voor wegen en onregelmatig terrein dat overdekt was met saai groen. Toen ze over de top van de laatste heuvels tussen haar en de zee vloog, zag ze een adembenemend schouwspel. Onder haar kronkelde de groenblauwe zee tussen zandbanken door, waarna hij zich blauw en dieper blauw uitstrekte in de richting van de horizon. Het ondiepe water in de buurt van het strand spoelde heldergroen als vloeibaar glas over evenwijdige ribbels zand. De wind bracht het water in beweging en glanzend groen bewoog het zich als een reusachtige zeeoorschelp met dunne zilveren en purperrode lijnen.

Peri besefte dat ze te dicht bij Pandanus was. Het was niet veilig om laag over de stad te vliegen, en toch daalde ze. Daar vloog ze dan toch maar, zoals ze dat al die jaren geleden had gedroomd. Ze had haar vleugels. Ze was vrij. Daar had je het grote strand, dat er van bovenaf uitzag als een stuk gele meloen afgezet met een groene schil van bomen, met daarachter een rij winkels, en zelfs Café Naxos, precies als op de dag dat ze hier was vertrokken. Het was riskant, maar ze was er nu heel dichtbij, iets ten zuiden van Pandanus. Met een bocht omlaag vloog ze over Venetia, dat als een hoop kapotgeslagen serviesgoed en gescheurd papier in richels langs de rand van de oceaan lag. Het was nauwelijks te geloven dat zo'n hele wereld vol lijden er van bovenaf zo klein en kalm kon uitzien. Alles leek rustig. Ze moest eigenlijk veel hoger vliegen, en in de richting van de zee, maar ze kon het niet laten om één keer over Venetia te vliegen. Zwarte stippen kropen over de duinen van papier: mensen die door het afval snuffelden. Wat zouden ze denken als ze haar daarboven zagen zweven? Was Mama'lena er nog maar, kon ze zich maar voorstellen dat die naar haar omhoogkeek. *Kijk maar, ik heb het voor elkaar gekregen.* Ze dook omlaag over haar oude gevangenis; ze stelde zich voor hoe een jongere versie van haarzelf juichend over het zand beneden haar rende. *Je kunt het*. Precies dat beeld van haar ontsnapping had gemaakt dat ze zich uit de val had losgewrikt.

Stevig klapwiekend maakte Peri een scherpe bocht omhoog. Haar hersenen, haar vleugels hadden al gereageerd voordat tot haar was doorgedrongen wat ze precies hoorde. Dat vertrouwde gejank dat langs haar vloog. Ze kende dat geluid maar al te goed; naarmate Ryan en zijn bende ouder werden, had ze het vaak genoeg gehoord in Venetia. En nog één, twee keer, nog dichterbij. Er werd op haar geschoten.

Toen wist ze waar ze aan toe was. Dit was wat ze losmaakte, in plaats van dat de andere kinderen bewonderend om haar heen samendromden. Kleingeestigheid. Haat. *Haal die trut omlaag.*

Opnieuw hoog tijd om te vluchten.

Zwaar ademhalend werkte Peri zich omhoog naar een sudderende stapelwolk boven zee, en met behulp van de aantrekkende thermiekbel eronder zag ze kans in een kurkentrekkerbeweging omhoog te komen tot zo'n duizend meter. Hierboven was ze slechts een vlekje voor mensen op de grond en een lastig doelwit. Hoe kwam ze er ook bij? Ze kende het gevaar. Ze had het recht niet om Hugo hieraan bloot te stellen. Ze moest beter nadenken over de risico's die ze liep.

Peri liet zich in de bocht van een spiraal de thermiekbel uit duwen in de juiste richting, waarop ze zichzelf een tevreden glimlach veroorloofde. Ze had nog steeds niet veel ervaring in het gebruiken van thermiekbellen en was trots op de manoeuvre.

Ze zorgde ervoor dat er een fors aantal kilometers zee tussen haar en de stad zat. Hier verluchtte een reeks eilandjes – tranen, donderkopjes land met een staart van wit uitwaaierend zand – de ultramarijne zee met hun kalkwitte paisleypatroon. Een uur verder naar het zuiden keerde ze terug naar de kust; ze had de energie nodig die de thermiekbellen boven land haar boden.

Een scheef hangende berg die aan zijn weggeschuurde kant kaal was, verrees uit het land achter de zee. Verdomme, Grims Peak, de Wolkenmaker volgens de plaatselijke bewoners; dus ik ben niet zo ver naar het zuiden als zou moeten. Het kostte allemaal meer tijd dan ze had uitgerekend toen ze bij Janeane de kaarten had bestudeerd. Voordat ze de behandelingen had ondergaan, had ze nooit kunnen begrijpen hoe ze in één oogopslag alle informatie kon opslaan die ze nodig had, alle rivieren, bergketens, richtingen en herkenningspunten zaten goed te onderscheiden in haar hoofd opgeslagen, al kroop er nu een rilling van twijfel langs haar ruggengraat. Er mankeert niets aan mijn navigatievermogen, maar mijn tijdberekeningen kloppen niet. Ik ben veel kleiner dan ik besefte. Hoe kan ik nu toch denken dat ik dit continent kan oversteken?

De oceaan en de zandvlakten waren verlaten, dus daalde Peri tot zo'n tweehonderd meter. Nog weer lager, op honderd meter hoogte, werden haar zicht en ademhaling door de zee overspoeld met zout blauw en groen. Ze zag alleen gordijnen van uitgestrekt, vochtig glanzend zand met een zwevende laag waterkleuren erboven: bleekblauw en wit, die werden weerspiegeld door de hemel. Het was makkelijk om in trance te raken boven deze spiegelende zandvlakten; Hugo was door haar langgerekte ritme in slaap gewiegd, maar zij mocht eenvoudig niet onder het vliegen wegdromen, want ze navigeerde aan de hand van herkenningspunten zoals de Wolkenmaker, die nu achter haar verdween, ondersteund met eenvoudige navigatievaardigheden aan de hand van hemellichamen als de zon en de sterren die Havoc in haar had helpen ontwaken.

Daarna lieten ze het zoutwitte zand achter zich, en Peri verwonderde zich over de strak geschoren rand van het land beneden haar. Rode klippen die op het water aansloten als de scherpe lijn die op een kaart is getrokken. Elke vaagheid ontbrak, er waren geen zacht aflopende zandbanken; hier kwam het continent abrupt ten einde. De klip was recht omlaag afgesneden en toonde zijn lagen in roestbruin, crème en grijs. Zeevogels zaten op richels en in barsten, met een wit glanzend verenpak, en hun lijfjes bespikkelden de rotswand met schaduwen.

'Net laagjestaart, hè Hugo? Konden we daar maar een hapje van nemen.'

Peri daalde tot onder de rand van de klippen. Het was de gevaarlijkste plek, waar de wind over de bovenkant scheerde en aan snelheid won zodra hij zich had bevrijd van de druk die ontstond doordat hij tegen de rotswand werd samengedrukt. Als ze in de compressiezone zou vliegen, bestond er een reëel gevaar dat ze zou worden teruggeblazen over de klippen en terecht zou komen in de heftige wervelwinden die rotoren werden genoemd. Ze moest ofwel boven de klippen en een eind ervandaan blijven, ofwel een flink stuk onder de rand.

'Denk eraan,' had Havoc gezegd, 'dat lucht een vloeistof is. Hij vloeit als een rivier. Je moet op dingen letten die de wind op zijn weg tegenkomt – een scherpe rotspunt die omhoogsteekt, of zelfs een flinke boom. Aan de lijzijde van dat soort dingen ontstaan rotoren. De wind kolkt net zo om obstakels heen als water om een rots in de rivier heen draait.'

En toch was het de moeite waard om naar de juiste hoogte af te zakken voor de hellingstijgwind; ze moest haar vleugels rust geven en ze had behoefte aan de extra energie die het haar opleverde. O, wat heerlijk, daar had je hem: een sterke, strakke opwaartse kracht net onder de rand, van lucht die tegen de rotswand omhoog werd geduwd en opwarmde tegen de stenen die door de ochtendzon werden beschenen.

Zolang de klippen duurden, zweefde Peri voort op de hellingstijgwind; en toen ze vlak achter de driehoekige punt van Shark's Tooth wegvielen, stond ze zichzelf toe een stukje te zakken, waarna ze op zoek ging naar de grens van de convergentiezone waar de koude lucht van boven zee de warmere lucht van boven het vasteland raakte. De zon stond hoog aan de hemel; er moest er nu toch al eentje zijn ontstaan. Aha, daar had je hem, ze had hem gevonden, en met toenemende vreugde en opluchting volgde ze de onzichtbare lijn die een soort ondiep koufront was, en ze gebruikte de energie om de vlucht over de lange bogen strand beneden haar te vergemakkelijken.

Ze had weinig ervaring met deze manier van vliegen; Havoc had haar onderwezen in de theorie van hellingstijgwinden, thermiekbellen en convergentiezones, maar voor het grootste deel waren het slechts woorden voor haar gebleven. De vluchten die ze in de Stad had gemaakt waren te kort om een expert te worden in het gebruik van liftkracht in al zijn verschijningsvormen. Ze leerde al doende.

Hugo werd wakker. Peri gaf hem water en een tot een zoet papje gekauwde energiereep.

Even glinsterde er iets zo fel dat het Peri pijn deed aan haar ogen. Een paar honderd meter achter het strand stonden enorme, met groen onkruid overwoekerde gevaarten ineengedoken met hun reusachtige koppen voorovergeknikt. 'Een begraafplaats voor trucks, Hugo,' zei Peri. 'Het zijn net reusachtige treurige sprinkhanen, vind je niet, met die grote, omlaaghangende koppen van ze. Dode trucks.'

'Ta-ta-tu,' zei Hugo. 'Tu. Tuk.'

Peri keek weer omlaag naar de golven; ze rolden sneller en onrustiger voort dan ze had verwacht onder zo'n hemel. Een prikwaterhemel, zou Havoc hebben gezegd. 'Je weet hoe het aanvoelt: helder en sprankelend, gekriebel over je vleugels, bubbelend, bedwelmend.'

Peri keek landinwaarts, op zoek naar de Wolbaal, een hoekige rotsrichel die oprees achter mangrovemoerassen. Als ze de Wolbaal zag, zou ze weer weten waar ze zat, hoe ver het nog was naar de rivierdelta. Ze kon hem niet hebben gemist. Waar was hij? Ze vloog blijkbaar langzamer dan ze dacht. Zou ze het er echt op wagen om landinwaarts af te slaan en die lange vlucht boven de rivier te maken? Als ze werd gevolgd, had ze dan de kracht om na al die uren onafgebroken vliegen nog alles op alles te zetten?

Peri keek achterom. Ze zag niets anders in de lucht behalve zijzelf, zelfs geen vogels. Van onderaf steeg het gesis van de branding op; de deining werd wilder en de golven hoger naarmate de kustwind in de loop van de middag harder begon te waaien. Schuim vormde een wit membraan van kantpatronen over de ruggen van de golven, en opkolkend zand zweefde bleekbruin door het water.

'Hier is geen plek voor jou,' had Janeane tegen Peri gezegd. Dat was waar – en als er nu eens geen plek meer voor haar was in de Stad? Hoe zou dat zijn? Het was zo spannend geweest om daar aan te komen, om te weten dat dit de plaats was waar ze werkelijk thuishoorde, zeker toen ze eenmaal haar verblijfsvergunning had. Ze klopte op de vergunning die onder haar huid geschoven zat. De Stad was helemaal haar plek geweest, en ze had in het beste deel gewoond, in Peters huis. Elke ochtend als ze wakker werd in haar kamer, op dat smalle witte bed dat naar lavendel rook, in die schone, stille kamer overspoeld met licht dat door de zee werd weerkaatst, was het alsof ze wakker werd in een droom.

Ze had haar hele zwangerschap daar doorgebracht; Peter en Avis wilden haar per se verbergen, maar ze hadden haar ook vreselijk betutteld, vooral over haar gezondheid. 'Eet dit nu maar eens,' drong Avis aan, als ze 's ochtends weer een groen prutje in de blender stond te maken, en ze moest en zou in hun zwembad baantjes trekken en 's middags een dutje doen. Het was een fijn leventje geweest. Ze had zich verlustigd aan de rijkdommen in dat huis, aan de echte Al-Rahims en de foto's van Andy Silver aan de muur; ze had met haar vingers langs de vallende glitters gestreken van het beeld op de binnenplaats dat een regenvogel voorstelde, en etenswaren geproefd waar ze nog nooit van had gehoord.

Peri woonde in een vergulde kooi en zette maandenlang nauwelijks een voet buiten het huis en de binnenplaats, behalve voor de medische onderzoeken en af en toe een uitstapje naar het strand in de buurt, op Peters bevel. Maar haar geheime affaire met Peter had zich afgespeeld op een duistere plek van een droomachtige heftigheid die niets te maken had met de rest van dit leven.

Het kwam Peri voor dat ze zowel met Peter als met Avis merkwaardig intiem was. Ze was hun werkneemster, ze woonde in dit fantastische huis omdat zij dat wilden, ze had geen idee of ze rechten had en welke dat dan waren, en toch was ze op de meest intieme manier met hen verbonden die er maar bestond: met haar eigen vlees. Zij droeg hun baby. Wie was er nog meer op die manier met haar verbonden, afgezien van haar eigen ouders, die ze nog steeds niet kende? Janeane niet. En zeker Bronte niet. En Mama'lena zou ze nooit meer zien.

In de kinderkamer verschenen schitterende, dure spullen, en terwijl Peri schichtig de speeltjes bevoelde, het prachtige aardbolletje liet draaien, was ze blij om te beseffen hoeveel er van deze baby zou worden gehouden. Ze deed wat goed was; de baby zou dankzij haar gezond zijn en hij zou gekoesterd worden door zijn ouders. En zij zou haar vleugels krijgen.

Peri wist dat de baby de reden was waarom er zo goed voor haar werd gezorgd. En toch was ze niet voorbereid op de plotselinge omslag in haar positie toen Hugo eenmaal was geboren. Ze was nog beschadigd en rauw van de bevalling, maar ineens was ze een arbeidster en was er geen minuut meer waarover ze zelf iets te zeggen had. Geen boeken lezen meer, en geen dutjes. Ze moest nog steeds de groene prut drinken, maar nu moest ze die zelf elke ochtend maken. 'Je moet je melkproductie op peil houden,' zei Avis. Die maanden van heerlijke vrije tijd moesten nu met rente worden terugbetaald. Bij de eerste wee was haar droomleventje ten einde gekomen.

De andere verandering, de verandering die Peri uit alle macht moest verbergen, had te maken met haar gevoelens voor Hugo. Het was één ding geweest om zich Hugo's gelukkige leventje voor te stellen toen hij nog onkwetsbaar in haar buik zweefde, maar nu was alles veranderd: nu zijn kleine lichaam werd blootgesteld aan alle scherpe kanten van de wereld, nu ze zijn lijfje moest beschermen in de onvolkomen veiligheid van haar armen, nu hij aan haar borst zoog, nu ze zijn adem kon inademen, die zo geurloos was als de lucht, nu ze al wakker werd voor hij zijn eerste kreetje om haar kon slaken vanuit zijn kinderkamer, nu ze toekeek terwijl hij op haar bed lag te slapen, in de ban van de verkreukelde roos die zijn mondje was, en die zelfs slapend kleine zuigbewegingen maakte, nu zijn geur haar bedwelmde als een verdovend middel; nu was het veel moeilijker.

Nu vond ze die verlaten stilte die ze eerst zo heerlijk had gevonden in Peters huis verontrustend; die stilte betekende dat Peter en Avis weg waren. Hun enthousiasme over hun baby betekende nog niet dat ze minder werkten of uitgingen. Avis gaf Peri duidelijk de schuld dat ze tussen haar en Hugo was gekomen. Hugo was altijd of aan het slapen, of hij werd gevoed. Peri kon zich nog heel goed de eerste keer herinneren dat Avis had geprobeerd Hugo te knuffelen, en dat hij toen zijn ruggetje van haar vandaan had gekromd. Hij wurmde en jengelde net zo lang tot Avis hem rood aangelopen van woede en vernedering aan Peri teruggaf. *Alsjeblieft, Hugo*, had ze stilletjes gesmeekt, *maak het nu niet nog erger.* Natuurlijk had hij dat wel gedaan, door zich vredig in haar armen te nestelen zodra Peri hem had overgenomen. Vanaf dat moment had ze zeker geweten dat dit niet zou werken. Die blík van Avis. Ze probeerde het nog wel een paar keer, maar telkens was ze nog gespannener, en dus verzette Hugo zich steeds heviger. Hoe beter ik wist hoe ik met Hugo moest omgaan, hoe erger Avis me begon te haten. O god, wat zou ze doen als ze vermoedde dat haar man ook de voorkeur aan mij gaf?

Het was vreselijk moeilijk om haar steeds heftigere liefde en bezorgdheid voor Hugo te verbergen. Die dagelijkse ontsnapping naar het babypark had ze hard nodig.

Het babypark – waar nooit iemand anders kwam, omdat de ouders het allemaal te druk hadden – was een rechthoek welig groen met een hek eromheen, pure luxe in een omgeving als de Stad, en een plek die de kindermeisjes nooit te zien zouden hebben gekregen voordat ze bij hun rijke gezinnen gingen werken. Groen, vruchtbaar land dat enkel en alleen van water werd voorzien en werd verzorgd om de kinderen van de rijken ervan te laten genieten. De meisjes zochten de diepe schaduw van de bomen op, waar ze de hun toevertrouwde baby's in hun kinderwagens wiegden.

Peri was een van de twee meisjes die de borst gaven. De andere kindermeisjes praatten niet veel met hen, maar dat kon Luisa en Peri niet schelen. Ze gingen tegen een boom geleund zitten en hadden het over hoe ze hun melkproductie op peil hielden, hoe vaak ze de kinderen de borst gaven, en over de druk die ze voelden als de baby werd gewogen. Het was niet genoeg om ervoor te zorgen dat het kind veilig was en dat er van hem werd gehouden; voordat ze eraan begonnen was het nooit bij hen opgekomen dat ze er ook nog eens rechtstreeks verantwoordelijk voor waren of de baby wel goed groeide.

Peri was dolblij geweest toen Luisa had bekend dat ze ook naar de Stad was ontsnapt. 'Volgens mij was het bij mij thuis erger dan bij jou,' had Luisa zacht gezegd. 'Jij werd tenminste meestal met rust gelaten. De griezels die het bij ons in de kampong voor het zeggen hadden, geloofden dat elke vorm van ongehoorzaamheid betekende dat een kind in- en inslecht was. Ze sloegen het er bij ons uit met stukken snoer; ze hadden allemaal stukken snoer aan een draad om hun hals hangen om ervoor te zorgen dat we dat niet vergaten. Niet te geloven, hè? Wie is er nou trots op dat hij in zijn eigen huis een folteraar is?'

'God, Luisa.' Peri legde haar hand op Luisa's arm.

'God heeft hier helemaal niets mee te maken. En als dat wel zo is, dan haat ik hem,' zei Luisa.

De volgende dag gaf Luisa Peri in het park een kleine zilveren ring, en ze liet zien dat ze er om haar eigen vinger net zo een had. 'Jij bent mijn zuster,' zei ze. 'Voor altijd.'

Voor altijd. Dat 'voor altijd' had niet lang geduurd. Peri keek omlaag naar de golven, dezelfde oceaan die over Luisa heen spoelde, die haar lichaam heen en weer liet rollen en de veren uit haar vleugels zou rukken. Luisa's vleugels hadden op de een of andere manier tot haar dood geleid. Ze waren ook de oorzaak van Peri's problemen.

Voor haar uit doemde iets vreemds op. Peri kneep haar ogen samen en probeerde de donkere voorwerpen te onderscheiden die onder het glinsterende oppervlak van de zee lagen. Op deze plek had het water een grote hap uit het land genomen. Achter haar was een landtong afgebrokkeld in de zee en het zand van het strand was afgevoerd, waardoor grijze rotsen bloot waren komen te liggen. Golven braken tegen het gebarsten uiteinde van een weg. 'Wat is dit, Hugo?'

Hoge welvingen staken uit het water omhoog. Dode palmen. Hoe was het mogelijk dat ze in die golven overeind bleven? Nog hogere metalen palen lagen tussen de dode bomen verspreid: lichtmasten, met glas dat lang geleden kapot was geslagen. Bruine rechthoeken sidderden onder het water en reusachtige, onregelmatige contouren die aan spatten water of inkt deden denken, tekenden zich rond deze vormen af. Lange hellingen met zwarte strepen erover liepen dieper water in. Peri liet zich zakken om even goed te kijken. Het was een enorm terrein. De dode palmen stonden langs iets wat ooit een boulevard was geweest. 'Dit is een badplaats geweest, Hugo! Wat griezelig. De zee is eroverheen gespoeld. Die bruine rechthoeken zijn de daken van de villa's, en daar heb je een zeezwembad, alleen is het nu vol zand en zeewater en is het helemaal overgroeid. Er liggen zelfs een paar auto's op de bodem. Die zwarte lijnen geven de waterglijbanen aan. Waarom staan die palmen nog overeind? Eentje is scheefgezakt en het grootste deel is weggespoeld. Ach, nu zie ik het – kijk maar, Hugo, ze zijn op hun plaats vastgezet met beton, maar dat begint te barsten.'

Het moest ooit een luxe vakantieoord zijn geweest, maar nu lag het project van miljoenen dollars onder water. Kon Peters huis hetzelfde lot beschoren zijn? Zou de klip barsten en in de hongerige golven daarbeneden wegglijden? Kon de ellende toeslaan als de hel en hoogwater losbarstten en niemand iets kon doen om het tegen te houden?

Peri staarde naar de witte vlekken aan de rand van de golven en haar aandacht raakte verstrooid, terwijl ze zwevend haar positie aanpaste aan het verschuiven van de lange, onzichtbare convergentiezone. Daar verrees eindelijk de Wolbaal achter een dicht mangrovebos dat in schelpvormen van knobbelig diepgroen met een franje van zilverachtig blauwgroen water langs de rand van de zee lag. Ze was nog steeds minstens een uur vliegen van de delta vandaan. De hemel om haar heen – ze draaide haar hoofd om even te kijken – was nog steeds verlaten. En Zeke maar beweren dat ze werd gevolgd.

En toch slaat echte ellende altijd toe wanneer je er het minst op verdacht bent, zei Mama'lena altijd, en Peri wist dat dat waar was. Zo was het ook gegaan. Precies datgene wat ze het liefst had gewild, het doel dat al haar gedachten en daden richting had gegeven, was haar ondergang geworden. Haar vleugels hadden haar in de problemen gebracht. Zij hadden haar haar baan en haar geliefde gekost.

Het was al meteen begonnen toen ze na de operatie ontwaakte. Ze was erger gedesoriënteerd, erger geschokt geweest dan na de bevalling. Ze was op eigen kracht thuisgekomen en met de nieuwe, vreemde vleugels tegen haar rug gevouwen in bed gekropen. Verdoofd als een vogel die tegen een ruit is gevlogen bleef ze stilliggen, nauwelijks in staat om adem te halen, misselijk van de medicijnen, zich verbijsterd afvragend waar ze aan begonnen was. Maar er was geen weg terug.

De arme Hugo was tijdelijk verzorgd door een ander meisje en gevoed met melk die Peri voor de operatie had gekolfd. Peri was doodsbang geweest dat ze zou worden ontslagen, omdat ze dagenlang op bed had gelegen, verpletterd onder de druk van haar vleugels; de gepijnigde, verlamde spieren op haar rug konden ze onmogelijk optillen en ze durfde niet op te staan om in de spiegel te kijken. Ze had zeker geweten dat ze er prachtig uit zou zien met vleugels, maar nu was ze te bang om te zien hoe monsterlijk ze wel niet moest lijken met die dode dingen aan haar rug geplakt.

Toen Peri er eindelijk in slaagde zichzelf uit bed te sleuren en de zorg voor Hugo weer op zich te nemen, was ze geschrokken van de manier waarop Avis naar haar keek. Hoe had ze ook zo stom kunnen zijn om zich niet te realiseren hoeveel erger Avis haar nu zou haten? Nu ze deed alsof ze net zo was als zij?

Toen Peri zichzelf en Hugo in zijn kinderwagen naar het babypark had gesleurd, weigerden de andere kindermeisjes helemaal met haar te praten. Ze liepen gewoon weg. Dat deed Luisa niet. 'Je bent nog steeds mijn zuster,' had ze gezegd, maar ze kwam steeds minder vaak naar het park.

Nu waren Peri en Hugo alleen. Ze had die anderen niet veel te vertellen gehad, maar het was in elk geval iets geweest. Ze hadden het altijd over de kleintjes kunnen hebben, en ze hadden verhalen en tips om te overleven uitgewisseld. Haar vleugels maakten ook dat Hugo werd afgewezen.

'Met wie speelt Hugo?' vroeg Avis altijd aan Peri als ze haar maar even zag. Peri merkte dat ze zich er zorgen over maakte dat Hugo te veel tijd in zijn eentje doorbracht. Binnen de kortste keren zou ze het een met het ander combineren en Peri – of liever gezegd: haar vleugels – de schuld geven. Wat niet echt hielp, was dat Peter overduidelijk liet merken dat hij het niet eens was met Avis. Peter was tot de conclusie gekomen dat Peri's vleugels hen niet omlaaghaalden, maar juist meer aanzien gaven.

Dat probleempje had tot een uitbarsting geleid tijdens het feestje dat ze gaven toen Hugo zijn nestjongnaam kreeg. 'Het wordt Gyr, naar de giervalk,' had Peri Avis opgetogen tegen een vriendin horen zeggen. Peri had geholpen bij de voorbereidingen, met het aanbrengen van de versieringen en het assisteren van de cateraars. Zodra het feestje begon, was ze verbannen. Collega's en vrienden van Peter en Avis, een hele ruisende zwerm in schitterende kleren (waarvan sommige vast door Avis waren ontworpen), kwam opdagen met presentjes. Ze lag in het duister in haar kamer genoeglijk naar de muziek en de lachende en pratende volwassenen te luisteren. Het drong tot haar door dat dit geluid ergens diep in haar vertrouwd, bemoedigend klonk. Ze ging overeind zitten. Hadden haar ouders feestjes gegeven? Zulke geluiden had ze in elk geval nooit op de boerderij of in Venetia gehoord.

Voetstappen kwamen in de richting van haar kamer, met een zwaardere tred dan die van Avis. Peri streek haar haar glad, en haar hart ging zo erg tekeer dat het pijn deed. Waarom zou Peter het risico nemen om hierheen te komen, terwijl Avis in huis was?

Peter kwam haar kamer binnen met Hugo in zijn armen, die onrustig op zijn vingers zoog. 'Je moet hem voeden,' zei Peter. Hij ging op haar bed zitten en zonk door zijn gewicht weg in de matras. Onverklaarbaar slecht op haar gemak nam Peri Hugo over en ze begon hem te voeden. Peter zat naar haar te kijken, met een gezichtsuitdrukking die moeilijk te duiden was in het schemerlicht. Zo dicht als nu was ze niet meer bij hem geweest sinds ze haar vleugels had gekregen. Zijn aanwezigheid, de geur die van zijn vleugels af sloeg, zijn gewicht op haar bed – het maakte haar allemaal duizelig. Ze miste hem zo verschrikkelijk dat alleen zijn nabijheid haar al het gevoel gaf dat ze bedwelmd was. Peter stond op.

'Wacht even, alsjeblieft,' zei Peri. 'Ik heb iets voor je.'

Ze boog naar voren, terwijl ze met één arm Hugo op zijn plaats hield, en stak haar hand in de la van haar nachtkastje.

Ze hield hem de glazen bal met in het midden de roos voor, en hij pakte hem aan. 'Dankjewel.'

O god, wat ben ik toch een idioot. Wat zal hij me hierom haten. Wat moet hij hiermee aan?

'Breng Hugo maar terug als hij klaar is,' zei Peter bij zijn vertrek.

Twintig minuten later was ze de huiskamer binnengeslopen met Hugo, en ze knipperde met haar ogen toen ze het schelle licht in stapte. Ze keek om zich heen op zoek naar Peter, maar die stond met de meeste gasten op de brede rotsrichel met uitzicht over zee. De richel was omzoomd met lichtjes, en roze, citroengele en groenblauwe schijnwerpers beschenen de rotsen en de golven diep beneden.

'Aha, daar ben je,' zei Peter, die duidelijk iets ophad en zo te zien in een roekeloze stemming was. In plaats van haar meteen terug te sturen naar haar kamer gaf hij haar een glas champagne. Geschokt nam Peri het aan, terwijl ze Hugo nog steeds op haar andere arm in evenwicht hield. *Wat doe je nou?* wilde Peri vragen, maar er zat niets anders op dan maar beleefd te glimlachen terwijl Peter haar voorstelde aan de gasten die om haar heen samendromden, gefascineerd door Hugo, maar ook door haar, het kindermeisje met vleugels. 'Welnee,' zei Peter tegen een lange, graatmagere vrouw, 'natuurlijk is het niet gevaarlijk dat ze vleugels heeft. Het zou eerder gevaarlijk zijn als ze die niet had. Ga maar na. Nu kan ze echt goed op Hugo passen, en ze kan gelijke tred met hem houden als hij zijn vleugels krijgt.'

Avis kwam het terras op snellen, van hals tot dijen omwikkeld met een waterval van goud; de waterval stroomde glinsterend voort, maar bleef toch op zijn plaats. Zodra Avis bewoog, vonkte de gouden stroom smaragdgroen, robijnrood en opaalkleurig. De jurk verspreidde een geurige wolk om haar heen. Was er eigenlijk wel sprake van echte stof, vroeg Peri zich af, of was het een soort illusie? Peri had nog nooit zoiets gezien.

Avis nam Hugo van Peri over om met hem te pronken bij de gasten. Peri draaide haar zilveren ring rond. Hugo hoorde slaperig en tevreden te zijn na de voeding, maar hij was van slag door de lichten, de muziek, het lawaai en al die vreemde mensen die om hem heen stonden, terwijl hij anders zou slapen. Braaf zijn, Hugo, alsjeblieft, vrolijk zijn, bad Peri zachtjes, maar natuurlijk werkte Hugo niet mee. Avis wiegde Hugo, legde hem over haar schouder, liep met hem op en neer; ze deed alles goed, dacht Peri, maar ze kon niets goed doen. Hugo's gejengel sloeg om in rood aangelopen gekrijs.

Avis gooide Hugo zo'n beetje naar Peri, die hem pijlsnel afvoerde naar de kinderkamer, waar ze hem binnen tien minuten tot bedaren en in slaap had.

Daarna werden Peri's herinneringen aan die avond vager. Ze wist nog wel dat ze van afschuw in haar kamer had zitten beven terwijl ze Avis na het vertrek van de gasten tegen Peter had horen schreeuwen dat Peri haar tegenover hun vrienden had vernederd. Ze hoorde niet wat Peter zei, maar Avis wist van geen ophouden. Het was zeker niet de eerste ruzie die ze over haar hadden gehad, maar het was wel de ergste.

Avis moest eens weten. Peter had haar niet meer aangeraakt sinds de operatie. Het leek wel alsof haar vleugels Peter afstootten, zoals ze Avis tot woede aanzetten.

Op een dag een paar weken na het feest verscheen Luisa bij het huis van de Chesshyre-Katons en ze vroeg naar Peri en Hugo. En kijk eens aan: ze had vleugels! Daarom was ze dus niet meer in het park geweest. 'Ze wilden een zusje voor Violet,' had Luisa uitgelegd. 'De kleine Amy.' Er hoefde verder geen woord aan te worden vuilgemaakt.

Behalve dan dat Luisa Peri haar gruwelijke geheim had verteld: er was een apparaatje bij haar geïmplanteerd dat bijhield waar ze uithing en de afstand beperkte die ze vliegend kon afleggen. 'Het is een soort elektronische halsband. Met zo'n apparaatje kunnen ze je uit de lucht halen. Het is een voorzorgsmaatregel, hebben ze gezegd, "omdat je nu vleugels hebt". Zo zit dat,' had ze schouderophalend gezegd. 'Wat een stelletje klootzakken, hè, met die nepgodsdienst van ze? Geen haar beter dan die zelfingenomen griezels bij wie ik ben opgegroeid. Hebben jouw bazen niets gezegd? Ik zou het toch maar even checken.'

Eindelijk had ze een vriendin om mee te gaan vliegen in de spaarzame vrije tijd die ze samen hadden. Ze hadden het weleens over hun vroegere leven en vooral over vliegen, maar ze praatten niet over de prijs die ze voor hun vleugels hadden moeten betalen. Tot Luisa op een dag ontdaan bij haar kwam, en zei: 'Ik ben iemand tegengekomen die ik vroeger heb gekend. Nooit gedacht dat ik haar nog eens zou zien. En ze was in verwachting. Ze werkt net als jij en ik voor een gezin van vliegers. Ik probeerde met haar te praten maar dat weigerde ze. Ze deed net of ze me niet kende. En ze was vreselijk schrikachtig. Ik was diep geschokt, Peri. Ik had nooit gedacht dat ik nog eens iemand zou tegenkomen uit die hel.' Twee weken later had Luisa volkomen overstuur contact opgenomen met Peri, om een afspraak met haar te maken bij de Salt Grass Bay. Ze moest Peri iets vertellen, had ze gezegd. Iets belangrijks ...

Koude lucht sloeg tegen Peri's wang en met een ruk was ze terug in het heden. De wind wakkerde aan. De turbulentie nam toe langs de convergentiezone, en het leek Peri verstandiger om er voorlopig maar boven te vliegen. Ze schudde haar hoofd en voelde tranen achter haar oogleden prikken. Ze had geen tijd gehad om om Luisa te rouwen, en nu, aan het begin van haar lange tocht, was het niet het aangewezen moment om daarmee te beginnen. Nu ze terugdacht aan haar leven in de Stad, begon ze zich wel iets af te vragen. Ze had bijna de rivierdelta bereikt. Als ze afsloeg en doorvloog naar de overkant, zou ze de zoveelste illegale immigrant worden. Zo'n leven wilde ze niet, dus hoe kon ze dat Hugo aandoen? Heel misschien zou de heftigheid van haar vlucht Peter en Avis aan het denken zetten. Hij was hun kind. Misschien gingen ze beseffen dat ze hem zouden missen, dat ze hem eigenlijk altijd al hadden willen hebben zoals hij was. Het kon toch niet anders dan dat ze inmiddels wroeging voelden? Misschien had ze toch precies het juiste gedaan.

Het was tijd om Hugo terug te brengen naar zijn ouders.

Een warm gevoel van opluchting stroomde door haar spieren bij de gedachte dat ze niet die afslag zou nemen bij de rivierdelta, en misschien ook niet een Roofvogel moest zien voor te blijven. Hoeveel makkelijker was het niet om gewoon door te vliegen, terug naar de Stad, terug naar de enige plek ter wereld waar Hugo en zij thuishoorden?

En nu was er dus Zeke, die had gezegd dat hij haar zou helpen. Als hij kon achterhalen wat er met Luisa was gebeurd, kon hij haar misschien beschermen. Peter had tenslotte Luisa niet vermoord, en als ik Hugo teruggeef, vermoordt hij mij ook niet. Dat denk ik in elk geval niet.

Peri zag zichzelf, al die keren dat ze samen was met Peter, telkens weer een beetje riskanter dan de vorige keer. Ze zag hoe ze, hoger dan ze ooit was geweest, op de rand van een gebouw zat genageld. Ze was min of meer uit vrije wil meegegaan, al kon ze zich wel herinneren dat ze Peters stevige greep rond haar nek voelde toen ze met de lift omhooggingen, en zich afvroeg wat hij met haar van plan was – zonder het te wagen om ernaar te vragen, zonder zeker te weten wat ze nu precies van hem hoopte of vreesde te krijgen.

Hij had haar die avond helemaal naar de uiterste rand meegenomen. Over de kale dwarsbalken van zijn onvoltooide toren, waarna hij haar had neergelegd met haar hoofd omlaaghangend in de afgrond, de lichtjes die diep beneden aan en uit knipten en bewogen, en de andere felverlichte torens van de Stad die ondersteboven in de lucht hingen, de lucht die langs haar gezicht en hals streek, en Peters anders altijd zo vlakke stem, die schor van begeerte zei dat ze niet bang moest zijn, dat hij haar niet zou laten vallen, maar natuurlijk was ze wel bang geweest – daar ging het ook om – en haar angst was alleen maar een beetje minder geworden toen hij haar in zijn armen nam en met zijn zachte, warme vleugels toedekte en haar omgaf met de geur van sandelhout op zijn huid en het kruidige aroma van zijn vleugels, terwijl hij haar keer op keer nam, en geen diepte of nabijheid ooit genoeg was.

Die avond had ze gehuild van angst en genot, twee emoties die zo met elkaar verweven waren dat ze ze niet van elkaar kon scheiden, want ze had nog nooit zoiets heftigs gevoeld en haar hele lichaam trilde als een snaar. Toen het vertrouwen in zijn kracht in haar tot bloei kwam, kon ze zich net genoeg ontspannen om te genieten van de warme wind die langs hen beiden heen streek en de vage lichtjes en geluiden van de Stad die van diep beneden opstegen.

'Wat hou ik van je,' had ze zo zacht tegen zijn schouder gefluisterd dat hij het niet hoorde.

Ze hadden het nooit meer gehad over wat er die avond tussen hen was voorgevallen. Maar ze hadden een afspraak.

Elke paar weken nam Peter haar zonder voorafgaande waarschuwing mee naar een nieuwe plek: een van zijn bouwwerken, een klip hoog boven de zee, de boog van een brug. En elke keer stond ze toe dat hij haar leven in zijn handen hield. Na elke opwindende ontmoeting zweefde ze dagenlang euforisch rond.

Nog veel angstaanjagender waren de keren dat hij haar in huis, in zijn eigen bed had genomen en elke ontmoeting nog weer riskanter was geweest dan de vorige.

'Dat is geen liefde, schat,' had Luisa gezegd toen Peri haar geheim had opgebiecht, omdat ze ernaar snakte het iemand te vertellen. 'Dat is adrenaline.'

Dat kon Peri niet schelen. Ze was dronken van haar pasverworven macht. Wie had kunnen denken dat deze wereldse, machtige, gereserveerde man, deze hotemetoot naar wie de halve Stad opkeek, een obsessie voor haar zou opvatten en haar zijn gevoelens ongedwongen en rauw zou laten zien? Zij, Peri Almond, zag een Peter Chesshyre die niemand anders kende.

Peri had nooit gedacht dat zo'n enorme passie bestond; ze wist dat ze haar leven voor hem zou geven. Ze hoopte alleen dat het niet zover zou komen.

Je moet ademhalen op het ritme van je vlucht. Ze moest een tempo te pakken krijgen waarmee ze helemaal tot aan de Stad kon komen, en haar hoofd moest leeg raken van de inspanning om dat voor elkaar te krijgen. In plaats daarvan drongen haar gedachten zich juist aan haar op als ze aan het vliegen was en haar hoofd overstroomd werd door alle indrukken van de zee en de hemel, de sensatie van de wind en de zon tegen haar vleugels. Alleen hierboven, tijdens het vliegen, had ze de tijd en de ruimte om na te denken.

De lucht boven de oceaan versplinterde in koude, scherpe winden die aan Peri rukten, en de hemel verhardde. Ook het water beneden haar veranderde; het transparante groen van die morgen, het diepe blauw van de middaggolven werd dof van de bruine wolken die door het water dreven. Dit was geen zand. Er waren stukken hout en kluwens drijvend afval: de uitstroming van de rivierdelta. Ze klom hoger, maar nog steeds kon ze de rivier zelf niet zien, alleen de uitwaaierende vlek troep die hij in zee loosde. Dat was het dan; ze zou doorvliegen. Er was geen terugweg meer. Ze draaide de zilveren ring rond haar vinger. Ze zou woord houden en Hugo terugbrengen.

Een krachtige wind stak op uit het zuidwesten; hij beukte tegen Peri's gezicht en haar rechterkant, waardoor ze verder de zee op werd geduwd. Als de wind nog stormachtiger werd, zou ze er niet tegenop kunnen.

Peri bekeek de wolk die zich voor haar uit en rechts van haar bevond, om te bepalen wat het weer voor haar en Hugo in petto had. Er klopte iets niet aan deze wolk. Hij was honderden meters hoog en werd snel donkerder. Hij blokkeerde de schuin invallende stralen van de middagzon. Hij was te hoog. Dat was het. Bij goed weer werden stapelwolken niet zo hoog. Erger nog was dat hij niet alleen was. De wolk voor haar uit was er een van een reeks torens die versmolten tot een muur langs de zuidwestelijke horizon. Haar mooie goedweerstapelwolk was aangegroeid tot een torenhoge cumulonimbus en vormde nu een donkere wal. Een buienlijn.

Waarom had Peri niet gezien wat er met de stapelwolk gebeurde? Ze had de meest fundamentele les genegeerd waar je tijdens het vliegen aan moest denken: opletten. *Je moet niet vliegen met je hoofd vol aflei-*

dende gedachten, had Havoc gezegd. Opletten. Ze had het tegenovergestelde gedaan en was helemaal opgegaan in haar herinneringen, zorgen en plannen. Maar dan had ze nu echt iets om zich zorgen over te maken.

De hemel veranderde kolkend in een loodkleurige, kokende massa. Donker, met knetterende lichtflitsen.

Peri draaide haar hoofd naar het land. Ze moest naar beneden, uit de wind, ergens een plekje vinden om het onweer uit te zitten, maar toen ze achteromkeek zag ze iets.

Haar vleugels haperden even en ze moest zichzelf terugdwingen in haar vliegritme. Ver achter haar, rechts, aan de kant van het land, kwam met grote snelheid over de zee een zwarte stip op haar afvliegen. Een raaf. Dat moest het zijn. Dat kon niet anders. Maar welke raaf zou in een onweersbui achter haar aan de zee op vliegen?

Peri keek weer naar de wolken, naar de steeds zwarter wordende buienlijn voor zich uit, die zichtbaar dichterbij was gekomen. Wat er ook gebeurde, daar moest ze niet in terechtkomen. Haar maag trok samen van angst. 'Elke opstijging is vrijwillig, maar elke landing is verplicht.'

Een buienlijn was een van de gevaarlijkste weersverschijnselen. Aan de voorkant konden zich harde rukwinden voordoen. Een buienlijn bracht op z'n minst zwaar weer, maar de wolken recht voor haar uit groeiden op de top aan tot de aambeeldvorm van een supercel, de gevaarlijkste onweersbui die er bestaat, met zijn roterende cycloonachtige stijgstroom.

Toen Peri nogmaals achteromkeek, was de zwarte stip groter geworden, en hij haalde haar duidelijk in. Hij was groter dan welke vogel ook. Het kon maar één ding zijn. Dit was de Roofvogel waarvoor Zeke haar had gewaarschuwd, en waar ze de hele dag naar had uitgekeken. Daar had je hem dan, Peters Roofvogel, en hij was zo vastbesloten om haar op te sporen dat hij ook rechtstreeks de onweersbui in vloog. O god. Ze kon hem onmogelijk duidelijk maken dat ze Hugo echt terugbracht. Misschien kon dat hun helemaal niet schelen, en wilden ze alleen maar voorgoed van haar af zijn. Boven het water, uit de buurt van spiedende ogen op het land, zou de Roofvogel haar doden en Hugo weggrissen.

Peri had rustig voortgevlogen, zo veel mogelijk gebruikmakend van de mogelijkheid om te soaren, omdat dat weinig energie kostte. Nu duwde de wind haar terug en ze begon steeds zwaarder adem te halen omdat ze zich met elke vleugelslag meer moest inspannen om op koers naar het zuiden te blijven. Haar vliegspieren brandden, uitgeput van al die uren vliegen die ze achter de rug had. De grotere kracht die ze nu van ze vergde, was eenvoudig te veel gevraagd. Straks zouden al haar spieren het opgeven. Als het noodweer vanaf de zee op haar af was gekomen, had ze landinwaarts kunnen afslaan en kunnen proberen het noodweer voor te blijven of ergens te schuilen. Nu de Roofvogel haar inhaalde, was die aanpak te gevaarlijk, zelfs al was het fysiek mogelijk geweest.

Peri zette alles op alles om zo snel mogelijk vooruit te komen.

Wat moet ik doen? Moet ik me laten inhalen door de Roofvogel en hem Hugo geven? Dat is in elk geval beter dan het risico te lopen dat we allebei omkomen in het onweer dat zo meteen losbarst. Maar de Roofvogel zal niet netjes wachten tot ik Hugo uit handen geef. Als hij me te pakken krijgt, zal hij me doden, me de zee in drijven. Niemand die me dan ooit nog vindt. Doodeenvoudig, veel makkelijker dan me te laten leven. Zolang ik leef, ben ik alleen maar lastig voor ze; dat heb ik de afgelopen dagen wel bewezen, nietwaar? Luisa's lichaam dat heen en weer rolde in het water. Het was een goed plan. Als die samenpakkende wolken er niet waren geweest. Daar hebben we geen van beiden rekening mee gehouden.

Naarmate de hemel duisterder werd en de wind steeds meer waterdruppels in Peri's gezicht joeg, werd het zicht razendsnel slechter. Ze kon niet meer uitmaken of het vocht regen was of water dat omhoogzwiepte vanaf de woeste zee beneden haar. Peri schudde haar hoofd en streek haar natte haren uit haar gezicht. Het was moeilijk om nog te blijven denken te midden van de steeds harder brullende wind en golven.

Hugo huilde. Peri sloeg haar armen om hem heen. 'Rustig maar, mannetje, maak je geen zorgen.' De steeds harder gillende wind rukte haar stemgeluid weg.

Het zou de Roofvogel nu niet meevallen om haar nog op te sporen. Met dit soort weer had hij even weinig controle over zijn bewegingen als Peri. Zelfs als ze bereid was haar eigen leven op het spel te zetten om Hugo aan de Roofvogel over te dragen, was er geen veilige manier om dat te doen. De Roofvogel en zij moesten zich allebei concentreren om te overleven. En in de allereerste plaats moest ze uit de buurt blijven van die wolken. Als ze door wolken moest vliegen, zou ze er niet in slagen haar vleugels waterpas te houden, in een dodelijke spiraal raken en dat pas in de gaten krijgen als het al te laat was om zich te redden.

Peri verbrandde nog wat meer van haar slinkende energie door zichzelf verder omhoog te dwingen, al kon ze in deze woeste, duistere lucht niet uitmaken of ze zich nu twintig of vijftig meter verder omhoog had geworsteld. Hoe hoger ze kwam, hoe verder ze verwijderd raakte van het noodweer en hoe minder kans ze maakte om tegen de grond te slaan. *Anders val je.* Maar ze kon onmogelijk boven deze onweersbui uit vliegen. Zo kon ze niet ontsnappen. Cumulonimbuswolken groeien aan tot de hoogste wolken die er bestaan, van twaalfduizend meter hoog en nog meer.

Peri keek over haar schouder en ontdekte tot haar afgrijzen de grote, zwarte gedaante die werd uitgelicht door van de zee weerkaatsend licht dat door scheuren in de wolk viel, ongeveer een kilometer achter haar. *Mijn god, hij volgt me, zelfs in deze chaos. Is hij helemaal gek?*

Grimmig zette Peri door. Nu kon ze zeker niet meer ontkomen aan de buienlijn. Ik overschrijd de grens naar mijn ergste nachtmerrie. De nachtmerrie van iedere vlieger.

Ik vlieg een grote onweersbui binnen.

Blindelings.

Ze had niet op haar omgeving gelet, en nu werd ze daarvoor gestraft. Als ze dan tenminste maar kon landen om Hugo in veiligheid te brengen, dan maakte het niet uit wat er met haar gebeurde. Maar ze kon onmogelijk landen. Als ze daalde, zou ze stijgkracht verliezen, en dat kleine beetje vermogen dat ze nog had om te manoeuvreren. Ze zou naar opzij worden gesmeten, alsof ze een strootje was. Ze had in Pandanus weleens vogels gezien die door sterke winden werden weggeblazen. Hoe brachten ze zichzelf dan in veiligheid? Misschien deden ze dat ook niet. Vogels kwamen om in noodweer; ze had vaak genoeg aangespoelde vogellijkjes zien liggen langs de vloedlijn.

De lucht werd nog turbulenter. Het was angstaanjagender dan als je werd omgegooid door een grote golf. Dit was ook een soort branding, de heftigste die ze ooit had gevoeld: het ene moment werden Hugo en zij vijftig meter de lucht in gegooid, en het volgende moment werden ze honderd meter opzijgemept. De opstijgende lucht die dit buienfront voortbracht en het duistere schuim zo hoog opklopte, had misschien wel een snelheid van vijftig knopen of meer.

Hugo was luidkeels aan het schreeuwen geweest, met tranen die door de storm van zijn gezicht werden geslagen, maar nu was hij stil, tot zwijgen gebracht door de angst, of door de wind die zijn adem wegrukte.

De wolk die voor hen uit hing, had misschien wel de hoogte van een wolkenkrabber. Of een berg. Het was onmogelijk uit te maken, er was immers niets aan de hemel om hem aan af te meten. De bliksem boven haar stootte steeds dichterbij toe. De donderslagen waren onbeschrijflijk angstaanjagend: een muur van geluid die omviel, dichter dan de omslaande branding. Lucht is een vloeistof, en deze neerstortende vloeistof was oorverdovend en verpletterend. De atmosfeer zelf barstte in scherven en zweefde weg.

De bliksem was te dichtbij, de hemel spleet open als een scheur in de ruimte die zich naar de zon opende, ogen die zich tegen haar wil sloten, en nog brandde het licht door haar oogleden, en toen ze ze weer opende, viel ze door een zwarte wereld omlaag, haar gezichtsvermogen weggebrand. Toen het zich weer had hersteld kropen er vreemde lichtjes en vonken door de duisternis. *Nog zo'n klap maar dan dichterbij, en we zijn er geweest.*

De bliksem deed rare dingen met haar ogen. Ze had kunnen zweren dat ze iets had gezien in het licht van die laatste flits. Twee dingen. Groot en zwart. De vorm van vleugels. Er konden toch geen twee Roofvogels achter haar aan zitten? Nee. Haar ogen moesten haar bedriegen. Het effect van het felle licht. Ineens waren ze overal: zwarte, rond zwermende gedaanten. Weer een bliksemflits. Nee, er was niets.

Een windschering gooide hen door de lucht, met een kracht die haar de adem benam toen hij tegen haar borst sloeg en haar vleugels tegen haar aan duwde. Ze fladderde zwakjes als een mot. Er was geen garantie dat ze in een rechte lijn vloog, dat al haar wanhopige inspanningen hen zelfs maar een meter uit dit onweer vandaan haalden. Voor hetzelfde geld werd ze eindeloos rondgesmeten door de storm, een afgebroken twijgje dat langs de rand van deze draaikolk werd rondgeslagen.

De hemel, die eerst met geel licht doorsneden donker was, was diepzwart geworden. Het enige licht was nog afkomstig van bliksemflitsen boven uitgestrekte vlakten zee waar de regen op neerstriemde. De regen had haar nog niet bereikt, maar hij kwam eraan en zou een eind aan haar maken. Ze had haar vleugels niet behandeld met de olie die werd gebruikt voor lange tochten over zee. Het meeste water zou van haar vleugels rollen, maar een deel zou achterblijven en haar veren vochtig maken, waardoor ze zwaarder werd.

De regen stortte zich in watervallen uit de hemel. Ze werden nog weer verder omhooggegooid en daarna in een brullende afgrond gestoten. Peri had geen idee hoe hoog boven de golven ze waren. De regen striemde hard en ijskoud. Er zat hagel bij, die tegen hen aan roffelde, kneep en beet. Ze werden verder omhooggegooid, de koudere lucht in, waar ze in een hagelbui terechtkwamen, met kogels van ijs ter grootte van sinaasappels die tegen hen aan sloegen en hun blauwe plekken bezorgden. Op haar onderarm opende zich een warme plek. Bloed waar ijs haar huid had opengereten.

Doodsbang sloeg Peri haar armen om Hugo heen. Zijn muts was allang weggerukt. Hij voelde gevaarlijk koud aan.

Peri's kracht raakte uitgeput. Hoe lang worstelden ze al in de kolk? Het was zinloos om je tegen de storm te verzetten: sommige windstoten duwden haar omhoog en zijwaarts, waardoor ze in de lucht bleven. Maar ze kon het niet aan de storm overlaten om haar omhoog te houden. Ze had geen tijd om zich er zorgen over te maken of ze haar vleugels wel waterpas hield; ze moest zich er alleen op concentreren om stijgkracht te creëren, voorwaartse beweging en trekkracht, zodra de wind het maar even toeliet. Haar vleugels deden pijn van de hagelstenen en haar spieren verkrampten van uitputting.

Ze wreef Hugo's lijfje stevig om hem warm te krijgen. Ze tilde haar gladpak op en trok het over Hugo's hoofd, zodat zijn lichaam tegen haar huid aan lag. De temperatuur daalde nog steeds.

Een muur van donderslagen barstte overal om hen heen los. Het geluid dreef hen voort door het duister, met trillingen die hun botten deden beven. Peri had het gevoel alsof haar vlees, haar organen tot gelei werden getrild. Hoe was het mogelijk dat ze nog steeds bij kennis was?

Dat afgezaagde grapje van Havoc: *Hoe noem je een vlieger die niet naar het weerbericht kijkt? Een vlieger die geen vluchtschema maakt?* Eentje die geen van de dingen deed die volgens hem noodzakelijk waren? Het antwoord was altijd hetzelfde: *Een beetje er geweest. Ha ha ha.*

Een klap sloeg hen tollend opzij. De tijd vertraagde. *Niet bewegen, anders val je.* De wind nam hen mee, steeds hoger.

Nu vielen ze weer.

Geen kracht meer. Weggeëbd in de kou, opgebrand tegen de wind in. *Anders val je.* Het maakte niet meer uit wat ze deed. *Anders val je.* Het enige wat hen in de lucht had gehouden was haar vaste wil om Hugo te redden. Hoe lang? Een ijstijd lang. Niet lang genoeg. Niet goed genoeg.

Iets op haar wang. Water dat geen ijskoude regen was.

Het spijt me, Hugo.

Ze wist niet of ze het fluisterde, schreeuwde of alleen maar dacht, terwijl ze de duisternis in vielen.

Een bulderende muur van duisternis rijst op, giert de lucht in met meer kracht dan een sneltrein. Het lawaai is erger dan angstaanjagend. Die trechter van rondtollende duisternis aanraken staat gelijk aan een wisse dood, maar ze worden even hulpeloos en licht als boomblaadjes vastgegrepen en omhooggegooid.

Ze zoeven met zo'n snelheid omhoog door de duisternis en de wind dat Peri niet kan ademhalen, niet kan horen; ze zijn door de muur heen gevlogen van de rondtollende cycloon in het oog van de·storm.

Het zuurstofniveau daalt, de temperatuur ook.

Ze buitelen de duisternis binnen. Stippen sterrenlicht prikken in haar ogen.

Haar lichaam is met ijs overdekt. Terwijl ze steeds sneller omhoogschieten, verliest ze het bewustzijn. Net voor ze wegraakt, flitst er een gedachte door haar heen: wat vreemd. Ik ga dood aan een val omhoog.

Het spijt me, Hugo.

De nacht buldert omhoog, de lucht zoeft voorbij, sterren die langs hen heen wegvallen in de afgrond, en heel even wordt ze zo hoog boven de wolk uit geblazen dat ze een flitsend ogenblik lang de rand van de aarde ziet stralen.

En weer omlaag de duisternis in.

Limietsnelheid.

Ruim driehonderd kilometer per uur. Negentig meter per seconde.

Als je vleugels hebt, kun je ook vallen.

De hele wereld is wind, regen en onweer.

Vermist

Fel licht waar ik mijn ogen van toeknijp. Fris groen komt binnen mijn blikveld. Zon valt op een wei in een bos, bezaaid met witte bloemen. Lily geeft me een glas wijn en hand in hand lopen we over een pad het donkerdere bos in. Ik ben blij, maar er klopt iets niet. Ik ben iets vergeten. Lily wijst en ik kijk omhoog. Een stel arenden vliegt rondjes boven ons hoofd. Ik heb nog nooit een arend gezien en ben uitgelaten. Ze schommelen en balanceren op de wind; de uiteinden van hun vleugels hebben franjes, ze zijn gespreid als vingers. We lopen over het pad de schemering onder de bomen in, maar het pad is afgezet met een hek van prikkeldraad. Lily loopt voor me uit, ze bereikt het hek, dan rent ze weg, en ik sta op het punt achter haar aan te rennen, maar ik kijk achterom omdat er iets groots en donkers in het prikkeldraad verstrikt zit. Het is een van de arenden, die ondersteboven met gespreide vleugels aan de bovenste draad van het hek is opgehangen. De grond onder mijn voeten valt weg; waar de kop van de arend zou moeten zitten, is een witte maan. De vleugels van de arend bewegen nog. Ik wil mijn hoofd niet draaien om naar de maan te kijken, want ik weet wat het is. Mijn nek schiet op slot, mijn spieren verstijven. Met de grootste moeite draai ik mijn hoofd. De witte maan is het gezicht van Tom.

Donderdag, nog maar net. Twee uur in de nacht. Een slechte nacht, zelfs naar mijn maatstaven. Ik keek op mijn slick en het resultaat was hetzelfde als de afgelopen tweehonderd keer: geen signaal. Ik hield mezelf voor dat Peri nog steeds kon komen opdagen, maar kwam maar niet af van de misselijkmakende angst die als een opgesloten octopus in mijn maag lag te kronkelen. Het apparaatje kon zijn gevallen, maar het slechtste scenario was het meest waarschijnlijk: dat Hugo en Peri iets naars was overkomen. En dan was het mijn schuld. Ik was hen gevolgd naar PReG-land; ik had die Roofvogel rechtstreeks naar haar toe geleid. Na mijn confrontatie met Chesshyre op de brug maakte ik me ernstig zorgen over wat hij zou doen als hij erachter kwam dat Peri en Hugo vermist waren.

Ik kon al niet eens meer een beetje wegdutten. Daar lag ik, met droge ogen het duister in te staren, en alles op alles te zetten om niet nog eens mijn slick te checken. Van Wilson had ik ook nog niets gehoord. Die had allang iets van zich moeten laten horen. Wat is er aan de hand, hikikomori-knaap?

Het enige wat nog troostelozer aanvoelt dan twee uur 's nachts, is drie uur 's nachts, en dat tijdstip kwam rap nader, als een schaduw boven de horizon. Om vier uur kun je nog net doen alsof je lekker vroeg op de dag begint, maar dat lukt je niet om drie uur. Het is de woestijn, het uur waarop je geen kant op kunt en gekweld wordt door het besef dat het leven angstaanjagend is en dat je alleen overeind blijft omdat je weigert de waarheid onder ogen te zien.

Ik knipperde met mijn ogen om de branderige droogte te verlichten, en met pijn in mijn rug probeerde ik niet te denken aan alle andere pijn-tjes die me nog te wachten stonden naarmate ik ouder werd. De fysieke afwezigheid van Thomas zeurde als een oude wond en ik lag me druk te maken om de fouten die ik als vader al had gemaakt: de normale ellende en schaamte die het ouderschap nu eenmaal met zich meebrengt, de al-ledaagse leugens die zelfs in het meest liefhebbende gezin voorkomen, dat ene scherpe woord als een klap tegen Thomas' wang. Het ergste van alles was mijn ongeduld tegenover Toms niet-aflatende liefde, mijn on-vermogen om gewoon bij hem te zitten en naar zijn volmaakte gezicht te kijken, naar de groene boog van zijn ogen, als de buiging van de aar-de. Dat falen deed meer pijn dan al het andere: ik was altijd afgeleid, al-tijd bezig, altijd volwassen, aan het werk, aan het koken, aan het lezen, dingen aan het doen. Ik kon niet gewoon met Tom samen zijn. Hij wilde me nu, ik was zijn beste vriend, maar voor hoe lang nog? Als hij ouder wordt, heeft hij geen tijd meer voor me. Dat weet ik nu al, dat weet ik al voor het te laat is, en nog kan ik me niet met hem volzuigen tot ik zo vol van hem ben dat ik er de rest van mijn leven mee toe kan.

Ik knipte mijn leeslamp aan en haalde Peri's brieven uit de la van mijn nachtkastje. Ik had ze al uitgespeld, op zoek naar aanwijzingen:

Lieve Hugo,
Je eerste lievelingsspeeltje was een blauw-met-rode papegaai met elastische poten. Je kon zijn driehoekige voeten net in je mond stoppen. De papegaai kraakte als papier en klingelde als een belletje, afhankelijk van of je hem verkreukelde of ermee schudde. Dat wilde ik je vertellen voor we dat vergeten. Voor-dat ik het vergeet.

Ik stopte de brieven terug en deed het licht uit. Op zoek naar de voortvluchtige koelte stopte ik mijn hoofd onder mijn kussen. De koelte was binnen een paar seconden verdwenen. Kreunend stompte ik op het kussen en ging op mijn zij liggen.

Toen ik wakker werd, was het halfvijf. Ik moest denken aan een wetsartikel dat ik onlangs keer op keer had gelezen. Een verordening die bedoeld was om zowel vliegers als niet-vliegers te beschermen. Er stond in dat er geen gebouwen mochten worden opgetrokken waar niet-vliegers geen gebruik van konden maken, alsof we gehandicapt waren en speciale voorzieningen nodig hadden om binnen te komen. Ik zag al voor me hoe de wet zou omslaan in een vloedgolf van veranderingen die zo diep en breed was dat we er nu al in ten onder gingen.

Wij worden claustrofobisch en zij krijgen hoogtevrees.

'Als de wet het enige is wat je aan jouw kant hebt,' hoorde ik Henryks droge stem zeggen, zoals hij dat bij vrijwel elke zaak deed waaraan hij werkte, 'dan weet je dat je diep in de stront zit.'

Uiteindelijk gaf ik het op en ging ik om vijf uur mijn bed uit om Frisk uit te laten. Na die eerste keer renden we niet meer samen; leeuwen hebben het niet zo op rennen en ik moest toegeven dat mijn rechterknie daar heel dankbaar voor was.

We liepen bijna twee uur lang door de stille straten bij mij in de buurt. Onder het lopen piekerde ik, terwijl we vrouwen passeerden die al vroeg op waren om hun offergaven naar de tempels te brengen. Moest ik meteen naar Henryk toe? Bij elke stap die ik zette pijnigde ik mijn hersens. Als ik de zaak nu aan de politie overdroeg en Peri zou toch nog komen opdagen zoals we hadden afgesproken, zou ik alles verpesten, niet alleen voor mezelf, maar ook voor haar. Chesshyre zou witheet zijn, en het was zelfs nog mogelijk dat hij zowel Peri als zichzelf probeerde te beschermen. Maar aan de andere kant: als het weggevallen signaal betekende dat Peri en Hugo iets ergs was overkomen, zou ik het mezelf nooit vergeven dat ik de zaak had gerekt.

Ik wierp voortdurend blikken naar de hemel. Geen grote rondcirkelende stippen. Er waren niet al te veel vliegers die boven mijn deel van de Stad hingen.

Onder het lopen lette ik niet echt op de kleine offers van in bananenbladeren verpakte vruchten en bloemen die al waren neergelegd op kruispunten en de stoepen voor winkels, en toch stapte ik er voortdurend afwezig overheen. Toen de zon opkwam, kwamen er al mensen op fietsen en scooters voorbij met een groet voor Frisk, die over straat voortstapte met zijn grote kop bij de grond om aan de offertjes te snuffelen en gespitste oren om te luisteren naar een vogel die zat te praten in een kooi die aan een veranda hing, terwijl hij zijn pootjes keurig optilde om het smerige water te vermijden dat door de goten stroomde. 'Hallo,' riep de vogel ons na. 'Ik heb geen centen. Dat geeft niks. Hallo. Hallo.'

Frisk trok me aan zijn riem mee naar een van de stalletjes met etenswaren in de buurt van de kruising met 80 Metre Road. Iets groots en glanzend zwarts vloog door mijn blikveld en ik kromp ineen. Het zwarte schepsel landde naast een stalletje en begon met zijn dikke, gebogen snavel aan een vuilniszak te trekken. *Kauw kauw kauw.* Die verdomde dikbekkraaien. Frisk liep met een wijde boog om hem heen; het beest zag eruit of het met één houw onze ogen kon uitpikken.

De geur van varkensvlees met mangobeignets zweefde door de nog steeds koele ochtendlucht. Ik kocht een zak en deelde hem met Frisk op de terugweg naar de flat.

Mijn slick trilde en ik wilde hem zo graag opnemen dat ik hem bijna in de goot liet vallen, omdat mijn vingers nog vet waren van de beignets.

Lily.

'Hallo,' zei ik, en mijn hoofd tolde van de adrenaline, de hitte van de ochtendzon en slaapgebrek.

In de tuin voor Ventura haalde ik mijn sleutel uit mijn zak. Ik keek omhoog. Dit begon obsessieve vormen aan te nemen; ik kon er blijkbaar niet mee ophouden.

Mijn hele lichaam verkilde.

Alsof ik onder de koude kraan stond.

Er cirkelde een donkere gedaante rond. Heel hoog. Geen dikbekkraai.

O, toe nou.

Schei toch uit.

Jezusmina, Zeke, krijg jezelf nou eens in de klauwen. Er cirkelen vast wel vaker vliegers rond, het is je alleen nooit opgevallen, je hebt er nooit op gelet. Je zegt zelf dat je bijna nooit meer naar de hemel kijkt.

Hoofdschuddend liet ik Frisk binnen. Ik gaf hem iets fatsoenlijks te eten en zette thee. Lily had me laten weten dat ze een afspraak had gemaakt voor de eerste tests van Thomas; als hij daardoorheen kwam, kon hij de volgende week al met de behandelingen beginnen. Lily werkte altijd snel. Als ze eenmaal tot een besluit was gekomen om iets te ondernemen, was gisteren eigenlijk al te laat voor haar. Zodra de uitslag van de onderzoeken bekend was, werd ik geacht mijn toestemming te geven voor de behandeling. Ik zei tegen haar dat ik Ruokonen had gesproken en dat ik haar spreekkamer met ernstige bedenkingen had verlaten, maar Lily nam zelfs geen pauze om adem te halen en ik betwijfelde of ze me überhaupt had gehoord. Als ik hierover met haar in de clinch wilde, moest ik dat snel doen.

Ik haalde diep adem en krabde op mijn hoofd. Een donderslag weerklonk en even later begon de regen te stromen, zoals hij dat deze zomer tot nu toe vrijwel elke dag had gedaan. Water stroomde langs mijn raam en vertekende het beeld van de mangobomen in de voortuin en de straat daarachter. Vittorio en ik hadden ontzettend gezeurd bij het bestuur van Ventura om ze die verdomde goten te laten repareren, en nog steeds stroomden ze bij elke stortbui over.

Zo lopen de gootjes als het regent, zei mijn moeder vroeger graag. Peri en Hugo waren vermist. Ik had tot zaterdag de tijd om bij Chesshyre met iets geloofwaardigs aan te komen, maar vandaag moest ik verder met die zwarte operatie. Zaterdag zou Chesshyre erop staan om te horen waar Hugo was. Dus dan moest ik iets te vertellen hebben.

En nu had ik dus nog geen week de tijd om te beslissen of ik al of niet wilde dat mijn zoon vleugels kreeg.

Ik wierp een woeste blik op de zwarte schimmel die over het plafond voortkroop dankzij al die regenbuien en die uit elkaar vallende dakgoten van Ventura. Dit krot stortte ineen waar ik bij stond. En Taj was dood. Mijn enige partner was verdwenen, alsof hij nooit had bestaan. 'De krachten van de entropie keren zich duidelijk tegen ons, Frisk.' Hij keek naar me op vanaf de stoffige grond waar hij zichzelf lag te likken.

Henryk belde. 'Ik heb nog iets gedaan. Ik heb bij de JeGez een verzoek ingediend om na te trekken of ze een dossier over Perros hebben – daar was ik niet zo gauw op gekomen als ik niet had geweten dat de afdeling een rol speelt in jouw zaak. Tot nu toe is Almond de enige aanwijzing die we hebben wat Perros aangaat.'

'Dat is helemaal te gek, commissaris Jasinski,' zei ik.

'Zoals gewoonlijk,' zei Henryk. 'Zodra er een lijk bij betrokken is, ga ik altijd nog een stapje verder. Op een dag komen ze daarachter, en dan kan ik voortaan wel naar promotie fluiten. Ik kijk verdomme wel erg uit naar die getuigenverklaring van Almond, Zeke.'

O, shit. Nog een reden waarom het een ramp was als Peri niet terugkwam. 'Waarom denk je dat er een lijk bij betrokken is, Henryk? In aanmerking genomen dat jullie er geen hebben gevonden?'

'Het zat me niet lekker. En je weet dat we vaak nog eens gaan kijken, waar of niet?'

'En?'

'De eenheid die ik heb gestuurd, heeft inderdaad iets gevonden.'

'Een ring, toevallig?'

'Hoe weet jij dat nou?'

'Een zilveren ring met een meeuw erop.'

'Ik heb altijd al geweten dat je helderziende was.'

'Peri had er zo eentje, en ik vroeg me af wie haar zoiets zou geven. Het is het soort goedkope ring dat jonge meisjes soms uitwisselen. Dus ik dacht: wie zou het leuk voor haar vinden dat ze vleugels heeft gekregen? Het is niet iets wat de Chesshyres zouden doen.'

'Dan zou deze ook weleens van Perros kunnen zijn. We kunnen hem vergelijken met die van dat meisje van jou, als ze zich meldt.'

Ik haalde even diep adem. 'Nu je het er toch over hebt, Henryk, ik maak me grote zorgen om Peri en Hugo. Ze waren gisteren op de terugweg naar de Stad, maar het volgsignaal viel ineens uit.'

'Dus je wilt dat ik naar hen uitkijk? Geweldig, Zeke. Gewoon wachten tot je plannetje de mist in gaat en dan om hulp vragen. Alleen zit ik met het probleem dat zij ook niet als vermist zijn opgegeven. Ik heb in hun geval geen enkele aanwijzing voor een misdaad of een ongeval, en ik kan geen mankracht blijven inzetten omdat een ex-collega zich iets in zijn kop heeft gezet.'

Zolang hij zijn hart luchtte hield ik mijn mond. Daarna zei ik: 'Maar die toestand met Perros doet wel het vermoeden rijzen dat er iets omvangrijkers speelt dan dat er gewoon iemand vermist is.'

Henryk zuchtte. 'Ik zal zien wat ik kan doen. We zullen de gebruikelijke zaken natrekken: ziekenhuizen, klinieken, dat soort dingen – eens zien of dat iemand oplevert die overeenkomt met hun signalement. Ik kan het onderzoek naar Perros gebruiken om de dingen te verhullen die we doen om Peri en Hugo te vinden.'

Ik bedankte hem en sloeg de rest van mijn inmiddels koude thee achterover. Ik moest aan de slag met mijn klus – het natrekken van het Serafijnse parlementslid –, al was het alleen maar omdat het binnenkort weleens de enige klus zou kunnen zijn die ook nog geld opleverde. Maar het werd lastig om me daarop te concentreren. Door Henryks mededeling was mijn vage vrees in angst omgeslagen; het was een bewijs dat Peri en Hugo niet misschien wel dood konden zijn, maar dat het zelfs heel waarschijnlijk was. Ik moest en zou erachter komen wat er was gebeurd. Chesshyre had een goede detective willen hebben, en die had hij gekregen ook. Hij hoefde niet te weten wat ik in zijn tijd allemaal natrok en dat mijn onderzoek zich heel wat verder uitstrekte dan wat hij wilde weten.

Ik moest per se die gegevens van de Engeltjes hebben, waaruit ik hopelijk de informatie kon halen om Cam over te halen zich op de dossiers bij haar op de afdeling te storten. En de dossiers van Eliseev waren ook van groot belang. Dat was het enige andere stukje van de puzzel dat ik had. Het werd tijd om nog eens een dringend berichtje naar de hikikomori-knaap te sturen, maar die lag waarschijnlijk nog hoog en breed te ronken.

Ik nam een douche en trok mijn beste pak aan voor mijn sollicitatiegesprek in de Serafijnenkerk dat voor me was georganiseerd door Sunil – al wist het parlementslid dat niet. Sunil had geregeld dat mijn naam voorkwam op de lijst van mensen die waren uitgekozen door het rekruteringsbureau.

Met achterovergebogen hoofd staarde ik omhoog naar de ijspegel van de Serafijnenkerk, met zijn rafelige touw mist. Peters ontwerp was adembenemend. Eenvoudig en streng als het was, had het de onregelmatige harmonie van een natuurlijke vorm – een aardverschuiving of de rand van een gletsjer. Maar dat de kerk ontoegankelijk was voor niet-vliegers stuitte me tegen de borst. Daar zat Chesshyre ook achter. 'Peter kan het geen bal schelen; die voelt zich er te goed voor om zich druk te maken over dat soort zaken,' had Halley gezegd. Ik moest op een onderknuppel wachten om me het heiligste der heiligen in te begeleiden omdat er een speciale regeling voor mij nodig was om deze kerk te mogen betreden. De arrogante zakken. De onderknuppel, een jongeman, verscheen en ik liep achter hem aan het kantoorgebouw ernaast binnen, waarop nog steeds in gouden letters stond te lezen: ALS GOD HAD GEWILD DAT JE KON VLIEGEN, HAD HIJ JE WEL RIJK GEMAAKT.

Terwijl we omhoogzoefden naar de vijfentwintigste verdieping van het kantoorgebouw, begon ik duizelig te worden, en niet alleen door de overweldigende parfumgeur die af sloeg van de zwart-met-zilveren vleugels van de knaap. De dag ervoor had ik me door die aanval van hoogtevrees moeten slaan op het bouwwerk van Chesshyre. Wat zouden me hier in zijn kerk nu weer voor gruwelen te wachten staan? Ik begon eraan te twijfelen of ik echt wel opgewassen was tegen SkyNation.

De knaap ging me voor naar de oostelijke muur van het gebouw, een deur uit en een doorzichtige brug op tussen het kantoorgebouw en de kerk, die we door een zijdeur betraden. Daar hielden we halt.

We stonden op een klein platform in een grot van kobaltblauw ijs. De onderknuppel deed een stap terug en draaide de deur achter ons op slot.

Lichtbundels vielen van bovenaf de duistere diepte beneden in. Vanaf het platform liep een luchtbrug over de leegte heen. In de buurt van de achterkant van de kerk flakkerde op een witte zuil een vuur. Daarachter stroomde geluidloos vanaf een enorme VaporView een waterval van mist de schaduwen eronder in; in de mist hing een sereen gezicht omgeven met zes vleugels van vlammen. Een serafijn. Was dit hun altaar? Als dat zo was, streefden ze er in deze kerk blijkbaar naar om te laten zien dat de leden van deze kerkgemeenschap de elementen vuur en lucht aanbaden, of misschien dat ze die hadden getemd.

Door het transparante facet van het dak zag ik de hemel. De voor- en achterkant van de kerk waren ook transparant. Vanaf ons platform liep een luchtbrug naar het middenpad van de kerk – wat ik normaal ge-sproken het schip zou noemen, al was er geen kruisbeuk – en de knaap nam me daarover mee naar het vuuraltaar. De hangende luchtbruggen waren net breed genoeg om me de allerergste hoogtevrees te besparen, maar er ontbraken balustrades.

Vanbinnen was Chesshyres gebouw nog mooier dan aan de buiten-kant, zoals de hemel er naar binnen viel, maar iemand had de blauwe ruimte bedorven. We liepen langs gevleugelde figuren in muurnissen: engelen; een Garuda van groen glas; Hermes, de boodschapper van de goden met zijn gevleugelde voeten en helm; een Nike; een jongen die waarschijnlijk Eros moest voorstellen. Een gouden zonneschijf in de buurt van het vuuraltaar was voorzien van vleugels, waardoor hij vooral veel weg had van een vliegende munt, wat ook eigenlijk heel passend was. Maar het was doodzonde; de kerk zou schitterend zijn geweest als hij leeg was gelaten.

Verder in de richting van het vuuraltaar sloeg de onderknuppel links af en gingen we een deuropening door die naar een reeks kantoren leidde achter het hoofdgedeelte van de kerk. We bleven staan voor een deur met een bordje waarop in gouden letters stond geschreven: BUREAU VAN DE AARTSENGEL. Aartsengel? Ik trok mijn lip op. Hadden die types dan geen fatsoenlijke schoolopleiding genoten? Ze hoorden te weten dat aartsengelen laag stonden in de middeleeuwse hiërarchie van engelen, waarin de serafijnen helemaal bovenaan stonden.

Toen ik zijn kantoor betrad stond aartsengel en parlementslid David Brilliant met zijn rug naar me toe voor zijn raam naar het parlementsgebouw te kijken, met zijn vleugels over de grond slierend. Hij praatte met luide stem tegen een groep adviseurs, alsof hij een toespraak afstak. De onderknuppel bleef even aarzelend op de drempel staan en gebaarde toen dat ik de kamer in moest komen, waar we ons bij de adviseurs voegden, die allemaal gevleugeld waren. Ik had al zo'n vermoeden dat mijn sollicitatie niet in goede aarde zou vallen, aangezien ik niet tot de uitverkorenen behoorde. Er was nog één andere nietvlieger in de kamer: een lange, bleke man met een hoog, glanzend voorhoofd, die met zijn lange ledematen opgevouwen in de leunstoel zat aan de zijkant van Brilliants bureau. Wat een excentriekeling; wie liet zichzelf tegenwoordig nog kaal worden?

Brilliant bleef praten zonder zich om te draaien, en ik maakte dankbaar gebruik van de gelegenheid om het merkwaardige tafereel in ogenschouw te nemen. Brilliants vleugels waren de opzichtigste die ik ooit had gezien, met horizontale strepen in rood, groen, blauw en goud. Zijn kantoor was al even bont versierd, met op elke muur schilderingen van mannen en vrouwen met vleugels. Reproducties van schilderijen van Giotto en Fra Angelico met engelen die de blijde boodschap brengen hingen ongemakkelijk naast een sombere afbeelding van een stervende Icarus uit de romantiek. Dit was waarschijnlijk de boosdoener, degene die ervoor verantwoordelijk was dat Peters zuivere ontwerp was volgepropt met een overmaat aan kitsch. Had Peter misschien om die reden een hekel aan hem? Nu weigerde hij dus te werken voor ene Flores. Misschien kreeg hij genoeg van klanten die hij niet onder de duim kon houden.

Brilliants woordenstroom nam niet af, dus concentreerde ik me maar op wat hij zei.

'De mensheid beschikt over afbeeldingen van engelen van ruim zesduizend jaar oud. We kennen afbeeldingen van engelen, gevleugelde goden en godinnen en gevleugelde vogelmensen uit elke cultuur en tijd. Kijk maar naar het oude Egypte, het oude Afrika, Zuid-Amerika, noem maar op. Het zijn altijd wezens die een verbintenis vormen tussen hemel en aarde. De Serafijnenkerk gelooft dat het de bedoeling is dat wij mensen onze ware, gevleugelde vorm bereiken om net als de regenboog die brug tussen hemel en aarde, tussen God en de mens te belichamen.' Hier zweeg Brilliant even om diep adem te halen, waarna hij op nog luidere toon verderging.

'Wij geloven dat er ooit engelen zullen bestaan, dat ons ras altijd zijn bestemming heeft gekend, dat het onze heilige, gewichtige taak is om engelen te worden, dat we daarom nooit tevreden zijn geweest, daarom altijd zijn blijven streven, altijd zijn blijven proberen de ene na de andere prestatie te overtreffen, totdat we op de drempel, op déze drempel zouden staan van ons opgaan in de hemel, de eenwording van hemel en aarde. Jawel, eenwording! We zijn er heel dichtbij!'

Brilliant liet zijn stem dalen. 'De sluier tussen de werelden schemert,' fluisterde hij. Onwillekeurig boog ik naar voren, net als zijn adviseurs. Zelfs de bleke man ging rechtop zitten; hij spreidde zijn opmerkelijk lange vingers uit, vlocht ze ineen tot een witte knoop en keek Brilliant strak aan.

Ik onderdrukte de kwajongensachtige aanvechting om tussenbeide te komen met de vraag of Zefiryn soms hun versie was van het heilige sacrament.

'We hoeven slechts onze hand uit te steken,' ging Brilliant bijna buiten adem en dronken van zijn eigen retoriek verder. 'Zodra we dit hebben bereikt, zullen we een nieuwe wereld, een nieuw bestel ontdekken. Er zullen ons nieuwe revelaties worden gegund. We zullen een gouden domein binnengaan – nee, binnenvliegen.'

Brilliant zweeg even. Hier en daar applaudisseerde een adviseur. Was hij een preek voor in de kerk aan het repeteren, of een toespraak in het parlement?

Toen liet een adviseur van zich horen: 'Maar zullen mensen – nietvliegers, bedoel ik – niet zeggen dat wij hen achterlaten?'

'Aha,' zei Brilliant. 'Goed dat je daarover begint.' Hij draaide zich om, en ik zag dat hij een vlezige man was met een rood aangelopen gezicht en glad, achterovergeplakt donker haar. Zijn felgekleurde vleugels staken scherp af tegen zijn eenvoudige witte overhemd en donkere broek. Brilliant zag eruit als een corpulente directeur van middelbare leeftijd die met koffertje en al uit een bestuursvergadering was weggehaald en van deze vrolijk gestreepte vleugels was voorzien. Ik zag dat ik mijn overtuiging dat vliegers slank moesten zijn moest bijstellen.

Brilliant ging verder op zijn hoogdravende toon, alsof er duizenden naar hem luisterden. 'In religies die gebaseerd zijn op het geopenbaarde woord van God zijn God en de mensheid van elkaar gescheiden en overbruggen engelen de kloof. Engelen openbaren het woord van God en voeren Gods wil uit. Dat kunnen zaken zijn als iemand overladen met genade, speciale gunsten en zelfs met verlossing. Wie zal zeggen dat wij de niet-vliegers niet kunnen helpen?' De bleke man vertrok zijn gezicht en kromp ineen. Blijkbaar had hij zich gestoord aan iets wat Brilliant zei.

Brilliant zweeg even en er verscheen een harde trek op zijn gezicht.

Hij zette een basstem op. 'Maar we kunnen dat alleen doen als wij de gelegenheid krijgen om ons ware pad te volgen. We mogen ons niet laten belemmeren door diegenen die niet zijn uitverkoren. Binnen religies is er vaker gediscussieerd over de ware aard van engelen; waren het louter spirituele wezens, hadden ze een stoffelijk lichaam of een spiritueel lichaam dat een stoffelijke vorm kon aannemen? Die vraag zullen wij beantwoorden. We zullen de volmaaktheid van een engel aannemen en daarna spirituele volmaaktheid bereiken. We moeten het pad naar de glorie betreden dat voor ons is uitgestippeld.'

Brilliant was intussen naar zijn zware houten bureau gelopen, maar ging niet zitten. De adviseurs liepen met ritselende veren en papieren in de richting van de deur; sommigen spraken al in hun slick.

'Er is meer,' zei Brilliant tegen de vrouw die hem een vraag had voorgelegd. 'Ik heb het nog niet helemaal op papier. Ik moet nog iets zeggen over dat we allerminst de niet-vliegers in de steek laten, maar dat we hun hulp nodig hebben om ons werk te kunnen doen. Het is niet genoeg als de rest van de mensheid ons er niet van weerhoudt om onze missie uit te voeren. Ze moeten ons helpen, anders kunnen we nooit slagen.' Brilliant keek naar de bleke man in de leunstoel, die langzaam knikte. 'Daarom hebben we het genoegen om samen te werken met goede vrienden zoals jij.'

'Ja,' zei de bleke man. 'We moeten nog wat doorpraten over de juiste manier om dat uit te leggen. Mensen die alles letterlijk nemen, zullen het vreemd vinden dat wij misschien weleens gemeenschappelijke belangen zouden kunnen hebben.' Hijgend brak hij zijn zin af, volkomen uitgeput door de paar woorden die hij had gesproken. Brilliant keek hem strak aan, en in zijn bezorgde blik lag een zweem van afkeuring. De bleke man ontvouwde zijn lichaam uit de stoel en in zijn volle lengte was hij een van de vreemdste figuren die ik ooit had gezien: zo lang als een reiger in mensengedaante, maar met een opgezette borst die aan een duif deed denken.

Behalve de vrouw die Brilliant een vraag had gesteld, verlieten de adviseurs het kantoor, op de voet gevolgd door de Reiger.

Brilliant was nog aan het praten tegen zijn adviseur. 'Het project mens is ten einde,' zei hij. Dat zinnetje beviel hem blijkbaar, want hij herhaalde het. 'Het project mens is ten einde en het project post-mens, het project supermens is in aantocht.' Ik snapte wel waarom hij gewacht had tot de Reiger de kamer had verlaten voordat hij die slogan uitprobeerde.

Brilliant liet zich met een plof op zijn stoel zakken, gaf aan dat ik op de stoel tegenover hem moest plaatsnemen, en pakte de slick aan van de onderknuppel, die daarna samen met de adviseur de kamer verliet. Brilliant en ik waren nu alleen. Hij bekeek nadrukkelijk de slick. Ik keek naar rechts uit het raam. Het park tussen de kerk en het parlementsgebouw was welig en overschaduwd met vijgenbomen en banyans.

Brilliant keek op. 'Een indrukwekkend cv.' Ik had heel even een blik geworpen op wat Sunil in elkaar had geflanst, maar blijkbaar had ik ervaring met beleidsontwikkeling op het terrein van bio-engineering. Als Brilliant me erover zou ondervragen, zou ik volkomen voor gek staan, maar ik had zo'n idee dat Brilliant het soort man was dat liever zelf aan het woord was. En ik kreeg geen ongelijk.

'We hebben iemand nodig die werkelijk inzicht heeft in de problemen waarmee de Serafijnen te maken hebben,' begon Brilliant. Zoiets had ik al verwacht. Het was een verkapte manier om te zeggen dat ze de voorkeur gaven aan iemand met vleugels. 'Dat neemt niet weg dat iemand ... iemand als u ook van pas kan komen, bijvoorbeeld als schakel naar andere onafhankelijke partijen.' Brilliant wapperde met zijn hand naar de dichte deur die naar de gang leidde. 'U hebt onze vriend gezien. Hij voelt zich vast beter op zijn gemak als hij met iemand als u kan werken.' Het project mens is ten einde. Mijn kop eraf dat die man liever met 'iemand als ik' werkte.

Brilliant plantte zijn ellebogen op het bureau en plaatste zijn vingers tegen elkaar. 'Hoe langer ik erover nadenk, hoe meer ik ervan overtuigd raak dat we waarschijnlijk twee mensen nodig hebben voor deze positie. Iemand als u, en dan iemand die, eh ... van nature meer is afgestemd op de doelstellingen van de kerk. Waarom bent u erin geïnteresseerd om voor ons te werken, meneer Fowler?'

Op die vraag was ik voorbereid. Ik wauwelde iets over dat ik me graag bezighield met de allernieuwste ontwikkelingen op het gebied van beleid, dat het een natuurlijke uitbreiding was van mijn werk. Ineens kreeg ik een geweldige ingeving en ik biechtte mijn belangstelling op voor gezinsbeleid: hoe konden niet-gevleugelde ouders voorzien in de spirituele noden van hun vliegende kinderen, die immers konden gaan waar hun ouders hen niet konden volgen, en ga zo maar door. Ik dikte het flink aan en toch zette Brilliant grote ogen op. Jezus, hij was werkelijk onder de indruk. Dat Peter het kon verdragen om met zo'n stelletje verwarde en op het eerste gezicht niet bijster slimme types te werken.

Brilliants slick ging over met een klaroenstoot van trompetten en een zweem harpgetokkel. Kon die kerel echt zo'n gigantisch cliché zijn? Ik keek naar de schilderijen van kleine engeltjes die om hem heen hingen. Dat kon hij zeker. Of misschien was Brilliant werkelijk briljant en hoorde deze sentimentele kitsch bij zijn vermomming. Misschien was hij een spijkerhard, berekenend genie dat zijn kudde manipuleerde. Waarschijnlijk was hij het allebei en waren die sentimentaliteit en de spijkerhardheid volkomen met elkaar verweven.

'Hè?' zei Brilliant. 'Dat meen je niet. Kun jij dat niet afhandelen?' Hij keek naar mij. 'Neem me niet kwalijk. Een ogenblik.'

Goeie afleidingsmanoeuvre, Sunil, precies zoals we hadden afgesproken.

Brilliant stond op. Geagiteerd begon hij door de kamer te lopen. 'Nou ja, als je zeker weet dat het maar een paar minuten kost.'

Brilliant borg zijn slick op. 'Ik hoop dat u het me vergeeft,' zei hij. 'Maar er is iets dringends. Kunnen we misschien een andere afspraak maken?'

'Geen probleem,' zei ik. 'Ik wacht liever.'

Brilliant leek zenuwachtig. 'O, mooi. Juist ja. Ik ben over een paar minuten terug. Ik zal Uri sturen om u bezig te houden.'

'Doet u geen moeite,' zei ik. 'Ik moet toch wat werk inhalen.' Ik stak mijn slick omhoog. 'Ik red me wel.'

Brilliant trok zijn jasje aan, dat om zijn vleugels heen paste. 'Neem me niet kwalijk. Ik hou het zo kort mogelijk.' Hij draafde de deur uit.

Je hoeft wat mij betreft geen haast te maken. Toen hij weg was, bleef ik even zitten luisteren. Ik liep naar de deur en keek de gang in, maar er was niemand te zien. Nu ik Brilliant zijn preek had horen oefenen, begreep ik beter waarom hij zichzelf niet de titel van Serafijn had gegeven. Hij streefde er wel naar om Serafijn te worden, had hij in zijn toespraak geïmpliceerd, maar nu zou hij nog niet beweren dat hij tot zulke verheven hoogten was gestegen.

Ik moest snel in actie komen. Dit werk had ik al vaak gedaan, maar vandaag was ik eigenaardig onhandig en traag. Mijn handen waren vochtig, en vloekend liet ik bijna mijn slick vallen.

Pff. Wat was er in vredesnaam met me aan de hand? Het was mijn werk om me in dit soort situaties te begeven en me eruit te redden. Normaal gesproken was ik ijzig kalm, maar nu voelde ik me ontregeld door de vermoedelijke moord op Luisa, mijn slaapgebrek, mijn ongerustheid over Peri en Hugo en mijn zorgen om Tom.

Uiteindelijk legde ik een paar seconden beelden van mezelf vast terwijl ik onschuldig zat te lezen. Daarna sloot ik mijn slick aan en laadde ik de beelden, zodat ik op de bewakingsapparaten die op deze kamer stonden ingesteld lezend te zien zou zijn. Ik doorzocht de kamer en vroeg me intussen af of de kerk over beveiliging beschikte waarvan ik niet op de hoogte was. Als ik werd betrapt, zou Sunil me laten vallen: *Zeke wie? Ik heb geen flauw idee waar je het over hebt*. Zo gaat dat bij zwarte operaties.

Ik beschikte over behoorlijk goede surveillancetechnologie, maar die van Sunil was nog beter en hij had me een slick ter hand gesteld met meer toegangscodes dan zelfs ik had. Ik stak hem in het grotere scherm op Brilliants bureau en liet hem aan de slag gaan met het downloaden van bestanden, terwijl ik de kamer doorsnuffelde, artikelen, instructies, toespraken oppakte en zoveel kopieerde als ik maar kon.

Net toen ik een toespraak teruglegde op Brilliants bureau, stak een van zijn ondergeschikten zijn hoofd om de deur, maar hij was met iemand anders aan het praten, en toen hij uiteindelijk een blik op me wierp, stond ik bij het raam. De ondergeschikte knikte naar me en trok zich terug.

Mijn slick. Eindelijk. De hikikomori-knaap was boven water gekomen. Goed nieuws en slecht nieuws. Zo ging het tegenwoordig vaker. Een versleuteld dossier. Met opmerkingen van Wilson erbij: BIJGAAND DOSSIER ENGELTJES – DIVERSE LAGEN DIEP GEKOMEN, NIET HELEMAAL. GENOEG VR JE? MEER GAAT GELD KOSTEN. TYPISCH KLEIN BEDRIJF, IETS BETER BEVEILIGD DAN NORMAAL, GEEN BURCHT. MAAR!!! HOE ZIT DAT MET DR E??? HEB OVERHEIDSINSTANTIES OPENGEBROKEN MET MINDER BEVEILIGING. CERBERUS-VESTING. BEGIN ER NIET AAN; HOOP DAT DE-GENE DIE HEM BESCHERMT MIJ NIET OPSPOORT. ZAL HET VAN MONDE-LINGE INFO MOETEN HEBBEN.

Fijn, jongen. Mondelinge info. Maar hoe kwam ik Flierville binnen? Dat was godsonmogelijk zonder dat ik werd gevolgd en geregistreerd. Ik kon vrijwel overal in de Stad binnenkomen zonder sporen na te laten, maar voor Flierville moest ik qua vindingrijkheid alles uit de kast halen.

Brilliant kwam hoofdschuddend terug. Ik zat onschuldig op mijn stoel een nieuwsverslag door te nemen, nadat ik even tevoren mijn opnamen had verwijderd, na het seintje van Sunil dat Brilliant op de terugweg was naar zijn kantoor. Ik had ook nog een paar keer naar het signaal van Hugo's volgapparaat gezocht, maar vergeefs. Niet dat ik had verwacht dat het er weer zou zijn. Als ik maar even aan Peri en Hugo dacht, voelde ik een misselijkmakende val in mijn buik, net als toen ik op de punt van de voorsteven stond in Nevelstad en toen ik door het middenpad van de kerk liep, boven de donkere holte.

We rondden het gesprek af en Brilliant beloofde dat hij binnen een paar dagen contact zou opnemen. Ik verliet de kerk via een achteruitgang die uitkwam op het park aan de achterkant van het parlementsgebouw en liep weg met het ongemakkelijke gevoel dat Brilliant me weleens echt werk zou kunnen aanbieden, wat nu niet echt een scenario was waar ik op had gemikt. Ik had verondersteld dat de kerk me onaanvaardbaar zou vinden en had me er nogal op verheugd om me vreselijk op te winden over mijn afwijzing en zelfs te dreigen de zaak aanhangig te maken bij het antidiscriminatietribunaal.

In de trein terug naar station 80 Metre Road wierp ik een vluchtige blik op het dossier van de Engeltjes en ik bladerde het materiaal door dat ik bij Brilliant op kantoor had bemachtigd, maar ik was er niet echt met mijn hoofd bij. Peri en Hugo, en ook Luisa spookten door mijn hoofd en bezorgden me een misselijk gevoel in mijn maag. En Thomas was al net zo onophoudelijk in mijn gedachten. Als hij vlieger zou worden, wilde ik niet dat hij bij die kerk ging; ik wilde niet dat hij overtuigd zou raken van zijn eigen superioriteit en zijn bestemming als vlieger. Maar was dat gevoel niet in tegenspraak met mijn eigen doelstellingen? Wilde ik Thomas dan niet letterlijk boven het gewone volk verheffen door een vlieger van hem te laten maken? Net als mijn eigen ouders, die me naar het St.-Ivo hadden gestuurd, wilde ik hem een kans geven op een beter leven, maar wat ik niet wilde was dat hij de houding aannam van de klasse waarvan ik hem een levenslang lidmaatschap probeerde te bezorgen. Dat sloeg nergens op. Je moet veranderen en toch dezelfde blijven. Je moet beter zijn dan ik, maar dat niet laten blijken. Typisch weer zo'n onmogelijk gebod dat ouders hun kinderen opdringen.

Ik piekerde ook omdat ik me afvroeg hoever ik zou durven gaan om Sunil te belazeren. Normaal gesproken werd ik ervoor betaald om het materiaal dat ik had verzameld door te nemen en het in hapklare, bruikbare brokken voor te leggen. Ditmaal had Sunil me opgedragen om alles te overhandigen zonder ernaar te kijken. Bij andere gelegenheden zou ik daar met alle liefde aan hebben meegewerkt. Maar ditmaal niet. Deze informatie hing nauw samen met allerlei dingen die ik moest weten, niet alleen met betrekking tot Peri, maar ook in verband met mijn onzekerheden wat Thomas betrof. Ik was er niet aan gewend om klanten op deze manier te bedriegen. Dat nam niet weg dat wat niet weet, ook niet deert. Ik zou Sunil het materiaal die avond toesturen, in de wetenschap dat hij er op geen enkele manier achter kon komen dat ik een kopie voor mezelf had achtergehouden.

Terug in Ventura gaf ik Frisk te eten, waarna ik me installeerde om het materiaal over de Engeltjes door te lezen dat Wilson me had toegestuurd. Het bestond voor een groot deel uit een aantal versies van de catalogus die ik al had gezien. Gezinnen die inlichtingen vroegen. Waren er misschien andere meisjes net als Peri, die meer hadden gedaan dan alleen voor een baby zorgen? Als dat al zo was, waren er in elk geval geen onverhulde verzoeken om een min. Zo te zien was het allemaal legaal. Geen sprake van meisjes die vleugels wilden hebben. Ik vond de informatie over Peri die ik al van Chesshyre had gekregen, plus een paar andere boodschappen, waaronder een van de Serafijnenkerk, die haar bij Harper aanbeval. Hoe kwam het dat ze daar mensen kenden? Maar ook bij haar geen sprake van een functie als min of draagmoeder. Geen wonder; dat soort dingen zouden niet snel worden opgeschreven.

Ik schoot overeind. Eindelijk was daar een verwijzing naar een Luisa. Niet in een catalogus; er was een verzoek om een meisje en daarna de vermelding van slechts één naam, Luisa; die naar iemand was gestuurd die Abbey Lee Wright heette. Als het al dezelfde Luisa was, was ze vier jaar geleden naar het gezin van Wright gestuurd. Ik zocht het adres op en haalde de locatie tevoorschijn op mijn bureauscherm. De beelden van het huis verrieden niets, al zag het er wel knap duur uit – duur genoeg om eruit af te leiden dat een kindermeisje inhuren er bij deze mensen niet bepaald had ingehakt.

Ik boog me weer over het materiaal van de Engeltjes. Het huis van de Wrights zou ik moeten natrekken zodra ik Taj terug had. Er zat een heel bestand met formulieren bij waar ik nog niet naar had gekeken; ik begon ze door te bladeren. Stuk voor stuk waren het de aanvragen van de Engeltjes voor een tijdelijke werkvergunning, met de naam van het meisje en van het betrokken gezin. Er zaten diverse vergunningen en verlengingen bij voor Peri, maar geen permanente verblijfsvergunning. Er zaten überhaupt geen aanvragen voor een permanente verblijfsvergunning in de bestanden die Wilson me had gestuurd.

Met de lijst namen van de meisjes, hun leeftijd, wat achtergrondgegevens over waar ze vandaan kwamen en wat hun werkervaring was, had ik genoeg informatie om Cam thuis te bellen.

'Ik heb namen en data voor je.'

'Stuur de lijst maar hierheen,' zei Cam. 'Er is behoorlijk stront aan de knikker bij de afdeling. Er is een verzoek binnengekomen van de politie, en dat heeft enorme heibel gegeven. Ze proberen de zaak stil te houden, maar het is een compleet wespennest. Ik ga zondag werken – en dan maar hopen dat er niemand anders is en dat het nog niet te laat is.'

'Waarvoor niet te laat, Cam?'

'Wacht nou maar gewoon af, Zeke. Ik spreek je binnenkort.'

De volgende ochtend, vrijdag, moest ik onder het scheren aan Henryk denken, in zijn donkere pak bij het kantoor van de minister. Ik begon te grijnzen. Mijn beste ideeën kwamen vaker op als ik me aan het scheren was, en nu had ik een manier bedacht om bij de dossiers van Eliseev te komen. Ik hoefde Flierville helemaal niet in.

In plaats daarvan zocht ik de prospectussen op van alle privéscholen in de Stad. Het kostte even tijd, maar uiteindelijk had ik daar het opmerkelijke bruin met gouden uniform. PER ARDUA AD ASTRA. Natuurlijk waren de gegevens van de school niet openbaar, maar zelfs ik wist genoeg om door hun doodsimpele afscherming heen te komen. En daar waren de persoonlijke gegevens van Ellie Kahdr – zoals haar lactose-intolerantie – en de contactinformatie voor haar moeder, Mira Kahdr. En het mooiste was nog dat er zo te zien verder geen verzorgenden waren. Mira en haar dochter waren alleen op de wereld. Ze hadden een interessant adres: Junction Road nummer 5, aan het eind van Winston Road, oftewel: 'in de buurt van Winston Road'. Het was een adres in Central Lines, en zo ongeveer het meest specifiek als een adres in de oudste krottenwijk van de Stad maar kon zijn. Het telefoonnummer van Mira stond uiteraard ook in de dossiers vermeld, maar het was niet verstandig om haar nu, op haar werk, te bellen. Dan joeg ik haar de stuipen op het lijf. Nee, persoonlijk contact, zo pakte je dat aan, en ik wist precies welke man er geknipt voor was om de onderhandelingen te openen. Een van de stralendste sterren van Central Lines. Ik kon maar beter wachten tot na de middag voordat ik contact opnam met PapaZie; hij ging zelden voor vier uur 's nachts naar bed.

Met Frisk slapend aan mijn voeten als een levend goudkleurig kleedje, boog ik me over het materiaal van Brilliant. Zouden leeuwen eigenlijk wel zo'n alom aanvaard symbool van macht zijn als mensen in de gaten kregen hoe aartslui ze eigenlijk waren? In tegenstelling tot Frisk moest ik de hele dag werken. Ik had zoveel materiaal in Brilliants kantoor verzameld dat het lastig was uit te maken waar ik moest beginnen.

Ik stelde de AI op de slick in voor een ruwe eerste bewerking, zoals namen sorteren en onderwerpen rubriceren, zoals Sunil me dat meestal vroeg, en met name financiële transacties en de namen van in het oog springende contacten tevoorschijn halen. Zodra Sunil het materiaal in handen kreeg, zou hij op zoek gaan naar verwijzingen naar andere Serafijnen en bekende vliegers, dus dat deed ik ook. En al meteen vond ik allerlei berichten over en weer tussen Chesshyre en Brilliant, maar het was allemaal oud materiaal dat verband hield met het ontwerp en de bouw van de kerk. Mijn vermoeden dat Brilliant een lastige klant was geweest, werd bevestigd; hij was volkomen onvoorspelbaar; in het ene bericht hartelijk en uitgelaten, verongelijkt en gierig in het volgende.

Ik wist nog niet precies waarnaar ik op zoek was, maar het vliegerwereldje was erg dik met elkaar; wie weet zat er iets bij waar ik iets aan had wat Peri of Luisa betreft.

Ik wist wel hoe feilbaar de AI was. Ik installeerde me met een kop thee; er ging niets boven de boel grotendeels zelf doorlezen. Uren later keek ik met een wazige blik op. Het was tijd om PapaZie te bellen. Ik bladerde nog één keer door de matrix die de AI had gearrangeerd voor de diverse projecten waar de kerk zich mee bezighield. In één oogopslag overzag ik elk project, wie ermee bezig was en welke fondsen erbij hoorden, of althans een deel daarvan. Ik kreeg de indruk dat de financiële zaken van de kerk met enige geheimzinnigheid waren omgeven. De projecten droegen namen als Chalcedon, Serein, Hermes en Slagpen, waaruit niets af te leiden viel over waar het precies om ging.

Ik stond op, rekte me uit en belde PapaZie.

'Ik ken die buurt,' zei PapaZie toen ik hem de gegevens van Mira gaf. 'In de buurt van Winston Road. Allemaal goeie cafés en restaurants in die contreien. En ergens daarachter een zeepfabriek. Ze zal me vast kennen, ik zing en speel vaak in de buurt van die cafés. Iedereen kent me daar.'

'Als je maar wel discreet bent,' zei ik. 'Maak er maar iets van wat goed is om te doen, en niet alleen iets wat ze voor het geld doet, snap je? Ze zou er een kwetsbaar meisje mee helpen, dat niet veel ouder is dan haar dochter.'

'Weet ik, weet ik,' zei PapaZie. 'Ik ken die mensen. Ze werken keihard en zorgen goed voor hun kinderen. Misschien dat ze het doet, maar het is wel riskant voor haar. Weet je zeker dat je dit wilt doorzetten?'

'Ja, dat weet ik zeker.'

Tegen het eind van de dag ging ik mijn auto ophalen; ik vond het afschuwelijk dat ik niet meer aan hem kon denken als aan Taj. In de lange, gouden middag reden we de Stad door. De auto had mijn assistentie nodig; de AI was er nog niet zo goed in om de gps-gegevens te combineren met de informatie (of eerder desinformatie) van de Stad zelf. Daarvoor was de slimheid nodig die Taj in de loop van de jaren had opgebouwd. Veel van de lol die ik in de auto had gehad, was verdwenen.

Ik reed naar het adres van Abbey Lee Wright. Het was laat genoeg om te verwachten dat er wel iemand thuis zou zijn, maar er deed niemand open. Ik neusde nog een beetje rond, maar er was niets bijzonders te zien – gewoon de groene gazons en de rustige straten van de rijken.

Nou ja. Ik stapte weer in en zocht Abbey Lee Wright op, maar natuurlijk waren er daar meer van, en hoe kon ik zeker weten dat Harper de naam goed had gespeld? Er waren een paar Abby Wrights en een Abbey Lea. Ik zocht de vliegers op, en sloeg de link op om ze later te bekijken. Ik had liever dat er iemand thuis was; ik wist tenslotte dat Harper ene Luisa daarheen had gestuurd.

Op weg naar huis kwamen we vlak langs de haven, waar ik een donkere wolkenbank zag aankomen vanuit zee. Ik keek gefascineerd en een beetje ongerust toe hoe de bank verder opschoof naar de Stad, terwijl de wind afkoelde, de zee opjoeg tot grijze en witte koppen, en de palmen op de landtongen deed buigen. Het was een van de heftigste, stormachtigste zomers die ik me kon herinneren. Een meeuw werd krijsend langs me heen geblazen door de steeds harder waaiende wind. Vliegers mochten ook wel oppassen met dit weer, of ze zouden net als de meeuw worden weggeblazen.

Toen drong het tot me door. O nee. O nee.

Het weer. Als stadsbewoner en niet-vlieger had ik daar helemaal niet aan gedacht. De regen kwam inmiddels in woeste vlagen omlaag. Ik zocht op de slick het weer van woensdag op. In Pandanus was het helder geweest. Ik keek verder naar het zuiden. Daar had je hem: een reusachtig noodweer voor de kust. Waarschijnlijk hetzelfde noodweer waarvan de uitlopers tegen Nevelstad hadden gestriemd toen ik daar was met Chesshyre. Ik staarde naar de bewegende kaart met zijn onschuldige contouren en die geinige rondtollende cirkels die de route van het front en de supercel aangaven. Arme Peri. Arme kleine Hugo. Ik was eraan gewend om Peri te beschouwen als een weggelopen meisje en niet als een halve vogel. Het was niet bij me opgekomen dat het weer weleens een serieus gevaar voor haar kon opleveren. Dat bezeten zigzaggen op mijn slick toen ik naar de laatste signalen van Hugo's volgapparaat had zitten kijken, waren dat soms de laatste momenten geweest waarop Hugo en Peri worstelden met het noodweer?

Nu ik wist van het noodweer, werd er een nieuw element van chaos toegevoegd aan het plaatje, en al had Henryk beloofd dat hij dat zou doen, ik kon het toch niet laten om elk moment dat ik even niet bezig was met de AI helpen navigeren te benutten om contact op te nemen met elk ziekenhuis, elke kliniek, elk politiebureau en elke artsenpraktijk binnen een aannemelijke straal vanaf het oog van het onweer, om erachter te komen of er mensen waren binnengebracht die voldeden aan het signalement van Peri of Hugo. Dat was niet het geval. Ook al werd ik volkomen in beslag genomen door deze taken, ik was onmiddellijk volslagen alert toen ik de voordeur van mijn flat bereikte en die wijd open aantrof.

Mijn eerste gedachte was een flits van hoop dat het Peri was. Had ze op de een of andere manier kans gezien eerder terug te komen? Was ze binnengekomen en had ze de deur opengelaten? Nee, die duisternis en die stilte waren onheilspellend.

Ik trok mijn wapen uit de holster en sloop met gespitste oren naar de deur. Ik had wel zo'n idee wie er had ingebroken, en die figuur liep ik niet graag tegen het lijf. Er was niets te horen. Ik sloop naar binnen en bleef staan, en mijn opgejaagde bloed bonsde in mijn oren als voetstappen. Ik was op mijn hoede maar uitgeput, en wilde niet onverhoeds worden overvallen. Scherp luisterend sloop ik verder de gang in. Geen geluid. Had ik me vergist? Had ik misschien gewoon de deur niet goed achter me dichtgetrokken?

Toen mijn ogen eenmaal gewend waren aan de duisternis, zag ik rommelige contouren waaruit ik al kon afleiden dat me helaas geen goedaardige verklaring te wachten stond. Dit soort taferelen had ik maar al te vaak gezien. Ik liep de huiskamer in en het licht werd geactiveerd. Godallemachtig. De boel was kort en klein geslagen. Overal lagen spullen rondgestrooid; boeken, papieren, kussens, dekens, en zelfs kleren en keukengerei waren hierheen gehaald en neergekwakt. Het had iets wraakzuchtigs, alsof de inbreker niet had gevonden waarnaar hij op zoek was en me toen maar had gestraft met deze moedwillige ontwijding. In elk geval hoopte ik ook heel erg dat hij niet had gevonden wat hij zocht.

Met mijn hart pijnlijk bonzend in mijn borstkas, alsof iemand er keihard in kneep, liep ik rechtdoor naar mijn eettafel, maar tot mijn enorme opluchting stond mijn bureauslick er nog. Waarschijnlijk stond hij daar nog omdat de indringer erin was geslaagd de inhoud te downloaden of omdat hij ook wel wist dat het hem niet zou lukken door de beveiliging heen te breken en de versleutelde dossiers binnen te komen. Tenslotte hoorde niemand in staat te zijn het apparaat aan te zetten behalve ik, of in elk geval iemand die over mijn irissen beschikte, maar ik wist ook maar al te goed dat er geen onfeilbare beveiliging bestond. Te zijner tijd kon ik altijd nog proberen erachter te komen of er met de beveiliging was geknoeid, maar als de indringer een echte deskundige was, zou ik dat misschien nooit zeker weten.

O, godallemachtig: als mijn gegevens werkelijk gestolen waren, mocht de hemel me bijstaan als Sunil er ooit achter kwam. Ik graaide in mijn binnenzak naar mijn privéslick. Die zat er inderdaad; ik had hem altijd bij me. Als de indringer mijn bureauslick had gewist, stond de belangrijkste informatie nog altijd op mijn privéslick.

De flat voelde verlaten aan. Snel en stilletjes doorzocht ik de andere kamers. Allemaal leeg en in grote wanorde. Complete chaos. Klootzak. En waar was Frisk in vredesnaam? Was hij ontvoerd? Ik doorzocht elke ruimte, onderzocht voorwerpen, maakte foto's voor het rapport dat ik voor de verzekering zou moeten opstellen. Het had geen zin om dit aan te pakken als een plaats delict; ik zou degene die dit op zijn geweten had nooit kunnen vervolgen.

Terwijl ik de bende in mijn slaapkamer doorzocht, viel mijn oog op een donkere plek op mijn kussen. Opgedroogd bloed. Op mijn kussen. Van Frisk. Ik zag het tafereel als een film voor mijn geestesoog: Frisk die op mijn kussen ligt te slapen – van alle lekkere plekjes is dat de meest verbodene en verleidelijke plek. *Foei, Frisk.* Waarom lag je nou ook niet in de kast op mijn truien te verharen? Maar mijn kast was eveneens overhoopgehaald. Daar was ook al geen veiligheid te vinden. Frisk in slaap, verrast door een indringer. Hij was vast gaan grommen, omdat zijn territorium werd bedreigd. Zijn hele minilijfje was bezield geraakt door zijn geweldige leeuweninborst. Waarschijnlijk had hij een uitval gedaan en een mep gekregen. En daarna?

Ondanks de warmte trok ik een jasje aan. Ik liep de flat uit en deed de deur op slot. Vreemd genoeg werkte het slot nog wel. Ik bekeek de deur. Hoe goed ik ook keek, ik kon niets ontdekken. De inbreker had het keurig aangepakt. Blijkbaar een deskundig type; dat stelde me ook al niet gerust. Inbreken was helemaal niet moeilijk. Ik had er altijd op gerekend dat de sjofele buitenkant van Ventura en de niet bijzonder chique locatie me wel zouden beschermen. Ik was een groot aanhanger van de theorie dat hoe meer in het oog lopende beveiliging er was, hoe meer aandacht je trok van de verkeerde mensen. Bovendien waren er een paar keer bewakingscamera's opgehangen, die telkens na enige dagen werden gestolen of kapotgeslagen.

Ik zocht de omgeving van het gebouw af en riep Frisks naam. Ik liep op en neer over de oprit en deed de ronde om de kleine, welige tuin vol langdurig houdbare bloesems die in duurzame kleuren waren uitgevoerd: semi-groenblijvende haaklelies, hibiscus, frangipani. Ik tuurde omhoog naar de takken van de mangobomen. Speurde de straat af. Niets. Toen ik weer voor mijn voordeur stond, bekeek ik nog eens het kozijn, en ditmaal viel mijn oog ergens op. Een donkerrode veer. Een róde veer.

Nee, nee, nee. Dat kon niet waar zijn. Twéé Roofvogels die achter me aan zaten? Wie had er nog een tweede op me afgestuurd? Dat moest een vlieger zijn; Henryk had gezegd dat ze alleen voor vliegers werkten. Rijke vliegers – nou ja, dat was een tautologie; een vlieger was per definitie rijk. Behalve Peri. En Luisa. Waren er meer zoals zij? Ik kon er tamelijk zeker van zijn dat er geen kindermeisjes waren die een Roofvogel achter me aan stuurden. Zeker geen agent, zoals de aartsengel Michaël. Het was voorstelbaar dat Chesshyre nog een Roofvogel achter de hand had, als er iets was gebeurd met de eerste. Of Brilliant, die me wilde natrekken? Nou nee, inbreken ging wel erg ver. Of misschien niet. Hij zou in elk geval willen weten wie ik was als hij had ontdekt wat ik had gedaan. Dat zou erop wijzen dat hij iets te verbergen had.

Ik dacht aan het incident in het straatje naast Ventura, toen Frisk voor het eerst een Roofvogel had laten schrikken. Het was niet te achterhalen of dat de zwarte Roofvogel was geweest die Taj had gezien of deze hier met de rode veren. Bij avondlicht lijkt donkerrood zwart. Chesshyre had zo ongeveer toegegeven dat de figuur met de zwarte vleugels van hem was, maar ik had geen bewijs dat hij bij me in de buurt was geweest sinds hij met Taj had geknoeid. En toen ik hem tijdens mijn bezoek aan Nevelstad had gevraagd om die Roofvogel van hem terug te roepen, had hij oprecht ontdaan geleken.

Eenmaal weer binnen bond ik het muskietennet rond Thomas' bed op. Mijn nerveuze uitputting en het gebrek aan slaap begonnen me op te breken. Ik moest Henryk te pakken zien te krijgen, maar mijn ogen waren branderig en droog, en ik moest ze echt even dichtdoen ... Ik ging liggen en legde mijn hoofd op Toms kussen, snoof zijn zoete, droge geurtje uit de lakens op, en meteen begonnen beelden en geluiden over elkaar heen te tuimelen: Frisk die op het punt stond te springen, Peri en Hugo bij Janeane, Chesshyre die me vastgreep op de brug, vacht waarin bloed zat vastgekoekt, een vliegende Thomas.

Ik schoot wakker. O god, hoe lang had ik geslapen? Ik kwam met een ruk overeind in het aardedonker, vol verwarde gedachten, en zocht tastend naar mijn slick. 'Henryk?' zei ik, maar er kwam geen antwoord; ik was gewekt door een bericht van Lily. Ik las het snel door. Thomas was geslaagd voor de eerste onderzoeken.

Ik strompelde naar de badkamer, stroopte mijn gekreukelde, zweterige kleren af en ging onder de douche staan, in de hoop dat mijn hoofd er helderder van zou worden. Nog verdoofd van de slaap keek ik hoe laat het was – veel te laat om Henryk te bellen. Verdomme. Ik stuurde Henryk nog een bericht om hem te vragen morgenochtend meteen contact op te nemen.

Toms kamer was het minst overhoopgehaald en ik ging op zijn bed zitten om Lily's bericht te lezen. Het was behoorlijk verontrustend. Uit wat Ruokonen erover had verteld, had ik opgemaakt dat de onderzoeken deel uitmaakten van een langdurig en uitputtend protocol. Blijkbaar niet. Lily kennende had ze waarschijnlijk een manier gevonden om de zaak te bespoedigen. Nu eiste ze mijn goedkeuring. Het was tijd om mijn bezwaren hard te maken of anders mijn mond te houden. Ga eens na wat Peri allemaal had moeten doormaken om haar vleugels te krijgen. Ik kon het Thomas heel makkelijk maken. Net als ieder kind droomde hij ervan om te kunnen vliegen, maar volgens mij had hij nog nooit een vlieger gezien. Wist hij eigenlijk wel dat zijn droom kon uitkomen?

Dat zinnetje van Brilliant bleef me maar achtervolgen: *Het project mens is ten einde.*

Alweer twee uur 's nachts. Dat leek het de laatste tijd wel voortdurend te zijn. Ik kon echt niet meer slapen, dus zette ik me aan de ontmoedigende taak om de boel op te ruimen. Ik liep door de flat en raapte afwezig dingen op in een halfhartige poging om de orde te herstellen. Mijn gedachten keerden voortdurend terug naar Peri en Hugo. Ik ging zitten en bekeek opnieuw de beelden van de bewakingscamera: Peri die keer op keer de deur sloot, van de klip stapte en verdween. Ze was in grote angst gevlucht en het had er alle schijn van dat ze daar gelijk in had gehad. Telkens opnieuw keerde ze zich bleek en angstig van me af en stapte ze de lucht in. Zouden dit de laatste beelden zijn van Hugo en haar?

Ik dacht aan de heftige storm en de meedogenloze Roofvogel, en kreeg een beklemd gevoel. Wat was er met Peri en Hugo gebeurd? De beklemming verspreidde zich naar al mijn spieren en zelfs naar mijn hersens. Ik kon me niet precies voor de geest halen wat ik eigenlijk moest doen. Ik werd zeker ziek of zo. Dat kon heel goed kloppen. Dit was het aangewezen moment om ziek te worden, en dan maar hopen dat het een doodgewoon griepje was en niet een of andere exotische parasiet uit PReG-land.

Ik werd zaterdagochtend vroeg wakker op de bank, met een stijve nek en een zeurende slapheid in al mijn spieren, maar toch ging ik meteen weer op zoek naar Frisk. Ik begon bij Vittorio, die het vreselijk vond om te horen dat Frisk verdwenen was en doodsbang was, omdat een groot en gevaarlijk schepsel als een Roofvogel kans had gezien in te breken en mijn flat aan puin te slaan zonder dat hij dat had gemerkt. Zijn magere, zorgelijke gezicht trok zich in honderd zorgrimpels toen hij uitlegde dat hij iets was gaan drinken met een vriend, en dat hem bij terugkeer niet was opgevallen dat er iets aan de hand was. Daarna praatte ik met buren die ik nauwelijks kende, degenen die even stil waren blijven staan om Frisk te aaien, of die weleens een praatje met me maakten bij de winkel op de hoek, en daarna met degenen die ik alleen van gezicht kende. Sommigen waren geschokt, anderen onverschillig. *Sorry, ik kan je niet helpen.*

Voordat ik de deur uit ging, was er geen levensteken van Peri, en toen ik terugkwam evenmin. Toen ik weer thuis was, ging ik onder de douche, ik kleedde me aan en zette thee. Ik kon niet eten. In plaats daarvan sprong ik elke vijf minuten overeind om door het raam te kijken, omdat ik iets meende te horen. Niet dat ik verwachtte dat Peri zou komen opdagen, maar ik kon mezelf er niet van weerhouden om te gaan zitten wachten.

Om negen uur belde Chesshyre.

'We moeten nog wat langer wachten,' zei ik. Ik zou Chesshyre nog wel onder zijn neus wrijven dat hij Peri en Hugo in gevaar had gebracht met zijn Roofvogel, maar nu nog niet. Eerst moest ik zeker weten dat Peri niet zou komen opdagen.

Chesshyre belde om tien uur opnieuw, en om elf uur, en om twaalf uur alweer. Dat was geen best teken. Het zag ernaar uit dat hij geen informatie van anderen kreeg. Dus het was onwaarschijnlijk dat de rode Roofvogel van hem was. Dat klopte ook met zijn ontkenning bij Nevelstad, toen ik hem ervan had beschuldigd dat hij mijn flat in de gaten liet houden. Als dat inhield dat de Roofvogel die zich de eerste keer bij Ventura had laten zien de rode was, en dus niet die van Chesshyre, dan kon het ook niet een Roofvogel zijn die door Brilliant was gestuurd, omdat ik de eerste keer dat die Roofvogel een kijkje bij me kwam nemen Brilliant nog niet had ontmoet.

Ik had hoofdpijn. Ik nam een pijnstiller en hield me tussen Chesshyres telefoontjes door bezig met het materiaal uit Brilliants kantoor, om te achterhalen wat de projecten van de kerk eigenlijk inhielden. Ik opende de matrix. Veel van de berichten en documenten die ik had gestolen kon ik onderbrengen bij een van deze vier projecten, al was er natuurlijk ook een stortvloed aan alledaagsheden die ik onder andere kopjes moest indelen, zoals klachten over de airco en het bijhouden van investeringen.

Chalcedon en Serein kon ik verder negeren; het eerste was een wervingscampagne om meer vliegers naar de kerk te krijgen; het tweede had betrekking op een reeks beleidsmaatregelen en strategieën die te maken hadden met Brilliants carrière als parlementslid.

Van Hermes en Slagpen kreeg ik echter de koude rillingen. Naarmate ik me er verder in verdiepte, kreeg ik de indruk dat Slagpen het griezeligst was; het ging om een plan om de vijanden van de kerk in diskrediet te brengen, ze het zwijgen op te leggen – en zelfs, als ik tussen de regels door las, om ze te bedreigen. Dus de kerk hield er zijn eigen dossier met vuile was op na; ze hadden zo hun eigen zwarte operaties.

Hermes was erg duister, maar waar bij mij de alarmbellen van gingen rinkelen, was dat dit project zo geheim werd gehouden: Brilliant had hierover maar met een of twee mensen contact. Wat begrijpelijk was, als het om iets kleins ging. Ik begon de financiële transacties door te nemen die in de matrix bij Hermes moesten worden ondergebracht. Na een uur keek ik op en liet ik de matrix wat berekeningen uitvoeren.

Ik haalde mijn handen door mijn haar en trok eraan.

Hermes was geen klein project. Op regelmatige basis werden er grote sommen geld doorheen geloodst van steeds ongeveer dezelfde hoogte en via één enkel persoon. De berichten van Brilliant aan deze persoon, die zich Mus noemde, waren volslagen cryptisch. En het geld ging altijd één kant op: van de kerk naar ... wie het ook mocht zijn. Een trust of een rekening. Ik kon er op geen enkele manier achter komen wie het geld in handen kreeg.

Ik stond op en rekte me uit. Wat gaf het dat ik zo'n detail niet kon achterhalen? Dat kon ik wel aan anderen overlaten.

Ik keek naar de rode veer op mijn bureau. Ik had nog bij lange na niet ontdekt wie de Roofvogel op me af had gestuurd die die rode veer had achtergelaten; ik kende verder geen vliegers. Of het moest Avis zijn, om de een of andere eigenaardige, jaloerse reden waar Peter niets vanaf wist. Dat sloeg nergens op. Tenzij ze wilde dat het meisje omkwam.

O, verdomme.

Tenzij het degene was die Luisa had vermoord. Het wezen was tenslotte voor het eerst komen opdagen toen ik uit PReG-land was teruggekeerd, nadat ik over Luisa had gehoord. Ik kon niet echt bedenken hoe iemand van Luisa op de hoogte kon zijn, maar ik had wel zoekopdrachten in gang gezet, en ik had haar naam laten vallen bij Henryk. Als iemand maar voldoende invloed had en paranoïde genoeg was, kon die mijn telefoontjes en zoekopdrachten hebben gehackt.

Ik ging naar buiten en keek naar de hemel. Geen grote, donkere stippen die rondcirkelden. En waarom zouden ze ook? Ze wisten inmiddels vast alles van me wat ze maar te weten konden komen. Tenzij ze op Peri wachtten.

Henryk belde niet en reageerde niet op mijn bericht. Hij had het vandaag vast druk met flauwekul als samen met de tweeling naar een voetbalclinic gaan. Dan kreeg ik hem voor maandagochtend niet meer te pakken.

Een bericht: MK CENTRAL LINES ZNDG MORGEN NAAST WILSON. HET-BESTE-CAFÉ-WAAR-OF-NIET. Dankjewel, PapaZie. Mira zou me de gevraagde informatie geven. Dus er ging in elk geval iets goed.

Ik dronk nog wat thee en viel in slaap in de vochtige hitte. Ik werd wakker van het opdringerige krekelgetjilp van de slick die naast mijn hoofd op de keukentafel lag. Ik lag er mismoedig naar te staren, zonder te weten waar of wie ik was. De slick bleef maar tjilpen, en langzaam keerde mijn bewustzijn terug. Ik was verlamd. Ik kon mijn hand niet uitsteken en hem opnemen. Ik stond op van de keukentafel en ging weer onder de douche in de hoop dat ik dan echt wakker zou worden. De boel ging niet beter dan ik had verwacht.

Toen ik de douche uitdraaide, hoorde ik de slick opnieuw. Ik droogde me af en trok kleren aan. Buiten mijn slaapkamerraam had het licht de zwaarte van de namiddag gekregen. De slick lag nog steeds te snerpen. Ik nam hem op.

'We moeten praten.'

Tegen de tijd dat ik naar Chesshyre reed, begon de schemering al te vallen. Ik vond de rit in de mand nog steeds niet leuk, maar na Nevelstad en de kerk had het niets engs meer.

Chesshyre ontving me zwijgend in de woonkamer en liep voor me uit naar de plek waar hij duidelijk al een tijd had gezeten, met uitzicht over het water en een halflege fles wijn op tafel naast hem. Waar was Avis?

Chesshyre wees me een stoel die ook over het water uitkeek en schonk een glas wijn voor me in. Sinds mijn bruiloft had ik geen echte wijn meer gedronken, maar ik was niet van plan om die van Chesshyre te proeven. Vanuit zee kwam een bries aanwaaien die het warme, vochtige haar in mijn nek overeind blies, en het geluid van de golven klonk oorverdovend in de kamer. Het drong tot me door dat Chesshyre het dak en de doorzichtige wanden had weggeschoven, waardoor we in de openlucht zaten. We zwegen. Misschien dat Chesshyre zat te wachten tot ik iets zei, zou uitleggen wat er gaande was of met een voorstel kwam voor wat we nu moesten doen, maar ik was zo moe dat ik alleen naar de eerste sterren zat te kijken.

Ik luisterde naar de golven die op de rotsen beneden ons sloegen. Ik stelde me voor dat ik op een stille nacht als deze over de oceaan zou wegvliegen. De verleiding zou groot zijn om voorgoed te blijven vliegen, om met de albatros mee te gaan en uit het zicht te blijven van land, over de golven te scheren. Ik rukte me los uit mijn dromerij. Dit was het moment om serieuze vragen te stellen.

'Het wordt tijd dat je open kaart met me speelt, Peter,' zei ik. 'Het is best mogelijk dat Peri nog steeds hierheen op weg is, maar ik heb geen idee waar ze nu is. Ze kan letterlijk in rook opgaan. En iemand heeft mijn auto van een volgapparaatje voorzien. Iemand, en ik neem aan dat dat je Roofvogel is geweest, hield bij waar ik in PReG-land heen ging. Ik maak me zorgen dat hij Peri misschien wel heeft ingehaald. Is ze daarom nog niet terug?'

Chesshyre ging meteen in de tegenaanval. 'Dus ik moet naar de politie? Wat vind jij dan dat ik moet doen?'

'Natuurlijk moet je naar de politie,' snauwde ik. 'Maar dat ben je nooit van plan geweest. Hoe kunnen die er nu wat van bakken als die verdomde Roofvogel van je al niks bereikt? Wat heet – zo meteen heeft hij Peri nog vermoord. En misschien zelfs wel Hugo. Het heeft niet zoveel zin om naar de politie te stappen als je tegenover hen al even weinig mededeelzaam bent als tegenover mij. We moeten weten wat er echt aan de hand is.'

Ik hoorde dat Chesshyre ging verzitten op zijn stoel, het stijve geritsel van zijn veren.

'Vooruit, Peter. Ik heb mijn huiswerk gedaan. Wil je iets horen van wat ik heb achterhaald?' Ik keerde me naar hem om en al was zijn gezichtsuitdrukking niet te doorgronden in het donker, ik pikte wel de gespannen houding op van zijn lichaam.

'Goed,' begon ik. 'Punt één: ik weet dat meisjes van het platteland geen vleugels krijgen om voor min te spelen. Punt twee: ik weet wie Hugo ter wereld heeft gebracht, en dat was niet Avis. Maar wat ik niet weet, is waarom Peri een permanente verblijfsvergunning heeft gekregen.'

Chesshyre zweeg.

'Goed,' ging ik verder, en ik probeerde mijn stem redelijker te laten klinken dan ik me voelde, 'als Hugo nog in leven is en jij verwacht dat je hem doodeenvoudig terugkrijgt zonder dat er vragen worden gesteld, dan vergis je je. Daar is het allemaal te erg voor uit de hand gelopen. Er zullen vragen worden gesteld over wat jullie hebben gedaan om hem te krijgen.'

'Nee,' zei Chesshyre. 'Daarom heb ik jou in de arm genomen. Hugo is óns kind en Peri is rijkelijk beloond voor haar aandeel.' Rijkelijk beloond. Om maar aan te geven dat Peri ook schuld had.

'Die overeenkomst blijft nooit overeind,' kaatste ik terug, opnieuw kwaad op Chesshyre. 'Peri was minderjarig, vergeet dat niet. Ze kon helemaal niet instemmen met een bindend contract.'

'Dacht je dat er een rechtbank zou zijn die Hugo aan haar toewees?'

'Daar heb ik niets mee te maken,' zei ik, 'maar als ik jou was, zou ik er diep over nadenken over wat voor regelingen je bereid bent te onderhandelen. Jij hebt echt niet meer alle kaarten in handen. En dan nog iets: een tweede Roofvogel, en nu een rode, heeft bij me ingebroken en de boel kort en klein geslagen. En Frisk is weg.' Ik wilde hem inpeperen dat Frisk gewond, verdwenen, dood was.

'Ik heb toch al gezegd dat die Roofvogel niet van mij komt?' zei Chesshyre.

'Van wie is hij dan wel?'

Hij schudde zijn hoofd.

'Meen je dat nou? Heb je geen idee?' Ik stond op. 'Oké. Ik werk niet meer voor je. Laat dat duidelijk zijn. Het is mij te gevaarlijk. En bovendien heb je vanaf het begin tegen me gelogen. Ik ben hiermee al naar de politie gestapt. En als je ook maar enigszins om Hugo geeft, doe jij dat ook. Ik heb ze laten weten dat ik bang ben dat Peri en Hugo dood zijn.'

Ik liet Chesshyre achter in het donker.

Pas op weg naar huis schoot me te binnen dat Chesshyre nog niet mijn laatste, grote rekening had betaald. Mijn overhaaste, zelfingenomen actie had me zo-even een hoop geld gekost.

De wildernis in

Haar vingers klampten zich zo stevig vast dat de hevige pijn omsloeg in gevoelloosheid. Peri zat ineengedoken op de gloeiendhete metalen schijf, vastgepind door het licht, maar er was iets wat aan haar rukte; haar vingers werden van het hete metaal losgepeuterd, en aanvankelijk was ze zo opgelucht dat ze werd gered dat het even duurde voordat ze zich realiseerde dat er iets niet goed zat. Iets belangrijks was achtergebleven.

'Wacht!' gilde ze. 'We moeten terug.' Niemand die haar hoorde. 'Wacht nou!' schreeuwde Peri 'Waarom wacht je nou niet?'

De lichtzuil kolkte rond tot een wentelende draaikolk, de wind ging steeds harder waaien, het licht verblindde haar even intens als de duisternis, en Peri's wanhoop groeide met elke seconde, terwijl ze steeds verder omhoog werd gezogen. Ze zou nooit meer de weg terug vinden. Het verlies was onherstelbaar.

Toen ze wakker werd, wist ze niet wie ze was. Of waar ze was.

Haar hoofd was leeg. Ze zag kleuren en vormen, maar het was allemaal zonder betekenis. Dat uitgestrekte grijs kon een muur zijn, een rotswand of een wolk. Ze voelde een zwaarte op haar rug en hoorde geritsel van veren, alsof er een reusachtige vogel bij haar in de grot was. Dus ze was in een grot. Ze wist eigenlijk niet waarom ze tot die conclusie was gekomen. Ze werd overspoeld door een golf van paniek toen de herinneringen aan wat er zo-even was gebeurd terugkeerden, alsof er in een ander deel van haar hersenen een deur was opengezet, waardoor dat was ondergelopen. Onweer. Zwarte lucht. Vallen. Ze wist weer wie ze was en van wie de vleugels waren die ze voelde.

Ze waren van haar.

Waren ze nog steeds zo vreemd? Zouden ze ooit echt een onderdeel van haar worden?

Iets veel ergers stond op het punt in haar bewustzijn door te breken en ze kromp ineen alsof een van die stekende bliksemflitsen elk moment kon toeslaan. Ze wist wat het was, maar had er nog geen voorstelling bij en niets om het mee onder woorden te brengen, maar het kwam eraan en stond op het punt open te breken. Een geluidloze scherpe rand van licht sneed door haar heen. Ze werd verlicht, en ze had er alles voor overgehad om nog even in duisternis te mogen verkeren.

Hugo was er niet.

Peri ging rechtop zitten, gooide een lichte, warme deken van zich af en keek wild om zich heen. Lag Hugo ook ergens in de grot te slapen? Er was niemand anders in deze krappe ruimte, die eerder een overhangende rotswand was dan een grot. Wat was er in dat noodweer gebeurd? Ze was in het donker buiten bewustzijn geraakt. Ze kon zich er niets van herinneren dat ze hierheen was gebracht. Degene die haar had geholpen, zou kunnen zeggen: 'Baby? We hebben helemaal geen baby gezien.'

Snikkend van angst zocht Peri de ruimte om haar heen af, al wist ze best dat Hugo er niet was. 'Hugo! Hugo!'

Die angst werd nog veel erger toen ze merkte dat haar gladpak smerig was en vol scheuren zat, en dat haar handen, voeten en oren waren verbonden. Rond haar pols zat een smal grijs bandje. Peri sprong op en rende de grot uit, door een groen gordijn dat de ingang min of meer verborg. Het was niet eens een gedachte, maar eerder een herkenning, toen ze erlangs rende, dat het groene gordijn een neerhangend, druipend moeras was, bespikkeld met bloemen, net als het verticale moeras achter Peters huis.

Ze viel door de lucht. Het moeras had de steile helling aan de rand van de grot aan het oog onttrokken.

Ik ga dood.

De lucht was koud, de kilte van voor zonsopgang, en stil. De klip schoot als een vage flits langs haar omhoog.

Ik kan vliegen en ik hoor helemaal niet te vallen, maar het gaat allemaal te snel en ik ben stijf en koud en ... Kijk aan. Zo is het beter. Terwijl ze dit allemaal dacht, droegen Peri's vleugels haar omhoog. Ze waren uit zichzelf tot leven gekomen en nu redden ze haar, alsof ze werkelijk een onderdeel waren van haar lichaam en hun taak om dat lichaam in leven te houden heel serieus opvatten.

Met elke vleugelslag kwam ze verder omhoog, tot in de grijze, stille lucht. Langs de rand van de wereld brandde een scherf oranje. Peri steeg op boven de rand van de klip. Tussen bronskleurige bomen hing blauwe mist. Over een klip rolde een wolk omlaag als een waterval en hij liep dik en wit uit over het dal er beneden. Op een aardverschuiving langs een klip aan de westkant vingen facetten van omlaaggerolde rotsblokken als reusachtige, doffe in cabochon geslepen edelstenen het ochtendlicht op. Een paar – nee, drie arenden cirkelden boven een rotswand die aan de overkant van het dal oprees.

'Dus daar ben je,' zei een stem boven haar in de stille lucht. Het was een lage stem, maar zo zacht en afgebeten dat Peri de woorden haast niet kon verstaan.

Geschrokken keek ze omhoog. Boven haar zweefde de grootste vlieger die ze ooit had aanschouwd, met glanzende chocoladebruine vleugels die aan de onderkant naar koper zweemden met een vermoeden van purper.

Peri hield haar vleugels schuin, zodat ze omhoogspiraalde tot ze op gelijke hoogte met hem was. 'Hugo?' vroeg ze hijgend, omdat haar vraag zo dringend was dat ze zich geen tijd gunde om andere woorden te bedenken. De man keek even verbijsterd, maar de angst op Peri's gezicht viel hem blijkbaar op, want hij zei: 'O, je bedoelt de baby! Die maakt het goed. Dus zo heet hij? Wij noemden hem Storm.'

Peri's vleugels haperden even. De man zei: 'Blijf bij me in de buurt, maar een beetje achter me. Onze mensen moeten zien dat je bij mij hoort.'

Peri volgde de man toen hij zijn vleugels een klein stukje invouwde en in een gecontroleerde duikvlucht naar de bomen schoot die op de klip stonden waar ze zo-even uit de grot was gevallen. Toen hij onder haar omlaagdook, viel haar oog op een intrigerend patroon op zijn vleugels dat ze nog nooit eerder bij een vlieger had gezien: een bliksemschicht die in gouden veren diagonaal over het diepe bruin van zijn vleugels flitste, op elke vleugel een helft van de hoekige flits. De bliksemflits kwam terug in nog zo'n gouden schicht die in het glanzende zwart van zijn korte haar blonk.

Een eind boven de bomen onderbrak de man zijn duikvlucht. Nu zag Peri dat zich een witte draad ontrolde langs de rotswand. Ze vlogen af op de draad, die bij nadering aangroeide tot een lint. Boven en achter de waterval zag Peri een klein strand omringd met een halve cirkel groene wadden die bespikkeld waren met vliegers. De man vloog als een speer op een poeltje in de rivier af en plonsde erin met een wirwar van vleugels en water. Het was een schitterend geluid, dat haar doordrong van de grootsheid van de vliegkunst. Peri besefte dat haar landing in het poeltje eerder aan die van een albatros dan aan die van een zwaan deed denken – ze maakte een koprol, kreeg een slok rivierwater binnen, kwam overeind en waadde met druipende vleugels het water uit.

Een vrouw met diepblauwe vleugels kwam op Peri af en reikte haar

Hugo aan. Peri kon geen woord uitbrengen. De tranen stroomden over haar wangen toen ze Hugo meenam naar een plekje drooggemaakte grond in het wad, waar ze met haar rug tegen een houtblok ging zitten. Hugo kronkelde van plezier toen ze zijn hele lijfje bevoelde om zeker te weten dat hij het echt was en in orde was. Ze schrok toen ze zag dat Hugo's handen en voeten ook verbonden waren en dat zijn armen en benen onder de blauwe plekken zaten, maar in elk geval leek hij niets te hebben gebroken. Hoe lang was ze buiten westen geweest? Wat voor dag was het?

Peri snoof, veegde haar tranen weg en kuste Hugo op zijn hoofdje. Ze rook zijn bedwelmende geur, de geur die ze overal zou herkennen. Ze kuste zijn handjes en snuffelde in zijn hals, en ze voelde hoe haar hart vertraagde tot een vreedzaam ritme. Hugo kirde en tikte tegen haar wangen, en elke zachte aanraking was een trilling die door haar heen voer als de siddering van vleugels. Ze ging rechtop zitten en legde hem aan.

Toen Hugo eenmaal aan de borst lag, keek Peri naar de vliegers die zich rond een klein, rookloos vuurtje hadden verzameld in het midden van de open plek. Voor zover ze kon zien, waren er geen niet-vliegers. Wat was dit voor een plek, wie waren deze mensen? Ze schoof de grijze polsband omlaag, maar ze kon hem niet af krijgen.

Zodra de vrouw met de blauwe vleugels zag dat het eerste deel van Peri's hereniging met Hugo was afgerond, kwam ze naar haar toe. 'Ik ben Finch,' zei ze, terwijl ze Peri's gordel aan haar voeten legde en haar een paar energierepen toestak. 'Dat wil zeggen, dat ben ik híer. Mijn schuilnaam, kun je zeggen.'

'Ik ben Peri. En dit is Hugo.' Peri zocht met één hand door haar gordel, terwijl ze met de andere Hugo ondersteunde, en haalde een tabletje Opteryxin en een dosis Aileronac tevoorschijn. Ze aarzelde even, omdat ze niet zeker wist of ze misschien een dubbele dosis moest nemen om de keer dat ze had overgeslagen goed te maken, maar ze besloot het niet te doen.

'Kun je me vertellen waar dat voor is?' vroeg Peri aan Finch, met een gebaar naar het verband rond Hugo's handen en voeten.

'Dat moet je Jay vragen,' zei de vrouw. 'Hij is degene die jullie eerste hulp heeft verleend.'

De man – Jay, dus – was verdwenen, maar kwam al snel weer opdagen met een valk op zijn gehandschoende hand. Hij knielde naast een ondiep poeltje en de valk fladderde weg en spetterde door het water. Het bracht een helder getinkel voort.

'Wat doet hij daar?' vroeg Peri.

'Hij geeft onze slechtvalk Shaheen een bad.'

Finch bleef bij haar zitten terwijl de anderen hun eigen gang gingen. Ze negeerden Peri; ze kon niet uitmaken of dat een kwestie van tact was of van een volslagen gebrek aan belangstelling. De vliegers in de buurt van het vuur leken jong, nauwelijks boven de twintig, maar in elk geval ouder dan Peri, en ze zagen er zelfverzekerd en beheerst uit. Jay was nog ouder, misschien eind twintig, en Finch was minstens vijfenveertig. Ze was klein en pezig, en ze had diepliggende blauwe ogen in een getaand, rimpelig gezicht, en lang donker haar in hetzelfde indigo als haar vleugels.

Vier van de jonge vliegers hadden hun ontbijt kennelijk op, overlegden even, waadden de rivier in en stegen op van de kliprand. Ze krompen tot zwarte stippen tegen de hemel en Peri besefte ineens dat de drie arenden die ze tegen de rotswand afgetekend had gezien vast ook mensen waren geweest.

Peri keek toe terwijl de slechtvalk haar poedelpartij beëindigde; de vogel schudde het water van haar borst en streek haar vleugels glad. Ze wipte op en neer terwijl ze slokjes rivierwater nam.

'Vooruit, zuster,' zei Jay. 'Hou nou maar op met water innemen.' De valk sprong op zijn vuist. Het was een grote, mooie vogel met leigrijze vleugels, een donkere kap, lichte wangen en keel, regelmatige strepen op de borst en krachtige, met veren beklede poten. Het tinkelende geluid was afkomstig van de belletjes die aan bandjes rond haar gele poten zaten.

Jay bracht de valk mee. 'Je bewondert onze Shaheen, hè?' zei hij. 'Mooie meid, nietwaar? We hadden ook haar metgezel, een prachtige tarsel, maar die zijn we helaas kwijtgeraakt.'

Peri zat naar de valk te staren tot Finch zich tot haar richtte: 'En wat moeten we nu met jou aan? Als we alleen met jou te maken hadden, was het niet zo'n probleem, maar met een baby erbij ... Dat maakt het lastig.'

Jay ging op zijn hurken zitten met de valk nog op zijn vuist. Het was een vreemde sensatie om naar die weerspiegeling te kijken tussen man en vogel, alsof een uitgehouwen Garuda, zoals het beeld dat ze eens had gezien in de Serafijnenkerk, tot leven was gekomen en nu naar het kleinere gevleugelde schepsel op zijn hand zat te kijken, terwijl de grootse buiging van zijn vleugels herhaald werd in de gracieus gekromde vleugels van de valk.

'Pale Male heeft me stevig op de vingers getikt,' zei Jay tegen Finch.

'Hij zei dat ik een beslissing had genomen voor de hele eenheid door haar en de baby te redden. Hij vond dat ik op eigen initiatief had gehandeld en buiten de bevelslijn om, waarop ik zei dat ik geen keuze had gehad. Ik zou graag denken dat hij in zulk noodweer – en ik had maar een fractie van een seconde om te beslissen – precies hetzelfde had gedaan.'

'En wat had Pale ... ik bedoel, wat had Niko daarop te zeggen? Jemig, Jay, straks begin ik hem ook nog zo te noemen.'

'En dat mag je niet. Maar goed, hij gaf me gelijk.'

Jay wierp een zijdelingse blik op Peri, met zijn hoofd net zo gebogen als de valk haar ronde kopje scheef hield. Hij was langer dan Peter en erg gespierd, met een huid die glom als gepolijst hout. Kort zwart haar stond rechtovereind boven zijn brede voorhoofd. Zijn dikke wenkbrauwen waren licht gebogen boven langgerekte, donkere ogen. Zijn mond was breed, met een elegant gewelfde bovenlip die breder was dan zijn onderlip. Rond zijn reusachtige bovenarmen waren ingewikkelde, abstracte tatoeages aangebracht. Peri nam aan dat hij net als Mama'lena van de Eilanden afkomstig was. 'Ik heb risico's voor jullie tweeën genomen, dus je zorgt maar dat ik daar geen spijt van krijg.'

'Dankjewel,' zei Peri.

'En wat hebben Niko en jij nou besloten?' vroeg Finch.

'Dat ze blijft. We moeten meer van haar weten.'

'Waar is dit voor?' Peri stak haar pols omhoog, met de grijze polsband.

Jay fronste zijn voorhoofd. 'Dat is je monitor. Zo hebben we je beschermd terwijl je lag te herstellen op de veiligste plek die we voor je hadden. En zo weet ik ook steeds waar je bent. Probeer hem maar niet af te doen. Dat lukt toch niet.'

'O.' Peri had het gevoel alsof alle lucht uit haar gestompt was. Dus daarom was Jay meteen komen opdagen toen ze de grot had verlaten. Deze mensen namen het allemaal heel serieus, wat het ook mocht zijn. Waarom beschouwden ze haar als een bedreiging? 'Hoe zit het daarmee?' vroeg Peri, en ze wees naar Hugo's verbonden handen en voeten.

Jay nam haar op. 'Hoe voel je je?'

'Moe.'

'En je handen en voeten?'

'Die tintelen.'

Jay knikte. 'Bevriezing,' zei hij. 'Of in elk geval een beetje. Toen we je opvingen, was je overdekt met een laagje ijs en jullie zaten alle twee onder de blauwe plekken. Van de hagel.'

Jay hurkte naast Peri neer, met de valk nog steeds op zijn pols. Hij haalde een klein doosje uit een broekzak en pakte daar een injectiepen uit. 'Niet bewegen.'

Hij drukte de pen tegen Hugo's arm, haalde vervolgens een tweede pen tevoorschijn en duwde die tegen Peri's schouder. 'Pijnstiller,' zei hij. 'Toen jullie net weer op temperatuur aan het komen waren, hebben we jullie iets verdovends gegeven. En jullie zijn ingeënt tegen tetanus, jullie hebben antibiotica gekregen tegen infecties en ontstekingsremmers om verdere schade door ontstekingsmediatoren te voorkomen. Onder dat verband zit aloë vera om de genezing van de huid te bevorderen. Dat van hem kan er later vandaag af. Hij had maar weinig bevriezingsverschijnselen. Baby's kunnen taaie donders zijn.' Hij krieuwelde even door Hugo's haar.

'Gelukkig hield je hem tegen je huid,' ging Jay verder. 'Dat is een prima manier om bevriezing te voorkomen. Maar een nog betere manier is vermijden dat je omhoog wordt gezogen door een supercel tot een hoogte van negenduizend meter.'

'Negenduizend meter!'

'Ja. Hoger dan de Mount Everest. Straalvliegtuigen vlogen vaak ongeveer op die hoogte, maar het is niet echt een aanrader voor de meeste vliegers. Wij noemen het de zone des doods. Je hebt temperaturen van min vijftig graden doorstaan, en misschien zelfs nog wel lager. Een handjevol vliegers heeft vergelijkbare ervaringen overleefd, maar het is niet normaal.'

'Waarom hebben we het overleefd?'

Jay haalde zijn schouders op. 'Misschien omdat jullie allebei heel jong en heel veerkrachtig zijn, en omdat jullie buiten bewustzijn raakten. Je hartslag en stofwisseling zakten in toen je bewusteloos was; daardoor kon je de onderkoeling en het gebrek aan zuurstof op die hoogte overleven.'

Peri rilde. 'Het ging allemaal zo snel – sneller dan je je kunt voorstellen.'

'Niet sneller dan ik me kan indenken,' zei Jay.

Peri moest bijna lachen om de gigantische hooghartigheid die in zijn stem doorklonk. Wie was hij dan wel, dat hij zoiets zo zelfingenomen kon zeggen?

'Maar je steeg inderdaad wel met een bijna onvoorstelbare snelheid. Jullie schoten in nog geen kwartier van vierhonderd meter naar meer dan vijfduizend meter. Dat is me een ritje wel.'

'Maar hoe weet je hoe hoog ik ben meegenomen door de storm?' vroeg Peri.

Jay wierp Peri een scherpe arendsblik toe. 'Weet je dat echt niet?' vroeg hij.

Peri schudde haar hoofd.

'Heel interessant,' zei Jay. 'Maar we laten het nu even rusten.'

De valk zat ongedurig op zijn vuist heen en weer te schuiven. 'Mag ik?' zei Peri, en ze stak haar hand uit.

Jay schudde zijn hoofd. 'Nee. Een jachtvogel raak je niet aan.' Hij wendde zich tot Finch. 'Ik laat haar nu al een maand hakvluchten maken, en ze is nog steeds getreind. Dat is niet slecht voor een getemde valk. De vriendelijkste hagerd die ik ooit heb gehad.'

Peri liet haar hand vallen.

'Jay is veruit onze krachtigste vlieger,' zei Finch. 'Je boft dat hij een van degenen was die je in dat noodweer hebben gevonden.'

Ie-tsjup-ie-tsjup-ie-tsjup zei de valk, met haar blik op Jay gericht, en Peri voelde het geluid door haar botten klinken. Shaheen richtte haar blik weer op Peri en Hugo.

'Ja. Natuurlijk. Het was een vergissing. Je hebt gezien hoe snel dat noodweer losbarstte. Ik had geen idee ...' En dat was zeker waar. 'Ik was op bezoek bij mijn ... mijn tante geweest en was op de terugweg naar de Stad. Ik dacht dat het veilig genoeg was om te vliegen. Maar ik heb me vergist.'

'Aha,' zei Finch. Peri zag dat ze haar niet geloofden. Ze keek weg. Ze kon maar beter zelf vragen blijven stellen.

'Hoe lang ben ik ... ben ik ...?'

'Je bent gisteren de hele dag buiten westen geweest. We hebben de baby en jou eergisteren aan het eind van de dag binnengebracht.'

'O.' Dus dat betekende dat het vrijdagochtend was. Zeke wist nu nog niet dat ze zich niet aan haar woord zou houden. Waar was ze? Was ze dicht genoeg bij de Stad om op tijd terug te zijn, zodat Zeke haar kon helpen Hugo terug te geven?

'Ja,' zei Finch. 'Het kereltje huilde wel om je, maar je moest slapen.'

Peri keek naar de lap dofgroene en bruine bosschages met verticale strepen wit en satijngrijs erdoorheen die als rook omhoogwelden vanaf de rivieroever aan de overkant.

'Waar zijn we?'

Jay negeerde de vraag en wendde zich tot Finch. 'Shaheen moet een dezer dagen flink eten. Laten we haar meenemen naar de braambos-boerderij. Daar zijn vast konijnen genoeg en misschien zelfs wel wat vogeltjes voor haar.'

Peri nam aan dat ze haar pas zouden vertellen waar ze waren als ze meer van haar af wisten. Hugo trok zijn mondje weg en ging rechtop zitten. Peri stopte haar borst weer in haar hemd, dat net zo aan flarden was gescheurd in het noodweer als haar gladpak, en nam Jay op, die alleen een legerachtige broek aanhad die zat opgerold tot halverwege zijn kuiten en was verschoten tot de kleurloosheid van verbleekt gras, met een groot mes in een schede die rond zijn smalle middel zat ge-gespt en de dikke handschoen waarop de valk zat. Finch had een grauwgrijs overhemd en een short aan.

Peri waagde zich nog eens aan een vraag. 'Wat doen jullie hier?'

'We leren vliegen,' zei Finch, op zo'n afgebeten toon dat Peri hoorde dat er een hele wereld achter die woorden schuilging.

'O,' zei Peri. Iemand die het vreselijke noodweer kon overleven waar Hugo en zij bijna in waren omgekomen, moest toch al zo goed kunnen vliegen dat zij zich er nauwelijks een voorstelling van kon maken.

'Ik zou best een paar dagen bij jullie willen blijven,' zei Peri. 'Om meer te leren over hoe jullie vliegen.'

'Die wens zal in vervulling gaan,' zei Jay.

'Maar ik kan niet blijven,' zei Peri, en haar hart bonkte in haar borst-kas, zo staalhard klonk Jays stem.

'Die beslissing is niet aan jou,' zei Jay met een diepe, onvriendelijke stem. 'Je blijft hier totdat ik tot de conclusie ben gekomen dat het voor ons veilig genoeg is dat je vertrekt. Als je al vertrekt. We hebben gezien dat je niet in je eentje in dat noodweer zat. Niet iedereen krijgt een Roofvogel achter zich aan. Dat is veel te gevaarlijk voor ons.'

'Maar daarom moet ik ook weg,' zei Peri, en ze hoorde hoe afgekne-pen en schel haar stem nu klonk. 'Ik moet Hugo in veiligheid brengen.'

Jay lachte. 'Wie er ook achter je aan zit, ze zullen je hier niet vinden, neem dat maar van mij aan. En jij gaat nergens heen zolang wij niet zeker van je zijn. Probeer maar niet te vertrekken zonder mijn toestem-ming.' Hij wuifde naar het bandje rond Peri's pols. 'Begrijp je me? Die monitor kan meer dan je alleen maar volgen.'

'Ik begrijp het,' zei Peri. Het had geen zin om nu met Jay in discussie te gaan; ze moest ervoor zorgen dat hij inzag dat hij haar kon vertrou-wen, en snel ook.

'Besef je dat de Roofvogel het noodweer niet heeft overleefd?' vroeg Finch.

'Hebben jullie hem vermoord?' vroeg Peri.

'Nee,' zei Jay. 'We hebben hem gewoon niet gered. We hadden alleen de keus om jou en Hugo te redden.'

'Dankjewel,' zei Peri, en ze voelde dat haar woorden tekortschoten, al was haar dankbaarheid doortrokken van ongerustheid. Ze was een gevangene. Hoe ver zouden ze gaan om hun eigen veiligheid te beschermen? Ze hadden de Roofvogel immers ook laten doodgaan.

'Toon je dankbaarheid maar door netjes te doen wat je gezegd wordt,' zei Jay terwijl hij haar strak aankeek.

Hugo wreef ruw in zijn ogen. 'Hij is moe,' zei Peri, en ze wendde haar ogen af van Jays strakke blik. 'Is er ergens een veilig plekje waar ik hem een dutje kan laten doen?'

Finch nam Peri mee over het wad, en sloeg toen af langs een beek die uitliep in de rivier. Peri hurkte en maakte een punt van haar hemd nat om er de vuilste plekken op Hugo's huid mee schoon te poetsen, maar daarmee werd de viezigheid alleen maar wat dunner uitgewreven. Er kwam later nog wel gelegenheid om hem goed te wassen.

'We hebben hem vanochtend vroeg in het zand bij de rivier laten spelen,' zei Finch. 'Het verbaast me niks dat hij moe is.' Ze bleef staan op een miniatuurstrandje met spierwit zand. 'Daar,' zei ze, naar een pad wijzend dat tussen dichte struiken door liep die tegen een overhangende rotswand aan groeiden. Een jongeman lag met zijn vleugels als kussen op zijn zij te dommelen op een ragfijne mat. Er zat een kakikleurig muskietennet over een groot deel van de schuilplaats gespannen. Peri legde Hugo op een ander matje, dat opmerkelijk comfortabel aanvoelde, al was het nauwelijks dikker dan het laken dat eroverheen lag.

'Wrijf 's ochtends en 's avonds de baby en jezelf hiermee in,' zei Finch, en ze reikte Peri een grijs flesje aan. 'Je moet niets overslaan, met name je enkels en polsen niet.'

'Wat is dit?'

'Extra sterk muggenwerend spul. Er komen hier een stelletje heel vervelende soorten voor die dingen overbrengen waar je echt niet op zit te wachten.'

Peri knielde naast Hugo neer om hem in te smeren met het adstringerende spul. Daarna smeerde ze zichzelf in. Haar ogen begonnen te tranen van de dampen die loskwamen.

'Ik moet bij Hugo blijven,' zei Peri.

Finch haalde haar schouders op. 'Als je maar niet vergeet wat Jay heeft gezegd. Hij maakt geen grapje. Je hebt je leven aan hem te danken. En dat van Hugo ook. Vergeet dat niet.'

Peri knikte. Ze zou Finch nog wel zover krijgen dat ze inzag hoe belangrijk het was dat Peri Hugo in veiligheid bracht.

Na de lunch, waarvan Hugo een deel weer over Peri heen uitspuugde, en nadat ze hem had schoongemaakt, zijn luier had verwisseld en hen allebei had gewassen, en nadat Hugo in slaap was gevallen, merkte Peri dat haar ogen alweer dichtvielen. Ze was nog steeds geestelijk en lichamelijk uitgeput.

Aan het eind van die middag werd ze gewekt door het gebonk van rennende voeten. 'Restitutie! Restitutie! Vooruit!' werd er door de bomen heen en weer geroepen. Hugo en zij waren alleen in de schuilplaats.

Peri pakte Hugo op en nam hem mee naar het wad. Een jonge vrouw met groen en rode vleugels en lang, donker haar dat strak achterover zat getrokken in een paardenstaart, wrong zich langs haar heen.

'Wat is er aan de hand?' vroeg Peri. 'Wat betekent restitutie?'

'Jezus, je bent echt een volslagen wuffo, hè?', en ze rende door.

Peri trof Finch op het wad aan. Ze stond net een grijze legging en een grijs shirt met lange mouwen aan te trekken.

'Wat is er aan de hand? Is alles in orde?'

Finch staarde haar aan. 'Maak je een grapje?' zei ze. 'Restitutie! Het kan niet beter. Kom maar mee. Hé, Phoebe!' De jonge vrouw die net Peri voorbij was gelopen, keek op vanaf de plek waar ze haastig haar vleugels aan het fatsoeneren was.

'Neem het kereltje even over, goed?'

'Vergeet het maar,' zei Phoebe, en ze hervatte haar bezigheden. 'Ik ga echt geen restitutie mislopen om iemand een plezier te doen, zelfs niet voor jou, Finch.'

'Ook goed. Je zou bijna denken dat we niet om de paar avonden een restitutie hebben in deze tijd van het jaar, zo'n toer als iedereen ervan bouwt.'

Met een ernstig gezicht staakte Phoebe even haar bezigheden. 'Wat mij betreft ligt het zo: ik krijg maar een beperkt aantal keren in mijn leven de kans om in een restitutie te vliegen, waar of niet? En een restitutie is wel zo'n beetje tien keer lekkerder dan seks. Zelfs Raf geeft dat toe.'

'Mij best, maar dan help je straks wel, begrepen?'

'Ja, ja,' mopperde Phoebe, terwijl ze bij hen vandaan glipte in de richting van de klip.

'Neem anders gewoon de baby mee,' zei Finch, die zich intussen stond in te smeren met antimuggenspul. 'Restituties zijn toch ontzettend veilig om in te vliegen.' Ze kwam overeind, reikte Peri het smeersel aan, en bekeek haar van top tot teen. 'In dat gladpak kun je echt niet meer vliegen,' zei ze. 'Weet je wat? Ga de draagband voor de kleine maar halen en kom dan hier naar me toe. Dan zorg ik dat ik iets fatsoenlijkers voor je heb om aan te trekken.'

Toen Peri terugkeerde naar het wad, gaf Finch haar een blauwgrijze legging en een bovenstuk in dezelfde kleur. Peri trok ze aan, en bleef ze intussen verbijsterd bestuderen. Finch moest om haar lachen. 'Probeer nu maar niet uit te maken wat voor kleur ze hebben,' zei ze. 'Waar het om gaat is dat ze de beste camouflage zijn die je maar kunt dragen. Tegen wolken zijn ze grijswit, en tegen de hemel kunnen ze elke kleur blauw aannemen die de lucht maar heeft.'

'Ze voelen aan of ze van zijde zijn,' zei Peri terwijl ze Hugo in zijn draagband legde.

Finch snoof. 'Nou, dat zijn ze niet. Ze zijn heel wat kostbaarder. Zorg er maar goed voor, want je krijgt niet nog zo'n stel, dat geef ik je op een briefje.'

Peri liep achter Finch aan over het zandpad naar de rand van de klip en steeg een paar tellen na haar op. Alle vliegers die er waren, zo'n vijftien in getal, leken in een keurige rij boven de klip te hangen. Ze steeg op en voelde de krachtigste, soepelste lift die ze ooit had ervaren, zo sterk als water, die haar omhoog liet glijden over een zonovergoten berg van lucht, en nu zweefde ze hoog boven de rand en overal om haar heen stroomde die dragende, transparante oceaan gelijkmatig omhoog.

Dit was niet zomaar een thermiekbel, maar het grootscheepse vrijkomen van alle hitte van de dag uit het dal, en nu gleden Hugo en zij stil en ademloos over een plateau van glas, met om hen heen de andere vliegers die in de lucht hingen alsof het honing was, sommige zwijgend en andere juichend en lachend. Aan de voet van de klippen in het oosten lag het dal verzonken in een vage indigoblauwe zee, die aan de randen verliep naar purper, en in de schemering op de bodem van het dal zweefden scherven en bellen van vloeibaar staal – water dat het laatste licht opving –, maar boven langs de klippen heerste nog de goudkleurige middag met boomstammen die groen en wit oplichtten in de zachte stralen van de dalende zon; en de hemel was nog steeds blauw, met wolken die staalkleurig vuur langs hun onderkant opvingen dat even schel straalde als de scherven water in het dal; en alles zong met zo'n helderheid dat Peri besefte dat ze nog nooit werkelijk bergen, dalen, water of wolken had gezien.

'Pas op voor de afkoelende hobbels,' zong Finch bij het passeren, met haar vleugels onbeweeglijk in balans terwijl ze over de helling van de glazen berg omlaaggleed. 'Die kunnen je omstreeks zonsondergang te pakken krijgen, zodra de lucht begint af te koelen. Maar voor het zover is, is het alsof je in champagne vliegt! Champagne waarin de belletjes omhoogstijgen en je helemaal meenemen naar de rand van het glas. Slier er maar lekker in rond zo lang als je kunt.'

Zodra de zon helemaal onder was en de glasachtige lucht rimpels, zakken en breuken begon te vertonen, ontwaakte Hugo uit zijn dromerige trance en begon hij te jengelen. Voor het eerst sinds hij met Peri uit vliegen was gegaan, verzette hij zich jammerend en schoppend tegen de draagband.

Peri daalde af naar de klip. Ze wilde niet dat Hugo de lucht aan scherven zou huilen terwijl de andere vliegers nog aan het genieten waren van de laatste slierten restitutie.

Toen Peri landde, bleek Finch alweer terug op het wad te zijn. Ze was een koude avondmaaltijd aan het eten, die ze deelde met Peri en Hugo. 'En, hoe fantastisch vond je het?'

'Ik geloof niet in de hemel,' zei Peri. 'Maar ik ben er net wel even geweest.'

Finch lachte. 'Grappig dat je dat zegt. Op sommige oude kaarten wordt dit hier de Hemelse Richel genoemd. Dus nu heb je een hemelse restitutie meegemaakt.'

Zodra ze klaar waren met eten, zei Finch dat Peri Hugo naar bed moest brengen. 'Phoebe blijft bij hem,' zei ze.

Peri vond het niet prettig om Hugo achter te laten in de schuilplaats bij de onvriendelijke jonge vrouw, maar hij viel al in slaap toen Finch Peri terugleidde naar de klip.

'Waar gaan we heen?' vroeg Peri terwijl ze zich een weg baande door de struiken langs het pad, die vaag glansden in het sterker wordende licht van de sterren. Om haar heen steeg een bedwelmende nachtgeur op: een droge, scherpe lucht van bast en struiken, een wilde geur van bladeren en bloemen, en een vaag maar toch herkenbaar rivierluchtje.

'Daar kom je nog wel achter. Dit is ons werk,' zei Finch zacht. 'Dingen uitzoeken. We zijn er tien, twaalf uur per dag mee bezig. Niet alleen in de lucht, maar ook op de grond – denken, praten, vergelijken. De technische kanten, de specificaties achterhalen. Er alles uit halen. Denk je dat de artsen die ons de behandelingen hebben gegeven alle mogelijkheden kennen? Natuurlijk niet. De meesten hebben nog nooit zelf gevlogen. En instructeurs bij vliegsportscholen zijn gewend aan gecontroleerde omstandigheden, en ze werken alleen met beginnelingen. Vliegsportscholen zijn verdomme volières. Daar kun je alleen de allerbasaalste beginselen leren van de vaardigheden die je nodig hebt.

Wij moeten uitzoeken wat de mogelijkheden van vliegen werkelijk zijn. Er zijn mensen die verstand hebben van de mechanische kant van vliegen, aan de hand van vliegtuigen en vogels, en neem maar van mij aan dat we ons verdiepen in wat zij te zeggen hebben. We hebben hier wel met vliegen in al zijn aspecten te maken, met hoe het voelt en in zijn werk gaat in je eigen lichaam, en daar weet niemand al het fijne van.'

'En daarom hebben jullie Shaheen,' zei Peri.

'Inderdaad.'

'Zijn jullie de enigen die dit doen?' vroeg Peri.

Finch balanceerde op de rand van de klip en staarde in het duister naar de helderste sterren die Peri ooit had gezien. Helderder dan ze boven zee waren geweest, en zelfs helderder dan bij Janeane.

'Nee, we hebben contact met andere groepen,' zei Finch. 'Ik zou het vreselijk vinden als het alleen op ons aankwam. Zoiets als dit kun je niet in de Stad; daar zijn te veel andere dingen om je mee bezig te houden, daar is te veel druk – te veel afleiding, zeker als je rijk genoeg bent om vleugels te hebben. En de variëteit aan omstandigheden om in te oefenen ontbreekt er. Bovendien heb je een groep nodig. Als je dit in je eentje zou proberen, loop je het risico dat je een Wilde wordt. En, voel je je uitgerust? Dat kan niet anders. Je hebt geslapen, en restitutie is gewoon een soort speelkwartier, nietwaar? Het is niet bepaald hard werken.'

'Wat ... Waarom ...?' begon Peri.

'Een van onze belangrijkste onderzoeksterreinen is vliegen bij nacht,' zei Finch, terwijl ze haar vleugels uitsloeg. 'Jay neemt een groep mee, maar ik denk dat jij en ik alleen moeten beginnen.'

Samen vlogen ze de warme nacht in. Peri hield haar mond en concentreerde zich er volledig op alles na te doen wat Finch deed, voor zover ze de donkere gedaante die zich al vliegend aftekende tegen de nachthemel kon volgen. Ze was zich er pijnlijk van bewust hoeveel groter en onhandiger haar bewegingen waren. Het was heel lastig om zich alleen op vliegen te concentreren. Het voelde allemaal verkeerd aan. Er stroomde voortdurend paniek onder haar gedachten wanneer ze Hugo alleen liet. Ze wist zeker dat ze allebei door een ramp zouden worden getroffen als ze niet bij hem was, en helemaal als ze zich concentreerde op iets anders en dat voortdurende, diffuse gewaar-zijn liet varen dat aanvoelde alsof ze hem met het net van haar gedachten op deze wereld vasthield en hem enkel en alleen met de kracht van haar niet-aflatende aandacht naar de veiligheid tilde. Hij zou ineens kunnen doven als een vallende ster wanneer zij even haar aandacht liet verslappen.

's Nachts voelde vliegen veel driedimensionaler aan dan overdag. Al Peri's zintuigen waren gespitst in het donker dat haar omringde. Het zat stijf om haar heen gewikkeld en strekte zich naar alle kanten uit. Ze zweefde omhoog. Er was nog steeds warme, opstijgende lucht, maar er waren geen thermiekbellen die het werk van haar konden overnemen. Ze was sterk. Ze kon zichzelf voortstuwen.

Peri keek naar Finch en probeerde haar manoeuvres met haar vleugels en lichaam te imiteren. Finch ging wat langzamer vliegen en Peri haalde haar in, maar bleef schuin achter haar rechterschouder. Finch wilde haar iets leren. Dit was een vliegles, en Finch overdreef haar bewegingen een fractie meer dan nog natuurlijk was. Finch vloog met een gemak alsof het lopen was. Ze dacht er niet over na hoe het moest; ze deed het gewoon. Peri begon te hopen dat dat ook voor haar was weggelegd.

Finch kwam wat dichterbij, tot ze vleugeltip aan vleugeltip vlogen. 'Normaal zou ik nooit een buitenstaander meenemen op dit soort vluchten, maar Jay denkt dat hoe eerder jij je thuis voelt bij de groep, hoe beter het is. Jay heeft die beslissing al genomen, dus nu moeten we ermee doorgaan. We hebben de verantwoordelijkheid voor jou op ons genomen door je leven te redden; we hebben je overgenomen, zeg maar, maar wil dit werkbaar zijn, dan ben je ons heel wat meer informatie verschuldigd. Vertel me om te beginnen maar eens wat je verdomme werkelijk met een baby in dat noodweer deed.'

Peri hapte naar adem.

'Je moet het me vertellen,' zei Finch.

'Dat weet ik.' Peri wierp een blik naar de donkere gedaante van Finch die zich aftekende tegen de sterren. 'Toen ik vertrok, was het goed weer. Het was ontzettend stom om te vliegen zonder het weer in de gaten te houden, maar ik had geen instrumenten. Ik had wel een vluchtplan, maar dat was bij lange na niet gedetailleerd genoeg.'

'Dat doen wij zo vaak,' zei Finch, 'zonder instrumenten vliegen. Maar nooit op lange tochten. Je moet door iets zijn voortgedreven. Wat was dat? We moeten weten of datgene waarvoor jij op de vlucht bent naar ons op zoek zal gaan.'

Peri zuchtte. 'Ik heb in de Stad gewerkt. Voor een gezin. Nou ja, toen waren ze nog geen gezin. Het bureau dat me daarheen stuurde, had uitgedokterd wat ik wilde. En wat zij wilden. En dat die twee dingen mooi konden worden gecombineerd.'

Peri voelde dat Finch naar haar staarde.

Peri boog haar hoofd. 'Ik zou hun een baby geven, en zij zouden mij vleugels geven.' Het deed pijn om die afschuwelijke woorden uit te spreken, en nu al voor de tweede maal binnen een paar dagen, terwijl ze ze daarvoor nog nooit had gezegd, zelfs niet tegen zichzelf. Om toe te geven op wat voor kil akkoordje ze het had gegooid. Ze zakte omlaag in de lucht, haar spieren verslapt van droefheid. Zij was de slechte moeder in het sprookje, degene die haar eerstgeborene weggaf voor verse groenten.

Maar het kind was niet van mij. Ik dacht ook niet dat hij van mij zou zijn. Dat is geen excuus. Dat weet ik nu wel.

'Goeie god!' riep Finch uit. 'Arm kind. Wat afschuwelijk. Dus daarom ben je met hem weggevlogen?'

Peri schudde haar hoofd. 'Het ligt nogal ingewikkeld. Een vriendin van me is vermoord. Ze had eenzelfde overeenkomst gesloten als ik. En ze waren van plan Hugo weg te sturen. Je kunt je niet voorstellen hoe ze ... Maar goed, ik had geen idee waarmee ik akkoord ging,' zei ze. 'Ik was vreselijk stom. Ik had geen flauw benul; ik was nog nooit zwanger geweest. Ik wist niet ... hoe kon dat ook? ... wat dat met je doet.'

Finch blies haar adem uit in een luidruchtige zucht van ongeloof, medelijden of woede. 'Dus niemand weet dat je hier bent?'

'Hoe zou dat ook kunnen? Ik weet zelf niet eens dat ik hier ben. Ik weet niet waar dat "hier" is.'

'Maar ze zijn natuurlijk wel op zoek naar Hugo. Wat ben je verder van plan?'

'Ik wilde hem naar ... nou ja, eerst wilde ik hem een heel eind weg brengen. Maar daar was ik van teruggekomen. Ik bedacht dat ik Hugo moest terugbrengen, dat hij uiteindelijk toch beter bij zijn ouders kon zijn, maar toen kwam die Roofvogel ineens achter me aan. Jullie moeten me echt laten gaan, Finch. Ik moet Hugo terugbrengen. En gauw ook. Want Joost mag weten wat er anders met me gebeurt, wat ze me zullen aandoen.'

'Ik snap het,' zei Finch. En ditmaal kon Peri horen dat ze haar geloofde.

De sterren leken verleidelijk dichtbij. Peri wiekte verder omhoog. Ze wilde dichter bij ze zijn, verder van de aarde. Ze had nog nooit 's nachts gevlogen zonder Hugo in haar armen, zonder voorzichtig te navigeren en zich tot het uiterste te concentreren. Dit was anders. Lichter. Hoe ver omhoog kon ze vliegen? De lucht verkilde langs haar armen, maar ze was warm van de inspanning, en de zachte veren van haar vleugels streken langs haar rug. Het was vast schitterend om te zien; ze hadden het er immers over gehad dat ze er alles uit wilden halen? En het was zo'n rustige nacht.

Hoger, steeds hoger.

De sterren waren heel helder. Natuurlijk kon je er dichterbij komen. Ze waren glasachtig en glibberig als smeltend ijs. Ze zongen. Wat zongen ze eigenlijk met die hoge, trillende stemmen? Ze moest slikken om haar oren te laten knappen, zodat ze ze kon horen.

Hierboven was de lucht ijskoud, de huid onder het verband prikte ervan, en in de ijle lucht kostte elke ademtocht, elke vleugelslag de grootste inspanning.

Ze was duizelig.

Waar was Finch?

Ze keek omlaag.

Niets.

Hoe hoog was ze?

Beneden haar was alles donker. Geen herkenningspunten: geen kampvuur, geen bleke draad van de waterval, geen donkere en lichte nuances rotswand. Een heel eind naar beneden had zich een laag wolken samengepakt, te veraf om vormen te onderscheiden. Wolkenformaties werden nog steeds beschreven zoals ze er van onderaf, vanaf de grond uitzagen. Peri was er nog niet aan gewend om ze van bovenaf te zien.

Ze had zich zo laten vervoeren door de sterren dat ze geen idee had waar ze was en zelfs maar of ze haar vleugels eigenlijk wel waterpas hield; was ze duizelig omdat ze omlaagspiraalde en het niet in de gaten had?

Peri probeerde zich omhoog te werken. Ze kon zich alleen in veiligheid brengen door hoogte te winnen, maar ze snakte naar adem. Het gezang van de sterren was ook hoger geworden, snerpend. Ze waren te hoog. Ze was zelf te hoog, maar het was gevaarlijk om een duikvlucht te maken; ze zou de controle kunnen verliezen. *Geen zichtbare horizon en aan de sterren heb ik ook niets, zoals ze in mijn oren snerpen, en ik kan niet uitmaken of mijn vleugels vlak zijn. Niet in paniek raken, blijven ademhalen, ik kan hier zo hoog niet ademhalen ...*

Heel even streek er een vleugelpunt over haar rug.

Finch vloog naast haar. Waar had ze gezeten? 'Je moet je concentreren. We gaan lager vliegen, dan kun je beter ademhalen. Maak je maar niet druk of je je vleugels wel waterpas houdt. We hebben ontdekt dat er een soort ingebouwde gyroscoop is. Die treedt wel in werking; je moet hem alleen leren voelen. De meeste vliegers zijn te angstig om daarmee te oefenen of zich erop te verlaten. Je hebt anderen nodig om je door die eerste paar keer heen te helpen.'

Finch begeleidde Peri omlaag naar warmere, zwaardere lucht, en daarna vlogen ze oostwaarts over duister land. Terwijl het wiel van sterren boven hen draaide, ontspande Peri zich in de cadans van een langeafstandsvlucht, en de slagen van haar vleugels en het kloppen van haar hart vertraagden zich tot het juiste ritme. Ze waren een uur op die manier aan het vliegen toen ze zei: 'Wat was dat nou?'

'Je vloog heel hoog,' zei Finch. 'Heel goed, nog net geen vijfduizend meter.'

'Dat meen je niet!' zei Peri. 'Waarom liet je dat toe?'

'Kom nou, Peri. Ik ben je vlieginstructeur niet. We zijn hier niet om de hele tijd je handje vast te houden. We helpen je om geen gevaarlijke dingen te doen, maar je moet wel alles uit jezelf halen. Je moet dat soort dingen zelf voelen. Het plezier ervaren. Je eigen redenen bedenken om te vliegen.'

'Je zou denken dat het onmogelijk is om zo hoog te vliegen.'

'Daar zou je nog van opkijken. Kraanvogels kunnen wel zesduizend meter hoog vliegen. Sommige ganzen zelfs nog hoger – die laten zich weleens meevoeren op de straalwind. Je moet je eigen plafond ontdekken, bepalen wat voor jou nog veilig is. Daar experimenteren Roofvogels ook mee.'

'En de gyroscoop? Die ingebouwde horizon?'

'Daar is een hoop over te doen. Ik weet zeker dat die er is, dat die gewoon meekomt bij de aanpassingen, of dat 'm nu zit in het vogel-DNA of in een of andere toegevoegde specificatie, wat volgens mij ook heel erg voor de hand ligt, maar in de officiële literatuur hebben ze het er niet over; ze raden je alleen aan om niet zonder hoogtemeter door wolken te gaan vliegen. Er zijn deskundigen die beweren dat sommigen die gyroscoop hebben en anderen niet. Dat hij alleen is ingebouwd bij bepaalde behandelingen. Dat kunnen we onmogelijk natrekken, omdat we niet weten waar die gyroscoop ergens in de hele reeks behandelingen is ingebouwd.'

'Dat zou dan verklaren waarom niemand het erover heeft,' zei Peri. 'Als niet iedereen hem heeft, en ze weten niet wie wel en wie niet, dan is het te gevaarlijk om het te benoemen.'

'Kan zijn,' zei Finch. 'Maar ik denk dat ze het gewoon nog niet begrijpen.'

'Bedoel je dat het een onderdeel is van een andere aanpassing, en dat ze het nog niet echt in de gaten hebben?'

'Misschien. Tot nu toe blijkt iedereen met wie we hebben gewerkt erover te beschikken. Dat is heel interessant. Het probleem is alleen dat er geen makkelijke, betrouwbare manier is om ervoor te zorgen dat je het echt voelt en je erop durft te verlaten. Het enige wat erop zit is dat we eraan werken.'

'Jij hebt geen hoogtemeter of andere instrumenten bij je,' zei Peri toen ze omkeerden om terug te vliegen. Tijdens de draai probeerde ze na te gaan hoe ze zo'n ingebouwde horizon zou moeten voelen, maar het was angstaanjagend en eigenlijk sloeg het ook nergens op als ze de sterren bij de hand had om haar te helpen toen ze hellend de bocht nam. Ze trokken zich weer recht en controleerden hun koers.

'Was je even lekker aan het slingeren?' lachte Finch. 'Dat was een knap scherpe bocht.'

Toen Peri geen antwoord gaf, ging Finch verder: 'Vogels beschikken over zulke uitzonderlijke navigatievaardigheden dat we ze nog steeds niet kunnen bevatten. Bij de aanpassingen zijn op z'n allerhoogst zwakke afschaduwingen daarvan overgekomen. Wij geloven dat als we er maar hard genoeg aan werken, ons waarnemingsvermogen scherper wordt en we handiger worden in het gebruik van die vermogens, en dat lukt je nooit als je gebruik blijft maken van een hoogtemeter. Je weet dat vogels een barometrisch zintuig hebben in hun oren, maar wist je ook dat je, als je even gevoelig was als een eend, in staat zou zijn uit te maken op welke verdieping je zat door veranderingen in barometrische druk waar te nemen? Dat is ook heel handig als je buien wilt vermijden, natuurlijk, en als je wilt weten of de lucht waarin je zit met een constante snelheid stijgt of daalt. Ik bedoel, dan kun je uitmaken of je een thermiekbel binnenkomt, je kunt het horen, zeker als het een forse is, maar zonder variometer weten de meeste vliegers niet of de lucht om hen heen omhoog- of omlaaggaat. We zijn voorlopig nog bij lange na niet zo gevoelig als eenden, maar ik heb wel al vaak genoeg gevlogen om onder de meeste omstandigheden te weten hoe hoog ik zit.'

Finch begon sneller te vliegen en ondanks haar vermoeidheid dwong Peri haar vleugels in het nieuwe ritme.

'En dan zijn magnetoceptie en het kaartzintuig nog bijzonderder. Magnetoceptie, oftewel weten waar het noorden is, vraagt om een ingebouwd tijdmechanisme als je je informatie ontleent aan de zon. Sommige vogels, zoals postduiven, kunnen navigeren alsof ze voortdurend weten op welke lengte- en breedtegraad ze zitten. Dat heet het kaartzintuig, en daar hebben we geen verklaring voor. Daarbij wordt geen gebruikgemaakt van oriëntatie aan de hand van zon of sterren, al kunnen vogels dat ook, maar duiven kunnen even goed de terugweg vinden als de lucht bedekt is en als ze worden losgelaten op een plek waar ze nog nooit zijn geweest. Vind je niet dat dat soort verbijsterende vermogens moet worden onderzocht?'

Ze vlogen voort over donker land, en het enige geluid was de wind die door hun veren blies. Peri wilde wel blijven vliegen, maar ze moest haar vleugels laten rusten. De pijnstiller die Jay haar had gegeven was uitgewerkt en afgezien van de pijn in haar afgematte spieren voelde ze ook nog alle blauwe plekken.

'Die vlieghorloges zijn van alles voorzien,' zei Finch. 'Hoogtemeter, kunstmatige horizon, satellietnavigatie, tijd, wind, luchtsnelheid, druk, variometer, weersvoorspelling en noem maar op. Het zit er allemaal in en je hoeft helemaal niets zelf te doen – en waarom zou je ook? Het is gevaarlijk en moeilijk. Het probleem is alleen dat je nooit zult voelen wat het echt inhoudt om te vliegen als je steeds die hulpmiddelen gebruikt.'

'En ik zal ook nooit voelen wat het inhoudt om met honderd kilometer per uur tegen de grond te slaan,' zei Peri.

'Nou, zover komt het anders heus nog wel als je niet leert om zelf met de draken af te rekenen.'

'Draken?' zei Peri. 'Ik kan je totaal niet volgen.'

'Dat komt doordat je nog maar nauwelijks buiten de vliegsportschool hebt gevlogen, en ook niet met andere vliegers, hè?'

'Nee,' zei Peri.

'Draken zijn alle onzichtbare gevaren waar vliegers mee te maken kunnen krijgen. Turbulentie, rotoren, windschering, en zelfs zwaartekrachtgolven. Als je vliegt, moet je bijvoorbeeld op dingen letten die rotoren kunnen veroorzaken, om die te vermijden. Er is geen instrument dat je daarbij kan helpen. En als je niet bereid bent om dat werk te doen, waarom zou je dan überhaupt de moeite nemen om te vliegen?' voegde Finch eraan toe. 'Het is stukken makkelijker om dat niet te doen.'

Ze vlogen door een zwarte bol met een bovenkant vol prikjes licht. Peri had het gevoel alsof ze tot buiten haar lichaam doorliep, alsof ze de duisternis in reikte via haar hoofd en via elke veer van haar vleugels. Ze had vooral het gevoel dat zich vanuit haar grote slagpennen uitstrekte, alsof het gevoelige antennes waren die boodschappen oppikten die door de lucht trilden. Er was geen duidelijke grens. Hoe ver naar buiten kon ze zich een weg voelen?

'Als er iets met zo'n horloge gebeurt,' zei Finch, 'als het van je pols glijdt of de satellietverbinding valt uit of je klapt ermee tegen een rots of je komt slecht neer, of het houdt er gewoon mee op, wat doe je dan? Dan ben je gehandicapt. Dan moet je blind vliegen, als je niet over je eigen vaardigheden beschikt. Jij bent geen echte vlieger, maar een toerist. Dat zijn de meeste vliegers. Doodgewone toeristen die afhankelijk zijn van dure apparaatjes en een nog duurdere constante aanvoer van medicijnen.'

Peri dacht na. Ze zag wel in dat wat Finch zei voor veel vliegers nooit van belang zou zijn. Die zouden hun horloges gebruiken en zich tijdens het vliegen ternauwernood bewust zijn van alle krachten die aan het werk waren in hun nieuwe wereld. Die zouden zich nooit overgeven aan dit nieuwe leven. Want wie kon weten wat dat zou betekenen? Voor veel mensen hadden die vleugels niet zoveel gekost als voor haar. Maar zij had zoveel opgegeven dat je je kon afvragen of ze wel de rest van haar leven die barrière kon verdragen die tussen haar en werkelijk vliegen bestond. Als ze dat element niet tot het hare maakte, hoe kon dan ooit wat ze had doorgemaakt de moeite waard zijn geweest? Er was geen andere weg dan de weg die Finch haar liet zien.

'Heeft je groep een naam?' vroeg Peri.

'We heten Audax.'

'Dat is wel even wat anders dan wat je in de vliegsportschool gewend was, hè?' vroeg Finch toen ze met veel gespetter in het zwarte water landden dat een plas vormde boven de waterval aan de rand van de Hemelse Richel. Vanuit de lucht had Peri geen teken gezien van het Audax-kamp. Ze kon nu wel het vuurtje onderscheiden op de open plek, dat van boven en aan drie kanten was afgeschermd door een soort metalen oventje, maar er waren door de bomen heen zelfs geen vonken zichtbaar geweest. Ze kon de plek waar ze nu waren alleen herkennen aan de hand van de kronkelende draden water die over de rotswand omlaagliepen.

'Ze hebben in de Stad geen flauw idee,' zei Finch toen ze het water uit kwamen, langs een groep in het zwart geklede vliegers die naar de rand van de klip op weg waren. Peri nam aan dat het een patrouille was. 'Er zijn misschien nog geen tien mensen in de Stad die echt kunnen vliegen. In hun ogen zijn vleugels een modeaccessoire of op z'n best iets wat je bij een heftige sport nodig hebt. Het is veel te eng om een echte vlieger te worden. En weet je waarom? Vleugels zijn zwaar, tenzij je er iets voor opgeeft. Anders krijg je geen vrijheid. Anders kun je nooit echt vliegen. Vlieger worden is niet simpel een kwestie van vleugels krijgen; het gaat erom dat je andere dingen laat vallen.'

Voordat Peri kon vragen wat voor dingen ze dan moest laten vallen, dook Jay op en hij sprak Finch aan. Ze zeiden tegen Peri dat ze maar iets te eten moest pakken uit de provisiekist die tussen de stenen onder water verborgen lag en gingen op pad om iets geheimzinnigs te ondernemen.

Peri trof Phoebe aan buiten de kring van licht die het vuur afgaf, met Hugo stijf ingebakerd en in slaap naast haar. Staand schrokte Peri wat fruit en energierepen naar binnen, waarna ze zich naast Hugo installeerde. Phoebe had met een minimaal knikje Peri's terugkeer erkend en stond nu haar vleugels te verzorgen bij een lichtstaaf die afgeschermd in een boom was opgehangen. Niemand die overvloog of het kamp benaderde vanuit een andere richting dan vanaf de rivier kon het licht zien. Even later begon Peri haar vleugels ook te verzorgen.

Terwijl ze elke veer bewerkte tot hij glom in het blauwe licht, begon Peri zich te ontspannen. Finch had met haar woorden de stijve knoop van zelfverachting en angst losgetrokken die sinds ze haar vleugels had gekregen altijd met vliegen gepaard was gegaan.

Als niemand in de Stad echt kan vliegen, dan is er misschien toch nog hoop voor me. Misschien is het mogelijk om te leren vliegen bij deze mensen. Hoe had ik kunnen weten dat ik dit nodig heb? Die vliegsportschool was genoeg, hebben ze altijd gezegd.

Voor de overstap dacht je nooit na over die vleugels en je eerste vlucht. Het was net zoiets als een kind krijgen: je wist pas wat het was als je het een keer had gedaan. Dan begreep je iets wat niemand je kon vertellen: dat die geboorte nog maar het begin was van je transformatie, en niet het einde. Niemand waarschuwde je ooit dat je je na het verwerven van je vleugels nog net zo verloren kon voelen. Wie zat er immers op te wachten om zijn twijfels en zwakheden te bekennen? Luisa, misschien, maar we hebben te weinig tijd samen doorgebracht. Ik moet dingen van deze mensen leren. En daar is nu geen tijd voor; ze moeten me Hugo terug laten brengen naar de Stad, maar misschien kan ik later terugkomen.

Uitgeput pakte Peri de fles insectenwerend middel die naast Phoebe stond en wreef zichzelf en Hugo nog eens in met de gelei. Ze legde een vleugel over Hugo heen, waarmee zijn lijfje van hals tot tenen werd bedekt, vlijde haar hoofd op de andere vleugel en viel in slaap.

Midden in de nacht werd ze wakker. Hugo en zij waren alleen, maar ze hoorde vliegers rondspetteren in de rivier beneden. Hugo snoof en snurkte, en begon wakker te worden. Ze legde hem aan haar borst en hij zoog even. Peri keek naar de vliegers die de rivier uit kwamen waden in de richting van de lichtstaaf, en ze dacht aan de hoeveelheden voedsel die ze vast nodig hadden, en de latrine waar ze allemaal gebruik van moesten maken, aan de overkant van de rivier een eind van het water vandaan. Binnenkort moest er een nieuwe geul worden gegraven. Zelfs deze kleine troep was al een belasting voor de wildernis.

Finch dook op tussen de bomen achter het wad en ging naast Peri zitten. Twee jonge mannelijke vliegers kwamen voorbij. In het voorbijgaan keek de langste met blond haar naar waar zij Hugo de borst zat te geven. Daarna wendde hij zich tot zijn vriend en zei lachend: 'Jezus, man, daar zit me een heftige portie grondzuigkracht.'

Peri keerde zich naar Finch. 'Wat betekent dat?'

'Zo, jij hebt echt niet veel tijd doorgebracht met vliegers, hè?' zei Finch. 'Maak je geen zorgen, dat is nou weer typisch Rafael – Raf – en hij bedoelt het niet kwaad. Hij is een van degenen die je hebben gered, weet je. En het is trouwens een compliment. Grondzuigkracht is alles wat je aandacht kan afleiden van het vliegen.'

Langzaamaan ontstond er een kring rond het vuur naarmate er meer vliegers arriveerden en bij elkaar gingen zitten om onder het eten wat te praten. Peri's maag kromp samen van de spanning om haar onduidelijke status als gevangene en lid van de groep. Ze zat in haar proeftijd. Het was aan haar om zich tegenover hen te bewijzen. Ze moesten voldoende vertrouwen in haar hebben om haar toe te staan Hugo terug te brengen, zoals ze had beloofd. Hugo zat op haar schoot te kirren. Zachtjes gaf ze hem antwoord, waarbij ze elk geluidje dat hij maakte imiteerde. 'Aboewaa. Baaboo.' Hij klopte tegen haar wangen en keek haar diep in de ogen. Ze liet zich vasthouden door die open blik.

Uiteindelijk voegden zich negen vliegers bij hen. Peri zag Jay niet. Ze hadden messen bij zich, zag ze, en een paar hadden ook een holster rond een arm of been voor een compact wapen dat ze nog nooit had gezien. Die had ze weleens van dichtbij willen bekijken, maar ze liet het wel uit haar hoofd om het te proberen. Peri bekeek hun gezichten. Wie van hen was Niko, de beroemde Pale Male die niet zo zeker wist of Jay haar wel had moeten redden? Die man daar, die net uit de rivier kwam en een jaar of veertig leek en nu bestormd werd door andere, heel jonge vliegers, die hem uitvroegen en om zijn aandacht streden, dat moest hem wel zijn. Niko was waarschijnlijk de schuilnaam die hij in deze groep gebruikte, waar iedereen een schuilnaam had. Hij wierp een zijdelingse, nieuwsgierige blik naar Peri. Voordat ze verward haar ogen afwendde, ving ze een glimp op van een lange, slanke man met staalkleurige vleugels en een smal, elegant gezicht. Zijn haar stond overeind in zilveren stekels, alsof hij een reusachtige papegaai was met een korte kam.

De vliegers hadden het erover hoe ver ze zichzelf dreven, hoe nauw hun spiralen waren en hoe snel hun afdalingen. Terwijl Peri haar oren spitste om te volgen wat ze zeiden en Hugo zachtjes tegen haar aan lag te snurken, kwam er iemand tussen haar en de sterren staan. Jay.

'Hoe ging het?' vroeg Jay aan Finch.

Peri wachtte gespannen het oordeel van Finch af. 'Goed,' zei ze. 'Ze heeft gestipt.'

Jay moest lachen om de uitdrukking op Peri's gezicht. 'Stippen is goed. Dat betekent dat je zo hoog bent gekomen dat je nog maar een stipje was tegen de hemel.' Hij kwam op zijn hurken naast Peri zitten en maakte het tasje open dat hij had neergezet. 'Geef Hugo eens aan.'

Peri legde de slapende baby in zijn armen. Voorzichtig haalde Jay het verband van zijn handen en voeten. 'Hé, kereltje,' zei hij, toen Hugo even wakker werd en weer in slaap sukkelde zodra het verband eenmaal was verwijderd. Jay bekeek Hugo's huid en veegde er toen overheen met een doekje dat hij uit een zak had gehaald. Toen hij zijn hoofd over Hugo heen boog, blonk de bliksemschicht in zijn haar in het licht van het vuur.

'Al een stuk minder gesmet, en je ziet al nieuwe huid,' zei Jay, terwijl hij het gebruikte verband dichtplakte en in de zak stopte. 'Kijk maar, zijn huidje is zo goed als nieuw. Kinderen genezen vreselijk snel. Hij heeft geen verband meer nodig. Zijn blauwe plekken veranderen zelfs sneller van kleur dan de jouwe.'

Er klonk gejoel op onder de andere vliegers toen ze in de gaten kregen dat Jay was verschenen.

'Veiligheidsbespreking!' gilde er een. 'Veiligheidsbespreking, veiligheidsbespreking, veiligheidsbespreking,' begonnen de anderen te zingen, totdat Jay opstond en naar het midden van de groep liep. Hij maande hen tot stilte.

'Volgens mij zijn jullie anders al begonnen met die veiligheidsbespreking,' zei hij, naar de fles die Raf vasthield wijzend, waar naar Peri vermoedde bier in zat.

'Jawel, de veiligheidsbespreking is al zeker een halfuur geleden begonnen,' zei Niko vanaf de plek waar hij tegen een boomstronk hing met zijn vleugels eroverheen gedrapeerd. De jongere vliegers zaten op een beleefd afstandje in een halve cirkel om Niko heen.

'Alstublieft, meneer,' zei Raf, 'ik wil graag weten hoe ik mijn huur moet betalen.' De anderen moesten lachen. 'Kom op, veiligheidsbespreking. Voor de draad met dat praatje van je over energie, man.'

'Lul niet,' zei Jay. 'Dat kun je niet menen. Wat zijn jullie toch een verschrikkelijk stel wuffo's.'

'Rustig aan,' zei Niko.

'Flikker toch op met die veiligheidsbespreking,' zei Jay. 'Jullie moeten gaan slapen.'

'We moeten ons ontspannen,' zei een van de jonge vrouwen. 'We hebben vandaag een fors partijtje *big air* gehad.'

'Wat is een wuffo?' fluisterde Peri.

'Een nieuweling,' zei Finch. 'Omdat ze de hele tijd "waarvoor dit, waarvoor dat" vragen.'

'Big air?' snoof Jay, terwijl hij in de kring rondliep en zich duidelijk vermaakte. 'Big air – jezus, noemen jullie dat big air wat jullie vandaag hebben gedaan? Het is niet te geloven wat een zielig stelletje wuffo's jullie allemaal zijn. Bepaalde leden van Audax' – hij keerde zich elegant op één hiel om naar Finch en Niko – 'uitgezonderd. Jullie rijke zielenpieten krijgen het geld voor je behandelingen van pa bij wijze van cadeautje voor je eindexamen, jullie vleugels worden eraan gezet door de een of andere onnozele hals van een arts die zelf niet eens vliegt, en vervolgens word je op straat gezet met een reusachtige partij pillen en een jaarabonnement op zo'n dooie bedoening van een vliegsportschool, en dan denken jullie dat je kunt vliegen!'

Jay begon weer te ijsberen, en intussen bewonderde Peri de manier waarop de bliksemflits die over de achterkant van zijn vleugels zigzagde uit zichzelf leek op te lichten.

'Nou ja, dat denken we dus niet,' zei Niko. 'Daarom zijn we hier. We hebben niet zo'n geluk gehad als jij, met die zes jaar dat je met de allerbesten hebt getraind. En dat op kosten van de belastingbetaler.'

'Geluk?' gromde Jay. 'Dus wat ik heb gedaan en wat ik heb doorgemaakt, dat noem jij geluk? Maar goed, dat weet ik ook allemaal wel, ik ben tenslotte hier, waar of niet? Ik ben niet ergens fortuin aan het maken.'

'Je bent een goeie kerel,' zei Niko. Zijn stem klonk zacht en Peri vond het fascinerend hoe iedereen zijn best deed om elk woord van hem op te vangen. Als Jay hun bevelhebber was, dan was Niko hun politiek leider.

'Oké,' zei Jay en hij stak zijn handen omhoog. Het licht van het vuur bescheen zijn bruine gezicht van onderaf en van de iriserende onderkant van zijn vleugels sloegen rode vonken. 'Dus ik moet het over energie hebben, hè? Laat iemand dan maar eens de eerste regel van de vliegkunst horen.'

'Houd uw luchtsnelheid op peil, opdat de grond niet omhoogkomt en u velt,' riep Raf.

'Jawel,' zei Jay. 'Klopt. Luchtsnelheid is een vorm van energie die je tijdens het vliegen in voorraad hebt. En het is veruit het meest schaarse artikel. Om te beginnen betaal je huur voor elke milliseconde dat je in de lucht bent, nietwaar?'

'Juist,' brulden de jonge vliegers.

'En waarom betaal je huur?'

'De eerste wet van de dynamica luidt: een lichaam in rust heeft de neiging om in rust te blijven, terwijl een lichaam in beweging de neiging heeft in een rechte lijn in beweging te blijven, tenzij het wordt onderworpen aan een kracht van buitenaf.'

'En wat is die kracht van buitenaf?'

'De zwaartekracht!'

'Dus elke seconde dat je in de lucht bent, betaal je huur. In de vorm van energie. Om de zwaartekracht te overwinnen. En je betaalt ook belasting. Wat is die belasting?'

'Luchtweerstand,' zeiden de jonge vliegers.

'Goed zo. Luchtweerstand en het wegvloeien van energie via warmteverlies in overeenstemming met de tweede wet van de thermodynamica. En wat heb je in je energiebudget? Wat staat er op de bank, mensen?'

Er klonk een geruis van veren op onder de vliegers. Een van de jonge vrouwen zei: 'Spierkracht?'

'En wat geeft je die spierkracht?'

De jonge vrouw keek onzeker om zich heen.

'Brandstof. Ademhaling. Dus voedsel en zuurstof, ja?' zei Jay.

De vliegers knikten.

'Fijn dat we het daar tenminste over eens zijn,' zei Jay met opgetrokken wenkbrauwen. 'Dus dat is chemische energie, die gaat maar één kant op en is onomkeerbaar. Zodra we die eenmaal hebben gebruikt, is hij op, omgezet in inspanningen en weggevloeid in de vorm van warmte en luchtweerstand. Daarnaast kost het tijd om die brandstof om te zetten in chemische energie die je voor vliegen kunt gebruiken. Maar we hebben nog een paar andere vormen van energie die we kunnen gebruiken. Noem eens wat?'

'Liftkracht,' zei Niko.

'En dan bedoel je de kracht die wordt gegenereerd door een lichaam dat door een vloeistof beweegt? Dat is mechanische energie en zonder zouden we niet kunnen vliegen. Wanneer een stroming in een vloeistof wordt afgebogen door een vaste stof zoals je vleugels, buigt de stroming in de ene richting af en creëert tegelijkertijd liftkracht in de tegenovergestelde richting, in overeenstemming met de derde wet van de dynamica.'

'Ik dacht eigenlijk eerder in de richting van thermiekbellen en dergelijke.'

'Heel goed. Onder dat soort liftkracht vallen zaken als thermiekbellen, compressie, convergentie, hellingstijgwind, golfstijgwind, restitutiethermiek en wind. Al die vormen van liftkracht zijn in uiterste instantie zonne-energie; die gebruik je om je eigen chemische energie aan te vullen. Natuurlijk is die zonne-energie niet alleen een fantastische medestander, maar ook je angstaanjagendste tegenstander, zoals iedereen die weleens in een windschering, een rotor of een onweersbui terecht is gekomen je kan vertellen.' Jay wierp een zijdelingse blik naar Peri en knipoogde. Peri was heel blij dat ze een eind van het vuur vandaan zat; ze hoopte maar dat niemand haar zag blozen.

'In de echte wereld kun je niet zeggen dat we zonne-energie gebruiken als we van de liftkracht van een thermiekbel gebruikmaken. Maar er is een andere belangrijke vorm van energie waar we voortdurend gebruik van maken. Ik heb het er al over gehad.' Jay keek de kring rond. 'Niet? Heeft dan niemand van jullie natuurkunde gehad? Pale Male?'

'Jawel,' zei Niko. 'Lang geleden. Fris mijn geheugen maar even op. Fris ons geheugen maar op.'

'Mechánische energie,' zei Jay.

'Eh ... je had het over luchtsnelheid,' zei Raf.

'Dat is een vorm van mechanische energie. Luchtsnelheid is kinetische energie. De hoeveelheid kinetische energie is evenredig aan het kwadraat van je luchtsnelheid. En?'

'Ach ja, dat weet ik wel,' zei Niko. 'Potentiële energie.'

'Jawel. Met andere woorden, je hoogte. Meestal is dat de grootste voorraad op je energierekening die je hebt. Denk maar eens aan wat ze er bij je in rammen op de vliegsportschool: als je twijfelt, hou je je hoogte aan. Niemand is ooit met de hemel in aanvaring gekomen.' Jay liet een stilte vallen.

Peri boog haar hoofd achterover en keek naar de sterren. Mij is het anders wel gelukt om in aanvaring te komen met de hemel. Als je dat doorbreken van de muur van die opwaartse luchtstroom geen aanvaring met de hemel kon noemen, wat dan wel?

'Die potentiële energie gebruiken we de hele tijd,' ging Jay verder. 'Telkens als we van een klip opstijgen, zetten we potentiële energie om in kinetische energie. Elke keer dat je zweeft, duikt of een bocht maakt, zet je potentiële energie om in kinetische energie. En telkens wanneer je je snelheid gebruikt om jezelf verder omhoog te duwen, doe je het omgekeerde; dan zet je kinetische energie om in potentiële energie. Je kinetische energie opgeteld bij je potentiële energie, is de mechanische energie die je tot je beschikking hebt. Nu zijn er een paar heel mooie kanten aan mechanische energie: om te beginnen is die snel. Je kunt hem omzetten in de vorm die je op dat moment nodig hebt. Ten tweede is hij omkeerbaar. Je kunt net zo vaak hoogte in snelheid omzetten en omgekeerd als je maar wilt, zoals dat gaat bij een achtbaan, al verlies je wel een beetje energie.'

'Hoe zit het met die luchtsnelheid waarvan je net zei dat dat een schaars artikel is?' vroeg Raf.

'Je begrijpt nu dat van alle vormen van energie die je gebruikt luchtsnelheid het snelst is uitgeput. Dus dat is je meest kritische variabele. Daar moet je goed op letten. Je raakt sneller door je luchtsnelheid heen dan door wat ook. Bewaar die dus voor wanneer je hem echt nodig hebt; als al het andere mislukt, koop je daar een paar cruciale extra seconden mee, maar daar houdt het dan wel mee op.' Jay stopte even om een slok te nemen uit de fles die Raf voor hem had opengemaakt.

'Als je in de problemen komt, moet je hieraan denken: je hebt altijd precies genoeg luchtsnelheid om de plek te bereiken waar je te pletter slaat.' Jay keek de kring rond, waar iedereen zat te lachen. Peri wachtte tot ze zijn aandacht had. Toen hij uiteindelijk zijn blik op haar richtte, voelde ze zich plotseling duizelig, alsof ze omlaagstortte.

'En wat heeft dit allemaal voor effect op het vliegen? Nou, voor gewone stadsvliegers heel weinig. Die maken meestal alleen korte vluchten. Sommige dingen zullen ze instinctief doen, zoals gebruikmaken van thermiekbellen boven huizen om op te stijgen, of een steilte gebruiken om van daaraf weg te vliegen: die vullen hun energievoorraad aan met hoogte, snap je? Maar wij zijn anders. Jullie zijn anders. Jullie leren lange afstanden te vliegen, en onder allerlei omstandigheden. En daarom zal alles wat ik jullie nu heb verteld grote invloed hebben op de manier waarop jullie vliegen. Je zult voortaan strategisch je vluchtplan uitdokteren, je route, de hoogte en je reacties op het voorspelde weer en andere omstandigheden plannen, met in je achterhoofd de dingen die ik jullie heb verteld.' Jay gaf de fles terug aan Raf en begon weer te ijsberen, en zijn handen zetten elk punt dat hij maakte kracht bij.

'Die strategie zal ook effect hebben op je gedrag tijdens het vliegen; dat wil zeggen, op je tactiek. Je hebt zelfbeheersing nodig bij het gebruik van je energiebudget. Op een lange vlucht ga je bijvoorbeeld nooit zomaar naar grotere hoogte omdat je pet daar nu eenmaal naar staat, want dat kost je luchtsnelheid en een hele hoop chemische energie.'

Peri's wangen werden knalrood. Jay beschreef hoe zij die laatste dag met Hugo voorafgaand aan het noodweer aan het vliegen was geweest: in het wilde weg, impulsief, klimmend en duikend zonder er verder bij na te denken. Ze had wel geprobeerd om liftkracht op te sporen en te gebruiken, maar had zonder zelfbeheersing en inzicht gevlogen. Het hele ontstaan van een supercel was haar pas opgevallen toen het al te laat was. Ze moest eigenlijk een gat in de grond graven en zichzelf met aarde bedekken van schaamte. Ze had nauwelijks het recht om nog te leven na alle stomme dingen die ze had gedaan.

'Wat je wel doet,' zei Jay, 'is wachten tot je een thermiekbel of een hellingstijgwind vindt en dan gebruik je die om tot onder de wolk op te stijgen. En verder moet je heel goed letten op blauwe gaten; je schiet niet zomaar zonder nadenken de ruimte tussen wolken in. Je moet nadenken of je eromheen moet vliegen en gebruik moet maken van de liftkracht onder de wolken langs de rand om om het gat heen te komen. En misschien kun je je aan wat dynamisch soaren wagen, en kinetische energie opbouwen door heen en weer te schieten over de grens tussen luchtmassa's van verschillende snelheden. Daar zijn roofvogels erg goed in: ze klimmen de windgradiënt in, wisselen grondsnelheid in voor hoogte, terwijl ze hun luchtsnelheid op peil houden. Ze kunnen zelfs energie opbouwen door met de wind mee te draaien en door de windgradiënt heen te vallen. Maar nu wordt het wel erg technisch, hè? Morgen krijgen jullie de kans om een paar dingen hiervan te oefenen. En ga nou maar slapen. Dat zullen jullie nodig hebben.'

Dat klonk Peri niet prettig in de oren, maar ze was te moe om vragen te stellen. Ze wenste Finch welterusten en sloop met Hugo weg naar de slaapplek met de zandvloer. Voorlopig kon ze geen beslissingen nemen. Morgen zou ze aankloppen bij Jay. Misschien dat Finch voor haar wilde instaan, hem haar verhaal wilde vertellen. Ze waren erg sterk, deze vliegers, veel krachtiger en zelfverzekerder dan zij. Hoe konden ze nu denken dat zij gevaar kon opleveren?

De slaap sloeg zo hard toe dat het net was of haar bewustzijn werd uitgezet, alsof het licht werd verzwolgen door een zwart gat.

Junction Road nummer 5

Zondagochtend werd ik vervuld van angst wakker. Ik wilde de chaos in mijn flat niet onder ogen zien. Die wanorde was een aardige weerspiegeling van de bende die deze zaak en mijn leven waren geworden.

Als ik even aannam dat Peri en Hugo nog leefden, was mijn flat nu wel de allergevaarlijkste plek voor haar om te komen opdagen – de Roofvogel hield de plek vast in de gaten –, maar ik kon haar op geen enkele manier waarschuwen.

Ik hees mezelf uit bed. Uitgeput en ontmoedigd als ik al was, was dit een uitgelezen moment om iets zinloos te doen, zoals nog een keertje naar het huis van Abbey Lee Wright rijden.

Ditmaal kwam er een man aan de deur, die me van top tot teen opnam. 'Wat verkoop je?'

Ik liet hem mijn vergunning zien en zei dat ik op zoek was naar Abbey Lee Wright. De man schudde zijn hoofd. 'Ik heb het huis een jaar geleden van ze gekocht. Geen idee waar ze heen zijn verhuisd. Een of ander duur huis dat ze voor zich hadden laten bouwen.'

'Ze?'

'Abbey Lee was de vrouw van het stel.'

'Vliegers, hè?'

'Inderdaad.'

'Kinderen?'

'Hoor eens, waar gaat dit eigenlijk over?'

'Niks aan de hand,' zei ik. 'Ze zitten niet in de problemen of zo. Ik ben gewoon op zoek naar iemand die voor ze heeft gewerkt, dat is alles.'

De man knikte. 'Ze hadden kinderen, ja. Een peuter, volgens mij. En een baby. Nog heel klein. Dat weet ik nog wel.'

'Hebt u de echtgenoot weleens ontmoet?'

De man begon hard te lachen. 'Nou en of. Eén keer.' Hij schudde zijn hoofd, alsof hij nog steeds niet kon geloven wat hij had gezien.

'Was er iets vreemds aan hem?'

'Nou ja, het was meer ... dat je die knaap nooit meer vergeet. Als je hem hebt gezien.'

Dat klonk interessant. Ik kreeg zo'n gevoel in mijn achterhoofd, dat gevoel dat ik weleens had als ik wist dat er zo meteen iets op zijn plaats ging vallen, dat twee verschillende informatiestromen met elkaar gingen versmelten.

Ik glimlachte. 'Wat was er dan zo onvergetelijk aan hem?'

De man lachte nog eens. 'Die vleugels. Zoiets had ik nog nooit gezien. Ze waren gestreept. Rood, groen, blauw en goud. Die kerel was verdomme je reinste Engelse drop.'

Ik ging aan een tafeltje in de openlucht zitten voor Het-Beste-Café-Waar-Of-Niet in Central Lines. Nu was dat 'openlucht' in dit geval een tikkeltje theoretisch; deze kronkelende steeg deed eerder denken aan een tunnel, omdat de huizen, winkels en pakhuizen elkaar bovenaan raakten, waardoor de straat eeuwig en altijd in schemering was gehuld. Dit drukste deel van Central Lines was een prima plek om te wonen voor een vampier; de kans om te worden blootgesteld aan zonlicht was nihil. De kans om van bovenaf in de gaten te worden gehouden door een Roofvogel was al even klein; hij zou niets anders zien dan een blakerende savanne van opgelapte, roestende, afbladderende daken.

Ik verzette mijn stoel; aan de ene kant werd ik bestookt door de hete lucht uit de bakkerij aan de overkant, terwijl mijn andere zijde gekoeld werd door de ventilator in Het-Beste-Café-Waar-Of-Niet. Het was nog vroeg in de morgen, maar het zweet biggelde al over mijn rug omlaag en mijn overhemd was doornat onder mijn oksels. De geur van gebakken eieren en kruiden vanuit het café wedijverde met de synthetisch riekende rozen en limoenen uit de zeepfabriek, en de stank van smerig water, verstopte afvoerbuizen en vetvangers.

Een ober kwam naar buiten en zette de specialiteit van het huis voor me neer: verse roti met boter en een beker warme moutmelk.

'Bedankt,' zei ik, en ik aarzelde even of ik naar Mira zou informeren, maar ik besloot het niet te doen. PapaZie had geen specifieke tijd genoemd, alleen dat ze me 's ochtends verwachtte.

Ik bekeek mijn slick. Mijn uitputting dreigde om te slaan in het soort euforie dat over je kan komen na een paar nachten slecht slapen, en mijn stemming was een stuk verbeterd dankzij mijn bezoek aan het huis dat van Abbey Lee Wright was geweest. De informatie van de nieuwe eigenaar was precies wat ik nodig had om te weten in welke richting ik moest zoeken, en ik had de juiste Abbey Lee Wright gevonden.

De vrouw van parlementslid David Brilliant.

Christus nog an toe.

Dus Luisa, of in elk geval ene Luisa, had voor David Brilliant ge-werkt. Natuurlijk hadden rijke vliegers als Wright en Brilliant allerlei soorten hulp, waaronder een kindermeisje voor hun – ik keek even – inderdaad, twee kinderen. Hoe waren ze aan die twee kinderen geko-men? Ik bekeek de foto's van Abbey Lee: die was dun, net als de meeste vliegers, maar dat zei nog niets. Waar het nu op aankwam, was te achterhalen of er nog steeds een Luisa voor Brilliant werkte. En zo niet, waarom niet. Als ze vermist was, waarom hadden ze dat dan niet gemeld?

Ik keek op van mijn slick naar de schemerige straat vol mensen. Ik kende deze kampong als mijn broekzak. In mijn vorige leven als poli-tieagent was het een van mijn jachtterreinen, maar ik was er lang niet meer geweest. Ik had hier een niet bij te houden aantal informanten, kruimeldieven en boodschappenjongens voor de grote criminelen op-gespoord.

Ik nam een slok moutmelk. Toen ik me op weg de buurt in omzichtig een pad had gezocht door de modder tussen de hutten, was ik een groot bord tegengekomen dat ik nog nooit had gezien: HOOFDSTRAAT. Die hoofdstraat was helemaal geen straat, maar een bult die de rug-gengraat vormde van de kampong. Toen ik de betonnen halve cirkel overstak, die zeker drie meter in doorsnede was, schoot me ineens te binnen wat het werkelijk was: een grote, lekkende hoofdafvoer. Aha, vandaar dat 'hoofdstraat'. Nou snapte ik het. Slim.

Cam en haar collega's beschouwden Central Lines als een zogenoem-de 'volwassen' sloppenwijk. Dat betekende dat er hutten waren met betonnen muren en dat de bewoners een aantal voorzieningen op po-ten hadden gezet, zoals gejatte stroom. Sommige hutten hadden een eigen kraan – iets wat een onvoorstelbare luxe was in Venetia en grote delen van Ringstad – en ze hadden allemaal televisie of een ander soort scherm.

Zelfs in de grafachtige schaduw van Junction Road nummer 5 gloei-den de zinken en betonnen muren om me heen van alle schakeringen groenblauw, turkoois, saffraangeel en felroze, precies zoals ik me dat herinnerde, en ze waren overdekt met archeologische lagen stickers, graffiti, muurschilderingen en reclameaffiches voor films, tandpasta, olie en politici. Slingers oranje en roze lampjes die hier en daar de con-touren van deuropeningen aangaven, schenen griezelig door de och-tendschemering om de aandacht te vestigen op gokholen en krappe barretjes (Zipper Hurricane, $pooky Baby Gang en BAR BAR BAR BAR! leken me plekken die je beter kon mijden).

Een groepje tienermeisjes kwam langs Het-Beste-Café-Waar-Of-Niet slenteren. Een vrouw liep haastig af op een van de meisjes, met haar haar gevlochten tot een dikke vlecht met jasmijn en een met edelstenen bezette slang erdoorheen, waarvan ik aannam dat hij niet echt was, of in elk geval niet levend. Haar haar was langer dan haar rok. Ze wisselden even wat boze woorden. De meisjes kuierden verder. De vrouw droeg een purperrood hemd en een lange broek in dezelfde kleur met glanzende purperrode kralen rond haar polsen en hals. Ze draaide zich om en liep op het café af. Mira.

Ik stak mijn hand op. Hoofdschuddend kwam ze naar me toe, ze ging zitten en legde haar tas en zonnebril op tafel.

'Alles in orde?'

Mira hief haar ogen ten hemel. 'Ach, u kent het wel.'

Was het Slangenmeisje soms de brave Ellie die ik in de databank van de school was tegengekomen? Nou ja, het was tenslotte weekend in Central Lines.

De ober verscheen. Mira bestelde thee.

'Bedankt dat je met me wilde afspreken,' begon ik te zeggen, maar Mira stak haar hand op.

'Ik heb niets voor u bij me,' zei ze.

'Aha. Ik begrijp het.'

'Volgens mij doet u dat niet, als u meent me te kunnen vragen om mijn baan op het spel te zetten.' Mira keek om zich heen. Een paar straten verderop aan Junction Road nummer 5 barstte een ritmisch gestamp los.

'Het spijt me,' zei ik. 'Ik besef dat het veel gevraagd is ...'

'Nee,' zei Mira. 'Het is onmógelijk.'

'Oké,' zei ik. 'Waarom ben je hier dan?'

Mira keek omlaag naar haar thee.

'Je wilt praten,' zei ik.

Ze keek op en haar ogen waren vochtig.

'Ik wil dat u weet dat u iets op het spoor bent.' Ze siste de woorden.

'Oké, mooi,' zei ik.

'U mag het niet opgeven. Vooral niet vanwege Peri. Ze is anders.'

'Ja, dat zie ik ook.'

'Nee, nee, dat doet u niet,' zei Mira. 'Ze is echt anders. Ze ...' Mira begon te snikken. Na een paar minuten wreef ze zich in de ogen en ze snoot haar neus. 'U weet hoe het zit met de baby's?'

'Peri vertelde dat ze er een had gekregen. Als draagmoeder.'

Mira knikte. 'Ja. En er zijn er meer.'

'Vrouwelijke vliegers willen liever niet zwanger zijn?'

Mira haalde haar schouders op. 'Sommigen wel, anderen niet. Sommigen kunnen zwanger worden, anderen niet.'

'Aha. En Eliseev helpt ze?'

Mira knikte en nam een slok van haar thee.

Ik keek om me heen. Er was in de hele Stad nauwelijks een betere plek denkbaar om een gesprek als dit te voeren: geen vlieger te zien, niemand die ons kon afluisteren te midden van al dit lawaai, en er was geen menselijk drama, geen huilbui, schreeuwpartij of lachbui die hier ongewoon was of de moeite waard om op te merken.

'En wat is er precies zo anders aan Peri?'

'Ze ... Ze wist het niet. Ze hebben het haar niet verteld.' Mira begon weer te huilen.

Ik reikte over de tafel en pakte haar hand. 'Alsjeblieft.'

Mira keek op. 'Peri was al zwanger.'

'Hè?' Ik liet haar hand vallen.

'Op de dag dat het embryo zou worden overgezet. Ze testten haar. Ze was al zwanger. Nog maar net. Ze wist het niet.'

'Jezus,' hijgde ik. 'Van Peter?'

'Ja. En ... En ... Ze was al buiten westen, dus ze lieten haar daar liggen, terwijl ze overlegden wat ze zouden doen. Ze besloten niets te doen. Ze lieten haar bijkomen, en natuurlijk dacht ze dat het embryo was ingebracht.'

'Wie heeft de beslissing genomen? Eliseev en Peter?'

Mira staarde over mijn schouder in de verte. Langzaam knikte ze. 'Dokter Eliseev praatte met een paar mensen. Hij was erg opgewonden. En daarna praatte hij met Peter ... met meneer Chesshyre. Ik was erbij, om Peri in de gaten te houden. En dokter Eliseev zei dat dit goed was, dat ze wilden dat juist deze zwangerschap zou doorgaan, dat dat beter voor hem was, beter voor het bedrijf, beter voor de baby en voor meneer Chesshyre.'

'En Peter stemde ermee in?'

'Ja.'

Ik ging achteruitzitten. 'Wauw.'

Even stilte.

Mira haalde diep adem en keek om zich heen op zoek naar de ober. Ze bestelde nog eens thee.

Ik was tot stilstand gekomen als een machine die is uitgeschakeld.

Mijn uitputting had me ingehaald, en ik wilde niets liever dan mijn hoofd op de tafel leggen. Ik had daar ter plekke kunnen slapen, te midden van het lawaai van televisies die uit de ramen op de eerste verdieping tetterden, de tokkende kippen en de vuurspuwer die een paar deuren verderop publiek trok.

'Dus even voor alle duidelijkheid: Peri stemde erin toe om een kind te krijgen voor Peter en Avis. Maar ze kwamen erachter dat ze zwanger was en Eliseev haalde Peter over om door te gaan met het kind waarvan ze al zwanger was? Dus ze heeft haar eigen kind ter wereld gebracht – een kind dat genetisch, fysiek en in elk denkbaar opzicht het hare is? En ze wist het niet?'

Mira legde haar hoofd op haar handen. 'Ja. Nee. Ik bedoel, ja, ze wist het niet.'

'En Avis? Wist die het?'

Mira tuitte haar lippen, alsof ze op een schijf citroen zoog.

'Zo is ze altijd,' had Halley gezegd.

'Heeft Avis een probleem, Mira? Bijvoorbeeld ... nou ja, noem maar wat ... dat ze te veel Zefiryn slikt of zo?'

Mira schudde haar hoofd. 'Dat zou ik niet weten.' Ze dacht na. 'Het kan zijn. Al is Zefiryn niet verslavend.'

'Mensen kunnen er te veel van gebruiken.'

Mira keek geïrriteerd. 'Het is niet verslavend op de manier waarop nicotine dat is. Natuurlijk kun je er te veel van gebruiken. Het is een beetje zoals met alcohol – nou ja, qua effect lijkt het absoluut niet op alcohol, maar u weet wel, je kunt er elke dag wat van gebruiken zonder al te veel schade. Maar je moet niet te veel nemen. Heel veel mensen kunnen er prima mee omgaan. Maar sommigen niet.'

'Waarom hebben Eliseev en Peter dit gedaan?'

Mira wreef met haar handen over haar haren.

Die boodschap van de hikikomori-knaap: HOE ZIT DAT MET DR E??? HEB OVERHEIDSINSTANTIES OPENGEBROKEN MET MINDER BEVEILIGING.

Het gebouw. Het gebouw. Dat hele gebouw van Eliseev was afgeschermd als een Cerberus-vesting, zoals de hikikomori-knaap het had genoemd.

'Met wie heeft Eliseev gepraat, Mira? Iemand van Diomedea?'

Mira knikte.

'Dus Diomedea was geïnteresseerd in de zwangerschap van Peri?'

'Ze waren al vanaf het begin in haar geïnteresseerd. Zodra meneer Chesshyre met haar was komen aanzetten. Dokter Eliseev deed een volledig onderzoek – nou ja, dat doen ze altijd.'

'En dokter Eliseev overlegt altijd met Diomedea?'

Mira keek uitdrukkingsloos. 'Daar is niets mis mee,' zei ze. 'Eerder het tegenovergestelde. Dokter Eliseev is juist zo in trek omdat hij samenwerkt met Diomedea. Op die manier heeft hij toegang tot de allernieuwste onderzoeken en behandelingen. Dat snap je toch wel? Diomedea is op dit terrein toonaangevend – nou ja, samen met MicroRNA/Corvid en een paar anderen –, maar Diomedea is in feite de grote leider. Ze volgen zo ongeveer iedere vlieger, elke reeks behandelingen, elke overstap naar vliegen en zoveel informatie achteraf als ze maar kunnen krijgen. Er zijn tenslotte nu ook weer niet zoveel vliegers dat dat moeilijk is.'

'En in Peri's geval heeft Eliseev die nieuwste onderzoeken uitgevoerd,' zei ik. 'Had hij al de kiembaanaanpassing bij Peter uitgevoerd, voordat Peri zwanger werd?'

'Natuurlijk. Hij had moeilijk al zover kunnen zijn dat hij het embryo kon overplaatsen, als hij dat niet al had gedaan. Het had ook ... Het had ook met haar voorgeschiedenis te maken.'

Ik had een stuk van Peri's dossier gelezen. Denk nou eens goed na. Wat zou Diomedea interesseren? Iets wat ik had gelezen zonder er veel aandacht aan te besteden omdat ik er helemaal op gefocust was geweest om Peri te vinden, sprong er nu ineens uit. Dat voorval waardoor ze in de pleegzorg was beland. Haar vader was verdwenen en zij was door haar moeder achtergelaten op een dak. Ze was drie. Verbrand van de zon klampte ze zich vast aan een balustrade en het had ze een uur gekost om haar vingers los te peuteren.

'Haar vader was verdwenen. Heeft dat iets te maken met Diomedea's interesse in Peri?'

Mira zat iets na te kijken op haar slick. Ze knikte zonder op te kijken. Ze wilde hier een eind aan maken; ze had haar emotionele uitbarsting gehad en even lekker gehuild om die arme Peri die van haar baby was beroofd, want welke moeder zou dat niet ellendig voor haar vinden? Maar ze was niet van plan er iets aan te doen.

'Waarom wilde Diomedea dat Peri's zwangerschap werd voortgezet? En waarom wilde Peter dat?'

'Ik weet ook niet alles,' zei Mira, terwijl ze haar spullen bij elkaar pakte. Ze stopte haar zonnebril en haar slick in haar tas. 'Maar er was wel iets te doen over dat Peri van de tweede generatie was. Een van de eersten. En de Chesshyres waren ... zijn dat niet. Vliegers van de tweede generatie, bedoel ik.'

'Tweede generatie? Bedoel je dat Peri's vader een vlíéger was?' Ik schudde ongelovig mijn hoofd. Mira's zwijgen was de bevestiging dat Peri's vader inderdaad een vlieger was. 'En daarom wilde Diomedea graag dat Hugo ... dat Peri's kind ter wereld zou komen. Juist omdat haar vader een vlieger was. Dan is ze inderdaad heel bijzonder. Ach, nu snap ik het.' Ik sloeg met mijn handpalm tegen mijn voorhoofd.

'Wat?'

'Die permanente verblijfsvergunning van haar. Natuurlijk. Diomedea is vast in staat om zoiets te regelen. Zij wilden ervoor zorgen dat zij – en Hugo – ergens bleven waar ze hen konden vinden. Om ze te kunnen blijven bestuderen. Maar waarom heeft Peter ... meneer Chesshyre ...'

Mira stond op. 'Zoals ik al zei: ik weet ook niet alles. Maar dokter Eliseev heeft meneer Chesshyre beloofd dat Diomedea álles zou betalen – Peri, de zwangerschap, haar vleugels, alles wat Hugo maar nodig had. Dat ... Dat is bij elkaar een fors bedrag.'

'Peter is rijk,' zei ik. 'Dat kan niet de enige reden zijn geweest.'

Mira keek naar me omlaag. 'O nee?' zei ze. 'Dan ken ik vast meer rijke mensen dan u, meneer Fowler. Dokter Eliseev zei trouwens iets tegen hem – iets in de richting van ... U kent dat gezegde wel: beter één vogel in de hand ...'

'Bedoel je dat Peter misschien niet nog eens de kans zou krijgen op een eigen kind?'

'Ja. Als we haar kind zouden aborteren, en dan nog weer eens die hele procedure met het overplaatsen van het embryo zouden herhalen, met nog meer medicijnen en zo, dat is allemaal niet aangenaam ... en stel dat ze van gedachten veranderde? Misschien zou het niet lukken met het genetische materiaal van Avis, dat zei dokter Eliseev ook nog.'

'En Peter had wat hij wilde: zijn eigen kind.'

'Ik heb dit allemaal niet gezegd,' zei Mira, terwijl ze haar portemonnee trok. 'Zie zelf maar de bewijzen bij elkaar te krijgen, maar ik ga u niet steunen. We hebben elkaar nooit ontmoet.'

'Aha,' zei ik. 'Je wilt wel dat ik op de een of andere manier Peri help, maar je wilt niet je baas kwaad maken, ook al heeft hij iets misdadigs op zijn geweten, of in elk geval iets wat uitzonderlijk onethisch is. En je wilt ook niet dat Diomedea aan de kaak wordt gesteld.' Ik wuifde om aan te geven dat Mira haar portemonnee moest wegstoppen. Ik kon haar op z'n minst op thee trakteren.

'Diomedea heeft niets verkeerds gedaan,' zei Mira. Ze schudde haar hoofd en gaf de ober geld. 'Volgens mij in elk geval niet. Ze hebben niet tegen dokter Eliseev gezegd dat hij Peri niets moest vertellen over haar kind.' Ze wierp me een uitdagende blik toe. 'Zonder Diomedea had Peri's kind niet eens bestaan.'

Dat was ook een manier om ertegenaan te kijken.

'Succes,' zei Mira terwijl ze wegliep. Binnen een paar tellen was ze opgeslokt door de menigte. Ik had haar nog naar Luisa willen vragen, maar het was al mooi dat ik de informatie over Peri had losgekregen. En Peri was iets speciaals, degene van wie Mira over haar toeren was geraakt, waardoor ze zich was gaan afvragen of ze wel voor Eliseev moest werken. Zelfs al was Luisa naar Eliseev gestuurd om Brilliants baby's te krijgen, dan nog had Mira geen reden om mij daarover te willen vertellen. Behalve ... Behalve dan dat ze dood was.

Ik liep weg over Junction Road nummer 5 en liet alles wat Mira me had verteld nog eens de revue passeren. Ik had kwaad op Chesshyre moeten zijn, maar ik was te moe om nog meer woede op te brengen; ik had hem al een paar keer willen vermoorden sinds ik met deze zaak bezig was, dus wat maakte een rotstreek meer dan nog uit, al was het dan de ergste rotstreek van allemaal? Arme Peri.

Het gebonk dat eerder was losgebarsten, werd steeds luider. Ik stak een kruispunt over met een afvoerkanaal erlangs en zag dat op de betonnen oevers mannen en vrouwen met houten hamers op de vlekkerige grond sloegen. Felgekleurd stof dwarrelde omhoog. Ik haalde een oud papieren zakdoekje tevoorschijn en hield dat tegen mijn neus bij het langslopen. Ze waren oude bladders verf aan het fijnstampen om er weer verf van te kunnen maken. Het was een schitterend tafereel: beton dat onder de strepen rood en blauw, groen en goud zat, de lucht die nevelig was van de verstuivende regenboogkleuren, maar het stof was vast te giftig om in te ademen. De mensen die aan het stampen waren, droegen geen beschermende kleding en hun hemden en onderbroeken waren vuurrood en overdadig groen van de fijngestampte verf.

Mira was eigenlijk eerder representatief voor Central Lines dan deze mannen en vrouwen. Veel mensen in Central Lines waren ontwikkeld, hadden een goede baan en hadden zich best een middenklassenhuis kunnen veroorloven. Maar die waren er niet. Dus zaten ze hier, in de kampong, waar ook wel een paar iets chiquere buurten waren, wat verder omhoog, waar huizen en appartementsgebouwen stonden die voorzien waren van een voorgevel van steen en satellietschotels.

Ik was bijna Central Lines uit op weg naar de plek waar ik de auto had neergezet, toen er een luid 'Ahhh' uit de menigte opklonk die rond een van de pijlers onder de lightrail zwermde. Ze keken omhoog naar de spoordijk, waar groene, blauwe en rode stippen langs de gevel van de flatgebouwen tuimelden, zijwaarts zwaaiden aan de uitsteeksels van de satellietschotels en omlaagslierden naar de sloppen. Nu raasden ze als gekken door de openingen in de pijlers, maakten een lus rond de lightrail zelf en lieten zich vallen in de richting van het trottoir, om vervolgens omhoog te rennen over de lichttorens en weer de lucht in te zoeven. Er ging gejuich op in de menigte; er werd geroepen en geapplaudisseerd. Daar had je die wilde vliegeratleten weer, die de hele Stad gebruikten als hun speeltuin, en het publiek vermaakte zich uitstekend. Ze hielden hun adem in en slaakten kreten, en de vliegers antwoordden, zwaaiden naar de menigte en verdwenen in het felle licht van de middagzon.

Ik stond te staren naar het stuk hemel waar de vliegers waren verdwenen. De rode Roofvogel. Die moest van Diomedea zijn. Het kon niet anders. Wie anders kon het zich veroorloven en had een motief om er eentje in te huren? Eliseev had waarschijnlijk Diomedea gewaarschuwd, maar ze waren er pas aan toe gekomen om me op te sporen toen ik terug was uit PReG-land. Nu hielden ze me in de gaten omdat ze niet wisten waar Peri en Hugo waren; dat wist kennelijk niemand. De Roofvogel had bij me ingebroken in de hoop informatie te achterhalen die ik misschien over Peri en Hugo had. Wat zou hij doen als hij hen had gevonden? Uit wat Mira had gezegd, leidde ik af dat Peri en Hugo een behoorlijke investering voor hen vertegenwoordigden, dus het was onwaarschijnlijk dat hij hun kwaad zou doen. Wist Diomedea iets af van Luisa? Als dat zo was en zij er niets mee te maken hadden, maakten ze zich misschien zorgen over de veiligheid van Peri en Hugo. Misschien was de Roofvogel van plan om hen te laten verdwijnen.

Thuis ging ik weer aan de slag met het materiaal uit Brilliants kantoor, en ik vond nog een project dat aan Hermes was verbonden; of in elk geval werd het geld dat eraan werd uitgegeven aan dezelfde kostenplaats toegerekend. Dit was zo te zien geen al te obscuur project. Het had de naam 'Nestei' meegekregen en bestond uit een reeks kleine programma's op plekken in alle regio's. Waar het om leek te draaien was het verspreiden van een beetje geld en een beetje goodwill onder niet-vliegers: hier een inloopkliniek, daar een kunstencentrum voor de gemeenschap. In verklaringen werd voortdurend naar deze programma's verwezen als bewijs dat ze helemaal niet elitair waren, niet alleen maar in de Stad zaten en zich niet alleen maar bezighielden met de belangen van vliegers. Het Nestei was in mijn ogen eerder een noodzakelijk – zij het afgemeten aan de hoogte van de bedragen die werden uitgegeven tamelijk zielig – element in Brilliants strategie als parlementslid dan als kerkleider.

Ik stond op van de eettafel. Ik kwam niet verder met die kerkelijke projecten en vond nergens een verwijzing naar Luisa.

Mijn hoofd was wazig en het kostte me grote moeite om mijn flat weer min of meer op orde te krijgen, maar aan het eind van de middag lag ik me op de bank af te vragen waarom de zaak er niet veel beter uitzag.

Liggend op de bank keek ik naar het nieuws, en intussen had ik het gevoel dat ik was omgeven door smerig grijs spul dat aan mijn armen en benen bleef plakken en – nog erger – mijn hersens binnensloop en al mijn gedachten met plakkerige draden wegrukte. Zou ik doodgaan aan de ziekte die ik kennelijk had opgepikt? Moest ik naar het ziekenhuis? Ik kon me niet bewegen. Uiteindelijk viel ik in slaap, met de televisie nog op de nieuwszender, die maar beelden bleef herhalen van aardverschuivingen, moessons en sportevenementen.

Veel later werd ik wakker. Ik bleef roerloos liggen staren naar het nieuws, en het schoot me weer te binnen waarom ik ooit was opgehouden om ernaar te kijken. Met elke minuut die verstreek, raakte ik er meer van overtuigd dat Peri en Hugo dood waren. Had het verschil gemaakt als ik meteen naar Henryk was gestapt met de zaak? Als ze waren gedood door de Roofvogel of waren omgekomen in het noodweer, was het toch te laat geweest, nog geen vierentwintig uur na mijn terugkeer uit PReG-land. Ik had deze zaak gewoon nooit op me moeten nemen. Van het begin af aan had ik bedenkingen gehad en nu werd me ingepeperd hoe vreselijk hebzuchtig en laakbaar ik bezig was geweest door in zee te gaan met Chesshyre. Híj was er uiteindelijk verantwoordelijk voor dat zijn zoon en Peri in gevaar waren gebracht, maar vreselijk veel beter was ikzelf ook niet. Hij had Peri gebruikt om er zelf beter van te worden en misschien had ik zelf ook wel beslissingen genomen die eerder in mijn eigen belang waren dan in het belang van haar en Hugo.

Ik keerde me om en ging het patroon van barsten en bladderende verf op mijn plafond liggen bestuderen. Het was niet heel veel makkelijker om op mijn rug adem te halen; mijn borstkas was beklemd, alsof mijn ribben waren omwikkeld door een boa constrictor. Ik bevoelde mijn voorhoofd, maar dat was niet heet. Ik overwoog even om pijnstillers te nemen; ik had op de een of andere manier pijn, maar kon me er niet toe brengen in beweging te komen en ernaar op zoek te gaan.

Het was nauwelijks te geloven dat het nog maar een week geleden was dat ik aan deze zaak was begonnen. Er was zoveel gebeurd dat ik het gevoel had dat het maanden geleden was dat ik voor het eerst Chesshyres huis betrad. Het was tijd om de balans op te maken. Sommige posten in het grootboek waren verliezen: Frisk gekregen, en kwijtgeraakt; Taj onherstelbaar beschadigd; flat kort en klein geslagen met onbekende gevolgen voor mijn beroepsmatige toekomst en reputatie; Peri gevonden en kwijtgeraakt; en Thomas raakte ik waarschijnlijk binnenkort ook kwijt.

Voortgestuwd door het kleine beetje energie dat de gedachte aan Tom me gaf, kwam ik overeind. Het was tijd om Lily's bericht van vrijdagavond te beantwoorden. Wat gaf het dat het drie uur 's nachts was? Als ze dan zo vreselijk graag een antwoord wilde hebben, kon ze het verdomme krijgen ook.

Ik werd een paar uur later op maandagochtend wakker, nog steeds op de bank. Het nieuws stond nog aan. De eerste, vage gedachte die in me opkwam, was om contact op te nemen met Henryk, maar toen ik mijn slick tevoorschijn haalde van de plek waar hij in mijn ribben porde, zag ik dat hij me al een bericht had gestuurd tijdens de eerste sessie van de nationale bijeenkomst die de hele dag zou duren. Het had geen zin om te proberen hem die dag te spreken te krijgen.

De rest van de ochtend ging ik verder met het doorspitten van de informatie van Brilliant. Ik liet de tv aanstaan. Chesshyre probeerde me te bereiken, maar ik negeerde hem. Vanaf twee uur 's middags werden er beelden uitgezonden vanuit het parlementsgebouw. Ik keek op. Zou ik Brilliant in actie zien? Ik had er eerder aan moeten denken om naar gebeurtenissen in het parlement te kijken. Er werd een vraag gesteld over een project voor een hogesnelheidsrail. De camera toonde een overzicht van de kamer. Maar een paar parlementsleden met vleugels. Daar had je Brilliant. Hij zag eruit of hij half in slaap was. Zwaar getafeld? Ik boog mijn hoofd en werkte verder.

Iemand hield een toespraak. Hij had een verschrikkelijk irritante, hijgende stem en moest om de paar zinnen op adem komen. Ik keek op, stond op het punt het scherm uit te zetten, maar stopte als door de bliksem getroffen. Het was de Reiger, die uitgerekte, kalende man die ik bij Brilliant op kantoor had gezien. Dus Reiger was net als Brilliant parlementslid. Nou ja, Brilliant had het er ook over gehad dat hij met andere onafhankelijke partijen samenwerkte. Wie was hij? Ik zat te wachten tot zijn naam in beeld zou verschijnen. Intussen richtte ik mijn aandacht op wat hij zei.

En wat hij zei was opruiend. Hij beschuldigde vliegers, onder wie Brilliant, ervan dat ze schandalige gruwelen waren, bastaarden wier overmoed, arrogantie en tegennatuurlijke vermenging van menselijke en dierlijke aspecten nog eens de wraak van God over de hele mensheid zouden afroepen. De camera toonde Brilliant die verveeld wegkeek.

Dit was de Reiger. De Reiger heette Harris Waterhouse.

En Waterhouse was parlementslid voor de Oorsprong-partij.

Allejezus. Was dat me even een akelige verrassing. Een tinteling van ongerustheid verspreidde zich over de huid van mijn gezicht, hals en armen. Ik wreef over mijn voorhoofd. Ik had uit de grond van mijn hart gehoopt dat ik nooit meer iets te maken zou krijgen met dat hele Oorsprong-gedoe.

'Weet je eigenlijk wel met wie je te maken hebt?' had ik tegen Brilliant willen zeggen.

Het was erger dan een schok om erachter te komen dat Waterhouse voor de Oorsprong in het parlement zat; het had meer iets van het openscheuren van een oud, slecht geheeld litteken. De Oorsprong-partij was het nette gezicht van de Oorsprong-sekte, en dat die partij enig succes had, was buitengewoon verontrustend. Trinity Jones zou zichzelf nooit blootstellen aan de discipline die het parlement vereiste, maar hij was slim genoeg geweest om een paar van zijn op het eerste gezicht wat rationeler lijkende volgelingen de politieke arena in te manoeuvreren. Als Trinity gestoord was – en veel mensen dachten dat dat zo was – dan was hij in elk geval op een sluwe manier gestoord.

De Oorsprong stelde – en ze waren uitgeslapen genoeg om dit naar voren te brengen als hun bijdrage aan de openbare orde – dat het van cruciaal belang was om een bevolking in stand te houden van ongewijzigde mensen met het oog op talloze, niet nader gespecificeerde rampen. Deze opstelling bezorgde hun enige waardering en aanhang onder de bevolking. Sommige mensen stemden met alle liefde op de Oorsprong-partij, ondanks de twijfelachtige en zelfs criminele activiteiten van de sekte. Die mensen deden dat omdat ze het wel een aantrekkelijke gedachte vonden dat een behoudende sekte een groep ongewijzigde mensen in stand zou houden, als het maar over andere mensen ging, leden van de sekte, die het risico voor lief namen dat ze ziek of gehandicapt zouden raken. De weigering van Waterhouse om zijn kaalheid en andere aandoeningen, zoals die onnatuurlijk lange ledematen van hem en dat hijgen, te laten verhelpen, was dus geen kwestie van persoonlijke excentriciteit, maar het uiterlijke teken, het onomstotelijke bewijs van zijn trouw aan de Oorsprong.

Maar wat hadden de Serafijnenkerk en de Oorsprong-partij elkaar te bieden? Die twee groepen koesterden een diepe verachting voor elkaar, verafschuwden alles waar de ander voor stond. Je moest aannemen dat ze elkaar als kleine partij steunden in de oppositie: de ene hand die de andere wast. Het bekende geklets van 'de vijand van mijn vijand is mijn vriend'.

Ik zette het scherm uit en keek nog eens op mijn bureauslick. Er waren geen aanwijzingen dat ermee was geknutseld of dat hij beschadigd was, maar dat stelde me niet gerust, en terwijl ik bezig was, doemde er een schaduw op in mijn geest. Ik probeerde hem uit mijn hoofd te zetten, maar hij bleef zeuren, tot ik niet anders kon dan opstaan van de eettafel, waarna ik mijn zonnebril, mijn slick en mijn pet meepakte. Ik kon niet blijven stilzitten, dus dan kon ik net zo goed op zoek gaan naar Frisk.

Maar dat was niet wat me op dat moment het meest dwarszat.

Ik begon me steeds slechter op mijn gemak te voelen omdat ik de afgelopen nacht Lily mijn toestemming had gestuurd. Hoe kwam ik er in godsnaam bij om op zo'n tijdstip een beslissing te nemen? Helemaal omdat ik alle reden had om aan te nemen dat mijn geestesgesteldheid op dit moment niet op zijn best was.

Terwijl ik tot ver in de omtrek in elke voortuin, elke steeg en onder elke heg keek, probeerde ik alle implicaties door te nemen van de informatie die ik probeerde te organiseren. Natuurlijk hing dat samen met mijn ongerustheid over Thomas. De puzzelstukjes die ik bij elkaar legde, vormden nog geen samenhangend geheel; het was een en al codes, hints, insiders die met elkaar spraken, maar ondanks de ontbrekende puzzelstukjes begonnen zich toch al omtrekken voor me af te tekenen. En het werd zo te zien geen aangenaam plaatje.

Al was ik nog zo druk bezig uit te zoeken hoe het zat met de behandelingen en al het gekonkel dat ze blijkbaar met zich meebrachten, ik had mezelf toch voorgehouden dat het geen zin had om een beslissing over Thomas nog langer uit te stellen. Ik zou waarschijnlijk nooit helemaal zeker weten wat de juiste beslissing was en ik kon in elk geval in alle oprechtheid tegen Thomas zeggen dat ik mijn uiterste best voor hem had gedaan. Je kon je niet echt voorstellen dat hij ooit kwaad op me zou zijn omdat ik hem had geholpen om te kunnen vliegen; terwijl het makkelijk genoeg was om me zijn woede voor te stellen als ik hem zou dwarsbomen.

Terwijl ik op zoek was naar die arme Frisk – die er bij nader inzien volgens mij alleen maar op achteruit was gegaan met zijn aangepaste lijf – liet ik hoofdschuddend mijn gedachten gaan over mezelf. Ik was de afgelopen nacht angstig en uitgeput geweest. Een slechter moment om zo'n belangrijke beslissing te nemen was nauwelijks voorstelbaar, en toch had ik het gedaan. En voor een deel kwam dat doordat ik de onzekerheid die maar boven mijn hoofd bleef hangen niet langer kon verdragen.

Nu was het te laat. Ik had mijn toestemming gegeven. Al was er nog tijd om op die toestemming terug te komen, ik kende Lily veel te goed. Ze had Thomas vast al verteld dat hij vleugels zou krijgen. Dan kon ik daar nu toch geen stokje meer voor steken?

Tegen de tijd dat ik terug was van mijn vruchteloze zoektocht, was het een uur voor zonsondergang, en tot mijn opluchting zag ik dat PapaZie en zijn band hun spullen aan het opzetten waren in mijn voortuin. Hoe meer mensen er nu om me heen waren, hoe veiliger ik me voelde. Ik liep naar PapaZie en informeerde naar zijn gezondheid en zijn gezin. Waar was zijn kleine meid Kossiwa? Wat ik vooral wilde was het gesprek op een beleefde manier naar de vraag loodsen of PapaZie of iemand anders uit zijn netwerk van familie en vrienden iets had gehoord over de inbraak of dat ze Frisk hadden gezien. Er zat me iets anders dwars wat te maken had met mijn grondige inspectie van de buurt, en PapaZie was de aangewezen persoon om me te kunnen geruststellen. Zodra ik naar Kossiwa informeerde, betrok zijn donkere gezicht.

'Ze is erg ziek,' antwoordde PapaZie. 'Ik moet haar naar het ziekenhuis brengen.'

Ik moet haar naar het ziekenhuis brengen. Dat kon maar één ding betekenen. Hij had haar niet naar het ziekenhuis gebracht. Dat kon hij niet betalen.

'Wat mankeert ze, PapaZie?' vroeg ik.

'Dat weet ik niet. De een of andere verdomde muggenziekte waar ik nog nooit van heb gehoord.'

Ik was geschokt. In al die jaren dat ik hem kende, had ik PapaZie nog nooit horen vloeken.

Ik trok een creditslick tevoorschijn. 'Ik had je nog niet fatsoenlijk betaald voor wat je voor me hebt gedaan. Mag ik je dit geven?'

'Bedankt, vriend,' zei PapaZie. 'Er is nog iets wat je moet weten.'

'Nog meer slecht nieuws?'

'Ja. Over Ray.'

Dat was het. Dat had me dwarsgezeten toen ik de straten afzocht: Ray was nergens te bekennen.

'Hij is afgevoerd,' zei PapaZie. 'Ik weet niet waarheen. Ze willen hem niet meer hebben in de Stad.'

'Hè?'

'Tb,' zei PapaZie. 'Als ze er bij de Stad achter komen dat je tb hebt, gooien ze je eruit.'

'O, jezus,' zei ik. PapaZie greep mijn hand. Ik was wel zo zelfzuchtig om aan de samosa's van Ray te denken, en hoopte maar dat hij niet iets akeligs aan mij had doorgegeven.

Bij mijn voordeur trof ik tot mijn schrik Cam aan, die op me stond te wachten. Zolang ik haar kende, had ze me nog nooit thuis opgezocht.

'Kom binnen,' zei ik.

'Heb je misschien een kop thee voor me?' Cam keek de keuken rond terwijl ze haar tas van haar schouder liet zakken. 'Of eigenlijk heb ik liever iets sterkers.'

'Bier.'

'Graag.' Ze liep door naar de huiskamer. 'Allejezus, Zeke!'

'Mijn flat ziet er normaal niet zo uit, hoor. Ik heb een onverwachte bezoeker gehad. Blijkbaar roept de zaak nogal wat heftige reacties op.'

Cams gezicht trok wit weg, en ik zag hoe uitgeput ze eruitzag toen ze zich op mijn bank installeerde en zei: 'Ja, en volgens mij begin ik te snappen waarom.'

Ik ging naast haar zitten. 'Dus?'

'Dus,' zei Cam. Ze nam een slok en wreef met de koele fles langs haar hals. 'Ik voel me niet lekker. Zoals je weet ben ik gisteren naar mijn werk geweest, en vandaag ook, maar morgen ga ik niet.' Ze keek me aan en wendde haar blik af toen ze zei: 'Ik heb niet alle namen kunnen natrekken die je me hebt opgegeven, maar wat de namen betreft die ik wel heb kunnen natrekken, daar zit een behoorlijk vies luchtje aan. Het aantal meisjes "dat bekend is bij de afdeling", zoals dat heet, is hoog: zo'n veertig procent van de meisjes die bij de Engeltjes staan geregistreerd, als ik afga op de namen die ik heb kunnen checken.'

Ik trok mijn wenkbrauwen op toen Cam zei: 'Ik was wel nieuwsgierig naar mevrouw Harper, dus ik heb wat rondgeneusd, en mevrouw Harper blijkt vroeger mevrouw Kernaghan te zijn geweest. Ze had een behoorlijk hoge functie bij JeGez toen ze daar wegging.'

'Shit,' zei ik. 'Dus die ging weg om de Engeltjes op te zetten?'

'Ja.' Cam zette het halflege flesje op tafel en deed haar ogen dicht. Ze zag er doodmoe uit, ouder ook, haar gezicht getekend en afgetobd, en de haren die uit de speld ontsnapt waren, leken eerder grijs dan blond.

'Wie is er tenslotte beter op de hoogte van alle ins en outs op de markt, aangezien wij degenen zijn die die markt reguleren?'

'De wildopzichter die stroper wordt.'

'Ze zou niet de eerste zijn. Iedere ex-minister doet het.'

'Krijgt ze informatie van het ministerie?'

'Ja.'

'Dus iemand van binnenuit helpt haar.' Ik dacht terug aan ons gesprek en voelde even een steek van schaamte toen me te binnen schoot hoe ik Harper had geprobeerd te intimideren met praatjes over het departement en de minister. Ik had haar bedreigd op haar eigen terrein zonder een flauw idee te hebben dat ze op dat gebied heel wat meer wist dan ik. Ze was wel zo slim geweest om me de indruk te geven dat ik haar ongerust had gemaakt.

'Het is een sluwe ouwe tang,' zei ik.

'O god,' zei Cam, terwijl ze zich gapend uitrekte. 'Ik zou hier zo kunnen slapen, zo moe ben ik.'

'Wat ga je nu doen, Cam?'

'Ik kan het verder wel vergeten, Zeke. Door wat ik heb gedaan. Ik ga morgen niet werken. Ik ga waarschijnlijk nooit meer naar mijn werk.'

'Hè? Waar heb je het over?'

Cam ging rechtop zitten en rommelde door haar tas tot ze een kleine slick te pakken had, die ze me aanreikte. 'Dat is het,' zei ze. 'Geef dat maar aan Henryk. Dat is de enige informatie die hij over deze zaak van JeGez kan krijgen. Toen ik er zondag heen ging, kon ik geen enkele van de betreffende dossiers in komen, Zeke. Het hele systeem was afgesloten. En toen ik probeerde toegang te krijgen tot het ene na het andere dossier, bedacht ik dat ik het maar moest opgeven, omdat ik anders nog de beveiliging achter me aan zou krijgen. Dat is waarschijnlijk al het geval. Ze zijn me vast hierheen gevolgd. Ik kan niet verhullen dat ik er op zondag ben geweest. Nog een geluk dat ik er zaterdagavond ook heen ben geweest met een paar van de namen die je me had opgegeven; daarom heb ik tenminste nog een paar dossiers te pakken gekregen. Ik ben wel zo voorzichtig geweest om niet vast te leggen dat ze zijn verplaatst – weet je nog dat ik je vertelde dat iemand dat met het dossier van Almond had gedaan? Dat heb ik afgekeken. Ik heb mijn sporen gewist, al zal dat me vast niet helpen.'

'Jezus, Cam, ik snap het niet. Waar zijn ze dan mee bezig?'

'Nou ja, in elk geval houden ze informatie achter voor de politie. Ze verniétigen die informatie waarschijnlijk. Want uiteindelijk zal de politie wel een eind maken aan die vertragingstactieken. Daarom moet je deze informatie ook aan Henryk persoonlijk geven; je moet hem de boel niet sturen.'

'Waarom denk je dat ze dat doen?'

'Dat weet jij net zo goed als ik, Zeke. De een of andere hoge piet, of misschien een stel hoge pieten, werkt met Harper samen voor een leuke winst. Snap het dan toch. Die meisjes zijn geknipt om als draagmoeder of min of wat dan ook te worden gebruikt, waar die vliegers maar behoefte aan hebben. Ze zijn beschadigd, arm en alleen. Geen familie om herrie te schoppen als er iets verkeerd gaat, geen familie die zich ergens mee bemoeit of zijn toestemming weigert te geven. Jonge, vruchtbare meisjes met eitjes die al net zo jong zijn. En wat nog mooier is, is dat ze onder voogdij van de staat vallen en dat hun achtergrond dus bekend is. Ze hebben een dossier. Harper en haar mensen weten alles: hun medische voorgeschiedenis, hun kwetsbaarheden, hoe je ze moet benaderen, gebruiken en eventueel moet breken als dat nodig is. Al die informatie is opgebouwd in de loop van jaren werk – mijn werk, Zeke, de inspanningen van mensen als ik, die proberen deze meisjes te hélpen. Die dossiers zijn verdomme een goudmijn, Zeke.' Ze barstte in tranen uit.

Ik sloeg een arm om haar heen.

Na een paar minuten trok Cam zich terug. Ze keek om zich heen naar de huiskamer. 'Dit is niet best, Zeke. Kennelijk heeft iemand het ook op jou voorzien. Ik hoop dat ik je niet nog meer ellende heb bezorgd door hierheen te komen. Gaat het wel met je?'

Dat was weer helemaal Cam. Die neiging van haar om voor andere mensen te zorgen, kwam altijd weer boven, hoe zwaar ze het zelf ook had.

'Nee, niet echt,' zei ik. 'Volgens mij heb ik iets onder de leden.'

Cam zette grote ogen op. 'Echt waar? Hoezo?'

Ik beschreef de slapheid in mijn spieren, mijn uitputting en mijn slaapproblemen. Cam boog naar voren en legde haar hand tegen mijn voorhoofd. Haar handpalm voelde koel en droog aan.

'Je hebt geen koorts. Ga naar de dokter als je denkt dat je iets hebt opgelopen in PReG-land.'

'Maar jij denkt van niet, hè?'

'Nee.'

'Maar?'

'Als depressie zoiets is als een afgrond, Zeke, dan loop jij langs die afgrond in de diepte te kijken. Je bent oververmoeid en angstig, en je raakt behoorlijk ontregeld, voor zover ik dat kan afleiden uit je pogingen om je flat op te ruimen. Je moet een stap bij de rand vandaan zetten. Wanneer heb je voor het laatst fatsoenlijk geslapen? Wanneer heb je voor het laatst goed gegeten?'

Ik haalde mijn schouders op.

'Dat dacht ik al. Luister, ik weet hoe het gaat, of in elk geval goed genoeg om te weten dat het de komende tijd heel vervelend voor me wordt. Maar jij denkt dat het allemaal nog wel meevalt met je, zolang je niet je oude politiebureau bent binnengelopen, je pistool tegen je hoofd hebt gezet en de trekker hebt overgehaald, zoals een stel van je vroegere maatjes in de loop van de jaren heeft gedaan. Dan heb ik een nieuwtje voor je. Je bent getraumatiseerd door al die jaren die je bij de politie hebt gewerkt. Dat weet ik al heel lang, en nu begint die last je neer te drukken. Er is iets aan deze zaak wat jou heel diep raakt.'

Ik zei niets, maar ik zat te beven van het soort schok dat je krijgt als iemand je eerlijk vertelt wat hij vindt en dan een versie van jezelf beschrijft die je niet echt herkent, terwijl je tegelijkertijd weet dat het op z'n minst gedeeltelijk waar is. Zoiets is een zeldzame, verontrustende ervaring.

Cam zuchtte. 'Het spijt me dat ik je zo moet achterlaten, maar ik sta zelf op instorten. Beloof je me dat je deze informatie aan Henryk geeft?'

Ik knikte zonder haar aan te kijken. Ik wilde mijn ogen sluiten en slapen, maar ik dwong mezelf om met haar mee te lopen naar de voordeur, en toen ze vertrok zei ik: 'Voorzichtig zijn, Cam.'

Later die avond sloeg de slapeloosheid weer toe en lag ik uren te piekeren. Het was maar een kleine flat, maar zonder Frisk, zonder Thomas klonk hij hol. Wie weet wanneer ik hem weer te logeren zou krijgen. Het zou niet eenvoudig zijn om Lily uit te leggen dat hij niet kon komen logeren. De informatie van Cam bleef maar rondtollen in mijn hoofd. Ik wist dan wel dat deze zaak tot iets omvangrijks uitgroeide, en dat de Serafijnenkerk, Diomedea en zelfs de Oorsprong-partij erbij betrokken waren, en toch was ik geschokt om erachter te komen dat het ministerie, of in elk geval een deel daarvan blijkbaar corrupt was, zoals Cam had ontdekt.

De volgende ochtend, dinsdag, verscheen ik in Henryks kantoor, en ik begroette hem met de woorden: '"En de laatste vijand die uitgeschakeld wordt, is de dood" – Korintiërs.'

'"In beslag genomen door de wereld, denkt niemand aan de dood, tot die verschijnt als een donderslag" – Milarepa,' antwoordde Henryk zonder een seconde te aarzelen. 'En bedankt voor de vrolijke opening. Man, wat zie jij er slecht uit. Hoe gaat het?'

'Vreselijk,' zei ik. 'Taj is naar de maan, ik ben gevolgd, mijn huis is overhoopgehaald, mijn leeuwtje is verdwenen en waarschijnlijk dood. En gisteravond kwam Cam me opzoeken om me te vertellen dat haar carrière ten einde is vanwege dat verzoek om informatie over Luisa Perros dat jij hebt gedaan.'

'Hè?'

'Ik weet het. Het ministerie houdt je aan het lijntje en vernietigt dossiers. Ze zei dat ik dit aan je moest geven. En ze zei erbij dat dit het enige is wat je voorlopig zult kunnen lospeuteren bij JeGez.'

Henryk keerde de slick om. 'Jezus. Bedankt.'

Ik maakte een wegwuivend gebaar. 'Ik ben veel te blij dat ik jou eens kan helpen.'

'Ik zet er meteen iemand op,' zei Henryk. 'We moeten de werkgevers van Perros ondervragen en de mensen met wie ze contact hebben; het ziet ernaar uit dat dit op het moment het enige is wat ik kan doen, want ik neem aan dat dat meisje van jou niet is komen opdagen. Dus van haar hoef ik voorlopig geen verklaring te verwachten.'

Ik trok een grimas. 'Ik hoop nog steeds dat ze verschijnt. Uiteindelijk. Weet je wie de werkgever van Luisa was?'

Hij schudde zijn hoofd. 'Nog niet.'

'Nou ja, die informatie zul je ook niet vinden in het JeGez-dossier; ik stel me zo voor dat haar dossier is afgesloten omstreeks de tijd dat ze werd opgepikt door de Engeltjes. Ze valt waarschijnlijk al een hele tijd niet meer onder de verantwoordelijkheid van het ministerie.'

'En, heb jij enig idee?'

'Ik weet het niet honderd procent zeker, maar ik heb goede redenen om aan te nemen dat het om het Serafijnse parlementslid Brilliant en zijn vrouw gaat.'

'Ach, geweldig,' zei Henryk. 'Die zijn natuurlijk nog lastiger aan te pakken dan de Chesshyres. Ik zal snel in actie moeten komen. De commissaris heeft nog niet tegen me gezegd dat ik mijn handen ervan af moet trekken, maar dat duurt vast niet lang meer.'

'En dan nog iets,' zei ik. 'Ik heb nog wat andere informatie over Brilliant waar je misschien wel in geïnteresseerd bent. Ik heb me verdiept in wat zaken waar de kerk zich mee bezighoudt, en er zit een project bij waar een hoop geld in omgaat, terwijl het volslagen ondoorzichtig is. Ik kan er niet achter komen waar het geld voor is en wie het krijgt.'

'Hmm,' zei Henryk. 'Dat zullen we omzichtig moeten aanpakken. Dat het met zoveel geheimzinnigheid is omgeven hoeft nog niet te betekenen dat er een luchtje aan zit, al weten jij en ik dat het waarschijnlijk wel zo is. Dat neemt niet weg dat ik een excuus moet hebben om achter hem aan te gaan.'

'Luisa,' zei ik. 'Stuur er een vlieger heen – dat zal Mick dan wel moeten worden – om Brilliant te ondervragen over Luisa. Heel onschuldig. Ze wordt vermist, waarom hebben ze daar geen aangifte van gedaan enzovoort. Dat zet hem misschien genoeg onder druk om iets stoms te doen; ik heb hem meegemaakt, en volgens mij is hij niet heel uitgekookt. Ik zal je de informatie geven die ik bij hem op kantoor heb vergaard; als je die combineert met wat het bezoek van Mick oplevert, heb je misschien genoeg om je verder te verdiepen in Luisa, en wie weet zelfs wel in het Hermes-project.'

'Hermes, dus? Goh, wat klassiek van ze. De boodschapper van de goden.'

Ik wuifde mezelf koelte toe met een stuk papier van Henryks bureau, terwijl ik de inbraak beschreef en mijn gesprek met Chesshyre en met Mira.

'Dit is allemaal verdomde ernstig,' zei Henryk.

'Weet ik. Ik durf Thomas niet bij me te laten logeren tot deze toestand achter de rug is en ik zeker weet dat ik geen loslopende Roofvogels meer over de vloer krijg die de boel kort en klein slaan en leden van mijn huishouden vermoorden.'

'Het probleem is alleen,' zei Henryk, 'dat de ouders hun kind nog steeds niet als vermist hebben opgegeven. Ze kunnen gewoon zeggen dat het kindermeisje met de baby op vakantie is als ze niet willen dat we komen rondneuzen. En als ik aanhoud, kan Chesshyre met het grootste gemak stampij maken.'

'Het punt is alleen dat Mira heeft gezegd dat Peri niet zomaar het kindermeisje is en dat zij niet zomaar de ouders zijn. We moeten een serieus gesprek met die mensen voeren, maatje. Dit gaat allemaal wel heel ver.'

'Ja,' zei Henryk. 'Alleen kan ik pas donderdagavond. Alsof dat gelazer met het ministerie en Perros al niet genoeg is, zitten we ook nog met handenvol werk vanwege een overval in een gebouw in het noorden. En je weet hoe het zit met die politie in PReG-land – die hebben altijd te weinig middelen. We hebben opdracht gekregen om bij te springen. Alsof we al niet genoeg te doen hebben. Dus kom donderdagavond bij Vivienne en mij eten. Dan heb ik vast wel iets te melden over Brilliant.'

'Dat zou geweldig zijn,' zei ik. 'Wat bedoel je trouwens met die overval? Om wat voor gebouw gaat het?'

'Het is eigendom van een bedrijf dat Diomedea heet ...' Henryk viel stil toen hij de uitdrukking op mijn gezicht zag. 'Dus je hebt van ze gehoord? Ach, natuurlijk, in je gesprek met Kahdr. Maar goed, er is bij ze ingebroken, en ze zijn volkomen over de rooie, dus we moeten vooral de indruk wekken dat we geïnteresseerd zijn, snap je? Ze hebben natuurlijk geen Roofvogels in PReG-land, dus nu gaat Durack erheen. Dan moet ik hem maar eerst naar Brilliant sturen voordat hij vertrekt. En je boft, want hij komt ongeveer in de juiste buurt in PReG-land om naar Almond en de baby uit te kijken. Ik heb hem al ingeseind over die zaak van je en hij zal zijn best doen als hij daar is.'

Op dinsdagmiddag nam ik mijn bureauslick mee naar een café in de buurt om daar een paar uur te werken. Mijn privéslick zette ik uit, omdat Chesshyre me zo'n beetje om het uur probeerde te bereiken. De flat verkeerde nog steeds in grote wanorde; ik kon me er nog steeds niet toe zetten om de boel op te ruimen en ik voelde me er in mijn eentje slecht op mijn gemak. Natuurlijk had ik sinds de inbraak de hele tijd mijn wapen bij me, en toch liep ik na te denken over extra veiligheidsmaatregelen die ik misschien zou kunnen treffen.

Na het café verkaste ik naar Malacca, een goedkoop restaurant waarvan ik wist dat PapaZies vrienden en familie er kwamen. De broer van PapaZie, Emem, was er, en onder het mom dat ik wilde informeren naar Kossiwa – die tot mijn opluchting inmiddels in het ziekenhuis bleek te liggen – bleef ik net zo lang bij hem zitten tot hij me uit aangeboren beleefdheid vroeg met hem en zijn neef mee te eten. Voordat ik op huis aan ging, was het al laat en had ik een stevige slok palmwijn achter mijn kiezen.

Na alweer een slechte nacht, die nog danig werd verergerd door de palmwijn, liep ik op woensdagochtend langs mijn auto op de oprit om te gaan ontbijten, toen ik een soort niesgeluid hoorde. Ik gluurde onder de auto. Daar lag Frisk, gehavend en bloederig. Hij had zich waarschijnlijk in de nacht hierheen gesleept. Joost mocht weten waar hij zich had verstopt en hoe ver hij zich had moeten voortslepen om zijn territorium te bereiken.

In Frisks manen zat een rode veer verstrikt, een van de grote slagpennen. Dat hij die slagpen was kwijtgeraakt, was de Roofvogel vast duur komen te staan toen hij het luchtruim koos. Ik ging op een knie zitten en maakte de veer voorzichtig los uit de manen. Dankjewel, Frisk. Die zou nog weleens van pas kunnen komen. Hij kreunde even toen ik hem aanraakte, nieste nog eens en deed zijn ogen een stukje open.

Ik nam hem mee naar een dierenarts. Nadat ze zijn wonden had schoongemaakt en een oor had verbonden, keek ze naar me op. 'Akelige wonden,' zei ze. 'Ga maar elke dag met hem uit wandelen; dat is goed voor zijn herstel.'

Toen ik weer buiten stond, kwam er een bericht van Henryk binnen: MICK NAAR BRILL. NOGAL GESPANNEN GESPREK. LP HEEFT 4 HM GE-WERKT. M LIET B WETEN DAT WE WISTEN DAT ZE 2 KDS 4 HM HEEFT GEKREGEN. WISTEN NIET ZEKER MAAR TRAPTE ERIN. DURFDE NIET TE ONTKENNEN. ZEI WAT JE VERWACHT: L VERTROKKEN OM DISCUSSIE OVER GELD, VERMISS NIET GEMELD, NAM AAN DAT ZE 4 ANDER WERK-TE. M SCEPTISCH – B DEED ONGERUST OVER L MAAR HEEL NERVEUS. OREN GEÏNSTALLEERD.

Wat ik vooral voelde, was opluchting, omdat de tijd die Henryk aan Brilliant had besteed geen verspilling was geweest. Eindelijk, eindelijk kwam de zaak in beweging, met het tempo van een zeeschip dat vanuit stilstand in beweging komt. Dodelijk langzaam. Maar toch.

Die middag begon niet slecht. Ik had Lily uitgelegd dat Tom niet bij me kon logeren, maar blijkbaar was ze in een grootmoedige stemming omdat ik mijn goedkeuring had gegeven aan de behandelingen, en dus mochten we samen de middag doorbrengen. Ik was zo blij dat Frisk terug was, al was hij er nog zo slecht aan toe, en ik verheugde me zo op het bezoek van Thomas dat ik de kracht had om de flat schoon te maken. De arme Frisk lag op de bank te dutten, en toen ik klaar was, zag de flat eruit als een schoon laken, en zo rook hij ook. Ik liet Frisk slapen en haalde Thomas op bij Lily's huis in Silver Palms.

Tom kwekte zo uitgelaten toen ik hem in zijn zitje gespte dat ik er nauwelijks iets van kon volgen. 'Kijk, papa,' kon hij er eindelijk verstaanbaar uit piepen. 'Is bangijk, papa. Kijk!' Hij zwaaide met een tekening naar me, een tekening van hemzelf terwijl hij over de Stad vloog, met de felgekleurde vleugels van een vlinder.

'Gossie, Tom,' zei ik enthousiast, en ik probeerde het treurige gevoel te verbergen dat de tekening losmaakte. 'Wat mooi.'

'Inderdaad,' zei Tom, en hij knikte naar me met de plechtige zekerheid van een bijna vierjarige. 'Inderdaad' was een nieuw woordje van hem, iets waarvan ik me kon voorstellen dat Richard het talloze malen per dag op die dikdoenerige manier van hem zei, en ik zag dat Tom er trots op was.

Ik bekeek de tekening even, waarna ik de auto startte en probeerde mijn angst te onderdrukken, terwijl Tom de ontmoeting met zijn specialist Ruokonen beschreef. 'Dat is geweldig, schatje,' zei ik. Ik vouwde zijn tekening zorgvuldig op en stopte hem in mijn zak. 'Ik zal hier echt met plezier naar kijken.'

Ik nam Tom mee naar de bioscoop. Ik sloeg me door de enige film heen die Tom wilde zien, *De dadelpruimendieven*, over de vele avonturen van vier gevleugelde vrienden, en intussen verbaasde ik me erover hoe snel het feit dat hij een vlieger zou worden onderdeel was geworden van zijn identiteit. In de ijssalon waar ik hem na de film mee naartoe nam, praatte Thomas honderduit over wat hij straks allemaal zou kunnen, en intussen kwam iets wat in mij zat samengebald tot ontspanning. Ouders waren altijd bang voor de toekomst, omdat ze met angst en beven uitzagen naar het moment dat ze hun kind niet langer konden beschermen. Dat moment kwam sneller naderbij dan ik had gewild, maar hoeveel ouders waren in de gelegenheid om hun kind toegang te verschaffen tot zo'n opwindende wereld?

Thomas wees naar de duiven die zich verzamelden boven de lightrail die langs de ijssalon liep. 'Dan vlieg ik helemaal naar boven, papa. Door regenbogen en wolken!' Hij zat op zijn stoel te wippen.

Mijn slick. Ik nam aan dat het Chesshyre weer was, maar ik keek toch even. Lily, om me te laten weten dat Thomas al was begonnen met een voorbereidende medicijntherapie, en dat ik ervoor moest zorgen dat hij zijn middagdosis slikte.

Zodra ik Thomas terugbracht naar Lily, viel hij in de auto in slaap. Toen ik stilstond voor Lily's huis, keek ik achterom naar mijn zoon, die ik nog steeds als een baby beschouwde en die nu op het punt stond een domein te betreden waar ik hem niet kon volgen. Hij leek dieper in slaap dan anders als hij in de auto een dutje deed.

Ik stapte uit, deed zijn portier open en boog naar binnen. Toms huid was wasbleek, zijn ademhaling oppervlakkig. Ik schudde hem door elkaar. Hij was helemaal slap en zijn hoofd zakte naar voren.

Mijn benen veranderden in rubber. Ik belde Lily en probeerde intussen Thomas wakker te krijgen. Ze kwam het huis uit stormen met Richard in haar kielzog, die al een ambulance belde.

'Wat moet dit voorstellen?' riep ik naar Lily. 'Is dit soms een reactie op de medicijnen?'

'Hoe moet ik dat weten, verdomme!' gilde Lily.

De ambulance verscheen tien minuten later, een wonder dat alleen mogelijk was omdat de straten rond Silver Palms in redelijk goede staat verkeerden. In de meeste andere delen van de Stad kon je beter een riksja of de lightrail nemen.

Ik volgde de ambulance zo goed en zo kwaad als het ging, maar ik raakte hem een heel eind voor het ziekenhuis al kwijt.

De overval

Toen het nog donker was, werd Peri gewekt door een jonge vrouw met stevige spieren en kort, blond haar. 'Ik ben Leto,' zei ze. 'Kom mee.'

Peri pakte Hugo op en moest bijna rennen om Leto bij te houden, wier met grijsblauw beklede lichaam en blauwe vleugels voortdurend dreigden te verdwijnen in de ochtendschemering tussen de bomen voor haar uit. Ze had Leto de avond tevoren gezien: haar gezicht dat oplichtte door de gloed van het vuur en haar vervoering tijdens de les van Jay.

Peri liep achter Leto aan de open plek op. Jay, Finch en Rafael zaten op het zand gehurkt naar een slick te turen die Niko vasthield. Hun gezichten tekenden zich af in de duisternis doordat ze van onderaf werden belicht door het scherm.

Toen Peri ging zitten, knikte Niko even, maar verder werd ze zonder commentaar opgenomen in de groep, en ineens viel haar op dat dat een onbekende, maar wel aangename sensatie was. Hugo begon te zuigen, terwijl Peri ongerust luisterde naar Niko. Wat was er aan de hand? Behalve Niko zat verder iedereen al luisterend op energierepen te kauwen.

'Jullie krijgen allemaal een slick mee,' zei Niko. 'Jullie moeten vooral overdag vliegen en daarna uitrusten. En pas na halftwee vannacht ondernemen jullie iets tegen L1. Tot nu toe is L1 nog nooit getroffen. Het wordt vooral beschermd tegen niet-vliegers. Ik heb de benodigde codes op de slicks gezet die jullie van me krijgen. Vraag maar niet hoe ik daaraan kom. Uiteraard gaan jullie niet het risico lopen om de aandacht te trekken door als groep te vliegen; daarom is de route op elke slick gezet, zodat jullie er ieder op eigen gelegenheid naartoe kunnen komen.'

Jay keek iedere vlieger in de kring om de beurt aan met een strenge uitdrukking op zijn knappe gezicht, alsof hij zich ervan wilde vergewissen dat ze hem allemaal begrepen. Peri sloeg haar ogen neer naar Hugo. Blijkbaar was Jay tevreden, en hij richtte zijn blik weer op Niko.

'Ik zal ons aanvalsplan in real time op de slicks zetten,' ging Niko verder. 'Je weet wel, de gebruikelijke aanpak. Op die manier kunnen we gedurende de uitvoering van de missie contact houden en op alle onvoorziene zaken reageren; bovendien biedt het zekerheid in het geval dat een van jullie ... eh ... onverwacht vertraging oploopt.' Hij stond op en reikte aan iedereen een slick uit. 'Ga nog maar wat rusten en eten. Jullie gaan op pad zodra de burgerlijke schemering is ingetreden.'

Jay stond op en toen hij op haar af kwam lopen, zag Peri dat hij vier kleine zakjes en een lichtstaaf bij zich had. Hij had hetzelfde camouflagegladpak aan als Leto, Peri en Finch.

'Jullie nemen me toch niet mee?' fluisterde Peri tegen Finch.

Finch knikte, terwijl ze haar hand uitstak om een van de zakjes van Jay aan te nemen.

'Waarom?'

'Audax doet niet aan toeristen. Je bent lid van de groep. En dus doe je wat wij doen.'

'Nee, nee, nee, Finch, alsjeblieft. Ik moet Hugo veilig naar huis brengen. Ik moet echt weg. Als ik me aan mijn woord hou, kan ik misschien iets regelen.'

Jay schudde zijn hoofd. 'Ik heb gezien wat er achter je aan zat. Je kunt het wel vergeten dat er iets te regelen valt met degene die dat achter je aan heeft gestuurd. Je maakt deel uit van deze operatie en je doet wat je wordt opgedragen. Dit is je enige kans om iets bij ons te bereiken.'

Het leek net of de grijze polsband strakker ging zitten en zwaarder werd. Er schoten tranen in haar ogen; ze knipperde ze weg. Met tranen zou ze Jay niet op andere gedachten brengen; de kans was groot dat hij, als ze huilde, tot de conclusie kwam dat ze een te groot risico opleverde voor de missie. Ze werd doodsbang bij de gedachte dat ze moest deelnemen aan de dingen die Audax ondernam, maar snapte wel wat Jay bedoelde; als zij goede prestaties leverde, zouden ze haar misschien gaan vertrouwen. Het was de enige kans die ze haar boden. Zuchtend legde ze Hugo over haar schouder en ze hees zichzelf overeind.

Jay gaf aan Leto en Rafael ieder een zak en hield er een voor zichzelf.

'Wat is dat?' vroeg Peri.

'Wapens,' zei Leto, en ze haalde een plat voorwerp tevoorschijn. Terwijl ze de onderdelen controleerde, zag Peri dat het een kleine kruisboog was.

'Krijg ik er niet eentje?'

Jay schudde zijn hoofd. 'Deze keer niet, zuster.'

Er voer een siddering door haar heen bij dat woord. Zuster. Dat had ze hem tegen andere leden van Audax horen zeggen. Voelde hij misschien iets voor haar? Hij had haar leven gered; het kon niet anders dan dat dat een band tussen hen had gesmeed.

'Ik weet hoe je die moet gebruiken,' zei Peri. De handbogen waar ze vroeger in Pandanus mee had geoefend waren natuurlijk wel van een volkomen andere klasse geweest dan dit soort wapen, maar ze wist dat ze goed kon schieten, al was dat vooral met steentjes, blikjes, glas of wat voor andere troep het gespuis in Venetia zoal voorhanden had.

'Des te meer reden,' lachte Jay. 'Maar deze krijg je wel.' Hij gaf haar een paar dunne, zachte schoenen. Peri draaide ze met haar ene hand om, terwijl ze haar andere arm nog rond Hugo hield, die over haar schouder het lichter wordende grijs tussen de bomen in tuurde.

'Dat zijn landingssloffen,' zei Jay. 'Om je voeten te beschermen, vooral als je ongecontroleerd of met grote snelheid landt.'

Peri knikte. Dus ze werd geacht deel uit te maken van Audax. Ze werd voldoende vertrouwd om deel te nemen aan een gevaarlijke missie, maar niet voldoende om een wapen te mogen dragen. *En ze zorgen ervoor dat ik, als ze worden gepakt, hetzelfde lot moet ondergaan als zij.*

Jay gebaarde dat Peri dichterbij moest komen. Ze hapte even naar adem toen hij het verband van haar handen, voeten en oren wikkelde. Geen pijn, maar de nieuwe huid was gevoeliger; ze rilde een beetje van de koele ochtendlucht. Jay hield de lichtstaaf omhoog en bekeek haar huid.

'Goed.'

Jay bekeek Hugo, scheurde een pakje open, trok een bruin vierkantje van het beschermende folie. Hij streek de pleister glad over de huid op Peri's bovenarm, en al deed hij het nog zo bedreven, zijn ruwe vingers lieten sporen na. Haar hele arm werd warm toen hij haar aanraakte, alsof ze in de zon lag. Voor de rest was ze koud; als hij zijn armen, zijn vleugels om haar heen legde, zou ze helemaal warm worden; eindelijk zou ze ontdooien, na het noodweer, genezen van de bevriezing.

'Wat is dat?' vroeg Peri.

'Een transdermale voedingspleister.'

'Die wordt geactiveerd door lichaamswarmte. Jay weet precies welke spullen hij moet stelen,' zei Finch, met een blik omhoog vanwaar ze haar eigen wapen had zitten inspecteren, waarna ze het terugstopte in haar rugzak. Dan verwachtte ze zeker onderweg geen problemen, concludeerde Peri, anders had ze de kruisboog wel omgegespt.

'En dan vooral van die nieuwe legerspulletjes,' voegde Finch eraan toe. Zij was ook voorzien van een pleister. 'Dat scheelt tijd op lange vluchten waarbij het op snelheid aankomt. Dan hoeven we minder vaak te stoppen om te eten. Al vliegend verbruik je met zo'n razende snelheid energie dat we gedurende de hele vlucht calorieën moeten binnenkrijgen, boven op de energierepen die we al eten.'

Peri's huid tintelde nog steeds op de plekken waar Jay haar had aangeraakt. Ze kon Luisa bijna horen zeggen: 'Dat is geen liefde, Peri, dat zijn plekken die bevroren zijn geweest.'

Finch stond op, sloeg het zand van haar gladpak en kwam naast Peri staan om haar landingssloffen aan te trekken. 'Jij vliegt met mij mee,' zei ze, en ze gaf Peri een lege rugzak aan. Peri tuurde naar haar in de ochtendschemering, terwijl ze de banden over haar schouders schoof en de rugzak tussen haar vleugels hing. Wat zou ze daarin moeten stoppen? Energierepen, water, slick; alles wat ze tijdens de vlucht nodig had, zat in haar gordel. Ze had heel veel vragen. 'Wie past er op Hugo?'

'Phoebe,' antwoordde Finch. Toen ze zag hoe Peri keek, zei ze: 'Dat gaat heus goed, Peri. Hij heeft het al een dag zonder je gered.' Finch wees naar de plek waar Phoebe tussen de bomen rond de open plek was opgedoemd, en tot haar verrassing zag Peri dat ze verband rond haar enkel had. Dus Phoebe was geblesseerd. Peri hoopte maar dat ze niet kwaad was omdat ze niet meekon. *God, wat zou ik graag willen dat ik degene was die mocht achterblijven. Het heeft geen zin om dat te denken. Zie nou maar dat je door deze dag heen komt. Doe het gewoon.* Opmerkelijk teder, haar normale bruuske gedrag in aanmerking genomen, nam Phoebe Hugo in haar armen.

'Dag, mannetje,' zei Peri.

Finch haalde even haar vingers door Hugo's haar en wendde zich toen tot Peri. 'We kunnen beter zorgen dat we een voorsprong hebben. Straks begint de burgerlijke schemering.'

Peri haastte zich achter Finch aan. 'Wat zei je?' Bedoelde Finch dat Peri langzamer was dan de anderen, en dat ze daarom een voorsprong moesten hebben?

'Hè?' zei Finch. 'O, die burgerlijke schemering? Dan staat de zon zes graden onder de horizon. Er is dan net genoeg licht om voorwerpen te onderscheiden.'

'O. Stel nou dat ons iets overkomt, Finch?' zei Peri, terwijl Finch naar de rand van de klip liep. 'Ik moet terugkomen om Hugo op te halen; ik kan hem niet zomaar verlaten.'

'Dat begrijpt Niko ook,' zei Finch. 'Neem maar van mij aan dat dit de snelste manier is om in de toekomst bij ons een plaats te veroveren. Let even goed op mij. Ik ben de winddummy.'

'Wat?'

Terwijl Finch haar gordel straktrok en haar slagpennen gladstreek, zei ze: 'Wanneer je met meer vliegers gaat vliegen, is het zinvol dat de meest ervaren vlieger aan het begin van elke vlucht als winddummy optreedt. Dus ik stijg als eerste op. Jij let op mij, en de windsnelheid en -kracht en andere zaken die invloed hebben op de vlucht leid je af uit de manier waarop ik vlieg. Heb je geplast?' Peri knikte. 'Mooi,' zei Finch. 'Je moet regelmatig kleine slokjes water nemen, dan komt er minder in je blaas terecht. Als je tegen de grond, een berg of een boom slaat, zal je blaas minder snel barsten als hij leeg is.'

Finch steeg op van de steile begroeide helling die hun favoriete start-plek was, en Peri keek hoe ze hoog en snel de lucht in schoot boven de klip om lijrotoren te vermijden van over de kam. Even later volgde Peri haar en ze voerde alle manoeuvres van Finch exact hetzelfde uit.

'Vertel eens wat over deze missie,' zei Peri zodra ze eenmaal vleugel-tip aan vleugeltip hoog boven de Hemelse Richel vlogen. 'Het klinkt gevaarlijk, en illegaal. Niko zei dat L1 tot nu toe nog nooit was getrof-fen. Waar had hij het toen over?'

'Dat is makkelijker te begrijpen als we er eenmaal zijn,' zei Finch, en ze sloeg oostwaarts af in de richting van het vage grijs van vlak voor zonsopgang. 'Het is gevaarlijk en illegaal, en volgens mij dus niet zo anders dan sommige dingen die jij de laatste tijd hebt uitgehaald. Je mag blij zijn dat Niko de boel heeft gepland; die is voorzichtig en hij is nog nooit iemand kwijtgeraakt. Niko is geïnteresseerd in verandering, in het grote plaatje. Is het je opgevallen dat er meer vrouwen dan man-nen bij Audax zitten?'

Peri schudde haar hoofd.

'Dat is Niko's beleid,' zei Finch. 'Vrouwen klaren de klus, zegt hij, die hoeven niet zo nodig een punt te maken. Hij houdt er niet van om veel mannen in een groep te hebben; dat zijn opscheppers, volgens hem. Jay heeft daar geen last van. Raf is onze waaghals, maar daar hebben we er nu eenmaal op z'n minst eentje van nodig.'

Onder Finch en Peri rolden dikke wolken in de richting van de hori-zon, met plooien blauwe schaduw en roze licht die zo regelmatig en bochtig waren als een haarvlecht. Toen de zon eenmaal boven de ein-der stond, leidde Finch haar naar vlak onder de wolk.

'Even iets over de strategie die we op de vlucht van vandaag volgen,' zei Finch na een halfuur, toen ze waren opgewarmd en hun ritme te pakken hadden. 'Er is een gezegde dat luidt: je vliegt aan de hand van de hemel of je vliegt aan de hand van de grond. Als je op een korte pleziervlucht bent, vlieg je aan de hand van de grond: je gaat op zoek naar hellingstijgwind, je past op voor rotoren en zones met lage windsnelheden, je kijkt uit naar thermiekbelgeneratoren en blijft uit de buurt van meren, omdat die geen thermiek genereren, en je speurt naar landingsplekken.' Nu het licht sterker werd, trok Finch een vliegbril met gekleurde glazen uit haar gordel tevoorschijn en ze slingerde die naar Peri, die even een stukje omlaag moest om hem op te vangen, waarna ze er ook een voor zichzelf tevoorschijn haalde, die ze om haar hoofd schoof.

'Maar op een lange vlucht als deze vliegen we aan de hand van de lucht. We vliegen in de buurt van de onderkant van wolken of boven op lift. We maken gebruik van de thermiekbellen die de wolken voortbrengen en we zullen voor mensen op de grond vrijwel onzichtbaar zijn. Dat betekent dat we moeten uitkijken naar wolkenstraten, stapelwolken die parallel verlopende richels vormen in de richting van de wind, met alle onderkanten van de wolken op hetzelfde niveau. En wie weet hebben we het geluk een blauwe straat tegen te komen. Die ontstaan bij eenzelfde soort lange lijn van lift, maar dan is het te droog om wolken te laten ontstaan – dus die zijn veel lastiger te vinden omdat je ze niet ziet.'

'Ik heb nog nooit in een wolkenstraat gevlogen,' zei Peri.

'Echt niet?' zei Finch. 'Boven de oceaan komen ze vrij veel voor. Ze kunnen wel honderden kilometers lang zijn.' Ze zuchtte. 'Het is fantastisch om maar voort te zeilen over al die thermiekbellen onder de rijen cumuluswolken, en als je er heel goed in bent om van de ene naar de andere wolkenstraat te duiken, kun je een eeuwigheid doorgaan.'

'Dat genoegen heb ik nooit gehad,' zei Peri. 'Ik kon moeilijk op zoek gaan naar wolkenstraten. Ik mocht blij zijn dat ik naar mijn lessen bij de vliegsportschool kon. En als ik al de tijd had gehad ...'

'Wat?' vroeg Finch. 'Wat is er, Peri?'

'Heb je weleens van vluchtcontroles gehoord?'

'Ja,' zei Finch. 'Daar heb ik weleens van gehoord.'

Peri wierp een blik op haar grijze polsbandje. Jay had haar niet verteld wat dat ding precies kon. Wat meedogenloos van hem, eigenlijk, en wat slim, om die angst in haar op te bouwen; het was een apparaatje om haar te volgen, maar was het ook een soort riem waarmee hij haar kort kon houden als hij dat wilde?

'Mijn kop eraf dat er nog nooit eentje bij jou is aangebracht tegen je zin. Maar goed, je weet dat ze je vliegradius beperken. Ouders brengen ze aan bij hun nestjongen, maar met de apparaatjes die ze bij volwassenen inbrengen, kunnen ze je ook omlaaghalen alsof je bent neergeschoten.'

'Dus boven de oceaan op zoek gaan naar wolkenstraten was er voor jou niet bij,' zei Finch. 'Wat vervelend. Ik hoop dat we in elk geval één keer vandaag langs zo'n witte weg kunnen slieren.'

Peri concentreerde zich op het vooruitzicht om voor het eerst kennis te maken met een wolkenstraat, in plaats van zich over te geven aan de angst voor waar die straat haar heen zou leiden.

Beneden haar was wildernis. Het ontbreken van scherpe randen was vanuit de lucht het duidelijkst herkenbare teken; de heldere, duidelijke afbakening tussen het ene en het andere stuk land, de keurige hekken, de wegen die het land geometrisch doorsneden – dat alles ontbrak. Ze vlogen over uitgestrekte vlakken vlekkerig bruin en grijs, de aarde vol onregelmatige, ovale krassen, vormen die Peri deden denken aan de lagunes en riffen die ze had gezien toen ze langs de kust vloog. Door de verschoten, zachte kleuren leek het of ze over de vlakke, drooggevallen bedding vlogen van een oeroude zee.

'Een blauwe dag,' zei Finch. 'Met een goede lift, maar zonder wolkenstraten, omdat de lift te hoog is; er zit niet echt een bovenkant aan.'

Het bruine land liep over in zalmkleurige aarde of zand, omsloten met wervelingen vegetatie die zo donker was dat het groen bijna omsloeg in purperrood. Daarna zweefden ze weer over grillige rotsen in hetzelfde rijke oranjerood van de aarde, doorschoten met kloven vol onpeilbare schaduwen.

Peri en Finch vlogen de hele dag en stopten maar driemaal heel kort, op plekken waar voldoende beschutting van bomen was om te rusten en te eten. Naarmate ze verder van de Hemelse Richel vandaan raakten, daalden ze af en toe wat verder omlaag, om Finch in staat te stellen aan de hand van herkenningspunten hun voortgang te bepalen. Daarna gebruikten ze weer een thermiekbel om tot vlak onder de wolken te komen.

'Hou de vorm van de wolken maar in de gaten,' zei Finch toen ze in de richting van een paar hoge stapelwolken vlogen, 'en dan vooral de hoogte in verhouding tot de basis. Blijf uit de buurt van wolken die veel hoger dan breed zijn, want die kunnen zich overmatig ontwikkelen, zoals je hebt gemerkt bij dat onweer van je. En pas ook op voor wolken met een brede basis, want die kunnen je overmannen. Als je onweerstaanbaar omhoog wordt gezogen een wolk in en je kunt onmogelijk wegkomen, dan is er sprake van wolkenzuiging. Die ontstaat als er te veel liftkracht is.'

309

Het eerste wat Peri opviel, waren de schaduwen. Ze vlogen over een uitgestrekte groen met bruine vlakte en aan hun rechterhand was een lange bergkam. Ten oosten van de bergkam zag ze een onderbroken lijn schaduwen op het land. Peri keek omhoog. Boven de schaduwen hing een reeks dikke wolken met een platte onderkant.

'Finch!'

Finch keek opzij. 'Ja,' zei ze, en ze vloog recht op de wolken af. 'Nu moet je afremmen voor de lift onder de wolken en sneller gaan tussen de wolken in, waar de lucht daalt. De bedoeling is dat je zo op één hoogte blijft. Dat vereist wel enige oefening.'

Ineens waren ze er middenin en ze tuimelden voort als paardenbloemzaadjes. In het westen kromde zich de drakenruggengraat van de bergkam en onder hen strekte zich de lange, onregelmatige streep schaduw uit. Maar een streep was het, een hele reeks mogelijkheden voor een hoog oprijzende lift, bestaand uit vele thermiekbellen, die zich kilometers ver voor Peri uitstrekte. Het was bijna net zo bedwelmend als restitutie; dit was vliegen zoals ze altijd had gedroomd dat het zou zijn: een moeiteloos voortjagen over land waar geen einde aan leek te komen.

De gaping tussen de bergkam en de witte wolk tekende zich felblauw af in de verte.

'Er komt een blauw gat aan,' zei Finch. 'Maar we boffen, want we kunnen zo naar de volgende duiken.'

Peri had het gevoel dat ze langs een berghelling omlaagvloog toen ze in de dalende lucht terechtkwam en haar snelheid aantrok alsof ze in de achtbaan zat, en daarop volgde de zwiep omhoog en een lichte vertraging toen ze onder de volgende wolkenstraat belandde.

'Goeie hemel,' zei Finch. 'Moet je kijken. Dat heb ik nog nooit gezien.'

Peri werd omhooggedreven door krachtige, warme lucht. Boven hun hoofd ontrolde zich een lange wolkenband zonder de opbollende randen van de gedrongen wolken die ze eerder hadden gezien. Aan weerszijden van hen hingen op gelijke hoogte nog meer van die lange buizen wolk, die even wit en keurig gesneden waren als dikke noedels die zij aan zij op een blauwe schaal gerangschikt liggen.

'De hemel is gestreept!' zei Peri.

'Net slierten tandpasta. Niet te geloven. Moet je zien hoe scherp de randen van de wolkenstraten zijn.'

Na een uur vervoering raakten ze door de wolkenstraten heen. 'De hemelgoden hebben zo te zien vandaag alles voor je uit de kast gehaald,' zei Finch. 'Omdat het je eerste keer is. Ben je blij?'

Peri knikte.

'Dat mag ook wel. Je zou jaren kunnen vliegen zonder ooit zoiets mee te maken.'

Het land begon er minder woest uit te zien en meer tekenen te vertonen van recente verwaarlozing. Een van de verlaten bouwsels, een hydro-elektrische dam die niet meer functioneerde, bezorgde Peri koude rillingen. Het grote gat in de aarde lag er volkomen leeg bij. Onder aan de afkalvende rand van de dam lagen reusachtige brokstukken beton die met wapeningsstaven en al waren afgebroken van de vervallen damwand en nu verspreid lagen over de droge bedding van de verdwenen rivier als de weggegooide blokkendoosblokken van een reus. Langs het beton lekten strepen in de kleur van geronnen bloed.

Ze volgden het litteken van de dode rivier tot de plek waar die verliep in uitgeput land dat was overgelaten aan de verzilting, met lijkbleke krabbels als hechtdraden die de littekens van ruwe aarde, afgesleten heuvels en ingestorte rivierdijken bijeenhielden. De skeletten van versplinterde boerderijen lagen te verweren onder de witte zon. Ze zagen maar heel weinig vogels, behalve hier en daar een kraai.

Voor hen uit glinsterde aan de einder iets schitterends en verwarrends. Uitgestrekte gordels diep jadegroen, kilometers lang en breed, afgewisseld met fel karmozijnrood en magenta. Tussen de linten ontbrak elke variatie; voor zover Peri kon zien was er geen greintje kleur dat ook maar een nuance lichter of donkerder was. Aan het eind van de linten begon een nog opmerkelijker verschijnsel: een brede lap blauw dat zich uitstrekte zover het oog reikte. Dit blauw was opgedeeld in een mozaïek van reusachtige vierkanten die elk precies evenveel van dat ernaast verschilden in toenemende diepte van elke denkbare nuance aquamarijn, van bijna wit tot het zuivere blauw van een warme, ondiepe zee.

De vierkanten lagen in de zon te glanzen alsof ze voorzien waren van een laklaag.

'Die groene en roze linten heb ik eerder gezien,' zei Finch. 'Maar die blauwe vierkanten zijn nieuw.'

'Ik weet wat dat is,' zei Peri.

'O?'

'Andy Silver. Dat kan niet anders.'

'Hè?'

'De kunstenares Andy Silver. Weleens van gehoord?'

'Nee. Moet dat dan?'

'O, ik dacht alleen ... Nou ja, Peter en Avis hadden foto's van haar kunstwerken.'

Finch snoof. 'Kunstwerken? Dat zijn gewoon zoutpannen.'

'Ja, het is zout, maar het is ook kunst. Ze zegt dat ze kunst maakt die een ambiance vormt waar vliegers doorheen vliegen, zoals veren van kleur die de contouren van de wind aangeven, naar de wolken omhoogzweven en hun randen kleur geven. De kleuren van algen die in oceaanstromingen dwarrelen. Ze moet hier wel wonen om die blauwe vierkanten van zout te maken. Dan zit ze maanden, misschien wel jaren in de wildernis.'

'En dan maar hopen dat ze intussen niet Wild wordt,' bromde Finch.

Peri begreep niet dat Finch zo onverschillig was. Ze begon zelf moe te worden, maar nu vloog ze in een blauwe trance. In de warmte verdampten de blauwen en ze bestoven haar; ze proefde warm, blauw zout. Ze leek op zo'n reuzenmanta die ze weleens in natuurfilms had gezien, die met zijn vleugels door een transparante tropische zee klapwiekte. En voort vloog ze over geëmailleerd verschuivend blauw, alsof ze erdoor werd voortgedreven, en ze vergat vermoeidheid, pijn en angst. Ze werden opgetild door het blauw alsof het een thermiekbel was, en misschien had het ook wel thermische eigenschappen; misschien was dit wel hun blauwe straat, dacht Peri, maar lag hij alleen onder hen in plaats van onzichtbaar boven hun hoofd.

'Pas op,' zei Finch. 'Je zakt erin weg.'

Peri schudde haar hoofd en werkte zich omhoog tot naast Finch, beseffend dat ze zo luchtsnelheid verspeelde.

'Daar moet je voor oppassen,' zei Finch. Ze vlogen inmiddels boven dichtbeboste heuvels. 'Je hebt de neiging om rechtstreeks af te vliegen op datgene waar je je op concentreert. Iemand die ik ken vloog tegen een eenzame boom aan op een uitgestrekte open vlakte. Hij concentreerde zich op datgene wat hij wilde vermijden, maar je moet je juist richten op de plek waar je heen wilt.'

Ze vlogen nog uren door, tot de schemering begon te vallen. De zon daalde in het westen, achter hun rug, en zette de bomen en vlakten onder hen in een gouden gloed, terwijl het land en de heuvels voor hen uit in blauw, dieper blauw en lavendel wegzonken. Peri zette haar vliegbril af en stopte hem in haar gordel. Onder haar lichtten de boomtoppen roze op, zwaaiend met hun kruinen in het strijklicht van de wegzakkende zon.

Beneden hen ontrolde zich een weg, een bleek lint tegen donker, onverlicht land. Geen lampen, geen auto's.

'Wist je dat vogels ook aan de hand van wegen navigeren?' zei Finch. 'Dat is makkelijker voor ze. Het komt vaak genoeg voor dat ze ook een weg volgen als dat hun reis langer maakt. Soms nemen ze zelfs een rotonde.'

'Dus de kortste route kiezen is er niet bij,' zei Peri.

'In elk geval doen ze dat niet allemaal, nee,' zei Finch. 'Er zijn vogels die de routes volgen die wij aanleggen. Nog een voorbeeld van het feit dat we niets onberoerd hebben gelaten op deze wereld. Ik neem aan dat ze dat al doen sinds de Romeinen wegen begonnen aan te leggen of sinds stammen paden maakten door grasland.'

Na een tijdje zei Finch: 'L1 ligt heel geïsoleerd. Als we er zijn, zie je wel waarom, maar dat maakt het voor ons ook makkelijker.'

'Niko zei iets over de gebruikelijke aanpak. Betekent dat dat jullie dit al eens eerder hebben gedaan?'

'Dit wordt wel de grootste inval tot nu toe,' antwoordde Finch. 'In elk geval sinds ik bij Audax zit. Tot nu toe hebben we ons gedeisd gehouden, omdat we niet wilden dat iemand naar ons zou komen zoeken. Maar Niko wordt ambitieuzer. Hij wil nu juist wel aandacht trekken.'

Na nog een uur landden ze in een veld en zochten ze dekking bij een strook struiken en bomen die een dicht windscherm vormden aan de rand van het veld. 'De anderen zijn zo meteen in de buurt,' zei Finch.

Ze aten iets, gingen wat liggen sluimeren en wachtten nog twee uur. Het was bijna middernacht. Op haar slick zag Peri dat L1 iets naar het oosten lag, al kon ze nergens uit afleiden hoe ver weg het nog was. Na nog eens een halfuur trilden hun slicks ten teken dat er een bericht van Niko was.

'Nu,' zei Finch. 'Loop maar achter me aan.'

Ze liepen tussen de bomen door en renden vervolgens langs een hek tot ze een dichter bosje bereikten. Finch nam Peri mee naar een open plek aan de andere kant van de heuvel. Vanaf de rand van de open plek zag ze van achter een rand bomen aan de overzijde een afgeronde heuvel met zijkanten die zo glad waren als glas. Dat moest L1 zijn. Er was niets wat de aandacht trok, behalve de al te volmaakte vorm van de heuvel.

Peri zag een donkere gedaante en trok zich terug.

'Het is Raf maar,' fluisterde Finch.

Rafael kwam naar hen toe, met in zijn kielzog Jay en Leto.

Finch riep de vliegers bijeen, en samen hurkten ze in een kring. Peri zag dat ze allemaal een kruisboog bij zich hadden, behalve zij dus. 'We gaan in twee groepen naar binnen,' zei Finch. 'Leto en Peri, jullie gaan met mij mee; Jay en Raf, jullie tweeën weten waar je moet zijn en wat je moet meenemen. We zullen worden waargenomen door volgapparatuur, dus doe deze dingen voor.'

Finch reikte hun ieder een lapje materiaal aan dat kon worden uitgevouwen tot een dof, droog vlies dat op je gezicht bleef plakken. Je kon erdoorheen kijken en ademhalen, maar griezelig genoeg waren de gezichten van de anderen even onzichtbaar als wanneer ze een sluier hadden gedragen.

'Als we ervan uitgaan dat we meteen worden opgemerkt door de bewaking, hebben we nog veertig minuten,' zei Finch. 'We zullen bij binnenkomst geen alarm activeren – daar heeft Niko voor gezorgd –, maar dan beschikken ze nog steeds over visuele bewakingsapparatuur. Als ze een beetje traag reageren, hebben we misschien wel zeventig minuten de tijd, maar daar mogen we niet op rekenen. Ze denken bij Diomedea dat L1 veilig is omdat het zo geïsoleerd ligt; niet-vliegers kunnen hier niet in de buurt komen en stadsvliegers nemen niet de moeite om zo'n eind te vliegen. Bijna niemand weet dat het hier ligt. Dus dit is onze beste kans. Na vannacht wordt het stukken moeilijker. Daarom hebben we gewacht tot we zeker wisten dat we iets echt belangrijks konden meenemen. Ze mogen ons niet te pakken krijgen, dus het allerbelangrijkste is dat we niet kunnen worden opgespoord. We vliegen terug in twee groepen en vertrekken niet later dan tien voor drie vannacht.'

Finch stond op. 'En dan nog een paar dingen die ik duidelijk wil maken voordat we naar binnen gaan. Om te beginnen: geen opzettelijke vernielingen. We zijn op informatie uit, dat is alles, plus wat voorraden. We zijn hier niet om dingen kapot te maken of Diomedea het werken onmogelijk te maken. Jullie weten wat Niko denkt: Diomedea overtreedt de wet, en wij zijn de engelen der wrake. Je zult dingen zien die je niet zullen bevallen. Jammer maar helaas. Je zorgt maar dat je ertegen kunt. Dan begrijp je des te beter wat het allemaal met zich meebrengt om jou vleugels te geven. Dacht je dat de mensen in de Stad het willen weten? We zijn hier niet om de ethische kant van Diomedea's onderzoek aan de kaak te stellen; we zijn er om de resultaten van dat onderzoek beschikbaar te maken. Als je het daar niet mee eens bent, doe je daar maar wat aan in je eigen tijd. We hebben allemaal vleugels en we hebben allemaal profijt gehad van hun onderzoek en dat van MicroRNA/Corvid en anderen. Dus zorg dat je zo snel mogelijk zo veel mogelijk te pakken krijgt zonder schade aan te richten en maak dan dat je wegkomt.

En dan nog iets. Als je het maar uit je hoofd laat om iets vrij te laten wat je daar aantreft. Dat zou wreed zijn, en misschien zelfs wel rampzalig. Je weet niet wat er met ze is gedaan en of ze ook maar enige kans hebben om meer dan vijf minuten te overleven buiten L1, om nog maar te zwijgen van het risico dat je loopt om modificaties te verspreiden onder de resten van nog niet gedomesticeerde populaties. Begrepen?'

De gezichtloze spoken met hun maskers knikten haar toe.

'Mooi,' zei Finch.

Het angstige voorgevoel dat al de hele dag steeds sterker werd, net als de angst waarmee Peri vele ochtenden was wakker geworden voordat haar medische behandelingen waren begonnen, stolde ineens tot keiharde angst in haar buik en haar bloed. Wat bedoelde Finch? Wat zouden ze te zien krijgen? Afgunstig dacht Peri aan haar toekomstige zelf: over nog geen twee uur zou ze hopelijk weer buiten staan en deze plek nooit meer aanschouwen. Ze haalde diep adem. In zekere zin was ze op dit moment die toekomst al. Dat idee moest ze vasthouden: het enige wat ze moest doen, was de ene na de andere kwellende minuut door de tussenliggende tijd zien heen te komen.

Jay nam Finch apart en ze hadden een korte, gefluisterde discussie. Finch liep even weg en kwam terug, met schokkerige, gespannen bewegingen. Jay schudde zijn hoofd. 'Gewoon een onzekere factor. Het zit wel goed, als ze echt ...' Jay keek naar Peri en liet zijn stem verder dalen.

'Ik weet echt wel wat ik moet doen,' zei Finch, en ze liep weg.

O god. Wat gingen ze doen? Finch en Jay hadden het over haar. Dat kon niet anders; al het andere was uitgestippeld, alleen zij was de variabele, de joker. Het probleem. Zouden ze haar hier achterlaten? Zo wreed konden ze toch niet zijn? Ze zou echt niet aan de haal gaan; ze waren haar enige mogelijkheid om terug te komen bij Hugo.

Rafael en Jay vertrokken, onzichtbaar tegen de donkere lucht. Geen maan; dat had ongetwijfeld een rol gespeeld bij het plannen van deze overval. Peri, Leto en Finch vlogen in gesloten formatie over de borstwering boven aan de heuvel en weer omlaag, tot ze landden op een geplaveide binnenplaats in de buurt van een stel deuren. Ze stonden voor een groep lage gebouwen met daarboven een hoge koepel.

Peri hapte naar adem. Ze had nog nooit zo dicht bij gebouwen gevlogen. Als ze de dag daarvoor geen vliegles had gehad en de afgelopen dagen niet zoveel en zo geconcentreerd had gevlogen, was ze er nooit in geslaagd om in de lucht te blijven. Hoe lang was het geleden sinds ze was weggevlucht van Peters huis? Iets meer dan een week. Ze was op zaterdagmiddag gevlucht en nu was het alweer zaterdag, of eigenlijk de nacht van zaterdag op zondag. Nu was ze dus officieel te laat met het terugbrengen van Hugo. Geen tijd om daarover na te denken.

Finch en Leto gingen Peri voor naar een deur, waar Finch haar slick langs een leesapparaat haalde. WELKOM, DR. SUMMERSCALE, verscheen er op het schermpje. Er strekte zich een lange gang voor hen uit. Een lichtgevende laag op de muren zorgde voor net genoeg licht om dingen te onderscheiden. Finch en Leto hadden lichtstaven bij zich, en ze hadden hun kruisboog aan hun gordel geschoven.

'Wat is dat?' fluisterde Peri tegen Finch, naar de muren wijzend.

'Ribkwallen. De cellen van zeemuizen. Dat scheelt Diomedea een bom duiten aan energiekosten. Eens zien of we over dat spul ook nog wat gegevens kunnen meenemen.'

Finch bleef voor een deur staan. 'Jij gaat hier naar binnen, Leto, en je pakt alles wat je maar kunt van de rekken op het derde niveau. Begin maar bij de blauwe dozen. In je slick staan de codes om de kasten te openen. Deze kant op, Peri.' Ze stapte door een deur aan de overkant van de gang naar binnen en ging Peri voor een grote, duistere zaal in. Peri kokhalsde door de warme stank van veren en uitwerpselen, en ze hoorde geritsel en geschuifel toen ze binnenkwamen. Finch bracht rode gelei aan op haar lichtstaaf. In de duisternis lichtten ogen op. 'Niet stilstaan, niet kijken, en ze niet storen,' zei Finch, terwijl ze haar snel een andere ruimte in loodste. 'Niko zei dat het leesapparaat hier is. Je boft dat we al op het punt stonden deze overval te plegen. Ik weet niet of je anders wel bij ons kamp in de buurt had mogen komen.'

'Wat bedoel je?'

'Ik bedoel dat we moeten weten wie jij in vredesnaam bent. We hebben al zoekopdrachten in de databanken opgestart, maar de informatie was niet gedetailleerd genoeg, al klopt je verhaal tot nu toe wel. Het zou niet de eerste keer zijn dat er iemand bij ons probeert te infiltreren, al gaat het een beetje ver om er een baby bij te betrekken. Na vannacht wordt het allemaal een stuk spannender voor ons. Hierheen.'

Peri liep naar een hoge kast. 'Je gelooft me niet,' zei ze.

'Dat doe ik wel,' zei Finch. 'Maar dat is niet belangrijk.'

Nee, het kwam erop aan wat Jay geloofde. Dat was duidelijk. Er stak een blinde woede in Peri op. Hij was degene voor wiens tests ze moest slagen, en anders zou ze worden achtergelaten als een kind in het woud zonder een spoor van steentjes om terug naar huis te volgen, geen spoor waar dan ook heen, want het kon hem niet schelen, ze zou gewoon moeten afwachten wat Diomedea besloot met haar te doen. Haar hele leven lang hadden anderen beslissingen voor haar genomen. Nu had ze eens een keer haar lot in eigen handen genomen en ging het ook niet echt goed.

'Nou ja, je komt er nooit achter wie ik ben, tenzij dat leesapparaat toegang heeft tot alle DNA-databanken.'

'UG,' antwoordde Finch, terwijl ze haar slick in een gleuf van het apparaat schoof. Een rechthoekig paneel lichtte op. 'Uitgebreide gezondheidsdossiers. Let even op dat "Uitgebreid". Dat betekent dat er ook DNA-informatie in opgenomen is. Geef me eens een haar.'

Peri trok een haar uit haar hoofd en overhandigde die. 'Hoe is het mogelijk dat Diomedea van iedereen zijn privé-UG heeft?'

Finch haalde een doorzichtige cel uit haar gordel en hield hem voor het lichtgevende paneel. In de cel zat ook een haar. Ze legde die van Peri ernaast op de cel en schoof die in het paneel. 'Dat kan ook niet. Het heeft een paar jaar terug een hoop discussie gegeven. Diomedea had betaald voor toegang tot alleen het DNA-gedeelte van de UG's, maar dat zijn ongelooflijk belangrijke, gevoelige gegevens. De overheid verkocht hun toegang ter wille van het onderzoek en de verbetering van de gezondheid. Wat natuurlijk fantastisch is, als je het kunt betalen. Bij Diomedea zeiden ze dat ze hun werk niet goed konden doen als ze geen toegang hadden tot bevolkingsregisters, wat waarschijnlijk waar was, en ze stelden allerlei bijkomende voordelen in het vooruitzicht voor de nationale gezondheidszorg en organisaties op medisch en onderzoeksgebied, maar dat hebben ze nog niet echt waargemaakt. En zo komen we op de reden waarom wij hier zijn.'

Finch pakte de cel uit de lezer, wierp er een korte blik op, lachte in zichzelf en stopte hem toen in haar gordel. 'Mooi,' zei ze. 'En nu maar hopen dat alle gegevens erop staan.'

Mooi? Betekende dat dat Finch tevreden was met wat de lezer had opgeleverd? Mocht Peri mee terugvliegen naar de Hemelse Richel?

Finch nam Peri mee naar de overkant van de gang, naar een hellingbaan. Ze renden de helling op en betraden bovenaan een observatorium, een ruimte met rondom doorzichtige muren die uitkeek over een donkere diepte. Er flikkerde licht aan. 'Shit,' mompelde Finch. 'Die hebben wij in werking gesteld.'

Als betoverd bleef Peri staan. Beneden was een stukje regenwoud, met bomen van zeker zes meter hoog die omhooggroeiden naar een doorzichtig plafond. De bomen waren overdekt met lapjes in allerlei kleuren. Peri schrok. Terwijl het licht bleef flakkeren, kwamen de lapjes in beweging en ze maakten zich los van de bomen: miljoenen vlinders, libellen, motten, kevers die goud, groen, koperkleurig en aquamarijn vonkten.

'Aha,' zei Finch. 'Dus ze houden zich tegenwoordig ook met insecten bezig.'

De werveling van kleuren spiraalde omhoog naar het licht en de kleine wezentjes sloegen tegen de ramen van het observatorium.

'Verdomme,' zei Finch. 'We moeten maken dat we wegkomen.' Ze sleurde Peri mee via een verbindingsgang een andere vleugel in. Opgelucht zagen ze dat het licht achter hen doofde. Finch deed haar lichtstaaf aan. 'Er zijn een paar dingen veranderd sinds de informant van Niko hier is vertrokken. Blijf hier even wachten.' Ze schoof Peri's rugzak van haar schouders en verdween het duister in.

Peri bleef alleen achter op de gang. In het schemerlicht dat van de wanden kwam zag ze bewakingscamera's die op haar gericht stonden. Ze tuurde het duister in. Waar was Finch gebleven? Ze hoorde of zag haar niet meer. Dus dit was het dan. Ze was achtergelaten. Finch had wel 'mooi' gezegd, maar dat was misschien alleen maar bedoeld geweest om te zorgen dat ze niet op haar hoede was. De beveiliging kon haar elk moment in de gaten krijgen. Zelfs al was het niet Finch' bedoeling om haar in de steek te laten, dan zou ze toch worden gepakt. Jay was hier, maar die kon of wilde haar niet helpen. Geen weg terug naar de Hemelse Richel.

Ze sloop naar de kant van de gang buiten het blikveld van de camera's. Een deur. Ze duwde hem open, en voor haar gaapte een zwarte diepte. Ze zou hier blijven wachten tot ze Finch hoorde. Als die ooit terugkwam.

Een lange, schemerige galerij strekte zich voor haar uit, behangen met lappen glanzende zijde.

Diep onder de indruk liep ze zachtjes de hele ruimte door, de blik omhooggericht naar enorme ijle lappen die even gaasachtig waren als de vleugels van libellen, even gloeiend blauw als de vleugels van een Papilio ulysses, robijnrood als de keel van een kolibrie.

Er was geen wezen, geen reusachtige vlinder die dit weefsel produceerde, en toch bewoog het, toch reageerde het ergens op; misschien dat haar aanwezigheid de lucht in beroering bracht, de warmte van haar lichaam, het gepiep van voetstappen op de glazen vloer.

Ze bleef staan.

De trillende, transparante vlakken kleur leefden.

Waarom was ze hier? Als ze alleen maar wilden achterhalen wie ze was, hadden ze gewoon een haar van haar kunnen meenemen naar de lezer; dan was het helemaal niet nodig geweest dat zij meeging. Dat bewees dat ze van plan waren haar hier achter te laten. Wat een eenvoudige manier om haar te lozen. En ze hadden nog steeds hun gijzelaartje Hugo, die haar er met gemak van zou weerhouden om Audax te verraden.

De minuten tikten voorbij; de tijd zelf vormde poeltjes smaragdgroen en blauw.

De lucht die ze inademde was doortrokken van glinsteringen. Voorwaarts, achterwaarts. Er was geen reden om in beweging te komen.

Peri stond in het midden, in het hart van het allerbelangrijkste onderzoekscentrum van Diomedea. Ze was alleen en om haar heen zoemde het gebouw.

Roofvogel

Vroeg in de middag bereikten de overvallers de Hemelse Richel. Phoebe bracht Hugo bij Peri en terwijl Niko het verloop van de actie met hen doornam, gaf ze hem de borst en daarna fruit en wat crackers.

Terwijl Niko aan het woord was, stond Jay zwijgzaam aan de rand van de groep stuk voor stuk zijn slagpennen te controleren. Peri's blik werd onweerstaanbaar aangetrokken door de opkomende blauwe plekken, de plaatsen waar zijn donkere huid nog donkerder was op zijn armen en hals. Met een norse trek op zijn gezicht wrong Jay zich in bochten om zich ervan te vergewissen dat elke vliegveer intact was. Op zijn hals en gezicht waren stukjes nieuwe huid gespoten. Een paar kleinere vleugelveren waren gebroken en zaten nu vastgeplakt. Jay had het het zwaarst te verduren gehad van Diomedea's beveiliging. Ook Raf was gewond geraakt. Zijn armen zaten onder de blauwe plekken waar zijn gladpak was gescheurd, en op zijn hoofd was een stukje haar weggesneden om een hoofdwond te kunnen verzorgen.

'Ik heb alvast even snel de gegevens doorgenomen die jullie me op de terugweg hebben toegestuurd,' zei Niko. 'Het ziet er allemaal spannend uit, al zal het wel even duren voor we het helemaal hebben ontcijferd. Er zit een vracht ongepubliceerde wetenschappelijke artikelen bij, onder andere over onderzoek waarvan we al dachten dat ze dat deden, naar manieren om van die verdomde medicijnen af te komen. Waar het werkelijk om draait, is dat we nu kunnen aantonen dat ze onderzoek hebben vervalst en zelfs artikelen hebben gepubliceerd waarin ze gebruikmaken van vervalste gegevens. Persoonlijk verheug ik me er erg op om de echte gegevens bekend te maken. Wat vinden jullie: zal ik mijn eigen wetenschappelijke tijdschrift beginnen?'

Jay lachte.

Peri begon te knikkebollen. Ze was zo uitgeput dat ze zich nauwelijks meer iets kon herinneren vanaf het moment dat ze Finch haar naam had horen fluisteren op de gang in L1. 'Peri, Peri, waar zit je, verdomme?' Daarna het rennen en de loodzware terugtocht, met vleugels die alleen in beweging werden gehouden door de blijdschap dat ze op weg was naar de Hemelse Richel, naar Hugo.

Toen ze wakker werd, was het vroeg in de avond, en Hugo lag opgerold op een van haar vleugels te slapen. Ze lag onder de overhangende rots, maar kon zich niet herinneren hoe ze daar terecht was gekomen. Finch schudde haar wakker. 'Jemig,' zei Peri, terwijl ze zich uitrekte. 'Ik had nog een hele tijd kunnen slapen.'

'Kom mee.'

Peri pakte Hugo op en liep achter Finch aan terug naar de rivier. Verder was er niemand. Waar zaten ze toch allemaal? Waren ze oefenvluchten aan het maken? Of misschien verkenningsvluchten? Ze kookten niet, aten zelden verse groenten; het enige waar ze om gaven was vliegen. Het grootste deel van de tijd stelden ze zich tevreden met energierepen.

Peri probeerde de laatste droomresten die nog aan haar kleefden af te schudden. Ze liep door die galerij in L1, volkomen gehypnotiseerd door de lappen flonkerende kleuren, en ineens rende ze; de lappen kwamen los van de muur, vlogen op haar af, achtervolgden haar. Ze leefden, het waren stukjes leven, en ze zouden zich om haar heen wikkelen en haar verstikken in hun flinterdunne pracht; ze zouden wraak nemen voor dat geketende, kankerachtige groeien van ze. Vermoord ons, gilden ze buiten het bereik van haar gehoor, niet meer dan een sissen en suizen in de wind. Vermoord ons!

Finch beduidde dat Peri op het zand moest gaan zitten. Peri zette Hugo op haar schoot en liet hem tegen de kromming van haar elleboog leunen. Hij draaide zich om om een groen veertje uit de binnenkant van haar vleugel te trekken en begon ermee te spelen.

'Ik heb de resultaten bekeken die de lezer bij L1 heeft opgeleverd, Peri.'

'En daarin staat dat ik ben wie ik zeg dat ik ben.'

'Jawel, maar ...'

'Wat zouden jullie hebben gedaan als dat niet zo was geweest?' onderbrak Peri haar.

'Dat doet er niet toe. Dat leek me toch al niet erg waarschijnlijk. Ik moet je iets veel belangrijkers vertellen. Het is iets wat invloed zal hebben op wat jij doet, en op wat wij met jou doen. Jay is er vierkant op tegen om je nu al te laten gaan, maar Niko zegt dat we Hugo's veiligheid niet kunnen garanderen, en volgens mij is dat waar. En deze uitslag maakt hoe dan ook alles anders.'

'Op wat voor manier?'

'Ik heb in de lezer een haar van jou vergeleken met een haar van Hugo. De lezer heeft het DNA van beide monsters geanalyseerd en de uitslag is maar voor één uitleg vatbaar. Je hebt Hugo niet alleen ter wereld gebracht, je bent tevens zijn genetische moeder.'

Peri keek omhoog naar de beweeglijke silhouetten van de blaadjes in het bladerdak boven hun hoofd. De hemel was nog steeds blauw, maar de wolken hadden al vlam gevat van de ondergaande zon, die ze niet kon zien hierbeneden tussen de bomen. Ze had de woorden gehoord die Finch tegen haar sprak, maar kon ze niet bevatten. En het hielp ook niet als ze de woorden een voor een analyseerde. Een doffe pijn verspreidde zich vanuit haar keel naar haar borstkas, buik, rug en vleugels, en stuurde pijnscheuten naar haar benen. Haar spieren straften haar nu omdat ze ze te veel had belast. Waarom, waaróm moest ze dit allemaal doormaken, nog meer pijn voelen om Hugo? Ze wierp Finch een kwade blik toe.

'Nee,' zei Peri hoofdschuddend. 'Dat kan niet waar zijn. Je vergist je.'

'Er is geen sprake van een vergissing,' zei Finch. 'De uitslag is duidelijk. Je bent zijn moeder.'

'Verontreiniging,' zei Peri tandenknarsend.

'We weten allebei dat dat niet waar is, Peri,' zei Finch irritant vriendelijk. 'Diomedea heeft de beste lezers die er maar zijn. Waarom ben je hier nu zo van over je toeren?'

'Omdat het waanzin is,' zei Peri, en de tranen begonnen over haar wangen te stromen. Haar handen hadden zich naast haar tot vuisten gebald. Hugo schrok van de woede in haar stem en begon te dreinen. 'Het slaat nergens op. Ze hebben me betaald om hún kind te krijgen! Het kind van Peter en Avis! Hoe kan ik nu van mijn eigen kind bevallen zonder het te weten? Wat moet ik nou?' Peri krabde woest op haar hoofd, alsof ze door iets werd gebeten. Ze dacht aan Peter en zijzelf samen. Natuurlijk had hij haar zwanger kunnen maken, dat was mogelijk, maar ... maar ze hadden haar betaald om hun kind te krijgen, en niemand had ook maar even gesuggereerd dat Hugo iets anders was dan dat. En als Hugo werkelijk haar kind was, waarom hadden ze hem dan in leven gelaten?

De dag dat het embryo werd overgeplaatst. Ze hadden haar voorbereid voor de ingreep op de operatietafel gelegd, en ze wist dat Eliseev en Peter er waren, maar ze kon zich alleen gemaskerde figuren in operatieschorten herinneren die zich over haar heen bogen. Haar doodsangst toen haar bewustzijn wegglipte, hoe ze zich ondanks zichzelf tegen de verdoving had verzet, dat afdalen in een tijdloos niet-bestaan. Iemand hield haar in bedwang en duwde het masker op haar gezicht. Toen hadden ze waarschijnlijk ontdekt dat ze al zwanger was. Ze hadden blijkbaar besloten ... Peter had blijkbaar besloten om die zwangerschap door te laten gaan en het haar niet te vertellen. Haar te bedriegen. Haar te laten denken dat de baby van hem en Avis was.

'Is het niet in je opgekomen dat je het misschien wel wist?' onderbrak Finch haar gedachten. 'Je daden wijzen daar wel op. Je was bereid alles op te geven voor Hugo. Het lichaam beschikt over een eigen wijsheid. Ze zeggen dat moeders de geur van hun pasgeborene er zo uit pikken in een verduisterde kamer met honderd baby's. Maar goed,' voegde ze eraan toe, 'wees blij. Nu je weet dat je in elk opzicht Hugo's moeder bent, heb je rechten. Je moet alleen bedenken hoe je aanspraak gaat maken op die rechten.'

Peri zag zichzelf weer, maanden na de ingreep, in de schemerige verloskamer achter de spreekkamer van Eliseev, waar hij haar vliezen had gebroken. Het koude metaal van een kast drukte in haar middel terwijl ze met haar handen plat op de bovenkant leunde en zich schrap zette tegen een wee. Toen die wegebde, was de opluchting overweldigend.

Uren later was er geen piek, en geen dieptepunt. De pijn strekte zich uit tot een onafzienbaar plateau; binnenin werd haar hele wezen tot stof vermalen, en ze liep op en neer door de benauwd warme kamer; ze wilde naar buiten, lopen, lopen, lucht langs haar huid voelen strijken, alleen in beweging blijven kon haar helpen dit te verdragen, maar ze mocht niet naar buiten van Eliseev. Peri's hele wezen en al haar zenuwuiteinden werden tegen een ruwe, schurende rotswand gedrukt. Ze kon er nog geen millimeter afstand van nemen. Er was niets anders in dit leven behalve de dood en de enige manier om te ontsnappen was erdoorheen gaan. Op haar knieën smeekte ze om hulp. Ze was doodsbang en alleen. Eliseev en Peter keken naar haar, maar van ver, vanaf de andere kant van de pijn. Net als de vorige keer droegen ze een masker en een operatieschort. Zou Eliseev de baby uit haar los snijden? De mannen leken bijna onmenselijk; ze zag hun ogen glinsteren, maar ze weigerden haar aan te kijken. Eliseev stond toe dat ze lachgas kreeg en toen ze het inademde, hoorde ze de lucht suizen en vonken; ze zag en hoorde niets, er was alleen dat vermalen van rotsblokken die verpletterd werden door een gletsjer. Peter had niet gewild dat ze pijnstillers kreeg, maar Eliseev was er juist voor geweest, en als ze er goed over nadacht had hij de indruk gewekt dat hij nog het liefst wilde dat ze geen enkele herinnering zou hebben aan de baby die uit haar gleed in een stortvloed van bloed en water. Verzwakt door bloedverlies lag ze op bed in de verloskamer, terwijl Eliseev en Peter de baby meenamen; ze had hem niet vastgehouden en zelfs niet gezien. Ze hoorde hem huilen, het geluid ebde weg terwijl hij werd weggedragen.

Hugo's gehuil had haar door het hart gesneden als een glasscherf. Voor het eerst was ze bang dat hun afspraak geen succes zou worden.

Nu liep Finch bij Peri en Hugo vandaan, zonder te zeggen waar ze heen ging of waar ze mee bezig was. Het was Peri al eerder opgevallen dat de leden van Audax haar zelden iets vertelden als het niet rechtstreeks met haar te maken had.

'Wacht even,' riep Peri. Finch draaide zich om. 'Wat hebben Jay en Niko over me besloten?'

'We hebben nog niets besloten. Maar jij ook niet.' Finch verdween tussen de bomen.

Peri richtte haar aandacht op de baby, háár baby, alsof hij nu ineens een onbekende was geworden. Het kind beantwoordde haar blik, en zijn ogen waren zo diep als de lucht. 'Jij wist het,' zei Peri. 'Jij hebt het altijd geweten, hè?' Hugo trok een oogverblindende grijns. Ik had het ook moeten weten. En soms wist ik het ook, maar dan dacht ik dat ik gek was. Ze pakte hem op en legde hem tegen haar huid. Hij klopte op haar schouder met zijn volmaakte handje.

Toen Hugo in slaap was gevallen, trof Peri Jay aan op de met gras begroeide startplaats. Hij was alleen en stond blijkbaar op het punt te vertrekken. Ze kon alleen zijn omtrekken onderscheiden, die donkerder waren dan de diepblauwe schemering.

'Jay,' zei ze, en haar stem brak bijna van woede; ze wist niet meer wie ze was. Net als planeten en manen die uit hun baan worden gestoten en zich moeten hervinden, was zij ineens het centrum; Hugo draaide om haar heen. Ze was geen bijplaneet, geen bijkomstigheid in het leven van anderen die tot in het oneindige kon worden vervangen.

Jay keek toe hoe Peri op hem afkwam benen en een, twee stompen tegen zijn borstkas gaf. Toen greep hij haar polsen.

'Hou daarmee op,' zei hij. 'Dat doet pijn.'

'Maar niet zo'n pijn als jij mij hebt gedaan. Je was van plan om me achter te laten. Ik haat je. Ik haat je!'

Jay hield nog steeds haar polsen vast.

'Laat me los.'

Hij liet ze vallen. 'Ik was helemaal niet van plan om je achter te laten.'

'Wel waar.'

'We moesten het gewoon zeker weten.'

'Wat waren jullie dan van plan?'

'Ik heb gezien wat er achter je aan kwam. En dan die timing van je, dat je vlak voor de overval ineens komt aanzetten: je kunt me niet kwalijk nemen dat ik op mijn hoede was. Voor zover we allemaal wisten, jij meegerekend, was Hugo niet eens van jou. Je verwachtte van ons dat we een nogal vreemde situatie accepteerden.'

Peri liet zich op het gras vallen.

'Ik heb zo'n idee dat ik niet de enige ben op wie je kwaad bent.'

'Meen je dat nou?' zei Peri. 'Goh, wat slim van je. Maar Peter ga ik echt niet alleen maar slaan; die ga ik vermoorden.' Ze balde haar vuisten. 'Dat hij dat heeft kunnen doen,' zei ze met stemverheffing. 'Ik zweer het je. Ik ga hem vermoorden. Echt waar!'

Jay legde zijn hand op haar schouder. Peri schudde hem af.

'Je gelooft me niet, hè? Denk je nou heus dat het moeilijk voor me is om Peter te vermoorden, na alles wat ik heb doorgemaakt?'

'Je moet me één ding beloven.'

'Wat dan?' Peri keek Jay strak aan.

'Als je me nog eens wilt slaan of aanvallen, moet je er wel voor zorgen dat ik je zie aankomen, net als vanavond. Je mag me nooit besluipen.'

'Waarom niet?'

'Om te voorkomen dat ik zonder nadenken naar je uithaal. Ik wil je niets aandoen.'

'Wat is dat nou voor neerbuigend ...'

'Ik doe niet neerbuigend tegen je, domme kleine ...' Hij viel even stil en haalde adem. 'Oké, nu doe ik neerbuigend tegen je. Maar ik ben tweemaal zo groot als jij, Peri, en ik ben erop getraind om ...' Hij zweeg, ging naast haar zitten op het gras en veegde natte slierten haar van haar wangen. 'Ik heb je gered in dat noodweer, Peri. Je zult altijd aanspraak op me kunnen maken, meer aanspraak dan de ene volwassene normaal gesproken op een ander kan maken. Zo is het nu eenmaal. Grappig genoeg is degene die iets doet voor een ander iets aan die ander verplicht, in plaats van andersom.'

'Net als met mij en Hugo.'

'Ja. Iemand heeft eens tegen me gezegd dat de beste manier om te zorgen dat iemand om je geeft, is zorgen dat zo iemand iets voor je doet. Mensen doen juist steeds het tegenovergestelde: ze bewijzen een ander een dienst in de hoop dat die ander daarom van hen zal houden, maar het enige wat ze bereiken is dat ze met alles wat ze doen zelf steeds dieper in de val raken.'

'Dat klinkt behoorlijk cynisch.'

'Helemaal niet. Zo werkt dat met liefde nu eenmaal. Het heeft niets te maken met vrijheid, gelijkwaardigheid of eigenbelang, met twee onafhankelijke individuen die samenkomen, de zaken afwegen en elkaar over en weer hetzelfde geven; dat is een transactie, een balans die je opmaakt, en geen liefde. Liefde is dienen, en anders is het geen liefde. En ik heb heel veel nagedacht over dienen. Mijn leven bestaat uit dienen. Hoe meer er van je wordt gevraagd, hoe meer je geeft. Hoe meer je liefhebt. Als moeder weet je dat. Degene van wie je het meest houdt, is degene die jou in beslag heeft genomen, degene die jouw leven in de waagschaal heeft gesteld.'

Peri luisterde naar het gras dat ritselde in de warme bries. In het donkere oosten flitsten zomerbliksemschichten, woest stromend water dat omlaagstroomde van verafgelegen purperrode klippen lucht.

Dus daarom gaven Peter en Avis nooit om Hugo en deed ik dat wel. Doe ik dat wel. Dat heb ik nooit begrepen. Zij hebben nooit iets opgegeven, nooit iets geriskeerd, en hoe minder ze iets voor hem deden, hoe minder ze van hem hielden. Ik dacht dat het andersom werkte: dat ze niets voor hem deden omdat ze niet van hem hielden. Misschien dachten ze dat zelf ook. Ze vroegen zich vast af wat er met ze aan de hand was. Als ze dag in dag uit hadden gedaan of ze van hem hielden, zijn billen hadden schoongeveegd, hem in bad hadden gedaan, hem hadden gevoed, elke nacht uit bed waren gekomen, dan was die liefde wel gekomen. Als je liefde wilt, zul je er werk voor moeten verzetten.

Peri kneep Jay in zijn hand en stond op. 'Ik ga slapen.'

De volgende ochtend zette Peri Hugo neer op het zand langs de rivier en ze bekeek een voor een zijn trekken met meer aandacht dan ze ooit had gedurfd. Ze had met zijn vingertjes en tenen gespeeld, over zijn buikje geaaid en zijn neus gekust, meestal als Avis en Peter er niet bij waren, maar ze had het er nooit op gewaagd om de inventaris op te maken van de pasgeborene, zoals ouders dat doen, die elk aspect opnemen om te constateren dat het volmaakt is, om te bekijken op wie van de familie het kind lijkt. Ze was er bang voor geweest om dat te doen, misschien uit vrees dat ze te veel van hem zou gaan houden, of op de verkeerde manier, en wat voor zin had het trouwens gehad om te kijken op wie hij leek? Dat ging haar immers niets aan.

Nu keek Peri met een nieuwe blik. Ze was zijn moeder. Hugo was haar band met de familie, met ouders en grootouders die ze nooit had gekend: een levende boodschap uit het verleden die ze niet kon lezen.

Zijn ooghoeken die een beetje opwipten, die mond met de volle bovenlip die zich plooide als een net geopende papaver; kwetsbare oogleden die aan de randen een violette nuance hadden, als papierdunne schelpen: van wie had hij die trekken? Zijn brede voorhoofd had hij van Peter, de onverbrekelijke band die tussen haar en hem en generaties van zijn familie was gesmeed.

De diepe woede die gisteren in haar was ontstoken, brandde nog steeds. Peter had het geweten en het nooit aan haar verteld. Hij had met haar gevreeën toen ze zwanger was, en niets tegen haar gezegd. En Avis, zat die ook in het complot? Dat zou haar kille houding verklaren. Maar waarom zou ze het spel hebben meegespeeld? Peter had Peri zwanger gemaakt en had haar de baby laten dragen terwijl ze dacht dat Hugo niet van haar was. Hij had het geweten en had het haar niet verteld. Hij had Hugo gestolen. Hij was de ontvoerder.

Peri streelde Hugo's lange benen. Die konden van haar of van Peter komen. Zijn tenen, die in een rondje uitliepen als de tenen van een kikker, zijn glanzende donkere haar, het enigszins vierkante gezicht, de ronde kin, dat was zij. Hoe had ze dat over het hoofd kunnen zien? Ze had niet naar gelijkenissen gekeken, en als ze al iets had gezien, had ze het niet geloofd. Sommige baby's zien eruit als de mannen of vrouwen die ze worden, maar Hugo had de blanco volmaaktheid van een kind. Zijn volwassen gezicht was nog verborgen.

Peri tilde hem weer op, snoof de geur op van zijn haar en hals. Hij rook naar zijn eigen geurtje van koekjes, rivierwater en aarde. Het was haast niet te bevatten, haast niet te geloven dat ze niet alleen van Hugo mocht houden, maar dat het zelfs haar dure plicht was. Daar moest ze nog aan wennen.

Wat was het verschil tussen ervoor kiezen om van Hugo te houden en van hem moeten houden? Hoe voelde dat? Ze wist niet zo zeker of ze ooit een keus had gehad. Maar nu was ze aan hem verbonden, nu was er echt geen keus meer. Wat een opluchting – niet alleen omdat ze niet van plan was hem op te geven, maar ook omdat ze dat eenvoudig niet kon.

Haar eigen ouders hadden blijkbaar gedacht dat het goed was om haar weg te geven, maar zij wist dat ze zich hadden vergist. Ze kon dat Hugo niet aandoen.

Vroeg in de middag kwam Finch Peri opzoeken, die de hele ochtend met Hugo bij de rivier was gebleven. Ze had met hem gespeeld, hem gevoed en naast hem liggen soezen terwijl hij zijn dutje deed. Ze had zijn haar gewassen en de zeepresten in een kom uitgespoeld die ze van Finch had gekregen, waarna ze met Hugo op haar heup het water had weggegooid in de buurt van hun afvalkuil, een eind bij de rivier vandaan, zoals Finch haar had opgedragen.

Al die tijd had Peri zich afgevraagd: hoe voel ik me? Hoe word ik geacht me te voelen? Moet ik nu proberen nog intenser bij Hugo te zijn dan waar ik eerst recht op dacht te hebben? Of moet ik juist rustiger, ontspannener zijn, zoals een echte ouder moet zijn? Moet ik me meer verlaten op een band die niet zo onder druk staat of hoort te staan? Dat zou wijzer zijn, nietwaar? Welbeschouwd ligt het nogal voor de hand dat ik geen flauw idee heb hoe de normale liefde tussen ouder en kind eruitziet. Heb ik die ooit gezien toen ik klein was? De manier waarop Peter en Avis met Hugo omgingen, dat kan toch ook niet normaal zijn geweest? Misschien voor hen wel. Maar het was niet echt wat een mens zou willen. Volgens mij niet.

Dus toen Finch er bij Peri op aandrong om mee uit vliegen te gaan met haar en Jay, zag ze er wel tegen op om Hugo alleen te laten, maar ze was ook blij, omdat ze dan even ontheven was van de onzekerheid die het met zich meebracht om haar relatie met haar baby nieuwe inhoud te geven. Haar baby! Als dat al was waar ze mee bezig was. Eigenlijk klopte dat helemaal niet. Ze was haar gedachten een nieuwe richting aan het geven, maar de manier waarop ze voor Hugo zorgde zou niet veranderen. Wat wel zou veranderen was haar houding tegenover hun toekomst, maar ze had nog geen tijd gehad om daarover na te denken.

'We gaan een korte vlucht maken, voor Shaheen,' zei Finch. 'Kom mee. Je moet vandaag je spieren gebruiken, anders verkrampen ze helemaal.'

Peri liet Hugo achter bij Raf en Griffon, die naar de rivier omlaag waren gekomen en nu met hem zaten te spelen op de ruwe manier die jongemannen er nu eenmaal op na houden. Hugo spetterde en giechelde of hij op het punt stond te barsten van plezier.

'Zie je nou wel?' zei Finch toen Peri even bleef staan voordat ze het pad insloeg dat naar de startplaats leidde aan de rand van de klip. 'Hij is blij!'

Kun je nagaan wat weinig jij daar vanaf weet, dacht Peri terwijl ze achter Finch aan liep. Hugo was nog niet oud genoeg om het lang achter elkaar zonder haar te kunnen stellen. Vooral omdat hij er niet aan gewend was dat iemand anders op hem paste.

Ze ontmoetten Jay aan de rand van de klip. Hij had zijn valkeniershandschoen in zijn gordel gestoken en om zijn hals hing een fluitje aan een veter.

'Winddummy?' vroeg Finch.

Jay knikte met een blik omhoog en bij hen vandaan.

Hij steeg op naar het middaglicht. De zon stond hoog aan de hemel, die versierd was met kleine dotjes wolk op regelmatige afstanden, kleine proppen papier verspreid over een vloer.

'Middelhoge wolken,' zei Jay net tegen Finch toen Peri naar hen omhoog kwam vliegen. 'Tussen de twee- en de zesduizend meter. Ac flo.'

Peri sloot aan bij Finch en Jay, die de indruk wekten zich absoluut niet in te spannen. Ze zweefden omhoog als rookwolkjes en waren bijna net zo lastig te onderscheiden. Niets aan hen glom, geen weerkaatsende horloges of sieraden, geen geglinster van hun vleugels, zoals ze in de Stad zo vaak zag. Deze twee waren vrijwel onzichtbaar, wat niet bepaald iets was waar vliegers in de Stad naar streefden.

'Altocumulus floccus,' zei Finch tegen Peri. 'Verder naar boven. Daar verderop is wat cumulus waar we ons op kunnen richten, zolang ze zich maar niet al te heftig ontwikkelen.'

'Lucht die voor een koufront opstijgt,' ging Jay verder. 'Die kan zijn voortgekomen uit altostratus of cumulus, of het is het gevolg van turbulentie of convectie op middelhoog niveau. Dat betekent dat er straks onweer kan komen. Jullie gedroegen je als een stelletje lemmingen, Finch. Wat heeft het voor zin dat ik voor winddummy speel als jullie toch niet opletten?'

'Dat deed ik wel,' protesteerde Finch. 'Heel snel.'

'Niet waar,' zei Jay.

'Oké, dan niet,' zei Finch. 'Neem me niet kwalijk. En heb jij alle waarden gecontroleerd voor je opsteeg? Niet alleen de wind, maar ook de hoogte van de wolkenbasis? De temperatuurgradiënt?'

'Flikker op,' zei Jay. 'Kun je de temperatuurgradiënt nou nog niet zelf berekenen?'

'Je weet heus wel dat ik dat niet kan.'

'Nou ja,' zei Jay, 'probeer dan maar te onthouden dat op een warme dag als deze de werkelijke temperatuurgradiënt 's middags naar alle waarschijnlijkheid groter is dan de droogadiabatische temperatuurgradiënt, en dan krijg je de superadiabatische temperatuurgradiënt. Oké?'

'Luister,' zei Finch. 'Ik weet heus wel dat ik Peri het slechte voorbeeld geef, maar jij geeft net zo goed een slecht voorbeeld met je neiging om je frustraties uit te leven door ons wuffo's – en dat is in jouw ogen iedereen – mondjesmaat informatie te geven. Je mag Peri weleens uitleggen waar je het over hebt.'

Peri concentreerde zich op de waarneming dat elke slag van haar vleugels een golf lucht tegen haar aan joeg, en ze gleed de spiraalbaan in die Finch en Jay hadden uitgestippeld, waardoor ze in wijde, ontspannen bochten met hen mee omhoogsteeg. Hoger en hoger, tot het land vervlakte in een mantel van kleuren. Zo hoog als daar had ze minder angst, en haar ademhaling keerde terug. Hier kon ze pas echt vliegen. Ze waren de norse banden van de aarde ontglipt. Steeds verder omhoog stegen ze, tot de lucht begon af te koelen en de wolken steeds dichterbij kwamen, met grijs aan de onderkant.

'Temperatuurgradiënt,' zei Jay. 'Eenvoudig gezegd beschrijft de temperatuurgradiënt de afname van de temperatuur van de lucht naarmate je hoger komt ...' Hij brak af toen er een snerpend *witsjoe-witsjoe* van boven tot hen kwam.

'Shaheen,' zei Finch. 'Ze is aan het aanwachten. Dat betekent dat ze boven ons blijft tot we het punt bereiken waarheen we op weg zijn.'

'Dat is iets nuttigs om te oefenen. Beelden van wolken in je hoofd opslaan,' zei Jay terwijl ze zich lieten dragen door de liftkracht in de richting van de wolkenbasis. 'Die gewoonte moet je je eigen maken. Het is duidelijk dat jij het weer beter in de gaten moet houden.'

Dat was waar. Ze begreep de hemel en de wolken bij lange na niet goed genoeg.

'Dus je moet erop letten of wolken zich niet te veel ontwikkelen,' zei Jay. 'Cumuluswolken kunnen zich altijd overontwikkelen, en als dat gebeurt leidt dat tot harde wind, regen, en misschien hagel en onweer. Maak er een gewoonte van om in je hoofd beelden op te slaan van wolken die op je route liggen. Dat moet je regelmatig doen, zeg eenmaal per minuut. Zoek een vergelijkingspunt aan de hand waarvan je hun snelheid of ontwikkeling kunt bepalen – zeg hun positie ten opzichte van een berg of een boom, of hun hoogte in verhouding tot een andere wolk. Wolken kunnen verrassend snel veranderen, en als er verder niets in de lucht is om ze schaal te verlenen dan andere wolken, is het lastig bij te houden hoe snel ze groter of kleiner worden. Als een wolk pijlsnel hoger wordt, weet je wat je te doen staat.'

'Maken dat ik als de bliksem wegkom.'

Jay lachte.

Ze vlogen naar het westen, in de richting van een serie cumuluswolken die opgestapeld lagen aan de horizon. Peri probeerde te oefenen met het opslaan van beelden van de cumuluswolken in de verte, maar het viel niet mee. Er was niets in hun buurt wat stabiel genoeg was om als referentiepunt te dienen en het was lastig om al die vormen, hoogten en posities van de wolken ten opzichte van elkaar in haar hoofd

vast te leggen en vervolgens een minuut of twee later opnieuw te vergelijken.

Jay is de beste vlieger die ik ooit heb ontmoet. Maar door sommige
dingen die ik nu leer wordt vliegen een stuk minder leuk. Hoe kan ik
me nu overgeven aan de roes als ik me voortdurend zorgen maak om
blauwe gaten, mijn energievoorraad en die beelden van wolken die ik
elke zestig seconden moet opslaan? Is dit nu echt wat ik wilde toen ik
mijn vleugels kreeg?

Finch voelde kennelijk Peri's stemming aan. 'Hoe gaat het?'

'Niet goed.'

'Misschien helpt het als je begrijpt dat je naar een paar verschillende
typen cumulus kijkt. Die verspreide plukjes cumulus die het dichtst bij
ons zijn, worden geclassificeerd als cumulus mediocris of *cu med*. Geen
aantrekkelijke naam, maar wel een aardig type wolk, het soort dat je
moet hebben voor een mooie dag om te picknicken. "Mediocris" betekent alleen dat ze niet erg hoog komen. Daarachter heb je een opmerkelijk voorbeeld van cumulus pileus ...'

'Mag ik raden?' zei Peri. '*Cu pil*?'

'Precies. En die schitterende, enorme knapen achter de cu pil, die
eruitzien als enorme bloemkolen die in slow motion naar boven toe
ontploffen?'

Peri lachte.

'Cumulus congestus.'

'*Cu con*?'

'Ja. Cumuluswolken duiden altijd op instabiliteit, één concreet resultaat van die superadiabatische temperatuurgradiënt waar Jay zo dol op
is.'

'Het duizelt me,' zei Peri.

'Het is een kwestie van oefenen, beste meid. Meer niet. Ik weet zeker
dat leren vliegen minder moeilijk is dan piano leren spelen. Het enige
is dat de consequenties anders liggen. Niemand is ooit gestorven aan
het aanslaan van een verkeerde toets.'

Jay zette een duikvlucht in en Finch en Peri volgden. Ze trokken op
uit de duikvlucht en begonnen aan een wijde spiraal omlaag.

Ze daalden in de richting van bossen die uitliepen in een ondiep dal.
Peri zag bossen zover het oog reikte. Ze daalden verder en het land
begon uiteen te vallen in afzonderlijke bomen en rotspartijen. Nu waren ze in het ondiepe dal, vlak boven de boomtoppen. De afgelopen
paar dagen was Peri veel behendiger geworden in dit soort vlucht. Ze
schoten voort over de boomtoppen en ineens zag Peri een lap zacht

groen die te welig was voor deze wildernis. De oude, verlaten boerderij stond erbij als een groen baken. Jay vertraagde, dook steil omlaag, en begon heftig met zijn vleugels te klapperen om de schok te verminderen.

'Jakkes, *boink*,' rilde Finch toen Jay tegen de grond sloeg. 'Dat is mij te hard en te snel. Hij zal er wel aan gewend zijn.'

Finch vloog in een kurkentrekkerbeweging omhoog en gebaarde Peri haar te volgen.

'Goed opletten,' zei Finch.

Jay stak zijn fluitje in zijn mond en blies driemaal kort. Shaheen cirkelde beneden hen.

'Nu is ze aan het jagen,' zei Finch.

'Hoe noemde Jay haar? Een hagerd?'

'De meeste valkeniers werken met valken die ze zelf hebben grootgebracht; die valken zijn bijna bang om de man of vrouw uit het oog te verliezen die ze te eten heeft gegeven sinds ze uit het ei zijn gekomen. Maar een hagerd is een vorstin; die is in het wild gevangen en heeft haar zomerkleed al. Ze heeft misschien zelfs al jongen gehad. Het is een overlever die kans heeft gezien zichzelf jaren te voeden. Natuurlijk is het riskanter om dat soort valken te laten vliegen, omdat je ze makkelijker aan de wildernis kwijtraakt. Jay laat haar hakvluchten maken – dat wil zeggen, los vliegen – en ze komt keurig terug, helemaal sinds haar tarsel dood is. Ik vraag me weleens af of ze Jay niet als haar maatje beschouwt, als een soort alfamannetje, al is het bij roofvogels wel zo dat de vrouwtjes groter zijn, dus een grotere afmeting is daar geen mannelijke kwaliteit.'

'Wat is dan wel een mannelijke kwaliteit bij roofvogels?' vroeg Peri.

'Een gering gewicht,' zei Finch. 'Omvang en kracht zijn voor de vrouwtjes. Voor valkeniers is jagen met een slechtvalkvrouwtje het toppunt, en voor hen krijgen alleen vrouwtjes de titel "valk".'

Jay stak zijn arm omhoog naar de valk.

Peri hoorde het fluiten van de wind en zag de vogel als een donkere bliksemflits omlaagkomen. De valk ving iets midden in de lucht en bracht het naar Jay. Hij gaf haar een lekker hapje en met tinkelende belletjes vloog ze weer weg.

Peri cirkelde omhoog. Haar zicht werd beter naarmate ze hoger bleef balanceren, vlak onder de wolken. Onder haar waren de oude, ronde oefenterreinen met scheefgezakte, kapotte omheiningen. Het was een vredige, melancholieke plek die Peri deed denken aan de verlaten boerderijen in de heuvels achter Janeanes land. Ze imiteerde de duikvlucht van de valk en liet zich vallen, waarna ze heftig klapwiekend weer hoogte won.

Hier zijn we veilig, overal ver vandaan. Maar hoe lang nog? In de Stad zijn we allebei in gevaar, tenzij ik Hugo aan Peter teruggeef, op zijn voorwaarden. Tenzij ik hem teruggeef wat hij heeft gekocht. Dat kan ik nu niet meer. Finch heeft gelijk: ik moet een manier vinden om Hugo op te eisen.

De valk stootte opnieuw en kwam Jay iets brengen. Elke beweging werd aangekondigd door het muziekje van haar belletjes.

Peri balanceerde op een warme opwaartse luchtstroom; hoe lang zou ze kunnen soaren zonder één keer met haar vleugels te slaan? Ze had inmiddels zo'n fijn ontwikkelde controle over haar vleugels dat ze zich op de kleinste afstelling van elke slagpen kon concentreren.

Ze had tijd nodig om na te denken. Hoe zou het zijn om hier te blijven? Ze zag zichzelf voor zich, lange groene jaren verder, jaren waarin ze zou vliegen en foerageren en net zo taai zou worden als de vliegers van Audax. Kon ze die keuze maken? Om zich te verbergen in de bossen? Maar dan kon ze nooit meer terug naar de gewone wereld. Dan zouden deze mensen haar hele wereld zijn.

Maar de vliegers van Audax blijven hier ook niet voor altijd. En hoe moet het dan met Hugo? Dit is een onmogelijk bestaan voor hem. Er zijn hier verder geen kinderen en het enige wat hij dan leert is hoe je een outlaw moet zijn. Het enige waar zij om geven, is vliegen; in hun ogen is hij onvolmaakt, net zoals hij dat voor Peter en Avis is. Hoe lang kan ik hem nog meedragen tijdens het vliegen? Iemand zonder vleugels kan eenvoudig niet bij Audax leven.

Jay gaf Shaheen de vogeltjes te eten die ze had gevangen, en de konijnen stopte hij weg, om mee terug te nemen. Met z'n tweeën kozen ze het luchtruim. In een oogwenk vloog Shaheen boven hen, met lange, slanke vleugels die oppervlakkige, krachtige slagen maakten. Algauw was ze niet meer te zien.

'Tegen de tijd dat wij de Hemelse Richel bereiken, zit zij allang uit te rusten op een van haar plekjes tegen de klip,' zei Jay. 'Als ze op één hoogte vliegt, haalt ze zo'n vijftig kilometer per uur, oftewel negentig meter per seconde. Ze is het snelste wezen ter wereld.' Hij klonk even trots als wanneer Shaheen zijn eigen dochter was geweest. Hij gooide de zak met konijnen naar Finch. 'Wil jij die voor ons mee terug nemen?'

'Tuurlijk. Wat gaan jullie dan doen?'

'We zien je wel weer bij de Hemelse Richel. Kom mee, Peri.'

'Als jullie het maar niet te laat maken,' zei Finch. 'De hemel wordt al behoorlijk instabiel.'

Al snel was ze nog maar een zwarte stip tegen donker wordende wolken.

'Wat is er?' vroeg Peri, terwijl ze Jay volgde op zijn cirkelvlucht boven de oude boerderij.

'Het moet hier ergens zijn. Dat kan niet anders, op een zomerdag als deze.' Jay maakte een scherpe bocht en de uiteinden van zijn slagpennen streken langs haar vleugel.

Hij steeg op, tuurde rond en daalde weer.

Jay hield het centrum van zijn spiraalbaan boven een overwoekerde tuin, die waarschijnlijk in de buurt was geweest van het inmiddels verdwenen huis. Recht onder hen strekte zich een wirwar van diepgroene, glanzende bladeren en roze bloemen uit. Peri cirkelde boven Jay.

In de verte zoemden bijen of naamloze grasbewoners die zich warmdraaiden in de middagzon. Haar angsten drongen zich aan haar op. Ze moest Audax en de Hemelse Richel verlaten. De zon maakte haar verkrampte ledematen los, verwarmde haar pijnlijke spieren, liet haar veren glanzen. Ze zuchtte. Konden haar gedachten en angsten maar oplossen in de warmte.

De warmte. De zon maakte iets in haar wakker. Peri spiraalde boven het dichte gebladerte en de roze bloemen. Precies hier stroomde een weelderige geur omhoog in de gouden oven van de middag, de geconcentreerde essence van duizend rozen. De hemel dampte van de rozen. Wolken zinderende rozengeur. Ze ademde, zwolg, zweette rozen, een traan van rozen warm op haar wang.

'Ik zie dat je hem te pakken hebt,' zei Jay, die op haar afschoot, met het *swoesj* van zijn vleugels als een gestage slag in de stille lucht.

'Het is zalig.'

'Het is een thermiekbel. Soms vind je een thermiekbel aan de hand van geur. Soms ben je zomaar aan het vliegen en word je ineens overvallen door een smerige of een heerlijke geur die mee omhoogkomt met de thermiek. Deze hierboven de rozenstruiken heb ik een tijdje geleden gevonden. Ik wist wel dat die weer zou verschijnen op zo'n warme middag. En dat is niet het enige. Andere dingen komen ook omhoog. Kijk maar.'

Peri keek aandachtig omlaag. De opstijgende lucht was beladen met vlokken kleur: lavendelkleurige, blauwe, gele, witte vlinders; watergroene libellen; roze bloemblaadjes. Peri maakte zo klein mogelijke cirkels, zodat ze bijna zweefde, waardoor ze omgeven was door warme lucht doortrokken van geur, bloesems en insecten.

'Dankjewel,' zei Peri.

'We moeten weg,' zei Jay.

Er stak een straffe bries op die een onheilspellende wolkenformatie in hun richting blies; ze moesten alles op alles zetten om ertegenin te vliegen.

Het pijlsnelle aangroeien van de wolken was onmiskenbaar. Peri vloog de meest gecompliceerde hemel in die ze ooit had aanschouwd. Afgezien van de supercel. Ze vloog af op een reeks verschuivende verticale lagen die deden denken aan coulissen die een gevoel van diepte oproepen.

De dichtstbijzijnde laag, waar ze op dit moment doorheen vlogen, bestond uit donker wordende lucht met vlokken zwarte wolk. Daarachter torende een cumulus congestus op die donkerrood opbolde en misschien wel duizend meter hoog was. Meteen daarachter belichtte de middagzon nog een reusachtige cumulus congestus, die aan de zijkant van de eerste stapelwolk uitpuilde, waardoor elke opbolling knisperend wit als ijzel opgloeide tegen de donkere wolkenmassa ernaast. Achter de witte wolk straalde de hemel intens blauw, alsof de duisternis daarvoor bij een heel andere dag hoorde.

'Wauw,' zei Peri.

'Daar heb je er een van wolk naar wolk,' zei Jay. 'We moeten maken dat we wegkomen.'

Hij voerde zijn snelheid op en Peri deed haar uiterste best om hem bij te houden.

'Moet je zien,' zei hij, en hij wees naar de purperrode wolk. Horizontale bliksemflitsen. 'Daar gaan de bliksemflitsen van wolk naar wolk.'

Ze doken zo laag als ze durfden. Het was angstaanjagend, opwindend, om tegen deze wolken te racen, over bomen en uitgestrekte vlakten voort te snellen. Nu combineerde ze alles; ze keek omlaag naar de formatie op het land, daarna vergeleek ze die met de wolken, om daarna weer omlaag te kijken. Als haar concentratie zo eensporig was, als ze maar vloog voor haar leven, dan kon ze dit, dan kon ze dit allemaal bijeenbrengen zoals Jay haar aan het leren was. Doodeenvoudig. Het enige wat ze moest doen was aan niets anders denken. *Vleugels zijn zwaar, tenzij je er iets voor opgeeft.* Het enige wat ze moest opgeven was alles. Alles behalve vliegen

Ze durfde het zichzelf nauwelijks toe te geven, maar het gaf een gevoel van bevrijding om zich alleen op het vliegen te concentreren. Een opluchting. Haar vliegcursus in de Stad was van haar eigen slaaptijd afgegaan. En nog had ze zich altijd ongerust gemaakt. Stel dat Hugo wakker wordt, stel dat hij me nodig heeft, stel dat de melk die ik voor hem heb achtergelaten niet genoeg is?

Nu had ze de vrijheid om zich volkomen uit te putten met slechts één enkel doel voor ogen. Ze voelde zich schuldig, alsof ze zich overgaf aan een heimelijk pleziertje. Ze moest de gedachten aan Hugo – háár zoon, haar zóón – opzijzetten om zich te concentreren op alle details rond een steeds fijnere afstemming van haar vaardigheden. Ze racete tegen de wolken die boven haar hingen, en besefte dat dit kostbare tijd was die snel verstreek, ook al was dat nieuwe inzicht van haar, dat haar telkens verraste als een koude golf die haar overspoelde, tegelijkertijd heerlijk en angstaanjagend. Peri voelde dat ze bekropen werd door een groot verlangen naar vliegen.

Daar doken ze glorieus onder de purperen wolk vandaan. Het gerommel van de donder stierf achter hen weg en badend in de zonneschijn vlogen ze over het dal dat naar de Hemelse Richel leidde, waarna ze omhoogschoten op de hellingstijgwind, en Jay en zij moesten lachen van opluchting en blijdschap en de geweldige roes. Dat ging ze allemaal niet kwijtraken; het kon alleen maar hoger, sneller en sterker worden, net als die exploderende purperen cumulus.

Toen ze de rivier in plonsden, was Peri doodmoe, en tegelijkertijd naar lichaam en geest verrukt.

De namiddag strekte zich voor haar uit. Opnieuw zat ze met Hugo in de theekleurige poel te spelen. Het was warm en helder, en Peri voelde zich rustiger dan ze zich in maanden, in jaren had gevoeld. Zo zorgeloos had ze zich niet meer gevoeld sinds ze in de rivier bij Janeane speelde, toen ze vier was.

Shaheen zat op haar lievelingsplek, een tak die over het water hing. *Iek-iek-iek-iek*, zei ze een paar maal, en het geluid was diep en hardvochtig, alsof ze hen op de vingers tikte omdat Hugo's vreugdekreten te doordringend werden. Waar zijn je jongen, vroeg Peri aan de valk. Schold je die ook zo uit? Shaheen schudde haar veren op en dutte weg in de zon. Als een echte jager had ze een volmaakte zelfdiscipline en het vermogen om energie te sparen, en ze kon urenlang roerloos zitten alsof ze uit steen was gehouwen.

Peri concentreerde zich op elke verstrijkende minuut, het gevoel van de zon op haar rug, het water dat van haar geoliede veren rolde, de aangename pijn in haar steeds sterker wordende vliegspieren. In haar geest was er elke seconde het verbijsterende besef dat ze Hugo's moeder was. Zijn echte moeder. Het was terecht dat ze om hem gaf, dat ze zoveel van hem hield als ze deed. Elke paar seconden keek ze weer even naar hem, om die nieuwe afstand of nabijheid te meten.

En ze voelde dat ze steeds krachtiger en behendiger werd met elk uur dat ze samen met de vliegers van Audax in de lucht was. Elk moment dat ze met hen doorbracht, werd ze meer de vlieger die ze gehoopt had te worden. Die luchtige lichtheid waar ze altijd van had gedroomd, begon zich eindelijk te ontplooien.

Het was wel merkwaardig dat ze die twee strijdige extases van haar leven nu juist hier bij Audax tegelijkertijd in volle omvang leerde bevatten.

Dat ongemakkelijke gevoel was er steeds: wat Peri ook deed, die ander kwam in opstand. Moeder en vlieger – beide aspecten waren krachtiger, intenser geworden sinds ze bij Audax was, alsof ze altijd een ingedamd, smeulend vuurtje was geweest dat nu ineens heftig en heet oplaaide. Zou ze dan niet des te sneller opbranden, verstrooid raken als as in de wind? Heel even begreep ze de ambivalente houding van Avis en Peter tegenover Hugo. Zo verscheurd zou ze zich niet voelen als hij een nestjong was. Maar dat was hij niet, en dus werd ze in twee tegenovergestelde richtingen getrokken door de dingen waar ze het meest om gaf.

Peri voedde Hugo, en gaf hem daarna wat te eten uit de provisiekist in de rivier. De zon scheen nog steeds krachtig en warm op haar rug, maar was wel al aan het dalen, en Hugo zat te knikkebollen. Hij was moe van al het spelen met Raf en daarna met haar.

Peri pakte Hugo in en nam hem mee naar de overhangende rots. Leto was er en zei dat ze zelf ook ging slapen. Peri liet Hugo slapend achter tegen Leto's zij en liep terug over het pad. Haar hele lichaam kwam weer in al zijn zintuigen tot leven en bruiste van de energie, nu haar angsten wegvielen en ze elke dag meer de roes van het vliegen ervoer.

Toen ze afdaalde naar de poel, bleek Jay daar te zijn. Hij verwisselde het verband op een van zijn wonden. Hij kwam overeind en ving Peri's blik. 'Help me even,' zei hij, en hij wees naar een verband op zijn rug, onder zijn vleugel. 'Daar kan ik niet bij.'

'Ik ook niet,' zei Peri. 'Je bent te lang.'

Jay ging op het zand zitten en Peri op een boomstronk erachter, met haar benen aan weerszijden van zijn smalle middel. Hij hing achterover tegen haar aan en boog zijn vleugel naar buiten. Voorzichtig maakte Peri de pleister en het verband los om de snee en de blauwe plek eromheen schoon te maken.

Jay kromp ineen.

'Wat is er gebeurd?'

Hij schudde zijn hoofd. 'Doet er niet toe.' Hij gaf haar een EHBO-doos aan.

Peri maakte de doos open en bracht de nieuwe huid en het verband aan die erin zaten. Ze liet zachtjes haar hand gaan langs zijn uitge-strekte vleugel, tot zover ze erbij kon.

'Laat me je veren even controleren,' zei ze. 'Om zeker te weten dat er niet nog meer kapotte tussen zitten die moeten worden hersteld.'

Jay draaide zich om en keek haar aan.

'Oké,' zei hij.

Peri nam elke donkere, gouden veer van Jays vleugels onder handen, net zo lang tot hij glansde. Ze hing tegen zijn rug om de veren te kun-nen bereiken aan de voorrand en bovenaan. Ze liet haar hand langs zijn hals omhooggaan en voelde hem rillen.

'Jay,' fluisterde ze, tegen hem aan gedrukt.

'Ja?'

'Haal die polsband nou weg.'

'Nee.'

Ze kuste hem in zijn nek.

Jay stond op en keerde zich naar haar om. Hij boog vooover, hielp haar overeind, en legde zijn hand rond haar pols. Met zijn hand nog steeds rond haar pols liep hij langs de rivier. Ze moest bijna rennen om hem bij te houden.

Jay nam haar mee naar een klein, beschut strand. Toen hij haar in zijn armen nam, was hij een en al ontspannen zelfvertrouwen. Jays mond was zacht op de hare, hij was veel langer en steviger dan Peter, zijn huid glad, bruin en warm, zijn spieren compact en stevig.

Jay kuste haar. 'Wat wil je van me?'

'Ik wil meer over je weten,' zei Peri. 'Jij bent het grote mysterie hier. Hoe komt het dat je alles weet? Je weet wat ik heb doorgemaakt in dat noodweer. En je wist wat je moest doen om Hugo en mij te genezen.'

'Is dat dan niet duidelijk?' vroeg Jay met een blik omlaag naar haar.

Peri keek naar het verband op zijn borst en armen, de tatoeages op zijn bovenarmen.

Met die zes jaar dat je met de allerbesten hebt getraind, had Niko gezegd.

'O god, je bent een Roofvogel geweest!'

'Nee,' zei Jay. 'Dat ben ik nog steeds.'

Dus dit was een Roofvogel. Hij trok haar boven op zich en ging bij haar naar binnen, en ze zuchtte en stond zichzelf toe zacht te worden zoals ze dat nooit met Peter had gekund. Toen was het een en al spanning en haast geweest, keiharde heerlijke lust, en dit was trage gelukzaligheid. Ze kuste Jay. Hij hield haar stevig vast, liet haar langzaam bewegen, tot er vrijwel geen beweging meer was, en ze smolt als honing in de ondergaande zon. Minuten, misschien wel uren bleven ze zweven in de stilte en de warmte van de vroege avond, en ze vroeg zich af of ze misschien van genot het bewustzijn kon verliezen.

Naderhand lag Peri zacht op een van Jays vleugels, met haar hoofd op zijn arm. Jay rilde toen haar hand heel even een verband beroerde onder het strelen.

'Sommige meisjes vallen op blessures,' zei Jay.

'Ach, toe nou,' lachte Peri.

'Echt waar,' zei hij. 'Ik zag wel hoe je naar me keek na de overval.'

'Je zag er nog stoerder uit dan anders. Maar je kon zo te zien wel wat liefdevolle zorg gebruiken. Ik wed dat je heel wat meisjes hebt gehad toen je nog een Roofvogel was.'

'Je snapt het niet,' zei Jay. 'Toen ik zei dat ik nog steeds een Roofvogel ben, meende ik dat. Eens een Roofvogel, altijd een Roofvogel.'

'Echt waar?' zei Peri, terwijl ze op een elleboog overeind kwam. Een gebogen blaadje dwarrelde uit de boom boven hen omlaag en ze ving het op. Ze streelde met het blaadje over zijn borst. 'Hoe bedoel je?'

Jay zuchtte. 'De behandelingen en de training zijn anders. Heftiger. Ik kan dingen die jij niet kunt.'

'Dus je beschikt over superkrachten,' zei Peri.

'In zekere zin wel, ja. Maar ik betaal er wel een prijs voor.'

'Wat houdt dat in?'

'Ik zal korter leven dan jij.'

'O.'

'Dat is de prijs die ik heb betaald omdat ik mijn dorp heb verlaten. Jij hebt ook een prijs betaald om je dorp te verlaten.'

'Hoe ben je een Roofvogel geworden?' vroeg Peri.

'De mannen van de eilanden waar ik vandaan kom, zijn al generaties lang een exportproduct. We zijn groot en sterk en zijn van oudsher krijgers. We houden van vechten, is me verteld. Dus we zijn altijd in trek geweest bij legers over de hele wereld.'

'Dus ze zijn je komen halen?'

'Ik heb altijd geweten dat dat zou gebeuren. Ik wilde weg, iets van de wijde wereld zien, en bovendien wist ik wat ik waard was. Ik heb de wervers net zo lang aan het lijntje gehouden tot ze me beloofden dat ik een Roofvogeltraining zou krijgen. Ken je de uitdrukking

'*Be careful what you wish for, you might get it*'? Nou, ik heb mijn zin gekregen.'

'Wat is er dan gebeurd?'

Jay deed zijn ogen dicht, alsof hij het zich dan allemaal beter kon herinneren. Zijn stem was traag en warm; Peri had hem nog niet zo ontspannen meegemaakt. Dit was niet de Jay die de rest van Audax meemaakte.

'Ik kan niet even die zes jaar behandelingen en training beschrijven, maar ik heb weleens gedacht dat ik mijn verstand zou verliezen. Het leek of elk onderdeel van mezelf, elk geestelijk en lichamelijk kenmerk waarvan ik dacht dat het mijn wezen uitmaakte, in een moleculaire blender tot atomen werd vermalen en vervolgens weer in elkaar werd gezet als iets volkomen anders. Dat gebeurt vaker bij een militaire training, maar dit was duizendmaal zwaarder. Ik wist dat alleen de andere Roofvogels enig idee hadden van wat ik doormaakte, en dan alleen nog degenen die bij mijn lichting zaten. Ze verfijnen voortdurend de technieken en behandelingen. Het enige wat me op de been hield, was de kameraadschap onder de Roofvogels van mijn eenheid.'

'Had ik maar iemand gehad die samen met mij de overstap maakte,' zei Peri. 'Ik was vreselijk alleen en het was het angstaanjagendste wat ik ooit had meegemaakt, afgezien van een kind krijgen – maar de paniek toen ik eenmaal mijn vleugels had, duurde langer.'

'Hoe bedoel je?'

'Ik had alleen al hulp nodig om te leren hoe ik mijn hersens ertoe kon zetten om mijn vleugels te bewegen. Het waren gewoon zware, dode gevallen. Ik had het gevoel dat ze waren opgeplakt en niet van mij waren. De eerste paar dagen na de operatie durfde ik niet eens in de spiegel te kijken. Ik kon de aanblik niet verdragen van wat ik was geworden. Pas toen ik begon te leren ze te gebruiken, kon ik het opbrengen om te kijken. En zelfs toen wist ik niet echt of ik nu wel of niet een gedrocht was. De vleugels zelf waren prachtig, maar ik was niet zo zeker over het hele plaatje, of al mijn onderdelen nog wel bij elkaar pasten.'

Jay deed zijn ogen open en keek Peri aan. Hij sloeg zijn arm om haar middel en trok haar tegen zich aan. 'Dat heb ik niet doorgemaakt,' zei hij even later. 'Wij waren binnen de kortste keren aan het revalideren en oefenen. Ik werd een ander persoon, maar ik had geen tijd om daar lang over na te denken. Ik ben blij dat het achter de rug is, maar ik had het niet willen missen. We hebben dingen gedaan waar ik nu hoofdschuddend aan terugdenk.'

'Noem eens wat? Wat zijn die superkrachten van je?'

'We vlogen tot in de lage stratosfeer. De officiers zeiden dat als een stelletje verdomde ganzen op die verdomde straalwind mee kan surfen, wij dat verdomme ook wel konden. Lieten wij ons op onze kop schijten door een stelletje stomme ganzen? Meneer, nee, meneer, dat deden we niet. In het begin hadden we warmtepakken en zuurstof, maar dat werd allemaal teruggeschroefd tijdens de behandelingen, totdat we het zelf konden. De meesten van ons, in elk geval. De uitval was behoorlijk hoog.' Jay zweeg even. Herinnerde hij zich hoe het was geweest om te vliegen in de straalwind? Peri moest denken aan haar eigen korte ogenblik boven de onweersbui, toen ze heel even die stralende welving van de aarde aanschouwde, gevolgd door duisternis en vallen, een eeuwigheid vallen. Dat had Jay ook meegemaakt. Van iedereen die ze ooit zou ontmoeten was hij de enige die wist wat zij had gezien.

'Ik kan het me herinneren,' zei Jay bijna dromerig. 'Ik herinner me dat ik omlaagkeek vanaf die hoogte. Als het helder was, kon ik wegen en rivieren onderscheiden, al waren het maar krabbels, zoals ze er op een kaart uitzien. Ik zag de zee en de witte strook branding, maar geen beweging. Ik zag grijs en bruin, donkergroen langs de kust en op de heuvels, plekken lichtgroen rond steden en langs wegen. De steden zelf zagen eruit als vreemd gevormde gebieden met kleurige stippen die verspreid lagen tussen bruinen, grijzen en groenen met een regelmatiger vorm.'

'Dan nam je zeker Zefiryn, als je zo goed kon zien,' zei Peri.

'Natuurlijk,' zei Jay. 'Dankzij de Zefiryn konden we onder andere gebruikmaken van bepaalde kenmerken van het gezichtsvermogen van een arend. Hoe hoger je vliegt, hoe beter je kunt zien.

Wat nog het geweldigst was, was over bergen heen vliegen, vooral op zo'n vier-, vijfduizend meter hoogte. Je vliegt boven een groot dal of langs de rand van een bergmassief. En dan op naar de hoogste berg of een plateau om omhoog te soaren langs de rotswand en dan vlak over de rand. Je scheert over de rand heen en duikt het dal in. Dat is iets om hoogtevrees van te krijgen. Het is gevaarlijk, omdat het weer in het hooggebergte erg onvoorspelbaar is.'

'Wat was het moeilijkste onderdeel van je training?'

'Een van hun favoriete geintjes was om ons geblinddoekt mee naar boven te nemen – alsof je verdomme ontvoerd wordt. Ze wilden dat we ons helemaal toelegden op de navigatievermogens van vogels. Konden ze ons loslaten boven onbekend terrein en vonden we dan toch de weg terug naar de basis zonder instrumenten? Hadden we magnetoceptie? Een kaartzintuig? We cirkelden boven de plek waar we waren vrijgelaten, en daar gingen we. Sommigen hebben we nooit meer teruggezien. Ik heb me vaak afgevraagd wat er van hen is geworden. Maar onze officieren wisten van geen ophouden, ze waren genadeloos. Ze testten ons telkens onder andere omstandigheden. 's Nachts. Bewolkt. Regen. Onweer. Boven water. Boven land. Noem maar een terreinsoort of een weertype, en we hebben het gedaan.'

Jay zuchtte en legde zijn armen gekruist achter zijn hoofd. 'Als we echt aan de grens waren van de hoogte die we konden bereiken, kregen we last van hypoxie, zelfs als we zuurstof hadden, en als dat gebeurt word je euforisch, maar het is heel vreemd, want alle kleuren worden grijs. Dus het was echt een belevenis om op zo'n moment naar beneden te gaan, omdat de kleuren dan weer terugvloeiden.'

'Wauw. Dat klinkt fantastisch.' Peri haalde haar hand door Jays haar. 'Die bliksemschichten op je vleugels en in je haar,' vroeg ze, 'hebben die iets te maken met je eenheid?'

Jay schudde zijn hoofd. 'Nee. Dat is iets wat Roofvogels doen. Nogal onvolwassen, eigenlijk.'

'Ik vind ze prachtig,' zei Peri.

'Ja,' lachte Jay, 'maar jij bent dan ook nog heel jong, jonger dan ik was toen ik begon te trainen, dus dat klopt wel.'

Peri dommelde weg in Jays armen en werd wakker in de duisternis omdat hij haar kuste. Haar lichaam deed nog steeds pijn van alle blauwe plekken die ze in het onweer had opgelopen, maar ze sloeg gretig haar armen om hem heen. Hij spreidde zijn vleugels over haar uit en ze snoof de geur van oranjebloesem op uit de olie die hij gebruikte om zijn veren te verzorgen. Toen ze de zijdezachte warmte van haar eigen veren en die van Jay om zich heen voelde en de bedwelmende vlagen geur opsnoof die loskwamen zodra ze zich bewogen, besefte Peri ineens dat dit de eerste keer was dat ze met een vlieger samen was sinds ze haar vleugels had gekregen.

Na een poosje maakte Peri zich los uit zijn omhelzing en ze spoelde zich af in de rivier. Jay stond op en rekte zich uit, waarna hij zijn gekreukelde veren begon te fatsoeneren.

'En, hoe zit het met die polsband?' vroeg Peri, terwijl ze zichzelf afspoelde.

Jay ging door met het fatsoeneren van zijn veren. 'Het antwoord is nog steeds nee, schat.'

Later die nacht werd Peri wakker in het donker. Er was een kilte over hen heen geslopen terwijl ze lagen te slapen; ze zag dat Finch even rilde in haar slaap en dieper wegdook tussen haar veren. Ze had ze opgezet, zoals vogels dat kunnen doen, om lucht vast te houden en zich zo af te schermen van de kou.

Peri had honger. Toen ze had gezien dat Hugo nog steeds in slaap was, liep ze op blote voeten het pad af naar de rivier en de provisiekist. In de verte nam een hoge wolk het licht van de sterren weg, en ze kon nog maar net de contouren onderscheiden van een vlieger die over de poel gebogen stond. Wie kon dat zijn? Ze herkende de figuur niet. Hij was slanker dan een van de vliegers van Audax.

Peri bleef staan; haar lichaam wist onmiddellijk dat ze geen geluid mocht maken, geen takje mocht laten kraken, en voordat zich een gedachte had kunnen vormen, werd ze overspoeld door een golf van afgrijzen. De gestalte draaide zich om en Peri voelde een schreeuw opkomen, maar ze was verlamd van schrik.

De vlieger was voedsel aan het verorberen, met druipende handen en mond, een haveloze, harige aasgier met strakke spieren en een rauw, gekweld gezicht: de woeste uitdrukking op zijn gezicht was voorbij of beneden alle menselijks. De glans in zijn ogen was gruwelijk in het donker. Een afgrijselijke, zinkende leegte. Iets wat verloren was gegaan.

Peri hoorde een lage ademhaling, een sissend gegrom tussen ontblote tanden. Zijn vijandigheid had iets mechanisch. Zijn agressie was een ongericht automatisme. Ze kokhalsde van zijn ranzige, zware stank. Dit was geen innemend mengsel van iets menselijks en iets anders. Het was afschrikwekkend. Het was alles waar mensen ooit voor hadden gevreesd: weerwolf, vampier, succubus. Deze gruwel had altijd op de loer gelegen; we hadden hem van oudsher gevreesd. Zo makkelijk was het dus om het menselijke kwijt te raken – dit ding was veel erger dan wanneer het nooit een mens was geweest.

Het wezen keek haar niet aan. Dat doen wilde dieren niet. Zij maakte geen deel uit van zijn wereld. Het sloop weg langs de rivier in de richting van de kliprand.

Er klonk geritsel in de struiken en twee vliegers stapten de open plek op: Jay en Raf.

'Hebben jullie hem gezien?' hijgde Peri. 'Hij moet vlak langs jullie zijn gekomen.'

'Wat?' zeiden ze tegelijkertijd.

Peri probeerde te beschrijven wat ze had gezien.

Jay floot. 'Verdomme. En ik was er nog wel zo zeker van dat ze hier niet voorkwamen. Je hebt een Wilde gezien.' De twee mannen renden terug over het pad en werkten zich door de struiken heen, zonder erop te letten hoeveel lawaai ze maakten. Peri hoorde het geruis toen ze wegvlogen in de nacht.

Peri rende terug naar de overhangende rots, waar iedereen nog lag te slapen. Ze bleef wakker tot Raf en Jay weer verschenen.

'Niets,' zei Jay. 'Van nu af aan verdubbelen we de bewaking.'

Peri kwam naast hem staan. 'Wat wil hij?'

'Wat wil alles en iedereen? Eten. Een plek om te slapen. Maar we maken ons pas echt zorgen als het er meer dan één is. Als het om een groep gaat, zullen ze territorium willen hebben. Je hebt het land gezien op weg naar Diomedea. Van het grootste deel daarvan zouden ze niet kunnen bestaan. Als wij hier kunnen overleven, kunnen zij dat ook. Al hebben wij toegang tot middelen die zij niet hebben.'

'Volgens mij doe ik geen oog meer dicht,' zei Peri. 'Mag ik met je op wacht zitten?'

'Nee,' zei Jay. 'Ik zal je nooit meenemen als ik op wacht zit of patrouilleer.'

'Denk je dat ik je zal afleiden?'

'Nee,' zei Jay. 'Ik weet zeker dat je dat zult doen. Blijf nou maar bij Hugo. Je hebt je nachtrust nodig.'

'Jij dan niet?'

'Niet zoveel. Ik kan met twee, drie uur per nacht toe, en als het moet kan ik tijden zonder. Het is handig om soldaten te hebben die niet veel slaap nodig hebben. Dat is een van de dingen waardoor ons leven wordt bekort. Ga nu maar slapen.'

Peri ging naast Hugo liggen, die zo diep in slaap was dat hij zelfs niet bewoog toen ze hem tussen haar veren legde. Ze ging zo liggen dat ze uit de grot kon kijken naar Jays silhouet tegen de hemel, tot ze in een lichte, onrustige slaap viel.

Zentuin

Tegen de tijd dat ik bij het ziekenhuis aankwam, was Thomas weer bij kennis. Ik ging naast hem op het bed zitten in een hokje op de afdeling Spoedeisende Hulp, en ik hield zijn klamme hand vast, terwijl Lily met Ruokonen sprak. Thomas was bleek en haalde moeizaam adem.

Lily stopte haar slick weg en draaide zich triomfantelijk naar mij om. 'Volgens Ruokonen zijn de medicijnen niet verantwoordelijk voor Toms aanval. Maar ze komt toch over een uur of twee even naar hem kijken, om te zien of de doseringen moeten worden bijgesteld.'

Dat sloeg nergens op. Als het niet aan de medicijnen lag, waarom moesten de doseringen dan worden veranderd?

Mijn slick. Het was nu niet bepaald een goed moment om te werken, maar Lily was even afgeleid om een collega antwoord te sturen, en we zaten toch maar een beetje te wachten. Alweer Henryk. Zo onopvallend mogelijk las ik zijn boodschap: B HFT ZICH VERRDN NA BEZOEK M. WT EEN KNOEIER, BELT METEEN NA VERTREK M. NOG GN IDEE WIE B BELDE, BINNENKORT WEL. GING TEKEER DAT L NIKS HAD MOGEN OVERKOMEN, ALLEEN AFGESCHRIKT. STOMME KLOOTZAK. HIJ ZIT ER TOT ZIJN NEK IN.

HEB PARL.LID GEZIEN BIJ B OP KANTOOR, HARRIS WATERHOUSE. VAN OORSPRONG. NATREKKEN? antwoordde ik. Het leek me de moeite waard om het onder Henryks aandacht te brengen vanwege de merkwaardige relatie tussen Brilliant en Waterhouse: privé gingen ze vriendschappelijk met elkaar om, maar in het openbaar waren ze verklaarde vijanden.

Ik zocht nog wat op en stuurde weer een bericht: HERMES NIET ALLEEN BOODSCHAPPER. PATROON VAN DE DIEVEN. GOD VAN DE VRUCHTBAARHEID. EN KRUISPUNTEN.

Mijn andere hand hield nog steeds die van Tom vast. 'We zijn niet bang, hè papa?' zei hij. Ik kneep in zijn hand.

Richard, Lily noch ik had enig idee wat die aanval van Tom kon hebben veroorzaakt. 'Post hoc ergo propter hoc,' zei Richard, die binnenkwam met een glas koud water voor Lily. Voor Lily! Natuurlijk. Thomas was degene die buiten westen was geweest, maar Lily had er wel voor gezorgd dat Richard zich om háár bekommerde. Hij had onfatsoenlijk snel kans gezien zijn kalmte te herwinnen.

Steek die Latijnse clichés maar lekker in je reet, dacht ik, en ik keerde me af van Richard en sloeg mijn arm om Thomas. Richard dacht dat ik geen idee had waarover hij het had. Dat Lily hem had uitgekozen om mij te vervangen was voor mijn gevoel een weloverwogen belediging.

'We kunnen nu niet stoppen met de behandelingen,' zei Lily.

'Hoe kun je zo achteloos zijn leven op het spel zetten?' vroeg ik.

Lily draaide zich met een ruk naar me om. 'Er is niets met hem aan de hand,' zei ze met een stem die trilde van woede omdat ik haar bezorgdheid voor Thomas in twijfel waagde te trekken. 'Kijk nou, er is niets met hem aan de hand.'

Ik keek haar strak aan. Razend viel ze tegen me uit. 'Ben jij soms arts? Wat weet jij nou helemaal, verdomme? Wou je je toestemming intrekken? Ga je gang, dan zul je zien wat je daar helemaal mee bereikt.' Verpleegkundigen die voorbijkwamen, keken naar ons. Niet dat Lily schreeuwde, maar ze schrokken van haar heftigheid. Lily had altijd al begrepen dat de aanval de beste verdediging was. Dit gevecht viel niet te winnen. Ik zou zelf met Ruokonen moeten praten.

Toen Vittorio op donderdag hoorde dat ik uit eten ging, stond hij erop om op Frisk te passen. Opgelucht aanvaardde ik zijn aanbod, en ik nam de auto naar Henryks huis. Intussen bedacht ik dat ik er bij deze klus veel te veel aan gewend was geraakt om voor het gemak de auto te nemen, terwijl er echt geen forse betalingen meer zouden binnenkomen van Chesshyre, dus kon ik die dure gewoonte maar beter weer afleren.

Ik was de halve dag bezig geweest om Ruokonen te bereiken, en toen het me eindelijk was gelukt haar aan de lijn te krijgen, was ze erg kortaf met haar geruststelling wat Thomas betreft. 'Hij is nog maar zo klein!' wilde ik tegen haar schreeuwen. Maar wat kon ik helemaal doen? Of ik liet het hele apparaat dat in werking was getreden na mijn toestemming gewoon doorgaan, of ik moest uit alle macht proberen om het tot stilstand te brengen, wat misschien niet eens zou lukken. En dan had ik het nog niet eens over Toms eeuwige teleurstelling, zo niet onversneden haat die ik over me zou afroepen. Halve maatregelen waren onmogelijk, liet Ruokonen me kortaf weten. Afwachten was er niet bij. Nu niet. Ik wist niet zo zeker of ik dat wel geloofde, maar mijn mening deed er niet toe; in dit geval maakte Ruokonen uit wat de werkelijkheid was.

Chesshyre probeerde me nog steeds zo vasthoudend te pakken te krijgen dat ik me afvroeg of ik hem misschien kon dreigen met een contactverbod. Dat voortdurende lastigvallen was niet te harden. En trouwens, zelfs al had ik met hem willen praten, dan nog was er niets te melden geweest. Henryk had gezegd dat de eerste pogingen om Peri en Hugo op te sporen niets hadden opgeleverd. Ik wist niet of ze dood waren of alleen waren verdwenen, maar naar mijn idee was het beste wat ik voor Peri kon doen Henryk te helpen de moordenaar van Luisa op te sporen.

Terwijl de auto door de achterafstraatjes bonkte en ratelde, bedacht ik dat deze avond het enige rustpunt was in een gruwelijke week die alleen draaglijk was dankzij het recupereren van Frisk, in beide betekenissen van het woord. Het enige wat zich verder nog aftekende in mijn toekomst was SkyNation, dat als een fascinerende en onheilspellende komeet aan mijn geestelijke einder zweefde.

Henryk en Vivienne waren verhuisd naar een gerenoveerde wijk die Zentuin heette. Het was een schokkende gedachte dat Henryk al drie jaar daarvoor was verhuisd en dit pas de eerste keer was dat ik hem daar opzocht. In mijn drukbezette, middelbare geest waren die paar jaar met steeds grotere snelheid weggevallen.

Bij de poort van de met een hoge muur omgeven wijk stond ik te wachten tot de bewakers de bevestiging hadden dat ik werd verwacht. Nadat ze mijn auto op volgapparatuur hadden gecontroleerd, gebaarden ze me door te rijden naar de parkeerplaats. Over een lotusvijver boog zich een lage houten brug, en het pad van stapstenen dat bij de brug vandaan leidde werd verlicht door stenen lantaarns.

Onderweg over het pad staarde ik naar de Japanse tuinen aan weerszijden, ingerichte ruimten onder de kobaltblauwe avondhemel. Een van de tuinen blonk van de in golven geharkte kiezels die omhoogliepen tegen een grote, onregelmatig gevormde rots als een eiland te midden van een zee van bleke stenen. Ik liep langs met mos overgroeide rotsblokken en groepjes esdoorns die tussen de schuin aflopende lagen groen opgloeiende bladeren hun eigen vuur vasthielden in het vervagende licht. Een dikbekkraai kwam klapwiekend op een esdoornblad zitten, met vleugels die deden denken aan het vallen van een herfstavond in de zomerschemering.

Het pad eindigde bij een receptieruimte; ik sprak de portierster aan en gaf haar het nummer van Henryks huis.

Ze lachte naar me omhoog. 'U loopt voorbij de tempel en dan volgt u het middelste pad dat aan uw linkerhand afbuigt.'

'Het middelste pad?' *Ach ja, ik had kunnen weten dat ik in een zentuin het middelste pad zou bewandelen.*

'Dan loopt u een kwartier door,' zei ze zonder acht te slaan op mijn onuitgesproken grapje. 'U zult de huizen aan uw rechterhand zien liggen, met uitzicht over de Stad.'

Ik bedankte haar en ging op weg. De wijk was groter dan ik had verwacht. Ik passeerde het hoofdtempelcomplex met zijn eigen rijstveld, en bleef even staan om naar de monniken te luisteren die met lage, resonerende stemmen en een hypnotiserend ritme de Kannonsoetra aan het zingen waren. Het gezang wedijverde met de avondlijke muur van geluid van kikkers en krekels die opsteeg uit het rijstveld. De silhouetten van de monniken tekenden zich af in het lantaarnlicht dat door de rijstpapieren muren scheen, en heel even wilde ik niets liever dan me bij hen voegen in die diepe bron van gezang.

Tegen de tijd dat ik het huis van Henryk had bereikt, had ik de Stad volledig achter me gelaten en was ik een andere wereld binnengegaan. Mijn ademhaling vertraagde, de gedachten aan de crisis waarin ik verstrikt zat vielen weg, en mijn geest was soms wel een paar seconden achtereen vrij van schuldgevoel en angst.

Henryk stond bij zijn lattenvoordeur, gekleed in een indigoblauwe *yukata*, waardoor hij er eerder uitzag als een boeddhistische dichter dan als een politieman van middelbare leeftijd. De tweeling, James en Juliana, stormde naar buiten om me te begroeten en daarna renden ze door naar de tuin.

'Je hebt me nooit iets verteld over deze plek,' zei ik, terwijl ik mijn schoenen uittrok.

'Dan had je me uitgelachen. Jij schijnt het echte leven te leiden, in die vervallen flat van je met overal om je heen levende muziek en straatleven.'

'Mooi,' zei ik, toen Henryk me rondleidde en me liet zien hoe vergezichten zich openbaarden en weer verdwenen, aan flarden getrokken door het dichtschuiven van een deur, het optrekken van een scherm, 'maar wel namaak, hè? Nagemaakte, steriele zenkitsch. Hé hallo, Vivienne,' zei ik toen we de keuken passeerden.

'Jazeker,' zei Henryk toen we naar het terras liepen aan de achterkant van het huis, waar ik nu zag dat we hoog tegen de helling van een heuvel zaten en neerkeken op het centrum van de Stad twintig kilometer verderop. Er daalde net een van de zeldzame vliegtuigen met knippe-

348

rende lichten; in zijn vlucht omlaag onthulde het de top van Nevelstad, die boven alle andere torens uitstak. Het zilvergroen op de voorsteven zou in de avond stilvallen, eenzaam en wild als grassen die deinden op een verre prairie.

'Misschien is het namaak, al zijn de monniken wel echt. Maar dat kan me geen bal schelen. Ik ben een man van middelbare leeftijd met twee kleine kinderen, en ik raak vermoeid. Ik heb elke dag met de werkelijkheid te maken, en weet je wat het is? Het is me allemaal te echt. Beschadigde kinderen, verkrachtingen, moord, huurmoorden. Weet je wel? Ik wil gewoon ergens thuiskomen waar het vredig is, en als dat vredige net zo goed te danken is aan bewakers en muren als aan de monniken, mij best.'

Ik knikte. Natuurlijk snapte ik wat hij bedoelde, helemaal na de afgelopen paar dagen.

'Het is adembenemend,' zei ik met een blik naar het uitzicht over de Stad. 'En die tamme monniken van jullie? Kosten die nou veel?'

Henryk glimlachte. 'Nee. Zentuin heeft de tempel laten bouwen en wij dragen allemaal bij aan het onderhoud als onderdeel van onze servicekosten, maar de monniken voorzien in hun eigen levensonderhoud. Ze bedelen voor voedsel, verbouwen rijst en geven les in meditatie. Eigenlijk zou elk huis er een moeten hebben.'

Hoofdschuddend glimlachte ik met een mengeling van afgunst en spotternij. De afgunst had de overhand.

Na een luidruchtige maaltijd met de kinderen trok Vivienne zich terug, omdat ze doodmoe was, zei ze. En aangezien ze tijdens het eten elke paar minuten overeind was geschoten om een glas water voor James te halen of een theedoek om op te vegen wat Juliana had gemorst, was dat ook heel begrijpelijk.

Henryk gaf me een biertje en samen liepen we weer het terras op met uitzicht over de tuin en de Stad die in de verte lag te twinkelen. De maan, die zilverkleurig door zwarte dennen geweven was, leek ons te overspoelen met een geur van onbekende bloemen. Onder ons liet een waterornament met tussenpozen water neerkomen in een vijver onder het wakend oog van een bemoste boeddha.

Henryk reikte me een fles insectenwerend middel aan. 'Smeer je daarmee in,' zei hij. 'Het is tegenwoordig 's avonds niet veilig meer buiten. Die verdomde Stad wordt zo langzamerhand een tropisch moeras. Denguemuggen worden geacht alleen overdag te steken, maar blijkbaar heeft deze nieuwe stam dat memo niet gekregen. We maken onszelf nog steeds wijs dat de Stad "subtropisch" is. Waanzin. Een halve eeuw geleden misschien.' Henryk pakte de fles aan en zette hem op tafel terwijl hij weer ging zitten.

Met het biertje koel in mijn hand leunde ik achterover tegen de balustrade.

'Je zei dat je er snel achterheen ging,' zei ik. 'Heb je de indruk dat degene met wie Brilliant sprak degene is die Luisa heeft laten vermoorden?'

'In elk geval leek Brilliant dat zeker te denken.'

'En hoe zit het met de informatie die ik je over de projecten van de kerk heb gegeven, en de spullen van Cam?'

'Nou, je zult er niet van opkijken dat Perros inderdaad een pleegkind was, en godzijdank zat haar dossier bij de spullen die Cam te pakken heeft weten te krijgen.'

Ik dacht terug aan het gesprek dat ik met Cam had gehad op de avond van mijn terugkeer uit PReG-land. Bij die gelegenheid had ik Perros' naam genoemd. Dat dossier had ze blijkbaar meteen de volgende dag boven water gehaald.

'En niet alleen was Perros net als Peri een pleegkind, maar nu wordt het pas echt heel eigenaardig, Zeke ... Eenmaal raden wie haar in huis hebben gehaald.'

'Geen idee,' zei ik.

'De Oorsprong.'

'Nee. Nee, dat is gewoon ... Je neemt me in de maling.' Ik voelde me onpasselijk worden, net als toen het tot me doordrong dat Waterhouse parlementslid was voor de Oorsprong. 'Wie laat nou zo'n stel mafkezen als pleegouders optreden voor kinderen?'

'Daar zul je nog van opkijken. Ze zorgen voor tientallen pleegkinderen. Hele partijen.'

'Het zijn criminelen.'

'Niet schuldig, weet je nog wel? Ja, alsof je dat ooit zou vergeten. Nee, wat zij bieden is "een gezonde, geordende, stabiele omgeving die verankerd is in krachtige waarden". En die krachtige waarden houden in dat ze die kinderen doodgewoon aftuigen, zoals je maar al te goed weet.'

'Dus die arme Perros zit als pleegkind bij de Oorsprong, brengt twee kinderen ter wereld voor Brilliant, en krijgt vleugels.'

'En dan wordt ze dood aangetroffen.'

'Ben je nog dichter bij de oplossing van het raadsel gekomen?' Ik zette mijn bier op de balustrade.

'Daar komt die informatie van jou om de hoek kijken. Ik heb een forensisch accountant naar het materiaal laten kijken dat je mij hebt gegeven. Zoals je al zei, gaat er heel wat geld om bij die transacties.'

'Je zei dat Brilliant tegen degene die hij belde zei dat hij Luisa alleen maar had willen afschrikken.' Ik duwde me van de balustrade af en ging overeind staan. Er viel of sprong iets in de vijver beneden ons. Het geluid van water. Een kikker, neem ik aan. Het leek net of die plons ervoor zorgde dat er dingen in mijn hoofd op hun plaats vielen, als een reeks tuimelaars in een slot. Dat heerlijkste gevoel ter wereld overspoelde mijn hersens: puzzelstukjes die ineens oplosten in een plaatje. *Ik snap het.*

'Ik denk dat ik iets te pakken heb,' zei ik. 'Peri vertelde me dat Luisa een meisje was tegengekomen dat ze had gekend toen ze klein was. Ze zei dat ze vreselijk geschrokken was omdat het meisje net deed of ze haar niet kende en dat ze van plan was te achterhalen wat er gaande was. Ze zei dat er anderen waren. Jij zei dat ze als pleegkind bij de Oorsprong had gezeten. Dus dat meisje dat Luisa kende, kende ze vast uit de tijd dat ze bij de Oorsprong zat.'

Henryk zat me aan te staren. 'Ze wilden haar afschrikken.'

'Om te voorkomen dat ze ging graven in de Oorsprong, in hoe dat zat met die meisjes die ze naar de Stad sturen. Dat zijn die anderen, Henryk, de "anderen" zijn andere meisjes die bij de Oorsprong hebben gezeten en toen naar de Stad zijn gestuurd. Waar ze werden overgedragen aan de Engeltjes, zodat vliegers gebruik van ze kunnen maken. De Engeltjes regelt hun werkvergunning en bezorgt ze hun dekmantel – kindermeisjes, dienstmeisjes, noem maar op. Van sommigen zullen die verhalen best kloppen. De rest is waarschijnlijk maar een deel van hun handel, maar wel het meest winstgevende deel. Veruit.'

'En bij de Engeltjes weten ze alles van hen af,' zei Henryk.

'Erger nog,' zei ik. 'Ik durf te wedden dat ze bij de Engeltjes beslissen op welk meisje ze moeten mikken, omdat ze daar hun achtergrond kennen, waaronder hun medische voorgeschiedenis.'

'Dus dat Hermes-project van de kerk waarin al dat geld omgaat, is dat volgens jou waar Luisa haar neus in stak, omdat ze besefte dat iets waarvan zij dacht dat het gewoon een dealtje was dat zij had gesloten, in feite ook met andere meisjes gaande was, dat ze eigenlijk deel uitmaakte van een hele handel?'

'Ik denk inderdaad dat je dat zult ontdekken. Je weet waar je moet kijken om erachter te komen waar al dat geld heen gaat. Het is pure mensenhandel, Henryk.'

'Ja. Ze zullen wel moeten, als ze Trinity van zonne-energiejachten willen blijven voorzien. Je zei zelf tijdens de zaak-Charon dat ze diepe zakken hebben.'

De zaak-Charon.

'Denk jij dat er een verband is met die zaak?'

Henryk haalde zijn schouders op. 'Geen idee. De verdediging heeft ze een hoop centen gekost. Ik vraag me nog steeds af waarom ze die twee meisjes hebben ontvoerd. Nu bedenk ik ineens dat ze misschien doodgewoon op jacht zijn gegaan in de Stad. Waarschijnlijk hadden ze het al eens eerder gedaan, Joost mag weten hoe vaak. Ze hadden geen idee waar ze in terecht zouden komen, wiens dochters die meisjes waren. Gewoon leuke meisjes om te zien, weet je wel? Charon was een behoorlijk heftige tent. Ze hadden alle reden om aan te nemen dat meisjes die daar over de vloer kwamen niet al te best werden beschermd.'

'Dus de Oorsprong treedt op als pleeggezin voor meisjes. Ze krijgen geld van het ministerie om dat werk te doen, en als de meisjes zijn opgegroeid biedt de Oorsprong hen aan bij de Serafijnenkerk en dan verdienen ze nog meer geld aan ze. Dit is verdomde eigenaardig. Bij de Oorsprong haten ze de kerk en alles waar die voor staat.'

'Ja. Ze haten die mensen genoeg om ze al het geld afhandig te maken dat ze maar kunnen.'

'Volgens mij moet die figuur die Brilliant belde iets met de Oorsprong te maken hebben,' zei ik. 'Altijd wel geweten dat die Jones een etterbuil was. Arme Luisa. Die heeft haar hele jeugd bij hen gevangengezeten en toen ze dacht dat ze ontsnapt was, kwam ze erachter dat ze nog steeds in hun web gevangenzat, dat ze nog steeds een product was dat hun winst opleverde. Geen wonder dat ze over haar toeren was. En ze was dus van plan om ze publiekelijk aan de schandpaal te nagelen.'

'In zekere zin is ze daar ook in geslaagd,' zei Henryk. 'Alleen doodzonde dat het haar het leven heeft gekost.'

'Dus dat is de Oorsprong. Maar hoe zit het met Harper?' zei ik.

'Harper komt later pas in de picture. Zij neemt ze op de korrel als ze oud genoeg zijn, en regelt ook transacties. Sommige van die transacties zijn rechtstreeks tussen de Oorsprong en de kerk, maar heel veel worden geregeld tussen de Engeltjes en de kerk.'

'Begrijpelijk,' zei ik. 'De kerk is natuurlijk niet graag volkomen afhankelijk van de Oorsprong.'

'Jemig, nee zeg,' lachte Henryk. 'Met minstens twee, en misschien nog wel meer leveranciers krijg je een beetje concurrentie in de markt.'

'Vandaar dat Peri zo aantrekkelijk was voor Harper. Ze is duidelijk van goeden huize, daarvoor hoef je alleen maar naar haar te kijken. Ze hoort niet tot het normale uitschot van PReG-land.'

'Nu we het toch over Peri hebben,' zei Henryk. 'Weet je wat Mick in

PReG-land aantrof? Een Roofvogel. Een behoorlijk dode Roofvogel. Hij was ten zuiden van Pandanus aan land gespoeld.'

Ik ging met een ruk overeind zitten en hield mijn hoofd in mijn handen totdat mijn duizeligheid wegtrok.

'Gaat het wel goed?' vroeg Henryk.

'Ja hoor,' zei ik, en ik tilde mijn hoofd op. Een dode Roofvogel! Wat betekende dat voor Peri en Hugo? Was de kans dat ze nog leefden nu groter of kleiner geworden? Wilde hoop fladderde pijnlijk rond in mijn borstkas, als een vogel in de val.

'Ik had Mick opdracht gegeven om uit te kijken naar Peri en Hugo,' zei Henryk, 'maar in elk geval hebben we hun lijken niet gevonden. Dat is vast een goed teken.'

'Dat hoop ik dan maar.'

'Peri heeft niet bij de Oorsprong gezeten, hè?' zei Henryk.

'Nee, maar ze is wel via de kerk bij de Engeltjes terechtgekomen. Dat stond in het dossier dat ze van haar hadden bij de Engeltjes. Ze willen vast een paar verschillende leveranciers, zoals je al zei, al is de Oorsprong dan misschien de grootste. Bij de spullen die ik je heb gegeven, zit ook iets over een project dat aan Hermes is verbonden en dat Nestei heet. Een reeks kleine programma's voor niet-vliegers in de verschillende regio's.'

'Aha,' zei Henryk. 'Leuk. Nestei met een hoofdletter – zoiets als een appeltje voor de dorst, dus.'

'Misschien,' zei ik. 'Maar een nestei verwijst eigenlijk naar een echt ei of een namaakei dat in het nest van een kip wordt gelegd om ervoor te zorgen dat ze blijft leggen nadat haar andere eieren zijn weggehaald.'

'Jezus. Dus ze spreiden hun risico's.'

'Volgens mij wel, ja. Je hebt maar een paar mensen nodig die bij Nestei betrokken zijn, dat hoeven ze echt niet allemaal te zijn, of zelfs maar de meeste. Net genoeg om ervoor te zorgen dat ze niet van de Oorsprong afhankelijk zijn.'

'En waarom is dit nu zo belangrijk, Zeke? Waarom gaat er zoveel geld in om?'

'Om een paar redenen,' zei ik. 'Ik heb een specialist gesproken die me vertelde dat sommige vliegers, en met name vrouwen, vruchtbaarheidsproblemen hebben. Peri vertelde dat veel vrouwen met vleugels helemaal niet zwanger willen worden, zeker niet als ze van plan zijn om meer dan één kind te krijgen. Als ze niet oppassen, gaan er maanden of zelfs jaren voorbij zonder dat ze kunnen vliegen, en dan lopen ze het risico dat het er nooit meer van komt. Stel je eens voor, al dat werk, al het geld dat je in de overstap naar vliegen moet steken, en dat dan in de waagschaal stellen. Helemaal als er zo'n eenvoudige en – laten we eerlijk zijn: betrekkelijk goedkope – oplossing is.'

'Je hebt me verteld over die arts die met Diomedea samenwerkt in verband met die draagmoederschappen en daarvoor onderzoek doet; denk je dat hij betrokken is bij de mensenhandel?'

'Daar ben ik geen aanwijzingen voor tegengekomen,' zei ik. 'En waarom zou zo iemand ook dat risico lopen? Volgens mij hebben ze niets te maken met de Serafijnenkerk en al helemaal niet met de Oorsprong. Veel te gevaarlijk. Nee, volgens mij doen die gewoon hun onderzoek, en verder merken ze het wel als vliegers naar hen toe komen. Wat vliegers doen om aan hun kinderen te komen, is hun eigen zaak, begrijp je wel? Ik kan me niet voorstellen dat ze bij Diomedea hun reputatie op het spel gaan zetten voor iets wat met die kant van de zaak te maken heeft.'

'Waarom doet de kerk dat dan wel?'

'Dat ligt anders. Waar het hun om gaat is dat dit voor de uitverkorenen der mensheid dé manier is om verder te komen. Ze komen geen stap verder zonder kinderen, zonder voldoende kinderen, zonder zoveel kinderen als vliegers maar willen hebben. Zij willen meer vliegers en meer kinderen van vliegers; als ze daarvoor zorgen, vervallen de nadelen van de behandelingen en wordt de omvang van hun gemeente groter. Bovendien vergroot het hun macht, omdat zij degenen zijn die al die transacties regelen. Een heleboel vliegers hebben de kerk echt niet hoog zitten – ik kan me niet voorstellen dat iemand als Chesshyre zich laat inpakken door die halfgare theologie van ze – maar die gaan echt niet protesteren als ze hen nodig hebben om kinderen te krijgen.'

Er klonk een tempelklok: *bong, bong, bong.* Gedempt als de maan, die nu achter een wolk schuilging, een weergalmende klank van diep in de zee. Een cicade ging de concurrentie aan.

'Dan vraag ik me wel af, Zeke ... ga je nog door met de behandelingen voor Tom of hoe zit dat?'

'Begin jij nu ook al, Henryk!' Ik stond op en begon te ijsberen over het terras. 'Er gaat nog geen uur voorbij of ik lig weer met Lily overhoop over die kwestie. Maar ik heb een nieuwtje voor je: de behandelingen zijn begonnen, en wat ik ook mocht ontdekken, het is gewoon te laat om de zaak nog terug te draaien. En inmiddels hebben we ook onze eerste medische noodsituatie achter de rug.'

'Dus je bent zomaar in het diepe gedoken? Wat is er gebeurd? Is alles goed met Thomas?'

'Ik heb geen idee wat er is gebeurd. Hij was buiten westen en we konden hem niet bijbrengen. Hij lijkt nu wel weer in orde. Volgens zijn specialist is er niets aan de hand, en Lily piekert er niet over om de zaak te vertragen of te wachten tot hij wat ouder is.'

'Ja,' zei Henryk. 'Zij denkt dat hij hiermee een betere kans maakt in het leven.'

'Even aangenomen dat hij het proces overleeft. Maar goed, hoe weet jij dat?'

'Omdat Vivienne dat ook denkt.'

'Dat jullie nou ook al die discussie hebben. Maar jullie hebben er het geld niet voor.'

'Vivienne vindt dat we een van de tweeling van vleugels moeten laten voorzien, als we ons niet alle twee kunnen veroorloven. Volgens haar is dat het minste wat we kunnen doen.'

'Dat meen je toch niet?'

'Jij hebt makkelijk praten. Jij hebt er maar eentje om je zorgen over te maken. Maar goed, ik vraag je ook niet om toestemming. Ik wilde alleen weten hoe je er wat Thomas betreft tegenover staat.'

'Dat weet ik nog steeds niet, al zijn de behandelingen dan begonnen. Hij is zo uitgelaten dat ik bang ben dat er nog eens een stop bij hem doorslaat. Misschien was dat het wel wat hem in de auto is overkomen. Hoe zijn we verdomme eigenlijk in deze klerezooi beland? Ineens zijn we wel genoodzaakt om over dat soort zaken na te denken. Het maakt namelijk niet uit wat wij ervan vinden, want de lat van wat wenselijk of zelfs wat eenvoudigweg goed genoeg is wordt almaar hoger gelegd. Al heb je nog zo'n hekel aan het hele idee, je moet gewoon wel meedoen.'

Henryk staarde in zijn bier. 'De Rode Koningin. Je moet steeds harder rennen om op dezelfde plaats te blijven.' Hij knarsetandde. 'Het is niet te harden om zoveel keuzes te moeten maken. Mensen denken dat je excentriek bent, een of andere religieuze mafketel, als je niet wilt kiezen. Ik bedoel, ik weet gewoon niet hoe lang mijn zoon moet worden! Wie weet dat wel – wat is de juiste lengte om gelukkig te worden? Een beetje langer dan andere mannen? We kunnen toch niet allemaal een beetje langer zijn, of een beetje slimmer of knapper? We beseften niet hoe gelukkig we waren toen we die keuzes allemaal niet hadden. Nu kunnen kinderen hun ouders echt iets verwijten. Alles. Vleugels zijn dan wel behoorlijk onderscheidend, maar zelfs dat betaalmiddel zal op den duur devalueren.'

'Ja, en dat komt dan door mensen als jij en ik, Henryk, die hun pensioencenten en hun gemoedsrust opofferen om hun kinderen dat kleine beetje voorsprong te geven. Eigenlijk zouden we de Oorsprong dankbaar moeten zijn. Het is nog onze enige bron van zuivere, onveranderde genen. Levende aandenkens. Een brug naar ons verleden.'

'Hoe zijn we toch in vredesnaam zo snel hier beland? Hoe lang zijn er nu helemaal vliegers, Zeke? Vijfentwintig jaar?'

'Een jaar of dertig, denk ik. En prototypes zijn er al langer. Weet je nog die defensieprojecten die door AIRPA werden uitgevoerd?'

'Nou ja, er zijn vreemdere zaken gaande. Ik hoor van Mick dat er inmiddels nog veel ingrijpender modificaties zijn. Wat je kunt bedenken, kun je maken. Dat zegt Mick.' Henryk nam nog een slok bier en zakte onderuit op zijn stoel. 'Ben ik even blij dat ik ruimschoots halverwege mijn toebedeelde zeventig jaar ben. Het gaat me allemaal veel te snel.'

'Ik vind het vervelend om het te moeten zeggen, Henryk, maar je bent nog niet halverwege. Jij leeft langer dan zeventig jaar.'

Henryk zuchtte. 'Ik ben altijd een optimist geweest. Flegmatiek, zegt Vivienne. Meneer de zwoeger, als ze krengerig doet. Over het algemeen bevalt mijn leven me wel, maar ik hou het alleen vol omdat ik weet dat het voorbijgaat. Die zekerheid mogen ze ons niet ontnemen.'

Henryk zette zijn glas neer. '"Sinds de tijd begon/ kennen slechts de doden rust./ 't Leven is smeltsneeuw."'

Henryk en ik dronken ons bier op en staarden de nacht in. Het werd zo stil – alleen nog het *krie krie* van een krekel – dat we het gezang uit de tempel konden horen.

'Ik heb het beste voor het laatst bewaard, Zeke. We zijn er inderdaad achter gekomen wie Brilliant belde. Het hielp wel dat je ons op het goede spoor had gezet. Het was Waterhouse.'

Ik draaide me om van de balustrade en keek Henryk aan. Een lange zucht. Natuurlijk. 'Ik heb Waterhouse in het parlement horen spreken. Als hij ook maar de helft meende van wat hij zei, zit hij er absoluut niet mee om een vlieger om te leggen. Dat is weer een gruwel minder.'

'We gaan binnenkort Brilliant arresteren, zodra we meer te pakken krijgen over Waterhouse, nu we een deel van hun communicaties uit het verleden kunnen scannen, en zodra ik een huiszoekingsbevel heb geregeld. We gaan Brilliant de stuipen op het lijf jagen. Die slappe zak verraadt Waterhouse zodra we hem een deal aanbieden.'

Ik kijk in de verte, en mijn gedachten zweven mee met het gezang. Boven de Stad hangt een wolk; zijn silhouet is duisterder dan de nacht.

Onheilspellend hangt hij daar. Er komt een gevoel in me op, een hoogst onchristelijk gevoel, een hoogst onboeddhistisch gevoel, ondanks het gezang. Het is een oergevoel.

Gevleugelde afweegster van het leven, godin met het donkere gezicht, dochter der gerechtigheid.

Deze godin is oeroud; ze komt voor alle andere. Het gedicht waarin zij bezongen wordt heb ik als kind geleerd. Ze hangt peinzend boven de Stad en in de kille adem van haar nadering wervelt mijn onbeweeglijke zwarte stemming omhoog, en tussen haar donkere, wolkachtige vleugels slaat zij om in een onheilspellende vreugde. Wij zijn haar werktuigen: Cam, Henryk en ik. Zij is de enige godheid die wij drieën werkelijk dienen. Ze komt. Zij die hybris bestraft, gerechtigheid laat wedervaren en misdaden wreekt.

Nemesis.

De Hemelse Richel

Vroeg in de ochtend nadat ze de Wilde had gezien, schoot Peri wakker. Een donkere gedaante die het licht van de sterren wegnam boog zich over haar heen; in haar halfslaap zag ze klauwen die zich uitstrekten naar Hugo. Het was een verfomfaaide, uitgemergelde Wilde, maar toch zag ze dat het Peter was die Hugo kwam terughalen. Om hem opnieuw te stelen, zoals hij Hugo meteen al in het begin had gestolen, vanaf het moment dat hij haar zwanger maakte. Ze pakte Hugo vast en kwam overeind, maar de schreeuw stierf weg in haar keel toen ze een vrouwenstem hoorde en een lichte aanraking op haar rug voelde.

'Ik kan het je niet kwalijk nemen dat je schrikachtig bent,' zei Finch hardop. Het kon haar blijkbaar niet schelen dat de andere vliegers van Audax nog rondom lagen te slapen onder de overhangende rots. 'Dat zouden de anderen ook moeten zijn, maar die hebben geen idee waar we mee te maken hebben. Help me even ze te wekken,' voegde ze er over haar schouder aan toe terwijl ze over de slapende gedaanten heen stapte. Ze boog voorover en pakte Leto's arm vast, schudde haar wakker en trok de jonge vrouw overeind, die hevig tegenstribbelde. 'Niko en Jay zijn het niet met elkaar eens over wat we moeten doen. Dus nu willen ze een vergadering houden. Die begint bij de burgerlijke schemering, dus ik zou maar gauw uit de veren komen als ik jullie was.'

Toen alle leden van Audax rond de as van het vuur verzameld waren, kwamen Niko en Jay hevig discussiërend tevoorschijn. Jay had zijn kruisboog bij zich en toen ze in het midden van de kring gingen staan, schudde hij zijn hoofd, alsof hij wilde aangeven dat hij verder niets te zeggen had, waarna hij in kleermakerszit op de grond ging zitten. Niko negeerde hen allemaal en stond even naar iets op zijn slick te kijken. Jay haalde zijn kruisboog uit elkaar en begon alle onderdelen te controleren en schoon te maken.

De andere vliegers zaten verwachtingsvol naar Jay en Niko te kijken, terwijl sommige op energierepen kauwden. Terwijl Peri Hugo een banaan voerde, keek ze hoe Jay de kruisboog weer in elkaar zette, waarbij ze er precies op lette op wat voor manier hij elk onderdeel vastklikte; achter hem zat Shaheen op haar tak, en die volgde zijn bewegingen al net zo opmerkzaam als Peri. Het angstaanjagende *snip, snip* waarmee het mechanisme van de kruisboog op zijn plaats klikte was het hardste geluid in de stille ochtend.

Niko tilde zijn hoofd op en keek strak naar Peri aan de overkant van de kring.

'Zou je zo vriendelijk willen zijn om ons precies te vertellen wat je vannacht hebt gezien?'

Peri schrok. Het was voor het eerst dat Niko rechtstreeks het woord tot haar had gericht.

Ze probeerde te beschrijven wat ze had gezien. Ze vroeg zich af of ze het zich allemaal wel nauwkeurig herinnerde of dat het schepsel door de duisternis en haar angst veel monsterlijker had geleken dan het in werkelijkheid was.

Het was niet erg bemoedigend toen ze zag dat degenen die het zorgelijkst keken bij haar beschrijving, de oudere, meer ervaren vliegers waren. De jongeren zagen er niet erg verontrust uit.

'Dát is dus de beschrijving van een Wilde,' zei Niko, en hij keek iedere vlieger in de kring om de beurt strak aan. 'Geen twijfel mogelijk. We moeten verkassen.'

'Hè?' Dat was Raf – jonge, sterke Raf. Die wilde natuurlijk niet zonder slag of stoot vertrekken.

'Wilden zijn een groot gevaar,' zei Niko. 'We hebben geen andere keuze dan van de Hemelse Richel te vertrekken, tenzij je serieus van plan bent om met ze te vechten om territorium. Bovendien voel ik er weinig voor om de dingen die de overval ons heeft opgeleverd op het spel te zetten in een gevecht met Wilden.'

'Ik ga niet op de loop,' zei Raf. 'Laat ze oplazeren.'

'Heb ik jou om je mening gevraagd?' blafte Niko. Peri had hem tot nu toe nog nooit zijn stem horen verheffen. Raf knipperde met zijn ogen alsof Niko hem een klap had verkocht. Er fluisterde een ritseling van veren door de kring toen de andere vliegers gingen verzitten. 'Je zegt niet tegen Wilden dat ze kunnen oplazeren, Rafael. Die onderhandelen niet. Ze vechten of ze vluchten.'

Jay keek op van zijn kruisboog en wendde zich tot Niko. 'Dat is de vraag. We geven de Hemelse Richel niet op voordat we weten of die Wilde, of Wilden, gaan vechten of vluchten.'

Niko keek Jay woedend aan. 'We weten niet met hoevelen ze zijn, maar als ze territorium nodig hebben, hebben ze dat harder nodig dan wij. Wij kunnen op andere manieren aan eten komen. Zij niet. En Wilden vechten keihard. Ze kunnen makkelijk genoeg iemand doden, en wij zouden moeten doden om ze te verjagen.' Peri merkte dat ze niet de enige was die haar adem inhield toen hij dat zei. Ze nam Hugo in haar armen. Wanneer was Jay van plan haar en Hugo te laten gaan?

Jay zat naar Niko te staren met een blik waarvan Peri doodsbang zou zijn geworden als die op haar gericht was geweest. Wat ze nu zag, was Jay de Roofvogel, de geoefende soldaat, de overlever, de jager, de killer – een schepsel dat ingrijpender was veranderd, verder verwijderd was van een normaal mens dan elk wezen dat ze ooit had ontmoet (behalve de Wilde, hielp ze zichzelf herinneren), en hij was duidelijk niet in de stemming om de Hemelse Richel op te geven zonder ervoor te vechten.

'Verdomme,' gromde Jay, terwijl hij op en neer beende. Peri keek bewonderend naar zijn glanzend bruine vleugels met de bliksemflits, die glom in de horizontaal vallende stralen van de opkomende zon. 'De vliegcondities zijn hier optimaal. We hebben bergwanden en thermiekbellen; in alle richtingen kunnen we langeafstandsvluchten maken zonder ons zorgen te hoeven maken of we worden gezien, en er is hier meer restitutiethermiek dan waar ook.'

Er werd instemmend gemompeld toen de restitutiethermiek ter sprake kwam.

'Ik ben het met Raf eens.' Die opmerking streek Niko duidelijk tegen de haren in. 'Het is stom om op de loop te gaan,' ging Jay verder, 'alleen maar omdat één Wilde onze voedselvoorraad heeft geplunderd. En trouwens, wij zijn bewapend. Hij niet.'

'Ik wéét dat we bewapend zijn,' antwoordde Niko, die duidelijk alles op alles zette om zijn woede te bedwingen. 'Maar wapens zijn alleen handig als je bereid bent ze te gebruiken. Hoeveel van hen ben je bereid te doden, Jay? Ze zien er in jouw ogen dan misschien niet menselijk uit, maar voor de wet zijn ze dat nog wel. Je bent geen moordenaar.' Hij bleef Jay zwijgend aankijken, die net zo strak terugkeek.

'We moeten naar het winternest,' zei Niko.

'En wat weerhoudt ze ervan om ons daarheen te volgen?' vroeg Jay.

'Niets,' zei Niko. 'Maar we moeten ...'

'Wat is het winternest?' vroeg Peri. Niko wierp haar een woedende blik toe en ze sidderde van schrik. In haar angst bij het vooruitzicht dat ze misschien verder van de Stad zou worden meegenomen door Audax, dat ze misschien wel gedwongen zou zijn om in haar eentje naar de Stad te vluchten, terwijl Joost mocht weten wie haar op de hielen zat, waren de woorden haar ontvallen voordat ze ze had kunnen tegenhouden.

'We hebben meer dan één kamp,' zei Raf. 'Het winternest is verder naar het noorden ...'

'Zoals ik al zei,' kapte Niko hem af, 'moeten we naar het winternest, maar eerst zullen we het eens moeten worden over onze strategie. We zijn omgeven door vijanden. De Wilden haten ons en willen hebben wat wij hebben, en de vliegers uit de Stad zijn bang voor ons omdat ze denken dat wij in Wilden veranderen. We denken wel dat we iedereen te vlug af zijn wat vliegen aangaat, maar die Wilden kunnen er ook wat van. En ze zijn niet bereid en ook niet in staat om ons hun geheimen te vertellen.'

'In de Stad gelooft niemand dat er echt Wilden zijn,' zei Raf.

'Officieel niet, nee. Maar ze geloven er snel genoeg in als er eenmaal een familielid van ze verdwijnt.' Niko wendde zich tot Raf. 'Zit het zo? Geloof je niet echt dat er zoiets bestaat als een Wilde? Is dat je probleem?'

Rafs kaken verstrakten, maar hij zei niets.

Niko richtte zich tot de anderen. 'Die officiële zwijgzaamheid is niet verbazingwekkend als je in aanmerking neemt dat niemand weet hoe het komt dat ze Wild worden, wat de waarschuwingstekens zijn en wie er met name gevoelig voor is. Niemand heeft een idee hoeveel het er eigenlijk zijn. Of hoe lang ze in leven blijven.'

'Volgens mij zag hij er niet al te best uit,' zei Peri.

'Misschien niet,' kaatste Niko terug. 'Maar dat zegt nog niets over zijn taaiheid.'

Leto rilde. 'Hoe menselijk zijn ze?'

'Dat weet niemand,' zei Niko. 'Ik vermoed dat ze hun taal zijn kwijtgeraakt. Ik weet niet op wat voor manier ze met elkaar communiceren, maar ik neem aan dat ze dat wel doen.'

'Als niemand iets weet,' zei Raf, 'hoe komt het dan dat jij zo zeker van je zaak bent? Waarom weet je zoveel?'

Niko wierp een blik op Finch, die heel even haar hoofd schudde.

'O, toe nou,' zei Jay, die nog steeds liep te ijsberen. Hij had inmiddels een donker pad in het zand van de open plek uitgesleten. 'Kom er nou verdomme mee voor de dag, Pale Male.'

Niko slaakte een luidruchtige zucht en opende met ritselende veren zijn vleugels een klein stukje. Om zijn dunne lippen verschenen kwade, omlaaglopende lijnen. 'Ook goed. Ik zal het jullie vertellen als je dat zo graag wilt. De meesten van jullie zitten nog maar een maand of zes bij Audax. Voor jullie zijn er eerder groepen jonge vliegers geweest. Jullie komen, je leert wat je moet leren of wat je denkt te moeten leren, en dan gaan jullie weer. Finch en ik zijn al vanaf het begin bij Audax betrokken geweest, wij hebben hier met tussenpozen vier jaar gezeten. Viér jaar. We zaten weleens maanden elders, meestal in de Stad, en we hebben het geluk dat we Jay al een jaar bij ons hebben. Maar Finch en ik zijn niet de enigen die vanaf het begin bij Audax hebben gezeten. Er was nog iemand.'

Finch keek strak naar Niko, met glanzende ogen; ze hield ze wijd opengesperd, alsof ze probeerde te voorkomen dat er tranen uit zouden stromen.

Raf zat kaarsrecht, met zijn armen voor zijn borst over elkaar geslagen.

'Meer hoef ik niet te zeggen,' zei Niko. 'We zijn Hoshi kwijtgeraakt. We raakten haar kwijt en we konden haar niet meer terughalen. En we weten niet waarom.'

Na een ogenblik stilte zei Jay: 'Veel Wilden leven in hun eentje, Niko. Die van vannacht vast ook. Dat zou verklaren waarom hij het risico heeft genomen om bij ons te jatten.'

Niko keek omlaag naar een van zijn vleugels en bestudeerde een veer. 'Kan zijn,' zei hij. Daarna tilde hij zijn hoofd weer op. 'Jullie hebben geen idee hoe dat is,' zei hij, met zijn blik voorbij de jonge vliegers. 'Jullie kunnen je er geen voorstelling van maken. Iemand die je na staat, die je heel goed kent. En die is dan ineens ... weg. Haar gezicht, die fijne trekken, en nu staart ze je alleen maar aan met een lege blik, en dan dat smerige haar in slierterige klitten rond haar hoofd. Ze was vreselijk schoon op zichzelf. Net zo schoon als een kat.'

Jay bleef stilstaan en wierp een blik op Finch. 'Dus we kunnen het wel eens worden over een plan,' zei hij. 'Het voorstel is dat we de Hemelse Richel niet verlaten. Of in elk geval nu nog niet. We hebben drie doelen. Ten eerste moeten we de omtrek van ons kamp veel beter beveiligen; ik zal het rooster voor de patrouilles, de sorties en de wachtposten organiseren. Ten tweede hebben we meer informatie nodig. Van nu af aan zijn al onze oefenvluchten tegelijkertijd ook verkenningsvluchten. Het is van het grootste belang dat we de status van deze Wilde achterhalen; is hij alleen, was hij slechts op doorreis enzovoort. Als hij alleen is en hier nog steeds in de buurt rondhangt, zal ik een strategie ontwikkelen om van hem af te komen.'

Jay wierp Niko een blik toe. 'Ik zal er niet op uit zijn om hem te doden,' zei hij. 'Maar zijn persoonlijke veiligheid zal geen prioriteit voor me zijn.'

'En ons derde doel?' vroeg Niko, en zijn stem klonk nog zachter dan die van Jay.

'We zorgen dat we onmiddellijk kunnen vertrekken. En dat plan treedt in werking zodra we aanwijzingen hebben dat er meer dan één Wilde is.'

Een goedkeurend gemompel ging door de groep vliegers en ze keken allemaal naar Niko. Uiteindelijk knikte hij.

'Van nu af aan,' zei Jay, met een armzwaai de kring rond, 'doet niemand van jullie iets alleen. Wil je een solovlucht maken, dan neem je iemand mee. Moet je 's nachts opstaan omdat je moet piesen, dan neem je iemand mee. En we zijn allemaal te allen tijde bewapend.'

Niemand had er die ochtend veel zin in om te vliegen, voelde Peri. Raf en Niko gingen op pad voor de eerste verkenningspatrouille, maar hun gezichten stonden grimmig en ze straalden niet hun gebruikelijke enthousiasme uit. Voordat Niko vertrok, hoorde Peri hem tegen Jay zeggen: 'Allemaal leuk en aardig om de wacht te verdubbelen, maar die van vannacht is toch maar mooi voorbij onze uitkijkposten gekomen.' Ze verstond niet wat Jay antwoordde, maar de mannen keken allebei somber.

Peri en Hugo, Phoebe, Wren en Leto bleven op de zandvlakte naast de rivier. Finch zat een beetje apart en was met haar slick bezig. Jay verdween in zijn eentje voordat Peri zijn aandacht had kunnen trekken omdat ze hem dolgraag wilde spreken. Blijkbaar vond Jay dat zijn opdracht om bij elkaar te blijven niet op hem betrekking had. Hij was er kennelijk van overtuigd dat hij makkelijk een Wilde in zijn eentje aankon.

Dicht bij elkaar zaten de vliegers wat te praten, of ze lagen te dutten, om hun energie te sparen. Hugo pikte de angst in de groep op, of naar alle waarschijnlijkheid eerder haar angst, dacht Peri, en hij klampte zich aan haar vast. 'Mama ug,' zei hij dringend zodra ze hem op de grond zette, en hij stak zijn armpjes in de lucht om te worden opgepakt. Nog een geluk dat Avis niet in de buurt was om hem te horen. Die was obsessief bezig geweest om Hugo bij te brengen dat hij háár zo moest noemen. Die enkele keer dat Avis wat tijd aan hem besteedde, riep ze voortdurend dingen als: 'Kijk dan, hier is mama, zie je, mama heeft een beker sap voor je, je houdt van je mama, hè?' Hugo had haar niet alleen nooit zo genoemd, hij had haar helemaal niets genoemd. En nu waren ze daar: zijn eerste woordjes afgezien van 'auk' voor vogel en 'aan' voor maan, zijn eerste zin, twee woorden die hij vaak had gehoord maar nooit op die manier had gecombineerd. Zijn eigen woorden: 'Mama ug.'

Peri hield Hugo tegen zich aan tot hij in slaap viel.

Er verstreek een uur. Toen hoorden Peri en de anderen het geruis van vleugels boven hen. Ze verstijfden.

'Niet schrikken,' zei Finch. 'Het zijn Jay en Griffon.' Ze boog zich weer over haar slick.

Ze plonsden omlaag en Jay bleef even tot zijn middel in de poel met helderbruin rivierwater staan dat over bladeren en stenen stroomde, en hij schepte water over zijn haar, zijn gezicht, zijn armen en vleugels, waar de druppels van zijn veren rolden. De rivier rook naar thee en modder en medicinale bladeren, fris en scherp.

Peri liep naar de rand van het water met Hugo balancerend op zijn voetjes. Hij wilde lopen en ze pakte zijn handen vast; samen stapten ze over het natte zand. Elke stap die Hugo zette was zo teder en weloverwogen dat ze telkens wanneer hij een piepklein voetje als een bloem met vijf blaadjes op de grond zette haar hart voelde samenknijpen. Peri's wangen waren vuurrood; ze was zich maar al te bewust van Jays ogen die op haar rustten terwijl ze met Hugo rondjes liep over het zand.

Jay stond alleen, en ze mocht geen kans onbenut laten om met hem te spreken. Ze aarzelde, omdat ze niet durfde te vragen naar iets wat ze dringend moest weten. De andere vliegers waren nog steeds te dichtbij, al betwijfelde ze of ze haar konden horen als ze zacht sprak.

'Jullie hebben kennelijk geen problemen met geld en voorraden,' begon ze, terwijl ze naar Jay keek, die iets te eten uit de provisiekist pakte.

Jay keek naar haar om met een ernstige uitdrukking op zijn knappe gezicht. 'Nee,' zei hij. 'Iedereen hier heeft geld zat. Allemaal van rijke komaf, zoals je zou verwachten. Behalve ik. En jij.'

'Maakt hun familie zich geen zorgen om hen?' Ze wierp een zijdelingse blik naar de plek waar Griffon zich net bij de anderen had gevoegd, een stuk verderop op het wad.

'Jawel, maar wat kunnen ze doen? Dat is de essentie van rijke jongeren, dat ze achteloos zijn – waar of niet? Dat ze geen idee hebben wat ze anderen aandoen.'

Zou het niet heerlijk zijn als er ergens iemand was die zich zorgen om me maakte? Iemand die naar me op zoek was – en niet om me te vermoorden, maar om te zien of alles in orde was. Iemand die zielsblij zou zijn als ik bij hem voor de deur stond. Iemand die van me hield. Hoe zou dat zijn? Het is heel makkelijk om Leto, Phoebe, Griffon en Rafael te haten, zo stralend, zorgeloos en bemind als ze zijn. Zij kunnen alles op het spel zetten. Zij schatten die liefde niet op waarde, omdat ze haar nooit in twijfel hebben getrokken, zich nooit zorgen hebben gemaakt dat ze haar zouden kwijtraken. Zij kunnen hun ouders zo slecht behandelen als ze maar willen, maar zodra ze weer komen opdagen, worden ze met open armen ontvangen. Die zekerheid wil ik Hugo geven; ik wil hem niet blootstellen aan de onverschilligheid die ik mijn hele leven heb gekend.

Jay keek naar Peri alsof hij wist wat er in haar omging. 'We hebben veel gemeen, hè?' zei hij, met die zachte, staccato stem van hem die haar een beetje aan Havoc deed denken. Peri keek hem aan. 'Dat zullen de anderen nooit begrijpen,' zei hij, 'maar wij wel. Wat het betekent om datgene wat je wezen uitmaakt op te geven voor vleugels.'

Peri boog haar hoofd omdat ze niet wilde dat Jay de tranen in haar ogen zag. Ze nam Hugo mee naar een boom, en samen bekeken ze de stam, klopten ze op de omkrullende bast, streelden ze de zachte blaadjes. Ze streek met haar handen over de gebruinde huid op zijn armen en benen, en hield even stil toen ze rode striemen op een beentje zag zitten. Zandvliegen? Een giftige plant? Ze zette Hugo op het zand voor zich neer en bekeek hem zorgvuldig, terwijl ze tegelijkertijd Jay in de gaten hield.

Hugo leek een beetje groter en slanker te zijn geworden sinds ze hem had meegenomen, minder een baby, meer een kind. Peri haalde haar handen door zijn haar op zoek naar teken. Niets. Eerder had ze een bloedzuiger van hem af geplukt en hij had aan het plekje gekrabd, terwijl er bloed over zijn been liep. Ze controleerde zijn handen en voeten. De satijnzachte huid zat onder de krasjes en blauwe plekjes. Toen ze hem zachtjes onder zijn kinnetje kriebelde, kraaide hij van plezier. Hij stak zijn handje uit en probeerde op zijn beurt haar onder haar kin te kriebelen.

Jay waadde het water uit, schudde zich af en met een opbollende stroom lucht ontvouwde hij zijn reusachtige vleugels. Ze glinsterden bronskleurig in de steeds krachtigere zonnestralen en Peri snakte even naar adem. Geen standbeeld, geen reusachtig gouden icoon zou ooit die hele bewegende, ademende pracht van hem kunnen weergeven.

Deze Roofvogel was reusachtig, oogverblindend; dichter dan dit zou ze nooit bij een levende god komen.

'Ik moet met je praten,' zei Peri.

Jay draaide zich naar haar om, terwijl hij doorging met water van zijn vleugels schudden in het warme licht. 'Weet ik. Als je nu met me wilt praten, moet je met me mee op verkenningsvlucht. Ik heb vanochtend alleen nog maar de zuidoostelijke sector afgezocht, en ik moet vandaag nog alle andere sectoren afwerken. Laat Hugo maar bij Finch.'

Jay en Peri vlogen op een paar meter afstand van elkaar op dezelfde hoogte. Jay had de noordelijke sector die ze nu verkenden in denkbeeldige kwadranten opgedeeld, die ze nu een voor een snel en ordelijk afwerkten. De hemel was rustig; wolken tekenden zich monochroom af tegen het blauw als vlekken met water verdunde inkt.

Jay had zijn kruisboog in de aanslag in zijn hand, maar die van Peri zat nog in zijn zachte verpakking naast de pijlkoker rond haar middel gegespt. Voor vertrek van de Hemelse Richel had Jay haar apart genomen, uit het zicht van Hugo, en hij had haar een kruisboog gegeven. 'Deze heeft een automatische slagpin en een trekkracht van zestig kilo,' had hij gezegd. 'Hij is goed voor vrouwen en kleinere mannen. Je zei al dat je hiermee kunt omgaan, maar dat wil ik met eigen ogen zien. Dus voor we vertrekken gaan we eerst wat schijfschieten.'

'Die van jou is groter,' had Peri gezegd. Met haar gezicht naar de schietschijven die Jay tussen de bomen had neergezet, stond ze zich te verbazen over hoe licht dat dodelijke kleine wapen in haar handen aanvoelde.

'Natuurlijk is ie groter, verdomme,' had Jay gesnauwd. 'Dit is een militaire geweerkruisboog met een trekkracht van honderdvijftig kilo, die ook op lange afstanden nauwkeurig is. Het is een semiautomatisch aanvalswapen met een vezeloptisch vizier en een demper. Die van jou, daarmee kun je uit de problemen blijven; die is voor klein wild, schijfschieten en voor zelfverdediging. Je kunt er wonden mee toebrengen en misschien mee doden, maar die van mij, dat is het echte werk; die is voor de jacht op groot wild.'

'Dus voor Wilden?' zei Peri. 'Of andere Roofvogels?'

Jay gaf geen antwoord. Hij pakte Peri bij de arm en zette haar in de juiste houding.

'Vuren,' zei hij.

Nu liet Peri een speurende blik gaan over de grijsgroene dalen beneden hen. 'Ik moet weg, Jay,' zei ze. 'Je moet me laten gaan. Je kunt mijn veiligheid of die van Hugo hier niet garanderen.'

'Dat is waar. Het probleem is alleen dat ik je veiligheid evenmin kan garanderen als je nu vertrekt.'

'Ik denk dat ik niet met jullie mee moet naar het winternest, als jullie echt weg moeten.'

'Nee,' zei Jay, die nu in een lange, vlakke kurkentrekkerbeweging daalde. 'Zeker niet. Jij moet je toekomst onder ogen zien. Kom mee. Nu hebben we de hele sector bekeken, en van bovenaf ziet het er allemaal goed uit, maar nu gaan we lager vliegen en pas echt op jacht. We kijken uit naar elk teken van een groot dier. Platgetrapt gras, afgebroken takken, achtergelaten prooien, grote, rommelige nesten – noem maar op. Wilden zijn erg slordig. Ze hebben niet de zelfdiscipline om hun nesten en omgeving te onderhouden.'

In tegenstelling tot ons. Rond het kamp ligt nooit een snippertje afval. Ineens was duidelijk waarom Jay iedereen had verboden zeep te gebruiken behalve in kommen, die vervolgens een eind van de rivier vandaan op de grond werden leeggegooid. Geen schuim dat veelbetekenend het water vervuilde dat omlaagviel van de steilte bij de Hemelse Richel. Vanuit de lucht zag de Hemelse Richel er onaangetast uit. Echt wild.

Jay scheerde snel over de bomen en Peri zette alles op alles om zijn snelheid bij te houden.

'Weet je dan al wat je gaat doen?' vroeg hij.

Peri verhoogde haar tempo, zonder te weten of de kracht die door haar aderen en spieren stuwde door opwinding of angst werd veroorzaakt. Jay had gelijk. Ze kon haar toekomst niet langer uitstellen.

'Dat heb ik toch gezegd? Ik ga Peter vermoorden.'

Jay draaide zijn hoofd om haar aan te kijken.

Hij gelooft me niet. Begrijpelijk. Geloof ik het zelf of zeg ik het alleen maar om hem zover te krijgen dat hij me helpt?

'Toe nou, Peri. Ik snap dat je dat wilt na wat hij je heeft aangedaan, maar ...'

'Je begrijpt het niet, Jay. Het gaat niet om wat ik voel. Het gaat niet om wraak. Nou ja, niet voornamelijk. Het is gewoon een praktische kwestie. Jij bent soldaat. Wat zou jij met een vijand doen?'

'Die dood je. Je maakt hem niet bang. Je verwondt hem niet. Je doodt hem. Eerste oorlogswet.'

'Ja. Precies.'

'Peter is niet zomaar je vijand,' zei Jay. 'Hij is de vader van je kind. En de Stad is geen oorlogsgebied.'

'O nee? Peter heeft een Roofvogel achter me aan gestuurd, Jay, hij heeft geprobeerd van me af te komen; hij is degene die de zaak op de spits heeft gedreven, en ik zal nergens meer veilig zijn, tenzij ik een van deze twee dingen doe: ofwel ik onderneem iets zo heftigs dat Peter me nooit meer zal bedreigen, ofwel ik geef Hugo voor altijd op, en dat laatste, dat kan ik eenvoudig niet. Dus help me alsjeblieft. Hoe moet ik met Peter omgaan om ervoor te zorgen dat Hugo en ik voortaan veilig zijn?'

Jay dacht na. 'Ik begrijp waarom je bang bent,' zei hij. 'Ik heb gezien wat Peter achter je aan had gestuurd. Ik weet waartoe Roofvogels in staat zijn. Ik heb je gered, je wonden verbonden, en ik zou bijna geneigd zijn om Peter zelf te vermoorden om wat hij heeft gedaan. Ik maak me ook geen zorgen om hem, maar om jou. Je hebt geen idee wat voor krachten je van plan bent te ontketenen. Ik weet wat geweld is, ik ben de enige hier voor wie dat opgaat; het kan heel effectief zijn, al zeggen mensen maar al te graag dat dat niet zo is, omdat ze dat zelf willen geloven. Maar het is riskant. Vaak genoeg draait het op iets uit wat je niet had gepland. En het allerbelangrijkste is dat je niet wordt gepakt. Hugo heeft niets aan je als je in de gevangenis zit.'

'Dus je gaat me helpen?'

'Ik zal erover nadenken, Peri.'

Voor hen uit doemde een rotswand op ten noorden van de Hemelse Richel. Jay ging langzamer vliegen en daalde tot onder de rand, om te voorkomen dat ze eroverheen zouden worden geblazen. De hellingstijgwind bolde onder hen omhoog terwijl ze langs een rotswand vlogen van roodgouden zandsteen, dooraderd met de donkere lijnen van bomen. Jay speurde de rotswand af op richels en grotten.

Na de verkenningsvlucht nam Jay Peri mee naar een grazige open plek die ze nog niet had gezien. 'O,' zei ze, toen hij haar neerlegde. Hij nam haar snel. 'O, o, Jay,' hijgde ze. Hij draaide haar om en liet haar haar vleugels spreiden, zodat hij haar op die manier kon nemen. Ze hield zich vast aan het gras onder haar; hij greep haar schouders en trok haar naar achteren, en hield haar op haar plaats terwijl hij in haar stootte. Toen hij klaar was, trok hij haar overeind. Rauw en beverig als ze was, moest ze denken aan de heftige discussie die Jay die ochtend met Niko had gehad, aan de angst die hen allemaal had bevangen, en hoe zwaar hun veiligheid nu op zijn schouders moest rusten. Geen wonder dat hij zoveel ruwer was, dat zijn stemming zoveel somberder was dan gisteravond.

Jay trok Peri tegen zich aan en kuste haar haren. Hij legde zijn duim en wijsvinger om haar pols heen en tilde haar arm op. Peri knipperde met haar ogen. Jay maakte de grijze polsband los.

'Je bent vrij,' zei hij.

Ineens was ze razend jaloers op Shaheen die met haar belletjes elk moment met Jay was verbonden.

Een paar dagen nadat Peri Jay om hulp had gevraagd, bleef hij langer naast haar liggen dan anders toen ze hadden gevreeën. Hij rolde een stukje opzij om haar zijn volle gewicht te besparen, maar hij bleef haar stevig vasthouden terwijl hij haar gezicht bestudeerde.

'Ik heb nagedacht over wat je me hebt gevraagd,' zei Jay. 'En ik heb je tijd gegeven om na te denken. Ben je nog steeds van plan om ermee door te gaan?'

Peri knikte.

Misschien heb ik hem er wel van overtuigd dat ik dit echt zou doen. Maar weet ik zelf wel hoever ik bereid ben te gaan?

Jays mond vertrok tot een rechte streep.

'Heb jij soms een betere strategie?'

'Nee. Gewoon de voor de hand liggende dingen. Advies inwinnen bij een jurist – dat werk.'

'Je kunt niet garanderen dat dat lukt.'

Jay keek haar strak aan. 'Natuurlijk niet. Dacht je soms dat hem vermoorden enige garantie biedt?'

'Ga je me nu helpen of niet, Jay?'

'Ik heb het er met Niko over gehad, en volgens mij is er een manier om bijna zeker te weten, of in elk geval zo zeker als je het maar kunt weten, dat het je gaat lukken. SkyNation begint over iets meer dan een week. Je zou het zo kunnen uitrekenen dat je hier op tijd vertrekt om dan de Stad te bereiken. Tegen die tijd moet ik weten hoe de zaken er hier voor staan en kan ik je tot aan de kust escorteren, om jou en Hugo te beschermen.'

'Wat heeft SkyNation ermee te maken?'

'Het tijdstip en de plek. Het is de volmaakte omgeving, de volmaakte manier om ervoor te zorgen dat je kunt ontsnappen aan de consequenties van je daden. Er gebeurt van alles tijdens SkyNation: chaos, ongelukken, klungeligheden, gevechten, en sommige van die gevallen zijn géén ongevallen. Dit soort evenementen brengt altijd risico's met zich mee. Mensen verdwijnen.'

'Dus je bedoelt dat Peter een ongeluk moet krijgen tijdens SkyNation?'

'Niemand zal weten dat jij daar bent geweest. Iedereen is verkleed. Geen enkele reden om jou in verband te brengen met wat er is gebeurd. Je wapen zal niet na te trekken zijn. En als het heel erg tegenzit, zorgt Niko wel voor een alibi.'

'Hoe kom ik daar in vredesnaam binnen?'

'Geen punt. Dat kan Niko zo voor je regelen.'

Peri viel stil. 'Goed,' zei ze na een poosje. 'Dankjewel. Het is een goed plan.'

'Ik zou het je afraden,' zei Jay. 'De enige reden waarom ik je help, is dat je onbesuisd genoeg bent om het zonder mijn hulp te doen, en ik zorg er liever voor dat je veilig bent. Maar goed, als een soldaat íéts begrijpt, is het wel dat er soms gewoon geen andere oplossing is.'

Het was een opluchting om nu precies te weten wanneer ze bij Audax zou vertrekken, al was het ook angstaanjagend. En toch was het bemoedigend dat er nu een dag vastlag dat ze moest vertrekken en dat Jay Hugo en haar in elk geval een deel van de vlucht zou beschermen.

Peri moest vaak denken aan haar laatste vlucht met Jay. Zou hij haar echt alleen verder laten gaan? Ze stelde zich honderden scenario's voor waarin hij besloot met haar mee naar de Stad te gaan. Alles was mogelijk, niets zou te moeilijk zijn als Jay bij haar zou blijven.

De dagen op en boven de Hemelse Richel waren vredig, gedempt in de laatzomerse zon. Het viel niet mee om in de stille, zonovergoten dagen oplettend te blijven. Om in het zonlicht te blijven geloven in de dreiging die uitging van één enkele, donkere Wilde. Elke vlucht was nog steeds een patrouillevlucht en behalve Jay was geen enkel lid van Audax ooit alleen. Maar ze zagen niets. Jay, en zelfs Niko, ontspande een beetje.

Driemaal was de warmte uit de dalen aan de voet van de Hemelse Richel ineens omhooggestegen tot een restitutie die hen optilde in een gouden avond vol gelukzaligheid. Alleen bij een restitutie mocht Peri van Jay met Hugo vliegen, en ze koesterde elke seconde dat ze in stilte met hem rondzweefde op een warme, heldere zee van lucht.

Peri wist niet zo zeker of ze het wel met Raf eens was dat restitutie lekkerder was dan seks, al was de keuze vreselijk moeilijk. Gelukkig hoefde ze niet te kiezen, al had ze maar weinig minuten met hem samen, omdat Jay zich met overgave wijdde aan hun veiligheid. Hij trok haar vaak mee naar afgeschermde plekken die hij had gevonden bij de anderen uit de buurt – hij kende de bossen om hen heen op zijn duimpje –, maar hoe Peri er ook van genoot om in zijn armen te liggen, het was altijd met een zweem van angst: stel dat ze verrast werden door een Wilde terwijl ze alleen en kwetsbaar waren? Jay was vast ook in de greep van diezelfde angst, want het ontspannen elkaar verkennen van hun eerste keer samen was totaal verdwenen; nu was de seks dringend en stil, met Jays hand op haar mond. Ze had geen idee of hij zich nu meer zorgen maakte of een Wilde hen zou horen dan wel andere leden van Audax, maar het was een heerlijke kwelling om geen geluid te mogen maken; alle sensaties, alle emoties zwollen in haar op als de druk van lucht die uitzet in een bel, tot ze bijna op barsten stond.

Overdag oefende Peri met vliegen, samen met de groep. Door het verschijnen van de Wilde hadden ze veel meer de neiging om elkaar op te zoeken, en nu voelde ze zich ook echt een deel van Audax. Het gevoel dat ze voorbij haar lichaam reikte, nam in de groep razendsnel toe, alsof ze één enkel lichaam vormden dat onmetelijk veel groter en krachtiger was en zich in drie dimensies om hen heen uitstrekte.

Peri genoot van de kameraadschap van de andere vliegers. Het gevoel dat ze ergens bij hoorde versterkte haar vaardigheden meer dan wat ook. Afgezien van Havoc, voor wiens diensten ze had betaald, had ze voor Audax nog nooit met anderen gevlogen, behalve een paar keer met Luisa.

Dankzij de kracht die ze ontleende aan de groep, begon Peri de vermogens te ervaren waarover Finch het had gehad: het aanvoelen van hun hoogte boven de grond, de luchtsnelheid, de subtiele variaties in luchtdruk, weersveranderingen. Zelfs de horizon. Ze had niet kunnen uitleggen, niet precies kunnen zeggen hoe hoog ze was of wat precies de luchtdruk was, maar ze voelde het wel en kon haar manier van vliegen daaraan aanpassen.

Peri ging zo vaak mogelijk met Jay en Shaheen uit vliegen, al was het lastig om de valk te bestuderen, omdat ze zo snel was, haar bochten en duiken zo scherp waren, haar vleugels zo lang en slank in vergelijking met die van Peri.

Elk moment van de dag luisterde ze naar het waterachtige geklingel van Shaheens belletjes, die met hun veranderende ritme en geluidssterkte aangaven wat de valk aan het doen was – veren gladstrijken, baden, aanwachten, landen, plukken en opeten van een andere vogel – en heel vaak kon ze uit hun zwijgen afleiden dat ze deed waar roofvogels het allerbest in zijn: nietsdoen. Jaren later zou Peri het gevoel hebben dat het geklingel van die belletjes nog steeds in haar hoofd gegrift stond als een van de meest intense genoegens uit die tijd: een levende draad die haar verbond met de jaagster.

'Je moet de tactieken van duiven afkijken,' zei Jay op een dag. Hij had Peri, Leto, Raf en Phoebe mee naar boven genomen en liet hen keihard werken aan snelle duiken en bochten, waarbij hij hen tot de grenzen van hun kunnen dreef. Shaheen vloog met hen mee en maakte zulke razendsnelle duiken dat ze in een oogwenk in en uit hun gezichtsveld schoot als een pijl van nacht onder de zon.

'Slechtvalken kunnen met een snelheid van negentig meter per seconde op een duif stoten. Een duif kan nooit van zijn leven een valk voorblijven. En toch ontsnappen ze vaak. Vandaag ga ik jullie leren hoe ze dat doen.'

Hoog in het onbewolkte azuurblauw boven de Hemelse Richel vlogen ze met de richel zo ver beneden hen dat hij eruitzag als een rimpel van donkergroen met een rand van geelbruin steen die hier en daar doorstreept was met zilveren glinsteringen rivier. De opwinding en de roes van die middag waren samen met de wetenschap dat ze Hugo's moeder was het felverlichte hoogtepunt van haar hele leven, zou Peri later heel vaak denken. Wat ze ook in de toekomst zou meemaken, dit zou nooit worden overtroffen.

Ze zag – ze zagen nu allemaal – Jay in zijn volle glorie als Roofvogel. Als een valk stootte hij vanuit de zon op hen, en zij leerden hoe ze één vleugel moesten laten zakken en naar een van beide kanten moesten afbuigen om uit de baan van zijn duikvlucht weg te komen, om daarna hun vleugels in een W te vouwen en zich als een steen te laten vallen. Daarna zweefden ze weer omhoog en naar achter hem om hoogte te winnen. En weer schoot hij omhoog en kwam hij op hen af geschoten, en weer rolden ze weg en lieten ze zich vallen, net zo lang tot ze het hadden vervolmaakt.

'Je rolt op dezelfde manier weg als een gevechtsvliegtuig zich losmaakt uit een formatie,' zei Jay, 'en je zorgt dat je lagere snelheid in je voordeel werkt. Als ik sneller duik dan jij en jij gebruikt dat wegrollen en vallen van een duif, dan zal ik je met mijn grotere snelheid voorbijschieten, waardoor jij in de gelegenheid bent om achter mijn rug te komen en hoogte te winnen.'

'Die duif is dood,' lachte Jay vaak als hij hen in het voorbijgaan een veeg gaf, omdat hun duiken niet scherp of niet steil genoeg waren. 'Die duif heeft het wel gered. Tot de volgende keer dat ik op hem jaag,' was de hoogste lof die ze van hem konden krijgen. Hij bleef hen net zo lang achter hun vodden zitten tot ze ieder een paar keer kans hadden gezien om aan hem te ontsnappen.

De dagen boven de Hemelse Richel waren werkelijk glorieus. Maar de nachten, dat was iets heel anders.

Elke avond, zodra de somberte zich tussen de bomen had gevestigd, na de uitgelatenheid van restitutie of een dag lang vliegen, sloot de ruimte hen op, terwijl de vliegers te opgewonden waren om te slapen. De dreiging die uitging van de Wilde kwam nader geslopen en ze trokken zich terug in zichzelf en naar elkaar.

Niko had het vooral veel over politiek, over wat er volgens hem in de Stad moest gebeuren. 'Ik ga binnenkort het materiaal over Diomedea publiceren, zodat mensen weten wat er echt gaande is. We moeten onze kennis organiseren, verfijnen, delen. Als we geen verandering brengen in wat daar gebeurt, in de Stad, zullen jullie niet in staat zijn om hier door te gaan op het pad dat je hebt gekozen. Wat voor toekomst zal vliegen dan nog helemaal hebben?'

Jay schudde zijn hoofd. 'Jij hebt het over kennis, maar ze moeten het met hun eigen lichaam voelen. Het heeft geen zin om erover te praten.'

'Dat komt jou goed uit,' zei Niko, met een blik op de rest van de groep, 'maar dat maakt geen enkel verschil. Wat denk je precies dat jij wordt?'

'Daar gaat het nu juist om,' zei Jay. 'Dat weet ik gewoon nog niet. Dat weet niemand.'

'Het is nogal duidelijk dat onze nieuwe vermogens niets met taal te maken hebben,' zei Leto. 'Ze moeten zich in andere gebieden in de hersenen bevinden.'

'Dat zou logisch zijn, ja,' zei Niko, 'aangezien het vooral ruimtelijke vaardigheden zijn. We leren om te gaan met driedimensionale ruimte en met verschillende zintuigen voor tijd en snelheid. Daar kan taal alleen maar bij storen.'

'Dat is precies wat ik bedoel,' zei Finch. 'Als je naar de metingen op je horloge kijkt, haal je jezelf uit de toestand waarin je die metingen zelf zou kunnen doen. Het is alsof je probeert te fietsen door een handleiding te lezen: dat kan onmogelijk. Je lichaam moet het leren en de touwtjes in handen nemen.'

'Ik neem aan dat het makkelijker is voor kinderen,' zei Peri. 'Zij zullen het leren zoals je leert lopen.'

'Tot op zekere hoogte, ja,' zei Niko. 'De basisdingen wel. Maar echt vliegen, wat wij hier doen, staat niet gelijk aan leren lopen; het is eerder iets als een eersteklas training voor sporters. Wat ik me afvraag is of je wel al die vaardigheden kunt toevoegen zonder dat je daar een prijs voor betaalt.'

'Wat bedoel je?' vroeg Jay.

'Misschien geef je er elders verwerkingskracht voor op.'

'Denk je dat we Wilden worden?' zei Leto.

De discussie stierf weg en de rest van de avond waren ze erg stil. Peri lag naar de sterren te kijken en moest denken aan wat Finch voor haar gevoel maanden geleden, al was het maar een paar dagen terug, tegen haar had gezegd: 'Vleugels zijn zwaar, tenzij je er iets voor opgeeft.'

Elke nacht weer als Peri met Hugo in een vleugel genesteld probeerde haar angsten lang genoeg uit te bannen om in slaap te vallen, werd ze overvallen door een vreemde sensatie alsof ze van heel hoog omlaagviel, zoals ze vanuit het noodweer omlaag was gestort. Ze had geen vat op het gevoel. Het leek wel of ze al het gevlieg van de afgelopen dag opnieuw beleefde – omhoog, omlaag, in een bocht –, alsof ze elke configuratie in lichaam en geest exact herhaalde in een proces dat even weinig bewust was als haar bloeddruk, terwijl de vluchtpatronen zich door de vezels van haar spieren vlochten. Zodat ze een deel van haar werden en ter beschikking stonden als ze ze nodig had. Het was zo'n intensieve manier van leren en haar geest vormde zulke nieuwe patronen dat het doorging als ze sliep.

Peri's ongerustheid over Hugo was een voortdurende ruis in haar geest, als het geluid van het water dat zich over de Hemelse Richel stortte. Ze had besloten wat ze ging doen. Ze had rechten, maar ze had niets aan rechten als ze die niet kon opeisen.

Twee dagen voordat Peri de Hemelse Richel moest verlaten kwam Niko, de Pale Male in eigen persoon, met een schrikbarende mededeling. Hij zag haar in de rivier met Hugo spelen en gebaarde dat ze het zand op moest komen. Duizelend van bange voorgevoelens zette Peri Hugo naast zich neer met een berg zand en een stel schelpen om mee te spelen. Wat wilde Niko? Hij had haar nog nooit aangesproken.

'Ben je nog steeds van plan om ons binnenkort te verlaten?' begon Niko.

Peri knikte.

'Dat is ook maar het beste. Je bent vast bang. Jij bent de enige van ons allemaal die de Wilde echt heeft gezien.'

'Ik heb nog nooit zoiets angstaanjagends gezien.'

Niko raapte een blaadje op en begon het in stukjes te scheuren. 'Vreemd eigenlijk, om zo bang te zijn voor een paar Wilden,' zei hij.

'Maar ze zijn inderdaad angstaanjagend. Je vraagt je af hoe het zich voltrekt. Of in elk geval vraag ik me dat af. Voortdurend. Waarom denk je anders dat ik er zo in geïnteresseerd ben om meer over onderzoek naar vliegen te weten te komen, en dan vooral de dingen die ze voor ons verbergen?'

Niko dacht waarschijnlijk aan die vriendin van hem. Hoshi, heette ze niet zo?

'Wat voor iets worden ze? We hebben geen idee wat voor steunberen we onder ons eigen mens-zijn wegslaan. We horen bang te zijn. We hebben geen idee waar we mee bezig zijn.'

'En toch heb je je laten behandelen,' zei Peri.

'Ik had geen idee waar ik aan begon,' was Niko's antwoord. 'Ik weet eerlijk gezegd niet zo zeker of ik het weer zou doen.'

'Maar je bent hier toch maar,' zei Peri. 'Jij bent de grote strateeg, de politicus.'

'Tja, nou ja, dat komt doordat ik degene ben die daar iets vanaf weet. De rest heeft geen flauw idee. Maar ze komen er nog wel achter. Ze zullen zich snel genoeg realiseren dat de wereld geen plaats heeft voor types die zo willen zijn als zij. Zij geloven dat ze iets anders worden; geen gewone mensen – maar evenmin Wilden.'

'Jay zei dat jij niet kon vergeten wat je was geweest. Wat ben je geweest?'

Niko lachte. 'Máchtig, dat ben ik geweest.'

'O,' zei Peri.

'En de reden waarom ik nu hier ben,' zei Niko, 'is dat ik, nu ik een vlieger ben, ook een échte vlieger wil worden. Ik ga niet een beetje rondhangen zoals veel van die types in de Stad, met een stel vleugels als mijn nieuwste dure speeltje. Die weg ga ik niet bewandelen. En ik wil iets veranderen aan de manier waarop dingen worden aangepakt. Vliegen is een grootse droom, maar soms kunnen dromen maar beter dromen blijven. Nu is het aan mensen als ik, en aan de vliegers die we opleiden, om de werkelijkheid de moeite waard te maken.'

Niko raapte een takje op met een plukje blaadjes en witte, wasachtige bessen eraan en hij gaf het aan Hugo, wiens ogen gingen stralen, en zijn mondje vormde een volmaakte O van verbazing. Peri wilde lachen en tegelijkertijd sprongen haar de tranen in de ogen. Het was nu nog heel makkelijk om Hugo verbaasd te laten staan. Hij was hier op de Hemelse Richel omgeven door takken en blaadjes, en toch reageerde hij op het takje dat hij van Niko kreeg aangereikt alsof hij een kostbaar geschenk had gekregen. En misschien was dat ook wel zo.

'Wat ik wil,' zei Niko, 'is de kennis die we hier genereren combineren met goed onderzoek en het dan verfijnen, standaardiseren en onderwijzen, zodat vliegsportscholen effectiever worden. Anders raken we alles kwijt wat we hier opsteken. In het hele systeem zitten oplichters zonder enige scrupules – artsen die zelf geen vlieger zijn, instructeurs die nog nooit buiten de Stad hebben gevlogen. En het allerbelangrijkste is dat als wij echte vliegers willen worden, we vliegers van de wereld moeten worden. We mogen de ondergang van de wildernis, de lucht en de zeeën niet negeren. Je kunt niet werkelijk een vlieger worden zonder je daar ook mee bezig te houden. De druk op onze energievoorraden, zoals de steeds kleiner wordende voorraad brandstoffen, en op het opslaan van energie – duurzame energie, dus – is extreem groot. Daarom worden de dingen die we zelf kunnen doen, zoals vliegen, steeds belangrijker. Vliegen is ooit begonnen als een heftige sport en een statussymbool voor de allerrijksten, maar daar zal het niet bij blijven. Daarvoor is het te nuttig.'

'Dan heb je nog een hoop werk te doen.'

'Ik doe het niet alleen,' zei Niko. 'Er zijn er hier en daar nog een paar van ons. De documenten die we hebben bevrijd kunnen misschien van pas komen. Daarom ben ik ook naar jou toe gekomen om met je te praten. Ik heb bepaalde zaken ontdekt over de geschiedenis van de vliegkunst die rechtstreeks betrekking hebben op jou.'

Niko haalde het document op de slick tevoorschijn en gaf die aan Peri. 'Bekijk dit eens. Ik heb het net gisteravond tussen ander materiaal aangetroffen.'

Hoofdschuddend las Peri even. Toen verstijfde ze en ze las dezelfde alinea's nog een paar keer. Verbijsterd keek ze op naar Niko. De zon stond achter hen en Niko's zilveren stekeltjeshaar lichtte op tot een krans rond zijn hoofd.

'Ik zie dat je relatie met Diomedea al van een aardige tijd terug stamt,' zei Niko. 'Je achternaam is Almond, hè?'

Peri knikte.

'Lees die passage nog maar eens. Daarin wordt ene Liam Drake Almond beschreven als een van de eerste prototypen van Diomedea, en een van hun sterpupillen bij het Chenomorphae-project.'

Peri staarde naar het document, maar het loste op in een zwerm betekenisloze tekens. Haar ogen weigerden zich scherp te stellen. Ze legde de slick weg. 'Was Liam Drake Almond mijn vader?'

'Uit wat ik hier lees, leid ik af van wel.'

'Wat is er met hem gebeurd? Wat is dat Chenomorphae-project?'

'Heb je weleens van AIRPA gehoord?'

'Nee.'

'AIRPA is een onderafdeling van Defensie die belast is met blauwe-luchtonderzoek, allerlei wilde projecten. Zij leveren de fondsen voor hoogst eigenaardige vernieuwingen zoals mijn absolute favoriet: het bewapenen van bijen. Wat je noemt stingers, dus. Voor hun doen was Chenomorphae nog behoorlijk braaf. Het ministerie van Defensie verschafte via AIRPA Diomedea de middelen om het onderzoek te doen. In eenvoudige bewoordingen komt het erop neer dat de mensen die meededen aan Chenomorphae Roofvogels waren. De eerste lich-ting. De doelstelling van het project was om te onderzoeken of ze met extreem hoge doses van de eerste behandelingen die Roofvogels on-dergingen militaire vliegers in staat konden stellen om in milieus en op hoogten te opereren die voordien als onhaalbaar werden be-schouwd voor vliegers. Onderdeel daarvan was ook het ontwikkelen van het soort navigatievaardigheden waarover vogels beschikken. Alle gegevens die dat project opleverde, werden als waardevol be-schouwd.'

'En wat is er met mijn vader gebeurd?'

'Het was een ultra-experimenteel project waarin de deelnemers aan onwaarschijnlijk grote risico's werden blootgesteld.'

Ik wist dat alleen de andere Roofvogels enig idee hadden van wat ik doormaakte, en dan alleen nog degenen die bij mijn lichting zaten. Ze verfijnen voortdurend de technieken en behandelingen.

'Maar wat is er gebeurd, Niko?'

'Een aantal proefpersonen ging voortijdig dood. Je weet dat de be-handelingen die Roofvogels ondergaan hun leven bekorten. Maar Al-mond komt niet voor op de lijst voortijdige sterfgevallen. Hij is verdwe-nen.'

Ik betaal er wel een prijs voor.

'Verdwenen.'

'Na die ene aantekening in de verslagen over het project wordt hij verder niet meer vermeld. Die Roofvogelbehandelingen omvatten ook extreem hoge doses Zefiryn die langdurig moeten worden ingenomen. Zowel Roofvogelbehandelingen als een overdadig gebruik van Zefiryn worden in verband gebracht met verdwijningen.'

'O god. Bedoel je dat ze Wilden worden?'

'Misschien. We weten het gewoon niet.'

Dat smerige, stinkende wezen. Hongerig. Eenzaam. Dat kon haar vader zijn. Hij kon er zo aan toe zijn.

'Heb je weleens geprobeerd je ouders op te sporen, toen je eenmaal in de Stad was, Peri?'

Peri legde haar hoofd in haar handen. Haar schouders beefden. 'Ik heb erover nagedacht.'

'Maar je stelde het uit. Natuurlijk deed je dat. Waarom zou je daar nu spijt van hebben? Je begon net met een nieuw leven.' Niko wierp een blik op Hugo, die in het takje zat te bijten dat hij van hem had gekregen. 'Je had het heel druk. En je had gegronde redenen om te vrezen dat je niets prettigs zou ontdekken. Nee, ik bedoelde dat je misschien iets te weten was gekomen over Liam Almonds leven voorafgaand aan zijn deelname aan het Chenomorphae-project, want alles daarna was geheim. Je had nooit iets kunnen ontdekken over wat er met hem is gebeurd.'

Met haar hoofd nog steeds in haar handen vroeg Peri: 'En mijn moeder? Staat er iets over haar in?'

Niko legde zijn hand op haar schouder. 'Helemaal niets.'

Ingesloten door een werveling van verstikkende veren die boven haar losbarstten als een grijze storm. Toen vlogen ze weg en lieten ze haar achter zonder bewijs. Haar nachtmerrie betekende nog niet dat haar moeder ook een vlieger was geweest. Deed het ertoe? Haar vader was verdwenen en haar moeder had haar in de steek gelaten. Ergens waar het niet veilig was. *Niet bewegen, anders val je.*

'Maar waarom ik je dit eigenlijk vertel, is dat Diomedea de gevolgen onderzoekt van dat project voor de kinderen van deelnemers aan Chenomorphae.'

Peri tilde haar hoofd op. 'Waarom? Waarom dachten ze dat er gevolgen zouden zijn? Hebben ze kiembaantechnologie toegepast?'

'Niet dat ik weet. En toch getuigt het wel van verantwoordelijkheidsgevoel dat Diomedea dat doet. Ook zonder kiembaantechnologie zou je de gevolgen kunnen ondervinden van de behandelingen: blootstelling aan medicijnen, epigenetische effecten – noem maar op.'

'Dus jij denkt dat ik misschien de gevolgen zal ondervinden van de behandelingen van mijn vader?'

Ik zal minder lang leven dan jij.

'Ik denk dat dat al is gebeurd. In de korte tijd dat je bij Audax zit, ben je opmerkelijk snel vooruitgegaan. Is dat je niet opgevallen? Je hebt in een paar dagen meer geleerd dan de meeste vliegers van Audax in een paar maanden onder de knie krijgen. Misschien is het je opgevallen dat Phoebe en Leto en de anderen je niet echt mogen. Dat is niet omdat ze je niet vertrouwen, maar omdat Jay de enige vlieger hier is die jou overtreft.'

Jay. 'Zat Jay ook bij dat Chenomorphae-project?'

'Nee, maar alle Roofvogelprogramma's zijn op de een of andere manier afstammelingen daarvan. Jay weet dat hij niet alle tijd van de wereld heeft, Peri. Kon ik je maar verzekeren dat dat voor jou geen probleem zal zijn. Ik denk trouwens dat jouw kansen stukken beter liggen dan die van Jay; jij bent immers alleen aan die middelen blootgesteld via je vader, je hebt die behandelingen niet rechtstreeks ondergaan. Maar het feit blijft dat we het niet echt weten, en daarom heb ik er ook bij Audax op aangedrongen om deze overval te plegen; als Diomedea meer weet over de gevolgen van die behandelingen en de redenen waarom vliegers Wilden worden, zullen ze gedwongen moeten worden om die kennis te delen.'

Niko stopte de slick weg. 'Gaat het een beetje?' vroeg hij met een blik op Peri, die stilletjes op haar lip zat te bijten.

'Het is moeilijk te bevatten, Niko.'

'Misschien helpt het als je er zo tegenaan kijkt,' zei Niko terwijl hij opstond en het zand van zich af schudde. 'Het is best mogelijk dat jij een schot in de roos voor hen bent. Stel je voor. Misschien ben jij het nieuwe soort vlieger, een versterkte soort dankzij de na-effecten van de Roofvogelbehandelingen in combinatie met de gebruikelijke behandelingen. Ze zouden met jou best eens op het goede spoor kunnen zitten.'

Toen Niko weg was, beende Peri met Hugo in haar armen op en neer.

Ik moet nadenken. Ik moet alleen zijn, al ben ik van alle vliegers hier de enige die geen moment alleen wordt gelaten, vanwege Hugo en omdat Jay het heeft verboden. En toch moet ik het erop wagen.

Ze spoorde Phoebe op, die alweer een nieuwe blessure had na hun middagje duiventactieken oefenen en bereid was met Hugo te spelen.

Peri gaf Hugo een kus en rende daarna zo ongeveer het pad af naar de klip. Ze hield halt bij de rivieroever en keek naar de uitholling vol water aan de rand van de helling, vanwaar water schuimend het dal in stroomde. Haar hoofd tolde nog van de dingen die Niko had gezegd. Ze dacht aan Mama'lena en het spoor dat van haar leidde naar de Serafijnenkerk, naar de Engeltjes en naar Peter en Avis. De hele tijd had ze gewoon de ene voet voor de andere gezet, in de veronderstelling dat ze zichzelf voortdreef en harde keuzes maakte. Terwijl het misschien niet zo eenvoudig lag. Was ze altijd een vlieger in de dop, een Roofvogel in de dop geweest?

Peri trok haar gladpak uit en ging naakt in de poel zitten, waar het water langs haar heen joeg op weg naar de vrije val. Ze ging terug naar de Stad; misschien dat ze meer kon uitzoeken over haar verleden zodra ze wist wat er met Hugo en haar zou gebeuren. Wat haar vader en moeder was overkomen had niet alleen gevolgen voor haar toekomst, zoals Niko had gesuggereerd, maar ook voor die van Hugo.

Peri hoorde bladeren knisperen en keek naar de oever. Jay verscheen en wenkte dat ze uit het water moest komen. Ze kwam in al haar naaktheid overeind en liep naar hem toe. Jay nam haar in zijn armen. Was dit de laatste keer dat ze met hem alleen zou zijn? Ze vond het heerlijk om zijn gladde huid te strelen, haar hand over de zijdezachte roestkleurige veren te laten gaan.

'Vertrouw je me?' fluisterde Jay in haar oor.

O nee. Díé vraag. Peri voelde haar maag samenknijpen; een stroompje opwinding vloeide als gesmolten goud tussen haar dijen en omhoog, langs de centrale lijn over haar buik, en verwarmde haar. Hoe wist hij dat hij van alles precies dat moest vragen, die woorden die zowel angst als begeerte in haar losmaakten?

Ja. Ik vertrouw je.

Jay nam Peri bij de hand en leidde haar naar de rand van de klip. Hij kon onmogelijk weten wat een kracht de vraag had die hij net had gesteld. Het was de kernvraag geweest tussen haar en Peter. Hij zat in haar geheugen en haar verlangen verstrengeld, in de siddering langs haar zenuwen naar haar hart, haar hersens, haar spieren, haar dijen, haar baarmoeder. Haar heftigste herinnering, de keer dat haar moed het ergst op de proef werd gesteld, was toen Peter haar had meegenomen naar de punt van een lange spriet die uit een communicatietoren stak. Het was een smalle spriet geweest en hij had haar stevig vastgehouden. Ze was drie maanden zwanger van Hugo; er was nog niets te zien, maar ze werd snel moe. De hormonen die door haar lichaam joegen, maakten haar nog onderworpener aan Peter dan anders, als dat al mogelijk was. Aan het eind van de spriet waaierden een paar strakgespannen draden uit, net voldoende om Peter in staat te stellen haar neer te vlijen. De wind zong om hen heen en door de draden. Telkens als Peter haar nam, had hij het heftiger, gevaarlijker gemaakt. Ze verstijfde om hem heen, hield hem met haar hele lichaam vast, terwijl hij haar een stukje over de rand heen duwde. Ze snakte naar adem. Hij nam met haar hun hele catechismus door, die hij haar graag liet nazeggen als ze samen waren.

'Hou je van me?' vroeg hij dan dringend.

'Ja,' zei ze.

'Vertrouw je me?'

'Ja,' zei ze.

'Zou je je leven voor me geven?'

'Ja, ja,' zei ze. Het was zo noodlottig eenvoudig om hem te aanbidden, om zich totaal aan hem uit te leveren; hij was niet zomaar een man, maar een volslagen andere levensvorm: verhevener, sterker, schitterend. 'Alles wat je maar wilt,' zei ze, 'zal ik doen.'

'Laat je vallen,' commandeerde hij. Ze sidderde en huilde in zijn armen, en hij kuste haar haren, haar mond, maar hij was niet te vermurwen. Ze zei toch dat ze voor hem wilde sterven? Dan moest ze het nu bewijzen. Ziek van angst stortte ze zich de lucht in; ze zou nooit weten hoe ze zichzelf zover had gekregen. De val was onbevattelijk prachtig en afgrijselijk. De scherpe lijnen van de communicatietoren suisden aan haar voorbij de lucht in, de wind rukte haar adem weg, haar hart bonsde zo hard dat het wel haar borst uit moest springen, zodat ze al zou sterven voor ze de grond had geraakt.

Toen hoorde ze een geweldig geruis van lucht door slagpennen en ze werd opgevangen in de greep die ze heel goed kende; hij droeg haar mee naar de aarde en nam haar op de vaste grond. Daarna had ze drie dagen lang gezweefd, zo blij was ze om te leven, maar tegelijkertijd had ze zich zorgen gemaakt over wat hij nu zou ondernemen. Hoeveel verder kon hij nu nog gaan? Misschien dacht hij hetzelfde, want hij benaderde haar daarna pas weer een paar maanden na de geboorte van Hugo, toen de hele cyclus weer van voren af aan begon, elke plek gevaarlijker dan de vorige, terwijl zij nu onwilliger was, al was ze nog steeds in zijn ban.

Toen Peri eenmaal haar vleugels had, raakte Peter haar niet meer aan. Daar had ze diep om getreurd, maar de stortvloed van gevoelens was van richting veranderd en had een nieuwe geul uitgeslepen. Het was niet goed om haar leven in de waagschaal te stellen nu ze Hugo had om voor te zorgen. Maar Peter dacht nog steeds dat haar leven hem toebehoorde, dat hij ermee kon doen wat hij wilde.

Peri kon dat niet langer toestaan. Ze volgde Jay en gaf zich aan hem over. Hij nam haar mee naar de rand van de klip, en vandaar omlaag naar waar ze nu stonden, hij met zijn gezicht naar haar toe op een smalle richel en zijn rug naar de diepte. Peri's rug rustte tegen de rotswand en hij schermde haar af met zijn uitgeslagen vleugels en nam haar in zijn armen. Waarom deed ze dit? Haar adem stokte even. Omdat ze nu haar vleugels had. Dat was wat er was veranderd. Jay verkende samen met haar de grenzen van het gevaar, ze stonden als gelijken tegenover de uitdaging. Ze vertrouwde zichzelf, en niet alleen Jay. Ze drukte zich tegen de rotswand. Er was net genoeg ruimte voor haar voeten op de rand; een centimeter minder en ze zou wegglijden in de afgrond. Jay zocht zijn evenwicht door zijn handen tegen de rotswand te leggen en zijn vleugels op te tillen. Ze sloeg een been om hem heen, zodat hij haar kon optillen en bij haar naar binnen kon gaan. Hij gleed een stukje weg, hervond zijn evenwicht en nam haar opnieuw. Peri lachte. Op die manier vrijen was een hele inspanning, maar ze had het er graag voor over om te zien waar dit op zou uitdraaien. Jay hapte naar adem. 'Voorzichtig met dat lachen,' zei hij grijnzend. 'Je hebt daar behoorlijk krachtige spieren.'

Ze zwegen, en Peri concentreerde zich op het genot dat in haar aanzwol als een opstekende storm, met elke windstoot krachtiger dan de vorige. Ze hield Jay nog steviger vast en keek over zijn schouder naar de schitterende middaghemel. Nog nooit had ze haar vleugels zo heftig voelen sidderen tegen die van een ander, haar veren ritselend tegen die van Jay, met het reusachtige oppervlak van haar vleugels dat het gebied van haar van opwinding sidderende lichaam nog veel groter maakte.

Terwijl haar spieren trilden van inspanning en genot, maakte Peri haar blik los van de hemel om in Jays donkere ogen te kijken.

'Hou me goed vast,' fluisterde hij.

Ze knikte.

Hij duwde zijn hoofd omlaag tot op haar schouder en sloeg zijn armen om haar heen. Hij spreidde zijn vleugels zo wijd als ze zich lieten uitstrekken en lanceerde hen tweeën de lucht in.

Ze stortten omlaag naar het dal.

Die aaneengekoppelde duik overspoelde Peri met extase; een paar seconden lang was het alsof de soepele verrukking van restitutie was versmolten met de roes die over je kwam als je een onweersbui of een roofdier weet voor te blijven, zoals ze Jay die middag was ontvlucht als duif voor zijn valk.

Na een paar seconden liet Jay haar los en ze vloog terug naar de klip. Ze klapwiekte even en landde naast de poel waar Jay haar had aangetroffen.

'Wow,' zei ze toen Jay zich bij haar had gevoegd en ze allebei op adem waren gekomen. 'Heb jij dat weleens eerder gedaan? Ik in elk geval niet.'

Jay schudde zijn hoofd. 'Nee,' zei hij, terwijl hij een arm om Peri heen sloeg en haar haren streelde. 'Jij bent mijn eerste, mijn enige,' zei hij teder, alsof hij die romantische woorden belachelijk maakte, maar ze tegelijkertijd meende. 'Daar werd heel wat over gedroomd en over opgeschept onder de Roofvogels, maar volgens mij was er niet één die het werkelijk had gedaan.'

Peri glimlachte. 'Je hebt tenslotte wel gezegd dat je hier bent om de grenzen van het vliegen op te zoeken.' Ze gleed de poel in en bleef op haar buik drijven, met haar kin op een uitstekende rots en haar vleugels een klein stukje boven het water. Haar hele lichaam gonsde van de energie, alsof het van elektriciteit was gemaakt. 'Ik wil je iets vragen.'

'Ga je gang,' zei Jay. 'Ik kan alleen niet beloven dat ik ook antwoord zal geven.'

'Hoe heb je me opgespoord in die onweersbui?'

'O, dat. Je was al voorzien van een volgapparaatje. Daar wist je duidelijk niets vanaf. Dus ik was in staat om je op te sporen met behulp van de apparatuur die ik had.'

'Ik dacht dat leden van Audax zonder apparatuur vlogen.'

'We léren om zonder apparatuur te vliegen. Dat betekent nog niet dat we die niet gebruiken als dat nodig is. En we zorgen ervoor dat niemand ons hier kan opsporen, dus we zijn ons ten volle bewust van elk apparaat dat andere vliegers bij zich hebben.'

Peri dompelde haar hoofd in het borrelende water en dook weer op. 'Ik had geen idee.'

'Natuurlijk niet,' zei Jay. 'Die dingen zijn erop gemaakt om te zorgen dat je het niet merkt. Maar je bent vast niet verrast.'

Peri zuchtte. 'Dat heeft die detective zeker gedaan.'

Jay knielde aan de rand van de poel en kuste haar. 'Kom mee terug naar het kamp,' zei hij. 'Je moet hier niet in je eentje blijven.'

'Ik kom zo achter je aan.'

Jay verdween tussen de bomen.

Peri voelde zich zo overweldigd door alles wat haar overkwam, al die heftige gevoelens over Hugo, Jay, zichzelf, haar mogelijke toekomst en haar verleden zoals dat was onthuld door Niko, dat ze blij was om even alleen te zijn. De namiddag was helder en warm, gedempt en veilig. Er was niets om haar in een hinderlaag te lokken. Ze stond even te balanceren op de rand van de poel en liet zich vallen langs de rotswand, waarna ze omhoogdreef langs de verticaal neervallende rivier, bestoven met spatten, waterlucht die haar overspoelde, hoger en hoger, met een lijf dat zong van energie, wat heerlijk dat er niets was tussen haar en de lucht, waarom waren ze eigenlijk niet altijd naakt?

Peri had zich nog nooit zo licht gevoeld, zo licht dat ze zichzelf in de eerste minuten van haar vlucht ervan moest weerhouden om te ver omhoog te zweven. Ze dwong zichzelf langzamer aan te doen, en dacht toen: waarom eigenlijk?

Voor het eerst voelde Peri tot in haar botten de technische kennis waarover ze beschikte om alles in de lucht te doen wat ze maar wilde, zonder erover te hoeven nadenken, zonder bang te hoeven zijn dat ze een verkeerde inschatting zou maken. Ze hoefde alleen maar te denken: ik wil daarheen vliegen, of hier een buiteling maken, of nog verder omhoogcirkelen, duiken, zoeven. Al die gratie, die vrijheid, die uitgelatenheid die bij vliegen horen. Haar vliegen. Deel van haar lichaam, even makkelijk en zinnelijk als zwemmen. Krachtige vleugels die de hare waren. Niet vastgeplakt, zoals de engelenvleugels in een toneelstuk. Ze was nieuw, ze was iets anders geworden. Niet Peri-met-vleugels. Nu was ze Peri-die-vliegt. Peri de vlieger. Ze ging hoger en hoger, voortgedreven door de opwinding; ze moest gewoon bewegen om haar vreugde uit te drukken.

Om echt te vliegen moet je de gedachten laten wegglijden, niet elke seconde in woorden vangen, maar alleen vliegen. Vliegen als het eeuwige nu, waarin je in elke seconde dat je in de lucht bent aanwezig blijft.

Het is moeilijk. Heel moeilijk.

Veel moeilijker dan het ritme, de ademhaling, de hoek, het bewegen van de spieren.

Zodra verwoorde gedachten wegglijden, komen hemel en licht binnengeslopen om je te omvatten; wolken, bossen en stenen worden duidelijker, driedimensionaler, de precieze kromming van bladeren, de hoeken van stenen, de dode tak die net is afgevallen, een uitgeworpen net van donkere twijgen, vage grijswitte bloemen bij de rand van een klip. Donkere holten. Holen. Maar in de allereerste plaats beweging. De werveling van bladeren in de wind, zwiepende bomen, licht dat langs takken en water strijkt. Vogels die vlak boven het bladerdek voortschieten, een papegaai die ondersteboven zwaait. Nooit eerder had ze écht iets gezien. Is dit zoals de wereld is, is dit wat arenden elke dag zien? Die wereld die onder haar meedraait als ze een cirkel maakt.

Ze stroomde, zijzelf, de lucht; ze gleed onder de wolken door, erover- en erdoorheen. Steeds hoger, in die heuvels van wolken. Ik voel wat boven is, ik hoef het niet te zien, ik kan in een wolk vliegen. Mooiweercumulus, wolken die maar een halfuur blijven bestaan. Soms slechts vijf minuten. Deze zijn net opgebold door de thermiek; dat kun je zien aan de scherpe randen. Leuk om net te doen of ze vast zijn, om over bulten te vliegen, door gaten, over witte kantelen, om vervolgens omlaag te storten langs ivoorkleurige wallen, omhoog en omlaag, dalen, dalen, en dan plotseling weer omhoog, de dalende zon die verkreukelde lakens robijnrood kleurt. De kromming van een opalen gewelf.

Hoge toren, breekbare vormen die uiteenvallen rond muren van stromende wind in banieren van mandarijnkleurige hemel doorstreept met zoete, rijpe framboos, nog nooit zo gelukkig, zo licht, met zingend hart, vlieg ik, een zware last die is weggenomen, maar waarom zo licht?

Wild omhoogzweven, bochten maken en tot de grenzen gaan, snel en behendig, dan keren en afremmen. Duiken als een enorme valk, een duik die je hart dooreenschudt, schreeuwend omlaag van verrukking, optrekken, honderden meters omhoog en nog steeds land daarbeneden zo fijn van textuur dat ik het kan voelen, knisperend gepunte bloemblaadjes, het geklik van kiezels, krakende boombast, de muziek van het land, een groen glanzend lied, lage tonen, bruingrijzen, blauw boven in brand staande wolken, galmende klanken van glas tegen metaal, een klok die slaat en zingt. De verleiding om niet terug te keren. Diep vanbinnen een waarschuwende klank. Niet nadenken, herinnering terugroepen, klein zelf terughalen, niet de hele hemel, voelen alsof je die wolk daar verderop bent, bloemblaadjesdunne hemel, tegelijkertijd daarboven en hier vliegen. Uitgespreid langs de hemel. Alles zien. De verre gelukzaligheid. Breder, breder.

Het licht zelf in, de lucht als gouden vlokken.

Tegen bleekgeel een zwarte stip.

Beter kijken.

Shaheen die in het laatste licht gaat jagen?

Nee, te groot. Shaheen soart niet op die manier.

Arend?

Brede vleugels.

Arend!

Groot. Heel groot. Vrouwtje.

Nooit in de buurt van een arend gevlogen, houd afstand, gedraag je netjes, vergeet niet dat ze kunnen aanvallen en dat ook zullen doen; nu proberen boven haar te vliegen, haar vliegpatronen te volgen. Net zo vliegen, omhoog, omlaag, rond, territorium afspeuren. Nu heb je je voorgesteld door een vliegpatroon te delen, kun je dan nu een beetje dichterbij komen? Een woeste vreugde die roofvogelachtig aanvoelt, een vreemde sensatie – beleefdheid, roofvogels weten hoe belangrijk die is –, een arend die fatsoen onderwijst! Aftasten van de juiste distantie, samen vliegen, iets scheppen, musici, roepen en antwoorden, jij doet dit en ik doe dat, soms een echo, dan hetzelfde maar op die manier, nooit verder van elkaar vandaan, nooit dichter bij elkaar. Geen competitie, geen gedreig, alleen scheppen. Het weven van een levend patroon, zwevend en prachtig als aaneengeregen klanken. Een kunstwerk in de tijd en kleuren die om hen heen versmelten, vervloeien en verharden, terwijl de zon daalt en het vliegen vormgeeft in die kleuren.

Nooit denken hoe lang je voortgaat in een bepaalde richting, want elke dans heeft zijn eigen tijd; rond gracieus af met als belangrijkste een laatste zwierig gebaar, samen omhoog, om elkaar heen spiralend na een pijlsnelle val. Dan horizontaal wegvliegen in verschillende richtingen.

Vaarwel, zuster. Tegen de wind in.

Zonder nadenken omlaagduiken naar de Hemelse Richel, met pijn in de buik. Toen ze dichterbij kwam, kon ze het gevoel in haar buikstreek als honger benoemen; het gewone denken keerde terug, kwam als van onder water omhoogzwemmen.

Ze landde in de rivier en haar gewone gedachten keerden bijna geheel terug toen ze door het nachtzwarte water plonsde en haar gladpak opzocht en aantrok. Het materiaal bleef op haar vochtige huid plakken. Ze waadde door het ondiepe deel van de rivier naar waar de anderen bijeen zaten onder de lichtstaaf in de boom, en terwijl ze zag dat er blikken vol ongerustheid en opluchting op haar werden geworpen, was ze nog steeds vervuld van de euforie van de vlucht met de arend. Dat gevoel zou haar nooit meer helemaal verlaten. Het was evenzeer een onderdeel van haar als Hugo.

Peri nam Hugo van Jay over en bedankte hem, en de bestraffende woorden over haar late terugkeer bestierven op zijn lippen zodra hij de uitgelatenheid op haar gezicht zag.

Jay stopte haar een kleine slick in haar handen. 'Verlies hem niet. Je weet wat het is. Je hebt je lot nu in eigen hand.'

Peri zette Hugo op een heup en schoof de slick in haar gordel. Ze liepen terug naar de oever van de rivier, waar Peri ging zitten om Hugo zijn laatste melk van die dag te geven.

'Voor de dag ermee,' zei Jay, die naast haar was gaan staan.

Peri probeerde haar vlucht te beschrijven. Ze zag het allemaal haarscherp, kon de vormen en kleuren van de wolken beschrijven, het land dat zich met voluptueuze intensiteit onder haar ontrolde, kon zich bijna herinneren hoe het aanvoelde om door lucht te glijden die zijdezachter was dan olie, helderder dan water, met een hart dat opsprong terwijl ze rondcirkelde en de wereld traag onder haar ronddraaide. Maar ze kon het niet zeggen. De woorden bevonden zich op een andere plek. Ze waren er wel, verward en kleurig, maar volkomen afgescheiden van die vlucht.

Jay legde zijn hand op Peri's arm. 'Ik weet wel iets van wat je hebt ervaren. Besef je dat dit je inwijding was? Normaal gesproken plannen we zoiets. Daar hebben we bij jou geen tijd voor gehad. Maar je hebt het zelf gedaan. Goed zo.'

Peri schudde haar hoofd. Ze had nog nooit zo'n volkomen zuiver geluksgevoel gehad. Hugo's geboorte was een overweldigende ervaring geweest, maar wel vermengd met allerlei heftige emoties, angst, pijn en verdriet. Haar eerste vlucht buiten de vliegsportschool was opwindend en eng geweest, maar Jay had gelijk. Dit was anders, dit was haar eerste echte vlucht. Hier wisten ze niet van in de Stad. De meesten hadden nog nooit echt gevlogen. Dat moest ze hun vertellen. Ze moesten het weten, anders had het geen zin om vleugels te hebben.

Jay knikte. 'Inderdaad, nu snap je het.'

Peri probeerde voor Jay te beschrijven wat er was gebeurd met de arend. Jay keek haar strak aan. 'Dat is wel iets anders. Dat heb ik nog nooit gehoord.'

Hij nam Peri mee terug naar de lichtstaaf. Tot op het bot vermoeid installeerde ze Hugo en verder luisterde ze alleen terwijl de anderen zaten te praten. Ze dutte in en diep in haar geest begon iets te luiden als een verre klok. Zo helder alsof iemand rechtstreeks tot haar sprak, hoorde ze de vraag: is dit de eerste stap op weg naar de verwildering? Stel dat ik geen weg vooruit bied. Stel dat dit een val is?

Verontrust, met het gevoel dat de duisternis rondom aan de randen van haar geluksgevoel knaagde, viel Peri in een droomloze slaap.

Ze werd even wakker om zich samen met de anderen naar de overhangende rots te verplaatsen. Hier sliepen ze tegenwoordig allemaal sinds Peri de Wilde had gezien. Niko bleef op wacht zitten. Andere wachten waren langs de omtrek van het kamp opgesteld. De hemel was bewolkt en pas aan het eind van de nacht zou de maan verschijnen. Peri werd één keer wakker, ging even verliggen met Hugo, en zag Niko de bomen in staren. Ze dutte weer in.

'Ze hebben Griffons strot eruit gerukt,' schreeuwde iemand.

Er klonk gekraak, een afgrijselijk, hoog gegil.

Peri krabbelde overeind. Haar gordel had ze al omgedaan en nu greep ze Hugo. Met onvaste handen pakte ze haar kruisboog, die al was gespannen, en ze gespte de pijlkoker rond haar middel.

Rafael en Jay waren met donkere gedaanten aan het worstelen. Het krijsen ging maar door. Peri kon gewoon niet denken door dat gruwelijke geluid dat rees en daalde als sirenes, alarmbellen. Niko liep rond met zijn kruisboog om te proberen achter de aanvaller van Rafael te komen en hem goed onder schot te krijgen.

Peri kon Leto niet zien. Plotseling wurmde Jay zich los; hij zakte op een knie en tilde zijn kruisboog op. Een van de gedaanten viel schreeuwend neer. Opnieuw bracht hij zijn kruisboog in de aanslag. Phoebe en Rafael rukten zich los van hun aanvallers en maakten dat ze uit de vuurlinie kwamen.

Er klonk een gepijnigd gebrul en uit de borst van een andere aanvaller sproeide een explosie van rood.

Niko strooide fluorescerend veiligheidspoeder over een paar Wilden, die nu tot hun steeds luidruchtiger woede overdadig zichtbaar waren in lichtgevend geel. Jay vuurde nogmaals en een van de Wilden verdween tussen de bomen.

Finch stond ineens naast Peri. 'Deze kant op,' zei ze dringend, en ze duwde Peri een pad op dat bij de rivier vandaan liep. 'Blijf op de grond,' siste ze, terwijl ze zich alweer omdraaide om terug te keren naar de overhangende rots. 'Zet het op een rennen. Als ze Hugo en jou in het nauw drijven, gebruik je je wapen! Probeer niet te vliegen. Zij zijn sneller. Jullie moeten je verstoppen!'

Peri rende met Hugo in haar armen over het pad, doodsbang dat ze zou vallen en hem zou verwonden. Ze kende het pad niet zo goed, omdat ze meestal in de buurt van de rivier was gebleven als ze niet vloog. Het was geen goed pad, veel te gevaarlijk in het donker. De waarschuwing van Finch klonk nog na in haar oren; de verleiding om het luchtruim te kiezen was kwellend. Mijn hart bonst zo hard dat ik niets hoor. Hugo huilt, verdomme. Hoe kan hij nou zo stom zijn? 'Mond dicht,' siste ze. Alsof dat zou helpen. Ze kreeg de neiging om hem door elkaar te schudden, zo bang was ze, al wist ze dat hij daar niet stil van zou worden. Haar hart ging zo tekeer dat ze bang was misselijk te worden. Elke hartenklop trilde na door haar hele lichaam. In de greep van de idiote aanvechting die ze ook wel had gehad als ze tikkertje speelden toen ze klein was – blijf gewoon staan, laat je zien, dan is het achter de rug. Omdat ze de spanning niet kon verdragen. Maar nu niet, niet met Hugo.

Peri schoot door een donkere tunnel van bomen. Veel te dichtbij waren die gruwelijke kreet en het geruis van vleugels. Een Wilde die overvloog en van bovenaf op hen joeg. Hugo en zij werden slechts beschermd door een dun laagje twijgen en takken.

Peri rende en een van de Wilden zat achter haar aan. Heel even dacht ze dat ze hem kwijt was, maar hij maakte een bocht en kwam weer boven hen hangen. Hij wist waar ze was. Een lichtere plek in het grijs voor haar uit betekende dat ze op een open plek afstormde tussen de bomen. Ze mocht niet de open ruimte op rennen, waar de Wilde op hen af kon duiken als een reusachtige havik. Ze moesten het pad verlaten, ruiger gebied in. Ze sloeg van het pad af en zocht zich moeizaam een weg over een helling omlaag door doornige struiken. Er kwamen van boven geen geluiden meer van een achtervolging.

Peri werd getroffen door een vlaag ranzige lucht van oud vet en kadavers. Ze draaide zich met een ruk om, rechtstreeks in de armen van haar achtervolger. Ze slaakte een schreeuw en de Wilde greep haar vast en haalde haar open met zijn klauwen. Hij deelde Peri een klap uit en ze sloeg tegen de grond. Het wezen pakte Hugo en rende de heuvel weer op naar de open plek tussen de bomen.

Peri kwam overeind, al was ze nog steeds buiten adem, en probeerde haar kruisboog goed vast te pakken. De rug en vleugels van het schepsel gloeiden geel op; het was een van de Wilden die Niko had bestrooid. Ze moest hem nu tegenhouden, voordat hij opsteeg. Ze kon niet het risico nemen om hem uit de lucht te schieten terwijl hij Hugo vasthield.

Het schepsel werkte zich omhoog naar de open plek. Peri stoof achter hem aan en liet zich op een knie zakken. Het veiligheidspoeder maakte een oogverblindende schietschijf van de Wilde, en dat hij zijn rug naar haar toe had gewend maakte het risico kleiner dat ze Hugo raakte. Ze had één kans. Ze zocht haar balans, ademde in, hield de adem vast, tilde de boog op en vuurde. De Wilde slaakte een gil toen de pijl hem trof in zijn onderrug. Verdomme. Als hij er net iets hoger in was gegaan, was het wezen waarschijnlijk dood geweest.

De Wilde steeg op, met een sliert smerige lucht die van zijn veren stroomde, terwijl Peri naar de open plek rende. In de lucht was ze in het nadeel vergeleken bij de Wilde, maar ze had geen keus. Ze hoorde Hugo jammeren toen ze de lucht in vloog. O god. Jay had haar gedrild in luchtgevechten, maar wat voor kans had ze helemaal in deze duisternis tegen het wezen dat Hugo in zijn klauwen hield?

Terwijl Peri zich uit alle macht omhoogwerkte achter het schepsel aan, besefte ze dat ze een kans had. Ze had niet voor niets uren, dagen doorgebracht met trainen samen met Jay en toekijken terwijl Shaheen op haar prooi jaagde. Haar enige hoop school in hoogte. Ze moest boven het schepsel uit zien te komen. Misschien had ze ook wel een voorsprong, ze had hem immers verwond. Ze was jonger, lichter dan de Wilde op wie ze jaagde. Voorlopig waren de natuurkundige wetten op haar hand.

En ze was wanhopiger dan hij, dat wist ze wel zeker.

Daar zweefde Peri omhoog, tegelijk kraanvogel, arend, valk.

Shaheen, snelste aller vogels, help me. Arend, machtigste aller vogels, help me.

Nog nooit had ze zo snel gevlogen; ze had nooit geweten dat ze dit in zich had. De Wilde was beneden, hij jaagde op haar, maar ze waren erop gebouwd om omlaag te kijken. De enorme vliegspieren over borst, rug en schouders maakten het er niet eenvoudiger op om omhoog te kijken tijdens het vliegen. Het schepsel zou verwachten dat ze achter hem aan kwam, om zo dicht mogelijk bij hem te komen, zodat ze Hugo kon weggrissen. Hij zou niet meteen begrijpen waarom ze niet achter hem aan kwam. Peri keek om zich heen. Waren er andere Wilden die deze kant op kwamen? Waren er vliegers van Audax in de lucht? Beneden haar huilde Hugo. Dat betekende in elk geval dat hij nog leefde. Verder naar het westen, boven de Hemelse Richel, kon ze andere Wilden zien en horen, maar in dit deel van de lucht waren haar aanvaller en zij alleen. Peri haalde diep adem. Ze had een kans gekregen, en die had ze laten mislukken. Hier was er nog een, de allerlaatste. Meer zouden er niet komen.

Peri spiraalde omhoog en hield haar verlichte doelwit – bedankt, Niko – in het centrum van haar omwenteling. Het wezen was duidelijk gedesoriënteerd, misschien door zijn verwonding, misschien doordat hij niet wist waar zij zich bevond, want hij vloog langzaam, zoekend in een bocht omhoog.

Peri stelde de hoek waaronder ze aanviel steil omlaag bij, en vouwde haar vleugels in de krappe W-vorm die ze had gebruikt toen ze het wegrollen en vallen van duiven oefende; ze was zowel jager als prooi, ze stelde zich Shaheen voor en probeerde zich het gevoel en de vorm van de valk aan te meten toen ze zich op haar prooi stortte.

Peri schoot door de zwarte lucht als een wig van haat, een duistere, wrekende pijl.

Je zou trots op me zijn, Shaheen. Geen gewoon mens zou ooit meer van je kunnen leren dan ik.

Er stroomde moordlust door Peri's aderen, en niet in overdrachtelijke zin. De kracht die voortkwam uit liefde en razernij stroomde echt door haar aderen. Ze zou dit verachtelijke wezen dat mens noch dier was doden.

Toen ze de Wilde trof met de kracht van een meteoor, met alle snelheid van de vlucht en de val die erachter zat, slaakte ze een schrille kreet, een wild, woedend geluid waarvan ze niet had gedacht dat ze het kon voortbrengen. De Wilde beefde door de kracht van de klap en tolde krijsend weg.

Opnieuw stortte Peri zich omlaag. Het ding had Hugo laten vallen en Peri schoot naar de grond met een snelheid die alles te boven ging wat ze maar voor veilig of mogelijk hield. Nu stak ze haar handen uit naar Hugo, die kleine, bleke gedaante die door de lucht tuimelde, en daar had ze hem te pakken – nee, hij glipte uit haar handen, en opnieuw dreef ze zichzelf vooruit, zonder zich erom te bekommeren of ze tegen de grond zou slaan, ze moest Hugo te pakken krijgen, en ditmaal had ze hem ook vast en ze klapwiekte heftig, met inzet van elk snippertje spierkracht in de neerwaartse slag. Niets achter de hand houden, alle kracht inzetten die je hebt.

De kracht van haar vleugelslagen vertraagde hen wel, maar toch sloeg ze met haar voeten vooruit tegen de grond, waarna ze een koprol maakte met haar lichaam rond Hugo gekromd om hem af te schermen. Ze sloeg met een schouder en elleboog tegen een boom en daarna lag ze stil. Ze bleef even tegen de boom liggen uithijgen. Voor het eerst wist ze hoe goed die schokdempende landingssloffen waren die ze van Jay had gekregen. Haar voeten en benen tintelden van de klap, maar zonder de sloffen had ze er zeker fracturen aan overgehouden.

Met pijnlijke ledematen kwam Peri overeind, en ze troostte Hugo terwijl ze hem vastgespte. Toen de Wilde hen aanviel, had ze Hugo alleen maar vastgehouden; daarom had het schepsel haar hem kunnen ontfutselen. Nu bond ze Hugo strak tegen zich aan. Ze moesten maken dat ze hier wegkwamen. Ze worstelde zich verder de heuvel af het dichtere struikgewas in.

Onder aan deze heuvel liep een stroom. Terwijl ze zich een weg baande door de dichte struiken, kwam er een gruwelijke gedachte in haar op: stel dat ze haar met hun geurzintuig konden opsporen.

Ze waadde de stroom in. De scherpe stenen onder haar voeten zouden haar onder normale omstandigheden hebben doen krimpen van de pijn, ondanks de sloffen, maar nu zong haar lichaam van woede, angst, opluchting en zelfs van uitgelatenheid, en voelde ze geen pijn. Terwijl ze voortzwoegde door het water, klonk haar eigen ademhaling haar als een orkaan in de oren. Als er een Wilde in de buurt was, zou hij haar vast horen. Hugo kwam tot bedaren en jengelde nog wat na. Ze bleef staan. Stilte.

Voorzichtig en zo zachtjes als maar kon in de duisternis, trok Peri zich terug in de bescherming van een knoestige oude boom, en ze gaf Hugo de borst tot hij in slaap viel. Ze controleerde hem zorgvuldig op verwondingen, maar afgezien van wat oppervlakkige schrammen leek hij ongedeerd. De Wilden waren smerig, dus besproeide ze de schrammen met antiseptische nieuwe huid.

Met haar arm rond de kruisboog geslagen installeerde Peri zich om de wacht te houden. Vannacht was er voor haar geen slapen bij. Tot haar verbazing voelde ze vochtigheid op haar wangen en het drong tot haar door dat het tranen waren. Ze werd overspoeld door de schok van het gevecht, de angst die ze had gevoeld toen ze Hugo in de lucht had opgevangen, en haar moordzucht. Ze zat zo stil mogelijk, al trilden haar spieren omdat ze ze tot het uiterste had gedreven, en de tranen biggelden heel lang stilletjes over haar wangen.

Toen Peri de volgende ochtend ontwaakte, had ze geen idee waar ze was. Met een lege blik staarde ze naar de donkere, grijsgroene takken voor haar gezicht, De wereld zag er doornig uit. Ze voelde een gewicht op een van haar vleugels. Een baby die op rommelige, bestofte veren lag te slapen. Een baby. Baby Hugo. O. O nee. Ze werd bestormd door de herinneringen aan de vorige avond.

Peri pakte Hugo voorzichtig op en worstelde zich onder de beschuttende takken van de oude boom vandaan. Ze keek om zich heen. Er waren geen herkenningstekens te zien. Ze kon onmogelijk uitmaken uit welke richting ze precies in het donker was gekomen. Van die helling af, dat wel, maar vanuit deze hoek of uit die richting? Hoe kon ze erachter komen of het veilig was om terug te keren naar het Audax-kamp? Hoe was het gevecht geëindigd? Hadden de mensen van Audax de Wilden verdreven? Hadden de Wilden hun territorium overgenomen en waren Finch, Jay en de anderen naar het winternest gevlucht? Ze had geen idee hoe ze het winternest zou moeten vinden. Ze was hen allemaal kwijt.

Hugo wreef in zijn ogen en begon te huilen van de honger. Peri ging op een steen zitten en gaf hem te eten. Ze besefte dat ze niet genoeg melk meer had. Ze moest voedsel voor hen beiden vinden, en vlug ook.

Het grootste verlies was nog Jay en zijn belofte om met haar mee te vliegen. Haar voorzichtige hoop dat hij misschien bij haar zou blijven deed nu nogal zielig aan – het kleurrijke verlangen van een jong, dom meisje. Want dom voelde ze zich zeker. En heel alleen. Een paar uur lang had ze een toekomst gehad, zelfs een toekomst samen met Hugo. En Jay kon al evenmin te weten komen wat er met haar was gebeurd. *O god, het is mijn eigen schuld. Ik heb hem gevraagd de polsband af te doen die hem zou hebben geholpen om me op te sporen.*

Peri liet haar hoofd even licht op dat van Hugo rusten. Het had geen zin om te huilen. Niemand luisterde. *Ik weet niet wat ik moet doen. Ik weet niet wat ik moet doen. Niemand kan het me vertellen. Nu niet meer.*

Peri tilde haar hoofd op. Aanpakken maar. Mijn vleugels verzorgen, anders komen we nergens. Ze gaf Hugo een peul die hij erg leuk vond, en begon zo goed mogelijk met haar handen haar veren recht te trekken en schoon te maken. Het was hopeloos. Ze had een fatsoenlijke verenkam nodig en die lag in het kamp. Haar blik viel op een boompje met fijne takken en stijve naaldjes. Ze wrikte een van de kleinere takken los. Het was niet veel beter dan haar vingers, maar na een poosje begon ze toch vooruitgang te boeken. Haar veren werden gladder en grepen beter in elkaar. Terwijl ze bezig was, neuriede ze zachtjes rijmpjes voor Hugo, in de hoop een rust over te brengen die ze niet voelde.

> *Twee kleine nestjongen*
> *Zittend naast een meer.*
> *Vlieg dan, Maria,*
> *Vlieg dan, Peer.*
> *Keer terug, Maria,*
> *Keer terug, Peer.*
> *Vlieg nu naar huis of het lukt nooit meer.*

Peri stond op, schudde haar veren uit, bond Hugo vast in zijn draagband en liep tegen de heuvel op. Ze moest proberen het kamp terug te vinden; ze moest weten wie daar waren.

Na een slopend uur moest Peri haar nederlaag erkennen. Ze was nog geen stap dichter bij het kamp en Hugo was rusteloos en probeerde zich uit de draagband te worstelen. Hij voelde zich daar duidelijk niet prettig.

Peri was verdwaald. Ze had al haar energie gestoken in het vervolmaken van haar vaardigheden in de lucht; ze wist niets van het woud en kon het van de grond af niet duiden. Het was riskant om op te stijgen, maar ze had geen keus.

Peri ging verder de heuvel op. Boven haar was een rotspunt die ze niet herkende, maar die wel kon dienen als een plek om op te stijgen.

Ze vergewiste zich ervan dat Hugo goed vastzat en ging de lucht in. Hugo slaakte een doodsbange kreet. Ze probeerde hem te troosten en steeg snel omhoog, terwijl ze in de gaten hield of er iemand uit de richting van de zon op haar af kwam.

Hugo jammerde luidkeels en kwam niet tot bedaren. Toe nou, Hugo. Dit maakte alles zoveel lastiger. Ze sloeg haar armen om hem heen en streelde zijn haar, terwijl ze nog verder opsteeg, omdat ze nog steeds niets zag. Daar, ze was omgedraaid. Daar had je de waterval, de witte draad die warrig langs de rotswand omlaagkronkelde. Ze vloog in een cirkel verder omhoog. Ze zou moeten afdalen om erachter te komen of er nog iemand op de Hemelse Richel was. Te gevaarlijk. Stel dat Jay er nog was? Hoe kon ze weggaan zonder dat te weten? En waar was Shaheen? Die zou zich nooit door een Wilde laten vangen.

Peri daalde in de richting van de klip.

Tot ze naar het westen keek en drie – nee, vier zwarte stippen naar het oosten zag vliegen, nog steeds ver weg, maar wel haar kant op. Hun manier van vliegen had iets onbekends – snel en agressief. Hadden ze haar al gezien? Konden ze het doordringende huilen van Hugo horen? Ze besefte dat ze de vliegstijl van Jay, Niko, Finch en de anderen kende, al had ze er nooit bewust over nagedacht. De manier van vliegen van degenen die in haar richting kwamen, herkende ze niet.

'Zij zijn sneller.'

Dat had Finch gezegd.

'Zij zijn sneller.'

Zonder voedsel om haar brandstof te leveren en met Hugo bij zich, moest Peri zich afwenden van het Audax-kamp, van de Hemelse Richel, en sneller vliegen dan ze ooit had gedaan. Ze vloog oostwaarts, in de richting van de zee. De dichtstbijzijnde steden waren vast die kant op. Ze moest er maar op rekenen dat de Wilden haar niet zouden willen achtervolgen in de richting van mensen. Hoe ver waren die steden? De keer dat Finch en zij in de nacht uit vliegen waren geweest, hadden ze urenlang over duister land gevlogen. Hoe dicht zouden de Wilden bij steden in de buurt durven te komen? Wilden ze haar vangen of haar verdrijven? En waarom huilde Hugo toch zo? Waarom hield hij niet op? Voelde hij soms haar angst door haar vleugels sidderen?

Peri klom naar kruishoogte, net onder de wolken, en zette zich aan de taak om zich vleugelslag voor vleugelslag voort te drijven door de lucht, zonder zichzelf toe te staan om na te denken over wat haar misschien van achteren zou inhalen.

Nu was er niemand om haar te helpen; ze moest helemaal alleen haar plan uitvoeren. Ze controleerde haar kruisboog. Er was geen keus meer. Ze had nu eenmaal een afspraak met de vader van Hugo.

Toen ze al een eeuwigheid de lucht doorkliefde met niets anders in haar hoofd dan het ritme van haar snelheid, de kracht in haar vleugels, begon de zon achter haar te zinken.

En nog steeds vloog ze voort in de snel wegebbende schemering.

DEEL III

Zodra mensen zichzelf met behulp van biologische manipulatie een andere vorm gaan geven, begint de definitie van wat mensen zijn te verschuiven. [...] Als je maar een klein aantal cruciale genen zou veranderen die onze groei reguleren, zouden mensen daarmee weleens iets heel anders kunnen worden. [...] Maar als men de vraag stelt of zulke veranderingen 'verstandig' of 'wenselijk' zijn, dan gaat men voorbij aan het essentiële punt dat die veranderingen geen kwestie van keuze zijn; ze zijn de onvermijdelijke uitkomst van [...] de technologische vooruitgang.
– Gregory Stock,
Hoofd van het onderzoeksprogramma Geneeskunde, Technologie en Maatschappij van de Universiteit van Californië in Los Angeles

SkyNation

De in een schitterend op maat gesneden uniform gestoken Joeri Gagarin, zo zwaarbeladen met medailles dat het een wonder was dat hij overeind bleef, stond *Het moederland hoort, het moederland weet waar haar zoon heen vliegt in de lucht* te neuriën. Wernher von Braun en Orville Wright gluurden intussen naar zijn medailles. Von Braun droeg een donker pak met een witte pochet in het bovenste zakje, een speld op de revers en een rode stropdas. Orville, een slanke vrouw in een driedelig pak met een hoge witte boord en een nepsnor riep uit: 'O, wat enig. Hoe kom je daaraan? De Gouden Ster voor een Held van de Socialistische Arbeid!'

Naast Von Braun stond een kosmonaut te zweten in haar dikke witte ruimtepak met blauwe insignes en blauwe strepen. Tegen een boodschapper van de goden met een gevleugelde helm en laarzen, maar verder heel weinig, zei ze: 'Valentina Teresjkova was de eerste vrouw in de ruimte, weet je. Ze heeft bijna drie dagen rond de aarde gecirkeld. Tegen de tijd dat ze weer terug was op aarde, had ze meer tijd in de ruimte doorgebracht dan alle Amerikaanse astronauten tot dan toe bij elkaar.'

Hermes gaapte. 'Jij hebt je huiswerk goed gedaan, zeg,' zei hij lijzig. 'Hoogst amusant.'

Teresjkova wendde zich tot Gagarin en zei: 'Dit is trouwens niet het juiste ruimtepak – het is een later model, de Orlan-M. Teresjkova heeft dat model nooit gedragen.' Gagarin pakte haar bij de hand en de twee kosmonauten liepen samen met keurig tegen hun kostuums gevouwen vleugels door de kruidenbedden in de botanische tuin naar de rij voor de vips.

De reis naar SkyNation was zwaarder geweest dan ik had voorzien, in een uitmonstering waarvan ik vermoedde dat die alleen maar een vage benadering was van een pilotenuniform uit de Tweede Wereldoorlog. De outfit bestond uit een donkerbruin leren jack dat versleten was tot een patroon van diepe rimpels als het gebarsten glazuur op een tegel, met manchetten en een kraag van schapenbont, in combinatie met een kaki broek en een zonnebril met spiegelglazen, en op deze benauwde vrijdagmiddag zat het erg zwaar en warm. Na een snel onderzoek op mijn slick, die een rijtje luchthelden toonde uit de beide wereldoorlogen, besloot ik dat ik de nagedachtenis eerde van Marmaduke Thomas St. John 'Pat' Pattle van de RAF; het was een te mooie naam voor een luchtheld om te laten lopen.

Ik had het er heel aardig van afgebracht met zo'n goed kostuum als dit. Ik was er pas de woensdagavond daarvoor aan toegekomen om mijn toegangsbewijs voor SkyNation goed te bekijken; tot mijn afgrijzen zag ik toen dat het een gekostumeerd bal was met de titel 'Vaarwel geschiedenis, welkom toekomst', wat een nogal onaangename herinnering opriep aan dat zinnetje van Brilliant over het project mens dat ten einde was. De kaart was versierd met een afbeelding van Nevelstad, en verder stond erop vermeld dat deze SkyNation mede georganiseerd werd ter ere van de opening van Peter Chesshyres nieuwe omgeving voor vliegers, de belichaming van de toekomst die deze SkyNation verwelkomde. 'Huldig de toekomst van de vliegkunst door het verleden te eren,' luidde de opdracht op de uitnodiging.

Tegen de tijd dat ik vrijdag aan het eind van de middag het eerste verzamelpunt voor SkyNation in de botanische tuin had bereikt, was ik nogal in een tweeslachtige stemming, die er niet beter op werd toen ik me in het gewoel moest storten van al die vliegers die zich verdrongen op weg naar de toegang tot het feest. Daar heb je dus die elfen achter in de botanische tuin waar ze het altijd over hebben, dacht ik toen ik tegen een groepje jonge vrouwen werd geduwd, die slechts gekleed gingen in rijen parels en andere juwelen. Als ik het op weg hierheen al erg had gevonden dat er in de lightrail stiekem naar me werd gekeken alsof ik een gek was, besefte ik nu dat het alleen maar erger zou worden; bij SkyNation viel ik nog meer op als niet-vlieger. Als ik maar even mijn hoofd omdraaide, betrapte ik een glinsterende engel of een nors kijkende havik die me hooghartig of verbijsterd stond aan te staren.

Ik kwam in een rij terecht achter een vlieger met een opmerkelijke japon aan die opbolde in een donkerblauwe ballon, die onder haar middel zat weggewerkt achter een traliewerk van gouden kant. Eronderuit kwam nog meer felblauw opgebold met daarop leeuwenkoppen in goud. Elke leeuw had tussen zijn kaken een gouden ring en door de ringen was een lint van kersrood fluweel gehaald. Daaronder spreidden gouden arenden hun vleugels. De jurk werd naar de enkels toe smaller en zat onderaan samengebonden met een lint van rood fluweel. De vrouw begroette een andere vlieger, die in een zwarte V-halstrui, een zwarte lange broek en zwarte muiltjes was gekleed. 'Dit is de ballon van de Montgolfiers,' legde de vrouw uit terwijl ze haar rok heen en weer liet zwaaien voor zover dat lukte in het gedrang. 'En wie ben jij?'

'Ik ben ook Frans, *chérie*,' zei het meisje. 'Philippe Petit, de grootste koorddanser die de wereld ooit heeft gekend. Ik had de stok moeilijk kunnen meenemen, want daar zou ik iemand zo een oog mee hebben uitgestoken.'

Het meisje draaide zich om, waardoor de in wit geborduurde woorden zichtbaar werden op de plek waar haar zwarte trui onder haar vleugels zat vastgebonden: IK GELOOF NIET IN GOD, MAAR WEL IN DE GOD VAN HET KOORD, DE WIND EN DE TOREN.

'Gaaf,' zei de ballonnenvrouw.

Een ronddwalende mariachigroep bleef tegenover mijn rij staan en begon te spelen.

Achter me viel een troep schaars geklede vliegers tegen me aan onder de druk van de menigte. Ik draaide me om toen een van de meisjes me begon af te kloppen, waarbij ze haar handen over mijn schouders en rug liet gaan. 'Sorry,' lachte ze onverschillig en ze draaide zich om naar haar vriendinnen. Nu voelde ik me nog opvallender alleen en mijn woede werd nog verergerd door een vaag gevoel van opwinding; mijn lichaam tintelde op de plekken die het meisje zo achteloos met haar handen had beroerd. Ik keek omlaag naar de gouden glitters die ze nonchalant van me had proberen af te kloppen en die nu over mijn overhemd en broek zaten uitgesmeerd. De meisjes hadden een waas om zich heen van een heerlijke, poederachtige geur en scherp ruikend zweet, en waren slechts gekleed in laag uitgesneden zijdeachtige, roze met goud afgezette balletpakjes die over hun heupen opbolden en halverwege hun dijen eindigden. Op hun hoofd deinden roze-en-gouden veren, rond hun polsen zaten roze banden, en zachte roze laarsjes reikten tot halverwege hun kuiten.

Ik hing mijn jack over mijn schouder en wierp een blik op mijn toegangsbewijs, waarop mijn positie stond aangegeven tussen de orangerie en het orchideeënatrium. Waarom waren vliegers bereid om zo'n aan de aarde gebonden gedrang te doorstaan om toegang te krijgen tot deze apotheose van de vliegkunst? Gewapende bewakers patrouilleerden langs de afzetting en controleerden onze toegangsbewijzen. Nu begreep ik het: geen mens zou hier onuitgenodigd binnenkomen.

Ik had verwacht dat ik aan een extra nauwkeurig onderzoek zou worden onderworpen, en zo ging het ook. De bewaker die langs onze rij kwam stappen, bleef voor mij staan en inspecteerde mijn toegangsbewijs tot in de kleinste details. Uiteindelijk keek hij op en staarde me strak aan. 'Hoe komt u hieraan?'

Mijn bloed begon te koken. Ik had evenveel recht om hier te zijn als welke elf of engel dan ook. 'Ik heb dit toegangsbewijs gekregen van Halcyon Kohn. Senior partner van Kohn Chesshyre Li,' snauwde ik zo hard dat ik boven de concurrentie van de mariachiband uitkwam.

De bewaker keek me woedend aan, maar kwam tot de slotsom dat minachting de beste reactie was om zijn gezicht te redden. Neerbuigend maakte hij een sussend gebaar. 'Rustig aan, maat,' brulde hij boven het lawaai uit en hij gaf me mijn toegangsbewijs terug.

Voetje voor voetje ging de rij vooruit en omhoog tot op een met gras begroeid terras. Woedend keek ik naar de vliegers voor me, die in de rij stonden in de buurt van een magnolia waar ik een leesapparaat zag staan, dat ze een voor een passeerden. Op dit moment haatte ik vliegers. Ik had mezelf nog net zover kunnen krijgen om SkyNation te bezoeken en schouder aan schouder met hen te staan terwijl zij op me neerkeken. De reden waarom ik wel naar SkyNation moest gaan, was dezelfde reden waarom ik vliegers haatte: alles wat ik vanavond deed, was voor Thomas.

Halley Kohn had beloofd dat SkyNation een laboratorium was en dat een aspect daarvan was gewijd aan onderzoek naar mogelijkheden voor vliegers en niet-vliegers om samen te leven. Als ik om me heen keek, vond ik die bewering eerlijk gezegd nogal onwaarschijnlijk, maar ik was het aan mezelf en aan Thomas verplicht om dit idee te onderzoeken, om te bewijzen dat ik deze onbekende wereld kon betreden die weldra de wereld van mijn zoon zou worden.

De vrouw met de ballon van de Montgolfiers passeerde het leesapparaat en werd toegelaten op het pad dat als een traploze roltrap omhoogspiraalde naar een platform hoog boven ons. Het pad was nauwelijks te onderscheiden, maar als vliegers omhoogzweefden, gloeide het roze op als een streep tegen de door de ondergaande zon verlichte hemel. Mijn hart bonkte. Philippe Petit was als volgende aan de beurt. Ik was er bijna. Waar zat mijn verstand? Ik wilde helemaal niet tot de hemel rijzen. Ik had me door mijn trots op een dwaalspoor laten brengen. Ik had iets bijzonders willen zijn, iets willen meemaken waarvan niemand die ik kende de hoop kon koesteren dat hij het ooit zou meemaken, en dan vooral Lily. En nu wilde ik alleen maar naar huis. Ik hoorde hier niet. Maar Thomas dan? Straks zou die niet meer bij mij thuishoren.

Zou Thomas het me ooit vergeven als hij erachter kwam wat de prijs van zijn vleugels werkelijk was? Ik had in haast mijn toestemming gegeven, en had nu alle tijd om het te berouwen, terwijl de behandelingen van Tom voortgingen. Het was me inmiddels wel duidelijk geworden dat dr. Ruokonen het effect van de behandelingen op de vruchtbaarheid danig had gebagatelliseerd; een enigszins onbarmhartig persoon zou haar zelfs kunnen beschuldigen van liegen. Uit de correspondentie van Brilliant en de verslagen van de bijeenkomsten die hij met onderzoekers, artsen en zelfs met vertegenwoordigers van de Oorsprong had gehad, kwam overduidelijk naar voren dat de behandelingen een rampzalig effect hadden op de vruchtbaarheid. En als er pogingen werden ondernomen om middels kiembaantechnologie iemand klaar te stomen voor vliegen, waren de gevolgen ronduit catastrofaal.

Het project mens is ten einde. Vast wel, gevaarlijke vetzak. Jou hebben we niet nodig, maar we zullen zien hoever jij zonder ons komt. Vliegers waren weliswaar druk bezig om zich tot een andere soort te transformeren, een soort die op ons neerkeek, maar ze hadden ons nog altijd nodig om ervoor te zorgen dat ze zich konden voortplanten.

Ik was zo roekeloos geweest om Thomas te laten beginnen met de behandelingen zonder het hele plaatje te snappen. Wie weet had ik mezelf de kans ontnomen om ooit kleinkinderen te krijgen. Te laat had ik nog geprobeerd Lily en Richard te overtuigen van de gevaren, maar zij hadden mijn angsten weggewuifd; in hun ogen was ik alleen maar jaloers. Ze wisten wat ze deden: Ruokonen had hun bezworen dat de problemen met de vruchtbaarheid zouden worden opgelost en dat ze heel wat stellen vliegers kende met kinderen. En het ergste was nog dat zij net als Ruokonen en ik begrepen dat het toch al te laat was om met de behandelingen te stoppen. Als ik besloot Thomas die vleugels en zijn kans om te vliegen te ontzeggen, ook al was hij dag in dag uit in de greep van het wonderbaarlijke dat er voor hem in het verschiet lag, dan mocht ik wel een verdomd goede reden aandragen, liet Lily me weten. Een betere reden dan waarmee ik tot nu toe was komen aanzetten.

Ik werd voortgedreven door de menigte. Het was tijd om de grond te verlaten, maar het idee dat ik een avond in de lucht moest doorbrengen met een stelletje vliegers die aan de zintuigverhogende middelen waren, was nogal angstaanjagend. Straks zou ik nog dood worden aangetroffen onder een struik in de tuinen, met een gebroken nek en een Zefiryn-vergiftiging. Bij eerdere SkyNations waren ook doden gevallen.

Aan de andere kant was er altijd nog Halley, die me persoonlijk had uitgenodigd, al was het alleen maar om het aantal niet-vliegers aan te vullen dat volgens de bureaucratische protocollen vereist was om een vergunning voor dit soort evenementen te krijgen. En bovendien was ik benieuwd naar de onthulling van Chesshyres meesterstuk.

Terwijl ik naar de toegang tot de roltrap liep, voelde ik het bloed uit mijn gezicht wegtrekken en ik hoopte dat ik mezelf niet voor gek zou zetten of zelfs om zeep zou helpen door tijdens het opstijgen buiten westen te raken.

Het was nog steeds warm, maar toch trok ik mijn jack weer aan, omdat ik mijn beide handen vrij wilde houden. Ik stopte mijn toegangsbewijs samen met mijn slick in een binnenzak, pakte de leuning vast en voelde hoe ik soepel omhoog werd getrokken over het pad. De eerste ogenblikken waren het ergst, maar algauw werd de afstand tot de grond iets zuiver abstracts. Ik staarde naar een zonsondergang van bulderende, voortstromende schoonheid, steeg op naar die heftige kleuren, zonder dat er iets tussen mij en de hemel was, en mijn stemming klaarde aanzienlijk op.

Het pad nam me mee naar het platform dat ik al van beneden had gezien. Daar stond Halley me stralend op te wachten.

'Hallo,' hijgde ik, terwijl ze me van het pad het platform op hielp.

'Hai,' zei zij. 'Wat leuk dat je kon komen. Een bergbeklimmer en een paar van mijn bouwvakkers hebben zich vandaag al teruggetrokken. Sorry dat ik je hiermee lastigval, maar zou je even naar het schermpje willen kijken?'

Ze stak haar slick uit. Ik keek ernaar.

'Mooi,' zei ze. 'Ik heb in elk geval je aanwezigheid vastgelegd.'

'Ik neem aan dat je niet iedereen registreert,' zei ik. 'Alleen de niet-vliegers.' Ik voelde de weerzin weer in me opkomen. Ik viel dus in een speciale categorie, eentje waar een quotum voor was.

'Nou ja, iedereen heeft zijn toegangsbewijs,' zei Halley. 'Maar inderdaad, ik moet bewijzen dat er een aantal niet-vliegers is komen opdagen. Stomvervelend. Sorry, zo bedoelde ik het niet. Ik ben blij dat je er bent. Ik wil echt heel graag weten of we met de dingen die we hebben bedacht ook niet-vliegers bereiken, en of ze zich in elk geval op bepaalde plekken van SkyNation op hun gemak voelen. Daar heb ik keihard aan gewerkt, al moet ik bekennen ...'

'Wat?'

'Het is niet bepaald een aspect van mijn werk waar andere vliegers zich erg voor interesseren, moet ik tot mijn spijt zeggen.'

Ik zag twee andere niet-vliegers, jonge vrouwen, in een hoekje van het platform bij elkaar staan. Ik knikte naar hen. 'Bergbeklimmers?' Halley keek in hun richting. 'De een wel. De ander is een trapezewerker. Die wordt binnenkort zelf ook vlieger. Je ziet dat ze vanavond geen aandacht tekort zullen komen.'

Dat was waar. Er stond al een kringetje van vier, vijf mannelijke vliegers om hen heen.

'Mannelijke vliegers schijnen nogal van niet-vliegers te houden,' merkte ik op.

Halley wierp me een scherpe blik toe. 'Sommigen wel, ja. Ze hebben zo hun redenen, zoals je maar al te goed weet.'

Het uitzicht vanaf de plek waar ik stond was spectaculair. Het hele SkyNation strekte zich voor me uit met zijn fluorescerende kleuren, zijn voetlichten en eilandjes licht, de musici en dansers, als een reusachtig, glinsterend ruimteschip dat boven de Stad zweefde.

'Leuke outfit,' zei Halley.

'Die van jou is adembenemend,' zei ik. 'Wat is het precies?'

'In een ver verleden was er een luchtvaartmaatschappij die Singapore Airlines heette,' zei Halley. 'Deze sarong kabaja was een van de uniformen van hun stewardessen.'

'Ze zullen ze wel niet precies op deze manier hebben gedragen.'

'Nee,' glimlachte Halley. 'Niet precies.'

Toen ik Halley wat beter bekeek, had ik namelijk gezien dat ze afgezien van een onderbroekje helemaal niets aanhad. Vanaf een afstandje van een paar centimeter zag ze er aangekleed uit, gestoken in de illusie van een jasje met lange mouwen dat strak rond haar heupen zat boven een bijna enkellange rok met een split. Jasje en rok waren druk bewerkt met ingewikkelde paisleyblaadjes, takken en bloemen in geel, oranje, blauw, wit en zwart tegen een achtergrond van Chinees rood.

'Ik was eigenlijk van plan om een kopie aan te trekken van het originele uniform,' zei Halley, 'maar dat belemmerde me te veel. Daarom heb ik de kleuren op mijn huid laten aanbrengen.'

'Je ziet er adembenemend uit,' zei ik, en ik genoot van de vreemde paradox dat ik zomaar naar haar borsten en de gespierde welvingen van haar heupen, benen en achterste kon kijken, zonder dat ik nu echt veel meer kon zien dan wanneer ze bedekt was geweest met stof in plaats van met deze zacht glanzende pigmenten.

'Bedankt.'

'Fantastisch feest,' zei een vlieger in het voorbijgaan tegen Halley, die glimlachend knikte.

Ik keek op het platform rond, dat uiteraard niet van een balustrade was voorzien en plaats genoeg bood voor zo'n vijftig vliegers. Een stuk of twintig liepen er rond, begroetten elkaar en vlogen dan weer weg. Hierboven vormde die dringende menigte vliegers een echt gevaar. Als een van hen van het platform werd geduwd konden ze gewoon terug-fladderen, maar ik moest mijn hoofd erbij houden. Ik draaide me weer om naar Halley. Het feest was voor haar duidelijk al uren geleden be-gonnen – haar ogen straalden uitgelatener dan helemaal natuurlijk was – maar ik zag wel dat ze nog voeling had met de wereld om zich heen. Misschien waren die nieuwe genotmiddelen wel zo ontworpen dat vliegers nog net genoeg greep op de fysieke werkelijkheid hielden om niet uit de lucht te vallen.

Halley sloeg een vleugel rond mijn onderrug. 'Ik zal je even rondlei-den,' zei ze. 'Een deel van dit alles is weliswaar niet toegankelijk voor je, maar er blijft nog te veel te zien en te doen over om allemaal te on-derzoeken, al zou je de volle drie dagen blijven.'

Ik hoorde hoe trots Halley klonk; ze wilde me dit tijdelijke wereld-wonder laten zien dat ze had helpen scheppen, ze wilde weten of ik het als niet-vlieger ook zou kunnen waarderen, zoals haar bedoeling was. Ze legde een purperen gelcapsule in mijn hand. 'Om er echt van te genieten moet je dit slikken.'

'Wat is dit?' Jezus, Fowler, moet je nou echt zo benepen klinken?

Halley lachte. 'Zefiryn. O jeetje, je zou eens moeten zien hoe je kijkt. Jij hebt zeker allemaal griezelverhalen gehoord, hè? Dit is de helft van de dosis die vliegers gebruiken. Dat kan echt geen kwaad.'

Er kwamen nog meer vliegers op Halley af om haar te feliciteren met SkyNation.

Ik slikte de gel door. Ik was tenslotte niet naar SkyNation gekomen om op safe te spelen.

Wat er vervolgens gebeurde, kan ik alleen maar omschrijven alsof er ineens een arend door mijn ogen keek. Ik zette mijn vliegeniersbril af en stopte hem in mijn jack. Het leek wel of mijn ogen een stel telesco-pen waren geworden die iemand anders scherp had gesteld. Ik zag stuk voor stuk de hagelstenen vallen uit wolken verder landinwaarts, met elk druppeltje ijs van achteren uitgelicht door de dalende zon. Ik zag elke rimpeling in de golven beneden me, elke klinknagel in de grote grijze brug, het weefpatroon van de zeilen op de boten die door de haven laveerden. Heel even was ik duizelig, gedesoriënteerd. Hoe moest ik veilig mijn weg vinden als ik dronken van de heerlijkheid van zo'n goddelijk gezichtsvermogen aan het rondwaggelen sloeg? Het kon niet anders dan dat ik zou vallen, terwijl mijn focus onbeheerst in- en uitzoomde tussen het allerkleinste en het grote overzicht. 'Doorademen,' zei Halley. 'Je krijgt het wel onder controle.'

Ik zette alles op alles om mijn duizeligheid te onderdrukken, en ineens merkte ik dat mijn gehoor ook was aangescherpt. Gelach en muziek kwamen uit de wolken omlaag; de wind floot door de veren van de vliegers en liet het touwwerk klapperen van de zeilboten die ver beneden ons door het water kliefden.

Plotseling was het alsof er een knop werd omgezet in mijn hersenen, waardoor die mijn verscherpte waarnemingsvermogens nu naadlozer konden sturen. Ik werd overspoeld door een gevoel van opperste verrukking. Als er in een park vele buitensteden verderop een mus bewoog, zou zijn aanwezigheid me niet ontgaan. Wat er nog restte van mijn slechte humeur trok op als mist voor de zon. Mijn rancune en angsten waren ver weg, schaduwen die in de verte hoog over een berg heen weggleden. Die bleven wel goed tot een volgende gelegenheid.

Nu was ik rustig. Wat gaf het als ik stierf? Ik zou de hemel ervaren.

'Volgens mij ben je er nu klaar voor,' zei Halley. Ze vouwde haar vleugel op en pakte mijn arm vast. 'Zie je dat er zich wandelpaden afsplitsen van dit platform? Die moet je gebruiken om SkyNation te verkennen. Wij vliegers kunnen naar elk deel ervan vliegen, maar we hebben die paden en andere plekken nodig om uit te rusten.'

Halley nam me mee naar een van de half doorzichtige wandelpaden die van het platform omhoogliepen als een netwerk van catwalks of smalle, wiegende hangbruggen met reling. Behoedzaam liet ik mijn gewicht erop neer. Het wandelpad gaf even mee, maar bleef intact; het was sterk en flexibel, en ik moest de reling stevig vasthouden. Naarmate de schemering viel, werd het kleurige licht dat langs de randen van de wandelpaden en de relingen pulseerde steeds helderder. De reling onder mijn hand knipperde groen. Hoe was het mogelijk dat ik over deze draden door de lucht kon lopen zonder vrees te voelen, sterker nog: met toenemende euforie? Ik nam aan dat dat ook een effect was van de Zefiryn.

Halley en ik stegen tot hoog boven het platform, waar ze bleef staan en met een armzwaai een van de niveaus van SkyNation onder de plek waar wij stonden aanwees. 'Zie je dat daarbeneden?' vroeg ze. 'Vanaf deze hoogte kun je de hoofdverdieping van SkyNation zien, maar daarboven en -beneden zijn nog meer omgevingen. Zie je dat het een plattegrond is van de Stad, met een schaal van een op een? Die oplichtende lijnen in groen, blauw en goud zijn touwen van rivierlaminaat die de contouren aangeven van de haven, de baaien en stranden. De eilanden voor de kust hebben we gekopieerd in de vorm van zwevende ruimten; sommige zien eruit als wolken, andere zijn ingericht als etherische restaurants en bars. Er zijn nesten om in te slapen; dat zijn die netten die onder het rivierlaminaat hangen. Ze zijn belegd met kussens; je kunt er slapen of naar muziek liggen luisteren terwijl je omlaagkijkt naar de haven. En zie je die poelen die net water lijken?'

'Fantastisch,' zei ik. 'En jullie hebben ook torens van wolken, recht boven de echte torens die ze nabootsen. Al zijn het geen echte wolken, hè?'

'Nee,' zei Halley. 'Afgezien van die torens van nepwolk is alles, alle netten, catwalks, bars en andere structuren, verankerd aan de lijnen van rivierlaminaat, en die komen allemaal samen en zitten op hun beurt verankerd aan de torens van de Stad die langs de rand van Sky-Nation staan. Het grootste deel van de ruimte die we gebruiken voor het feest ligt recht boven de haven. Dat betekent dat er heel veel open ruimte is om in rond te vliegen.'

Halley liet zien dat de randen van de catwalks een kleurcode hadden; de kleur verliep van groen – wat aangaf dat zo'n catwalk veilig was voor niet-vliegers – naar geel – waar je extra moest oppassen – tot rood voor gebieden die alleen voor vliegers toegankelijk waren. Een beveiligings- of eerstehulppatrouille van vliegers in met fluorescerend geel afgezette jacks schoot voorbij en verdween in de schemering beneden ons.

Halley begeleidde me door deze nieuwe wereld die zich in drie dimensies om me heen uitstrekte, en met de minuut werd mijn zelfvertrouwen groter. Geen duiker die afdaalde in de oceaan, geen acrobaat die aan de trapeze zwaaide, kon zulke afgronden van verticale ruimte oversteken als ik nu. Waarschijnlijk was die groeiende euforie hier mijn vijand, maar ik kon niet anders dan ervan genieten. Ik was ongetwijfeld high van de Zefiryn en de adrenaline. En ik werd nog steeds higher. Waarschijnlijk ervoer ik iets van die zorgeloze uitgelatenheid van vliegers die in staat waren vrijelijk door de lucht te buitelen zonder bang te zijn dat ze zouden vallen.

'Wat valt er te lachen?' vroeg Halley glimlachend; het drong tot me door dat ik als een idioot liep te grijnzen. Daar ging ik, ex-agent en gewaardeerd detective Zeke Fowler, zo stoned als een garnaal van de Zefiryn. Mijn zintuigen scherpten nog steeds verder aan. Zonder moeite kon ik de klanken volgen van elke band en de rokerige kruiden ruiken van het eten in alle bars, restaurants en stalletjes in heel SkyNation.

Aan de overkant van de haven doemde iets opmerkelijks op. Aanvankelijk zag het eruit als de zoveelste wolkentoren, maar naarmate het donkerder werd en de toren in hetzelfde tempo feller verlicht werd, zag ik dat het een kasteel moest voorstellen, met een slotgracht, kantelen en een kruisgang, terwijl het toch een vluchtige indruk maakte, met grote gaten nacht en sterren in de wolkige substantie gescheurd.

'Je zei dat jullie de Stad hadden gekopieerd,' zei ik, naar het kasteel wijzend. 'En wat is dat dan?'

'Een grapje,' zei Halley. 'Zie je wel?'

Ik zag het. Het kasteel hing recht boven het parlementsgebouw en vormde er een soort satire op, een fijn uitgewerkte versie van de zandstenen kantelen en torentjes van het oude gebouw.

Boven uit het kasteel barstte een wolk lichte en donkere flitsen die flakkerend als vuurwerk nu eens zilver, dan weer blauw, wentelend en draaiend omhoogstroomde. De uitbarsting splitste zich op en waaierde boven ons hoofd uit in complexe krullen en spiralen tegen de donkere hemel. De wolk, die uit vliegers bestond, zoals ik me ineens realiseerde, balde zich weer samen. Een andere, groen en gouden zwerm explodeerde met een reusachtig geritsel van vleugels uit een wolk boven de tuinen en steeg door de eerste zwerm heen omhoog. Ze bogen af, lieten zich vallen, verspreidden zich en kwamen weer bij elkaar. De zwermen weken uiteen in een wolk vliegers, hergroepeerden zich en vloeiden weg in de richting van de haven.

De catwalk waar Halley en ik op stonden kruiste beneden ons een ander pad, dat naar het kasteel leidde. Ik wees ernaar en Halley knikte. De slotgracht hoog boven de Stad was gevuld met een glinsterende vloeistof. Over de diepten kwam gelach aandrijven van vliegers die op sprookjesfiguren als mechanische draken en feniksen over de slotgracht ronddobberden en probeerden elkaar eraf te stoten.

Verbijsterend zo snel als het wonderbaarlijke iets gewoons kan worden. Daar klom ik door de lucht, verdoofd tot een toestand van onbevreesdheid, hangend aan draden die fijn en toch sterk waren alsof ik een namaakspin was, en ik begroette de vliegers die we passeerden en die stuk voor stuk Halley complimenteerden met haar werk.

Ineens drong het tot me door. Was dat waar deze SkyNation een voorafspiegeling van was? Zou die beruchte overbevolkte, veel te dure Stad met zijn veel te gebrekkige voorzieningen op deze vluchtige manier in de lucht worden herbouwd? Dan konden er uitgestrekte parken komen, platformen voor vermaakscentra en speelterreinen. Halley had tenslotte gezegd dat SkyNation een laboratorium was, en nu begon ik me dat af te vragen. Was dit misschien een model voor een volkomen nieuwe stad in de lucht? Het was tenslotte geschapen door architecten. Probeerden de vliegers ons soms te ontvluchten?

Naarmate we dichterbij kwamen, torende het kasteel steeds hoger boven ons uit, in al zijn luchtige indrukwekkendheid, en voor ons uit zag ik een trap die langs de buitenkant omhoogzigzagde. Ik liep naar boven en werd gepasseerd door twee gemaskerde mannen die half rennend, half vliegend voorbijsuisden. Het ging zo snel dat ik niet kon uitmaken of hun kostuums nu superhelden of acrobaten moesten voorstellen. Ik liep vlak langs de muur omhoog, verbijsterd over hoe tastbaar de 'stenen' leken, met hun textuur van mos en graniet, toen ik een waarschuwende kreet hoorde.

'Kijk uit!' Een witte massa kwam in mijn richting aangestoven. Ik had nog net tijd om te denken: ze verdedigen het kasteel, toen ik werd omgeven door iets lichts, kouds en veerkrachtigs dat me deed denken aan de 'sneeuw' die ik in Hugo's kinderkamer had gezien. Ik werkte me naar de bovenkant van de poederachtige, droge sneeuwverstuiving. Gelukkig was het niet zo vast als echte sneeuw, anders had ik een probleem gehad.

'O jeetje,' hijgde de vlieger. Hij stortte zich van de kasteelmuur en verdween in het donker.

'Gaat het?' vroeg Halley, die me van achteren inhaalde.

'Niets aan de hand, mevrouw,' zei ik achteloos. 'Het is maar een vleeswond.'

Ik klauterde over de borstwering naar de richel waar mijn aanvaller van af was gesprongen. Er lag een meter sneeuw op. Ik had eigenlijk veel erger moeten schrikken – de vallende sneeuw had me makkelijk van het kasteel af kunnen sleuren – maar alles kwam even onwerkelijk over in SkyNation. Misschien dat de zorgeloosheid die bij mijn personage als gevechtspiloot paste effect op me kreeg, in combinatie met de Zefiryn.

'Ik ruik etensgeuren,' zei ik.

'Ja, en ik heb ontzettende trek. Deze kant op.'

We klommen verder omhoog in het kasteel. Halley spreidde haar vleugels uit om in evenwicht te blijven op de trappen, en uiteindelijk baanden we ons een weg door de afgeladen binnenhof naar een plat dak op de hoogste toren van het kasteel. Halley nam me mee langs rijen tafels naar eentje helemaal aan de rand, die voor haar was gereserveerd.

'Moet je kijken,' zei Halley. 'Ze zijn zich aan het voorbereiden op de openingsceremonie voor Nevelstad.' Ze wees naar een verduisterde toren ten westen van ons – Nevelstad, drong tot me door – en ik zag dat er in de ruimte tussen het kasteel en Nevelstad een net was gespannen, waarop musici en andere performers hun apparatuur installeerden en aan het repeteren waren.

Halley wendde zich tot mij en zei met zachte stem: 'Nu we het toch over Peter hebben ... Ik wil alleen even zeggen hoe vreselijk we het allemaal vonden toen we het hoorden van Hugo. We hebben zo gehoopt dat het goed zou aflopen, maar nu ...' Haar stem stierf weg. 'Maar goed, ik wilde alleen even zeggen hoe erg ik het vind.'

Ik keek naar de grond. Ze legde haar hand op mijn arm.

Aan de drukbezette tafel achter ons klonk een koor van begroetingen, en ik keek achterom. Een gezette man in een wit astronautenpak met een ruimtehelm onder zijn arm kwam op de tafel af waggelen.

'O god, daar heb je David Brilliant,' zei ik, en ik keerde me weer om naar Halley. Die vleugels met hun felgekleurde strepen waren onmiskenbaar.

Ik schoof heen en weer op mijn stoel en trok mijn leren jack uit. Ik voelde er niets voor om ruzie met Halley te krijgen als ik haar vertelde dat Chesshyre en Brilliant verantwoordelijk waren voor wat Peri, Hugo en Luisa was overkomen, en dat haar medeleven met haar collega verspilde moeite was.

Natuurlijk moest Brilliant even naar onze tafel waggelen om tegen Halley te slijmen. 'Je hebt jezelf dit jaar alweer overtroffen, schat,' zei hij. Ik had net genoeg tijd om mijn vliegeniersbril op te zetten, maar ik had me de moeite kunnen besparen. Brilliant keurde me geen blik waardig.

'Een groot deel hiervan is Peters werk. Ik zal doorgeven dat je het mooi vindt,' zei Halley.

Brilliant strompelde terug naar zijn tafel.

Halley liet haar blik gaan naar de tafel naast ons, waar vier vrouwen zaten, allemaal met een vlieghelm op. Hun brillen hingen aan hun stoel. Een van de vrouwen zag er bekend uit, met sluik tinkleurig haar. Ze had een kaki legeruniform aan met blauwe bliksemschichten op de kraag, en over haar stoel hing een dik leren vliegeniersjack. Voor haar op tafel lagen versleten leren kaphandschoenen. Mijn blik werd aangetrokken door spleten licht in haar veren en huid. Bij elke beweging verblindde ze me met haar geglinster. Ze draaide zich om.

'Dokter Ruokonen.'

Ze tuurde naar me. 'Meneer Fowler. Wat een verrassing!'

Dat geloof ik direct. Je had niet gedacht dat ik zulke goede contacten had, hè?

'Hallo, Aleta,' zei Halley. 'Je ziet er heel overtuigend oorlogszuchtig uit.'

'Ik ben Lilja Litvak,' zei Ruokonen. 'Dit is Beryl Markham,' zei ze, wuivend naar de vrouw naast haar. 'En Amelia Earhart. Die opmerkelijke paarssatijnen jumpsuit daar verderop is Harriet Quimby. Een vroege pilote die bekendstond om haar onbeschrijflijke smaak op modegebied, zoals je ziet.'

'Wie is Lilja Litvak?' vroeg Halley.

'De Witte Roos van Stalingrad. Ik was de beste vrouwelijke gevechtspiloot uit de Tweede Wereldoorlog. Ik heb twaalf Duitsers uit de lucht geschoten. Piloten van de Luftwaffe waren doodsbang als ze mijn Yak-1 op hen af zagen vliegen.'

'Jeetje,' zei Halley. 'Wat romantisch.'

'Nou, niet voor haar,' antwoordde Ruokonen vinnig, duidelijk allengs minder goed gestemd. 'Ze stierf op haar tweeëntwintigste en raakte al snel vergeten, net als andere steengoede vrouwelijke gevechtspiloten. Ze is nooit geëerd als compensatie voor haar korte leven. Vrouwen als zij raken binnen de kortste keren buiten beeld in de geschiedenis. Al snap je niet waarom. Er waren acht Messerschmitts voor nodig om haar uit de lucht te schieten. Daar kan de Rode Baron nog een puntje aan zuigen, als je het mij vraagt.'

'Nou en of,' lachte Halley. 'Voortaan zal ik nooit meer aan de Rode Baron denken, maar altijd aan de Witte Roos.'

Diep onder de indruk van haar vaardigheid als vredestichter wierp ik Halley een glimlach toe. Wat een aardig mens was ze toch. Je kwam niet vaak iemand tegen die zo succesvol was als zij en toch de gevoelens van andere mensen opmerkte, laat staan iets zou doen om die gevoelens te sussen.

Halley wees naar de huid van Ruokonen. 'Wat heb je daar?'

'Iets nieuws,' zei Ruokonen. 'Dat zul je verder nog bij niemand zien. Kijk maar eens.'

We staarden naar het warme maanlicht dat deel uitmaakte van Ruokonens lichaam.

'Parelhuid,' zei Ruokonen. 'Zelf gekweekt. Dat is relatief eenvoudig met parels, die tenslotte van zichzelf al organisch worden geproduceerd.'

'Mag ik?' vroeg Halley, en ze streek met haar hand over de parelhuid. 'Ah, mooi hoor.'

Ruokonen ging achteruitzitten op haar stoel en sloeg haar lange benen bij de enkels over elkaar. 'Het gaat nu heel snel met Thomas,' zei ze. 'Binnenkort kan hij vliegen.'

'Ja,' zei ik, maar meer durfde ik niet te zeggen.

Halley wierp me een verraste blik toe. 'Ondergaat je zoon de behandelingen?'

'We maken voortdurend vorderingen in ons onderzoek,' ging Ruokonen verder. 'Ik heb onderzoek gedaan naar insecten, maar we hebben tegenslag ondervonden.' In haar stem klonk woede door. 'Er is een inval geweest in een laboratorium waar ik leidinggaf aan een project.'

'Diomedea?'

'Hoe weet u dat? Niet te geloven dat vliegers zoiets doen, maar ik neem aan dat elke tijd en elke plek zijn onwetende fanatici en zogenaamde revolutionairen kent.'

'Zouden het Wilden kunnen zijn?' vroeg ik.

Ze wierp me een scherpe blik toe. 'U kent mijn standpunt in dezen.'

'Inderdaad,' zei ik. 'Wat ik niet weet, is wat uw standpunt is over de vraag of er grenzen zijn aan wat Diomedea bereid is te ondernemen om de vruchtbaarheidsproblemen aan te pakken. Zijn er bijvoorbeeld grenzen aan wat ze zullen doen om Peri Almond en haar baby op te sporen?'

Ruokonen lachte. 'O jee,' zei ze proestend in haar drankje. 'Volgens mij is er hier vanavond iemand die heel graag met u zal willen bijpraten.'

'Nou, geweldig,' zei ik. 'Ik kan me niet voorstellen dat Diomedea wil dat u dat toegeeft.'

Ruokonen maakte een wegwuivend gebaar. 'Het is niet verboden om iemand in de gaten te houden. Dat weet u ook wel. U bent de laatste die daarover zou moeten klagen.'

'In de gaten houden is tot daaraan toe. Maar inbreken is wel wat anders. Helemaal omdat mijn leeuw bijna is vermoord. Ik wil alleen maar zeker weten dat die Roofvogel Peri en Hugo geen kwaad doet.'

'Ik weet absoluut niets van een inbraak,' zei Ruokonen. 'U hebt ongetwijfeld een heleboel mensen tegen de haren in gestreken die dat maar al te graag zouden doen. Wat Peri en Hugo aangaat: natuurlijk zal niemand hun iets aandoen. Ze zijn nodig voor vervolgonderzoek, zoals u ongetwijfeld weet.'

Ruokonen liet niet het achterste van haar tong zien, dacht ik toen Halley en ik weer gingen zitten. Terwijl wij met Ruokonen hadden staan praten, waren er intussen voedsel en wijn gearriveerd, en ik was maar wat blij om rustig de dingen te zitten absorberen die ik had gedaan en gezien. Op de borden voor ons lagen kunstige constructies die eerder aan bouwkunst dan aan voedsel deden denken. Ik wierp een blik op Halley; zij kon dit ongetwijfeld waarderen. Maar ze zat snel te eten en werkte haar toren van knapperige schaafsels groenten die tot een breekbare tuin waren gearrangeerd weg alsof het een doodeenvoudige tosti was. 'Ik moet je iets laten zien,' zei ze, terwijl ze haar mond afveegde en ging staan.

'Dit is de mooiste plek waar ik ooit ben geweest,' zei ik.

Halley pakte mijn hand. 'Prachtig, hè? Fijn om even de drukte te ontvluchten. Het is best leuk om door iedereen te worden gefeliciteerd en zo, maar ik wil nu een poosje zonder onderbrekingen van het feest genieten.'

We stonden in een parklandschap met dichte wouden en uitgestrekte weiden, hoog boven het kasteel.

We waren over een lange ladder omhooggeklommen naar het park en liepen nu door groene, brede lanen langs bloesemende klimopranken. De bomen raakten elkaar bijna boven ons hoofd: lanen van beuken, eiken, dennen en wilgen met lange slierten bladeren die sidderden als groene hagel. We liepen over paden die geweven waren van verstrengelde wortels; door kleine openingen en scheuren tussen de wortels keken we omlaag naar de glinsterende lichtjes van de Stad beneden ons, die voortdurend verschoof met de luchtstromen die het park lieten bewegen.

Het was een fantastisch, droomachtig geheel: een wandeling over een bospad boven een afgrond. Een bries stroomde met een klaaglijk geluid door de takken, alsof hij daarmee aangaf dat we honderden meters hoog in de lucht hingen. Ik trok mijn vliegeniersjack om me heen voor de warmte. Van Halleys huid en vleugels sloeg warmte af; zij had blijkbaar geen last van de toenemende kilte in de avondlucht.

Boven ons hoofd en onder onze voeten straalden sterren. We liepen over een overschaduwd eiland vol bomen, dat rondzweefde in een poel van licht.

Vanuit de bomen boven ons viel een trillend, tjilpend lied dat even zoet en helder klonk als een beekje.

'Nachtegaal,' zei Halley.

We bleven staan aan de rand van het bos en keken uit over een ruisende weide met aan de overzijde drie gladde heuvels die de zuidgrens vormden van het park. Vanaf de hoogste heuvel viel een waterval in een poel. Op weg naar de waterval deinde de weide zachtjes onder onze voeten. Het was onuitsprekelijk vreemd om over zo'n golvende mat met grassen, bomen en water te lopen, en dan over de rand te kijken naar de Stad die beneden lag te twinkelen.

'Dus hier gaan de nestjongen spelen,' zei ik. Ondanks de Zefiryn voelde ik een golf woede als gal in mijn keel opwellen. Die vliegers wilden álles, zonder enig compromis. Ze wilden alles wat mooi was op deze aarde – bloemen, bomen, water, gras –, maar dan wel hierboven, ver weg van de troep en de schepsels die die troep voortbrachten. Het was allemaal kunstmatig, al leefde het wel, maar dat kon hun niet schelen, want ze waren zelf immers net zo: levend, maar kunstmatig. Ze wilden op deze planten lijken, ontworteld, en ontdaan van smerigheid. Dit was het soort leven dat de Serafijnenkerk in het vooruitzicht stelde, waar alle bloed, stront en tranen waren achtergelaten voor anderen, die het allemaal mochten doormaken en opruimen.

Ik staarde strak naar de waterval die over de rotsblokken eronder kletterde. Allemaal opschepperij. Rotsblokken in de lucht! Wat een waaghalzerij. Met een bedwelmend mengsel van bewondering en woede keek ik naar Halley, een van de bouwmeesters van deze nieuwe wereld.

Aan de overkant van de stroom stond de jonge god Eros naast een poel. Hij was lang, had kortgeknipt bleek haar en droeg een flinterdun gouden masker dat zijn ogen en wangen bedekte. Zijn vleugels waren achter zijn rug uitgeslagen. Ze waren glanzend warm wit als parelmoer. In de ene hand hield hij een kruisboog tegen zijn witte tuniek, die tot zijn dijen reikte. Hij was naar iemand op zoek; hij keek om zich heen en toen zijn blik even op Halley en mij bleef rusten, schrok hij met een vage, onderdrukte trilling. Hij draaide zich om en liep bij ons vandaan in de richting van de duistere bomenlaan. Ik staarde hem na. Die manier van lopen had iets vertrouwds; ik had hem moeten herkennen, maar werd afgeleid door Halley.

'Laten we een plekje zoeken waar we kunnen zitten.' Ik wilde Halley voor mezelf alleen hebben. Het leek heel passend dat we Eros waren tegengekomen en nu op zoek gingen naar een plekje tussen de heuvels, tot we een kom in een helling vonden, minder dan een grot, eerder een uitspringende rand. We gingen zitten uitkijken over de watervallen en het bos, en daar voorbij naar de rest van SkyNation, naar vliegers die in en uit wolken schoten en dansten. Geluid pulseerde vanaf het net en spreidde zich om ons heen uit door heel SkyNation; het was de stof geworden waarvan de lucht was gemaakt.

'Wat is dat voor geluid?'

'Liederen uit het Blauw,' zei Halley. 'Muziek die gemaakt is van het weer, in real time. Golven, onweer, zeebevingen, krakend ijs, zonnewinden, meteoren, elektromagnetische velden.'

Halley hing tegen mijn schouder aan en haar veren ritselden om me heen. Telkens als ze bewoog, kwam er een heerlijke geur uit haar vleugels los. Ik was bloednieuwsgierig. Hoe zou het zijn om haar aan te raken? Ik pakte een van haar vleugels en streelde over de slagpennen. Ze waren zachter dan ik me had voorgesteld. Ik liet mijn hand over het bredere deel van haar vleugel gaan, van de schouder omlaag, en zorgde ervoor dat ik haar niet tegen de veren in streelde. Mijn horloge bleef er aan een haken en ze kromp even ineen.

Ik kuste Halley. Het gevoel van haar gladde veren tegen mijn huid stuurde tintelingen over mijn ruggengraat als een elektrische lading, en tegelijkertijd was het heel vreemd. Telkens als ze bewoog in mijn armen, veroorzaakten haar veren een zachte, huiverende sensatie op mijn huid en dreven er vlagen van een warme rozengeur voorbij.

Na een poosje hield ik op met kussen. Ik wilde mezelf wijsmaken dat het aan de Zefiryn lag, maar ik voelde me overweldigd door sensaties. Ik moest op adem komen. Halley ging opgekruld op haar zij liggen. Ze gaapte en sloeg lachend haar hand voor haar mond.

'Al die dagen van twintig uur die ik hiervoor heb gemaakt, wreken zich nu. Ik moet even mijn ogen dichtdoen.'

Ik was opgelucht. Het was heerlijk om Halley te kussen, maar ik had tijd nodig om na te denken. Ik had van mijn leven nog nooit een vlieger aangeraakt, en zij was niet zomaar een vlieger, maar Peters collega. Wat wilde ze nu echt van me?

Ik moet een halfuur hebben gedommeld. Halley lag naast me te slapen. Ze zag er allerliefst uit, zoals ze daar op een opgevouwen vleugel lag genesteld met de andere over zich heen. Voor me, op de rand van de heuvel, met vleugels van gepolijst kastanjebruin die aan de onderkant groen glansden in de duisternis, stond Peri. Dus ze was echt teruggekomen, zoals ze had beloofd. Wat slim van haar om me in SkyNation op te zoeken. Ze hield de kleine Hugo omhoog, maar toen ik hem aanpakte, glipte hij weg in de duisternis. Peri slaakte een kreet en toen waren ze allebei verdwenen. Daarop werd ik pas echt goed wakker. Ik boog me over Halley heen en streek een lok van haar zwarte haar achter haar oor terug.

Mijn aandacht werd getrokken door een beweging en ik gluurde omhoog. De stralend witte Eros bevond zich hoog boven me op een smal pad. Ik wist dat ik de vlieger kende die daar steil omhoog van me vandaan klauterde, maar wie was hij toch? In de greep van de behoefte om daarachter te komen trok ik mijn vliegeniersjack aan en begon vol zelfvertrouwen tegen de bijna verticale helling op te klimmen, wat tot mijn verbazing heel makkelijk was. Het parkeiland viel van me weg en er was niets en niemand in mijn buurt – geen zwevende bars of kamers, geen andere paden. We waren op weg naar een van de wolkentorens, veel hoger dan waar ik tot nu toe was geweest. Eros leek zich niet van mijn aanwezigheid bewust, terwijl ik hem een stuk lager volgde.

Hij verdween de wolkentoren in. Gezang viel er als regen langs omlaag.

Ik werkte me de wolkentoren in, maar zag daar niets anders dan het materiaal waarvan de wolken waren gemaakt dat als mist uiteenweek en me toch als een verende laag ondersteunde. Dit was het soort wolken waar ik als kind van had gedroomd: wolken als hemelse veerkrachtige kussens.

Ik zag alleen de gloed van kleuren die door de wolk speelden. Hield Eros zich hier verborgen? Een warme tenor kwam door een purperen mist naar me toe zweven. Rond de stem rees een koor van stemmen tot een crescendo.

Ik zocht me een weg door de mist en ving voor me uit een glimp op van een slepende witte vleugel. Ik haastte me zo vlug als ik durfde achter hem aan. En al die tijd ging het lied door; het vloeide over in andere liederen die over me heen stroomden alsof de hemel zelf zong, en voort ging het zingen en de stemmen hielden niet op, maar dreven weg, zwollen aan en stierven weer weg, waarna ze weer aan kracht wonnen, terwijl een nieuwe stem, een bas, daarna een sopraan, de hoofdmelodie overnam en boven de andere uitsteeg. Dit is vliegen, dacht ik.

Dit gezang is vliegen in de meest ware zin van het woord.

Ik was inmiddels aan de buitenkant van een wolk terechtgekomen en stond tot mijn kuiten in wolkenspul verzonken, als een cherubijn op een schilderij. Aan drie kanten zag ik niets dan donkerpaarse mist en een besterde hemelmuur die wegviel naar zwart water – en daar voor me stond, met zijn rug naar me toe en zijn witte vleugels uitgespreid, Eros.

Het visioen van Peri flitste door mijn hoofd. Mijn droom had me iets proberen te vertellen. Ik wist waar ik de tred van de god eerder had gezien. Die god was een godin, met bewegingen die te vloeiend waren voor een man. Het lange meisje leek op Peri. Maar kon ze het ook werkelijk zijn? Haar haren waren afgeschoren en geverfd, en haar veren hadden de verkeerde kleur, maar dat stelde niets voor; heel veel vliegers bij SkyNation waren wel ingrijpender veranderd.

'Peri!' riep ik.

De gedaante keerde zich om en hapte naar adem. Daarna draaide ze zich weer met een ruk terug en sprong ze als een grote witte vogel de duisternis in.

Ik sloop zo dicht naar de rand van de zogenaamde wolk als ik durfde en probeerde te bepalen welke richting ze op was gevlogen, maar ze was verdwenen. Wat deed ze hier?

Daarop kreeg de ontzetting mijn hoofd, hals en hart in haar greep. Ik rilde in de hoge, koude nachtlucht. Waar was de kleine Hugo? Stel dat hij was verdwenen, waartoe zou Peri dan wel niet in staat zijn? Door wat voor wanhoop en woede werd ze gedreven?

De brug gleed naar rechts weg naar ver beneden me en ik besefte dat ik zweefde. In een adembenemend moment drong tot me door dat mijn wolkenrichel aan het oplossen was; de randen vielen uiteen en stroomden weg de lucht in. De verbinding met het pad dat ik had genomen om hierheen te klimmen was verdwenen. Dus zo zou ik sterven. Ik lachte hardop. Ik was naar SkyNation gekomen omwille van Thomas, en wie had kunnen voorzien dat ik nu toch weer achter die domme meid Peri aan zou zitten? Ik had een stomme fout begaan en zou het met de dood moeten bekopen.

Ik ben als kaf in de wind, en word meegeblazen als dorre aren in de storm.

Tja, Marmaduke Thomas St. John 'Pat' Pattle ouwe jongen, dat is het dan, hè? Ik klopte op de zakken van mijn jack. Ik kon net zo goed ten onder gaan met mijn pilotenbril op. In mijn zak sloot mijn hand zich om iets anders: mijn toegangsbewijs voor SkyNation. *Christus, wat ben jij een rund*, zei de geest van Marmaduke tegen me. *Had je bijna het loodje gelegd uit gebrek aan ruggengraat, kerel.*

Met behulp van de kaart vond ik het enige pad dat nog aan mijn wolk vastzat, dat aan mijn oog onttrokken was geweest omdat het zich aan de overkant van de wolkentoren bevond. Over dat pad kwam ik beneden bij het net dat ik vanuit het kasteel al had gezien. Nu was het afgeladen met artiesten en feestvierders, en de muziek van de Liederen uit het Blauw klonk hier een stuk luider.

Ik hield me staande op het net te midden van de stroom jongleurs, clowns en musici, en belde Halley. 'Ik heb Peri gezien, Halley. Ze is hier en ik maak me zorgen dat ze misschien iets onbezonnens gaat doen. Ik moet haar vinden of in elk geval iemand waarschuwen.'

'Hè?' antwoordde Halley met een brokkelige stem. 'Ik versta je niet goed, Zeke. Waar ben je? Versta jij mij?'

'Luister, Halley. Christus, ik realiseer me ineens dat Peri gewapend is. Ik ben bang dat die kruisboog niet zomaar een onderdeel is van haar kostuum.' Mijn lichaam beefde van de diepe trillingen van de muziek.

Halleys stem kraakte en viel weg in de ruis van Joost mag weten wat voor stoot zonnestraling of de trillingen van een verre tsunami.

'Wie moet ik daarvoor hebben?' Ik stond zo'n beetje in mijn slick te schreeuwen. Een man in een rijke mantel, met golvend haar en een golvende baard en op zijn hoofd een slap hoofddeksel dat deed denken aan de hoed van een grote zwarte paddenstoel, liep tegen me aan en draaide zich om om me een blik toe te werpen alsof ik niet goed bij mijn hoofd was. Op zijn fluwelen mantel zat een speld waarop vermeld stond dat hij Leonardo da Vinci was.

'Ik versta je niet,' zei Halley, en haar stem kwam en ging, terwijl de Liederen uit het Blauw door SkyNation weergalmden. Ze zei nog iets anders, wat ik niet verstond, en voegde eraan toe: 'Peter gaat straks zijn toespraak houden voor de opening van Nevelstad. Ik ben er nu naar op weg.'

'Wat voor kostuum draagt Peter?' brulde ik.

'Hè?'

Een groep musici die op didgeridoos, keyboards en koto's zat mee te spelen met de Liederen uit het Blauw, wierp woedende blikken naar me vanwege mijn geschreeuw.

'Daedalus!' gilde Halley. Haar stem viel weer uiteen en ik kon nog net te midden van het gekraak en gesis de woorden 'was ook een architect' onderscheiden.

Ik schudde mijn slick heen en weer en probeerde het nog een laatste keer. 'Waarschuw Peter, Halley, en regel beveiliging. Ik zal mijn best doen om Peri op te sporen of iemand te vinden om het tegen te zeggen. Ik zie je straks wel bij je tafel, goed?'

'Goed,' meende ik Halley te horen zeggen met een stem die was begraven in een lawine van vervagend, suizend geluid. Ik dacht niet dat ze ook maar een woord verstond van wat ik zei. En ik had geen flauw idee hoe Peter er verkleed als Daedalus uit zou zien. Zou hij een klassieke mantel dragen? De vleugels had hij in elk geval al.

Ik belde Chesshyre, maar kreeg alleen een boodschap te horen. Natuurlijk nam hij nu niet op terwijl hij op het punt stond de belangrijkste toespraak van zijn leven af te steken.

Ik wrong me door de menigte, terwijl ik als een bezetene om me heen speurde, maar ik zag nergens iets van beveiliging en al evenmin een teken van Eros. Op weg door de drukte naar de rand van het net die zich het dichtst bij het kasteel bevond, werd ik bestookt met kwade blikken en vloeken. Ik had bedacht dat als ik kans zag terug naar boven te komen naar waar de tafel van Halley was, ik een beter overzicht zou hebben en dus meer kans om ofwel Eros, ofwel een beveiligingspatrouille te vinden. Ik ondervond erg veel hinder van het feit dat de samendrommende vliegers allemaal forser waren dan ik; het was lastig om me langs al die vleugels te wringen en telkens als ik aan een veer bleef haken, was ik bang dat ik een stomp in mijn gezicht zou krijgen.

Zo'n honderd meter voor me uit rees glanzend het pad omhoog naar het kasteel, maar met mijn huidige snelheid had het net zo goed een kilometer verderop kunnen zijn. De Liederen uit het Blauw zwollen zo erg aan dat ik mezelf haast niet meer kon horen denken: het leek of de geluiden waren omgezet in de moleculen van mijn eigen lichaam en me met hun akkoorden mee lieten trillen; alsof ik in de greep van geluid was en me als een woeste storm over het aardoppervlak verplaatste; alsof ik deel uitmaakte van de aardbeving die de zeebodem deed schudden; alsof ik was verdampt en weggeslingerd de atmosfeer in, als deel van het planeetgrote drama van het weer. Hoe kon iemand ooit denken dat het weer saai was? Voor vliegers was het iets fascinerends, een zaak van leven en dood.

Twee vliegers met fluorescerende jacks aan, die van de bewaking hadden kunnen zijn maar waarschijnlijk van de Eerste Hulp waren, stonden helemaal aan de rand van het net omlaag te kijken. Even overwoog ik te proberen hen te bereiken, maar ik besloot dat het tijdverspilling was.

Uiteindelijk werd het ergste gedrang van de menigte in de buurt van de rand van het net wat minder, en ik zag kans het pad op te stappen. Langs de randen van het pad stonden ook vliegers met hun gezicht naar Nevelstad gewend, dat eerst in schaduwen gehuld was geweest, maar nu in een vanaf de voet opkomend tij van lichten werd ontstoken.

Hijgend dwong ik mezelf tot halverwege de catwalk, waar ik even bleef staan om achterom te kijken. Net op het moment dat het tij van licht de brede voorsteven van Nevelstad bereikte, kwamen er zoeklichten op die plek samen, en dankzij mijn met Zefiryn opgevoerde gezichtsvermogen kon ik Chesshyre onderscheiden, die op de punt van de voorsteven stond. Achter Chesshyre bewoog glinsterend een hele massa mensen; ik zag Halley staan, vlak achter en iets opzij van

Chesshyre. David Brilliant stond verder naar achteren te praten met een verzorgde, belangrijk ogende vrouw die me vaag bekend voorkwam. *Wacht maar af, knaap. Jouw beurt komt nog wel.*

De tijd begon te dringen. Chesshyre keek met een strakke blik uit over de menigte in de richting van het kasteel en maakte zich gereed om zijn toespraak af te steken. Zoals ik al had verwacht had hij zich in een witte, klassieke mantel gewikkeld, die over één schouder viel, en in zijn linkerhand droeg hij een beitel. Twee brede purperen banden liepen kruislings over zijn borst en vandaar over zijn schouders. Ik nam aan dat die banden stonden voor de manier waarop Daedalus zichzelf en zijn zoon vleugels had omgebonden.

'Halley,' wilde ik schreeuwen, 'blijf uit de buurt van Chesshyre!'

Ik probeerde Halley te bellen, maar ik kreeg dat spatterige bromgeluid dat erop duidde dat nog zo'n honderd mensen haar probeerden te bereiken. En dat was ook niet verwonderlijk, als je in aanmerking nam wat een triomf dit was voor Kohn Chesshyre Li.

Met een hart dat tekeerging alsof het elk moment mijn keel in kon schieten worstelde ik me met al mijn kracht de trap op en het kasteel in.

Terwijl ik de trap op klauterde, ebden de Liederen uit het Blauw weg. Chesshyre begon te spreken. Mijn rug was naar hem toegekeerd en ik verwachtte niet anders dan dat zijn woorden zouden worden weggeblazen door de bries die zo-even was opgestoken, maar elk woord was net zo helder als wanneer hij naast me had gestaan.

'Vanaf het allereerste begin,' zei Chesshyre, 'is SkyNation een baken geweest om onze vooruitgang mee te markeren. Elk jaar vieren we feest, maar tevens verbazen we ons er met open mond over hoever we zijn gekomen, in welke mate het vliegen zich heeft ontwikkeld.' Chesshyre werd onderbroken door een kort applaus. Hij ging verder. 'Elk jaar proberen we nieuwe inhoud te geven aan wat het leven kan betekenen als we vleugels hebben.'

Nu rende ik min of meer de trap op, en ik speurde de gezichten van de vliegers af die ik passeerde, terwijl ik Chesshyre nog steeds achter me hoorde spreken, al richtte ik me maar zo nu en dan op zijn woorden. Zolang hij sprak, wist ik in elk geval dat niemand hem tot nu toe had aangevallen.

'Het vermogen om te vliegen,' zei Chesshyre terwijl ik me een weg baande door de kloostergang, 'draait niet slechts om vliegen. Dat weten we allemaal.'

Christus, hij begon een beetje als David Brilliant te klinken.

Ik stormde naar het terras boven op de toren en baande me een weg naar de rand waar Halleys tafel stond, die nog steeds voor haar was gereserveerd. Het was druk op het terras, maar niet al te vol; veel vips die hier een gereserveerde tafel hadden, stonden nu op de voorsteven van Nevelstad, samen met Chesshyre.

'De vliegkunst biedt ons een visioen aan de hand waarvan wij ons hele leven kunnen leiden,' sprak Chesshyre op reciterende toon. Zijn stem kreeg iets bezwerends; hij raakte kennelijk in de ban van zijn eigen retoriek. 'We verlangen naar een leven waarin we bevrijd zijn van beperkingen, een leven waarin we "de norse banden van de aarde zijn ontglipt".'

Systematisch zocht ik de menigte af door de vliegers op het net in kwadranten op te delen en die vervolgens met de klok mee af te werken. Op acht uur een godin met een uilenmasker op te midden van draken. Elfen omgeven door waterspuwers en vampiers op twaalf uur.

Er bewoog iets. Een korte witte flits in mijn ooghoek maakte dat ik opkeek. Natuurlijk. Eros stond hoog boven de massa op een draad waaraan de lichten waren opgehangen. Een prima plek om je in het volle zicht te verbergen. Zelfs vliegers kijken zelden omhoog, behalve om de hemel af te spieden voordat ze gaan vliegen. Niemand zou haar zien balanceren, zoals ze daar met haar hoofd scheef gespannen naar Chesshyre zat te luisteren.

Wat had ze erbij te winnen om hierheen te komen? Natuurlijk had ze een appeltje te schillen met Chesshyre, maar waarom hier, waar alle vliegers uit de Stad bij waren?

Zelfs in tijd van voorspoed dreigt hem de verwoester.

'Niet doen, Peri!' schreeuwde ik naar haar omhoog. Iemand die niet kon vliegen, kon onmogelijk de plek bereiken waar ze stond.

Het visioen van de wolkachtige godin met haar donkere vleugels boven de Stad keerde terug. *Gevleugelde afweegster van het leven, dochter der gerechtigheid.* Ik had gedacht dat Cam, Henryk en ik haar werktuigen waren. Maar daar had je haar. *Nemesis.* Geheel in het wit.

Ik zocht de menigte achter Chesshyre af naar Halley, maar ontdekte haar niet, en intussen zei hij: 'In dit visioen leven, werken, spelen en groeien vliegers op in de lucht, een waarlijk bovengronds bestaan. Kinderen van vliegers vliegen al voordat ze kunnen lopen en hun voeten raken nauwelijks nog de grond.'

Ik keek weer omhoog.

Peri verstijfde bij die laatste woorden van Chesshyre. Ik hield mijn adem in. Was dit de toekomst voor Thomas, voor zijn kinderen, als hij al het geluk had die te krijgen?

'Ik heb het over een visioen,' ging Chesshyre verder. 'Visioenen van wat vliegen werkelijk kan betekenen. En daarom ook sta ik hier nu voor u, verkleed als de eerste grote dromer over vliegen die we bij name kennen: Daedalus. Daedalus de uitvinder. Daedalus de ingenieur. Daedalus de architect. Het is geen toeval' – Chesshyres stem zwol aan in overtuigingskracht – 'dat de ontwerper en bouwer van het grote labyrint waarin het hybride monster de Minotaurus, symbool van onze beestachtigheid, onze boosaardigheid, onze eeuwig en dodelijk worstelende natuur gevangenzat, tevens de uitvinder is van vleugels, van de droom om te vliegen die duizenden jaren heeft voortgeleefd en die wij nu belichamen.' Hij werd overstemd door een golf van applaus. Chesshyre stak zijn hand op.

'Sinds de mythe over Daedalus is vliegen altijd een metafoor geweest. Daedalus stond voor de kunstenaar, de onderzoeker, de ingenieur, voor iedereen die als Prometheus en Faust naar kennis dorst, voor iedereen die grenzen wil verleggen. Maar ik eis Daedalus op voor de vliegkunst. De vliegkunst is geen symbool meer! Die kunst worden we werkelijk machtig!' De laatste twee zinnen brulde Chesshyre uit, en van de verzamelde vliegers kreeg hij gejuich en gebrul ten antwoord.

Chesshyre boog zijn hoofd en er trok een uitdrukking van pijn en vermoeidheid over zijn gezicht. Zou hij het wagen om de prijs te noemen die Daedalus voor zijn vindingrijkheid had betaald? Nee, dat deed hij niet. In plaats daarvan hief hij zijn hoofd en spreidde hij zijn armen en vleugels.

'En aldus zijn wij beland bij Nevelstad,' riep hij uit. 'Het eerste bouwwerk, de eerste schepping in haar soort ter wereld die vliegen en het leven dat dat met zich meebrengt serieus neemt.'

Ik schudde mijn hoofd. Ik was zelf in trance geraakt, zoals ik daar naar Chesshyre stond te kijken en zijn woorden aanhoorde.

'Peri! Hé, Peri!' riep ik. De wind vanuit zee blies mijn woorden weg, maar niet Chesshyres toespraak, die duidelijk werd versterkt. Het was evident dat ik niet volkomen onhoorbaar was, aangezien sommige vliegers op het terras me woedende blikken toewierpen.

Terwijl ik nog een laatste poging ondernam om op het terras een verstandige of officieel ogende vlieger op te sporen, begon Chesshyre een beeld te schetsen van de laatste ontwikkelingen en hoe die in Nevelstad waren verwerkt. Hij had het erover hoe inspirerend hij dit nieuwe ontwerp vond, dat dit niet zomaar een bouwwerk was, niet zomaar een 'machine om in te wonen', maar het fundament voor een nieuwe manier van leven, het begin van een ware stad. Vergiste ik me of had hij het over een afscheiding? De landswetten golden toch zeker honderd meter de lucht in ook nog steeds? Daar hadden we de minister van Planning, die chique vrouw met haar uitstraling van macht, die ik eerder had gezien en nauwelijks herkende. Ze stond naar hem te stralen. Ik dacht aan de documenten die ik Sunil had toegestuurd. Ik had slechts een paar stukjes van het hele plaatje, maar het was overduidelijk dat vliegers over alle invloed beschikten die ze in deze Stad maar nodig hadden.

Nu zei Chesshyre dat hij heel trots was omdat Nevelstad klaar was en met deze SkyNation officieel werd geopend. De Liederen uit het Blauw zwollen weer aan en badend in het licht gaf Nevelstad zelf ook een laag, krachtig gezoem af.

Hoog boven ons stond Peri roerloos, haar hele wezen geconcentreerd op Chesshyre. Ze zag eruit alsof ze daar door de organisatoren van SkyNation was neergeplant: een prachtig ornament, een marmeren beeltenis van de boodschapper der goden. Ze deed me aan Frisk denken, aan die beweginglooshe id van hem als hij op jacht was, zijn lijf verstijfd als hij op het punt stond om binnen een fractie van een seconde toe te springen.

Twee dingen gebeurden tegelijkertijd. Het bovenste derde deel van Nevelstad, het deel waarvan Chesshyre had gezegd dat het zou roteren, maakte zich los van de rest van de toren op de plek waar de onderkant van de voorsteven vastzat aan het bouwwerk. De bovenkant van Nevelstad steeg de lucht in boven de Stad. Hij vloog. Of in elk geval zweefde hij langzaam voort met alle vliegers die nog steeds op zijn voorsteven stonden, met licht dat langs zijn oppervlak streek, vuurwerk dat losbarstte en juichkreten die uit de menigte opstegen. Dit was het gevaarlijkste moment. Ik gooide mijn hoofd achterover om naar Peri te kijken.

Ze klampte zich vast aan de lichtmast.

Tilde haar kruisboog op, en richtte.

'Peri!' schreeuwde ik.

Als ik niet automatisch terug naar Chesshyre had gekeken, had ik gemist wat er daarna gebeurde. Met een schrikwekkende snelheid verscheen er een bloem van rood op zijn witte mantel, hij wankelde zijwaarts van de voorsteven af en begon te vallen met de snelheid van een meteoor, terwijl Nevelstad steeds verder omhoogrees. Op de voorsteven reageerden onmiddellijk twee vliegers, die achter hem aan doken. Er klonken een paar kreten van afschuw, maar de meeste vliegers hadden het er te druk mee zich te vergapen aan de fantastische bloemen van licht die Nevelstad op het zakendistrict liet neerkomen om iets te merken.

Ik keek om naar Peri. Ze liet haar kruisboog zakken en keerde zich om. Intussen ging iemand anders, een ongewoon grote vlieger beneden in het net, op haar af. Ik kende die rode vleugels.

'Hierheen, Peri!' brullend rende ik naar de rand van het terras. Een paar vliegers draaiden zich naar me om en stonden me aan te staren. 'Pas op, Peri!' schreeuwde ik.

De Roofvogel bereikte Peri toen ze halverwege op weg was naar mij. Peri draaide zich om en viel als een steen in de zee van lucht vlak voor het kasteel, maar de reusachtige Roofvogel deed een uitval op het moment dat ze zich liet vallen en kreeg haar vleugel te pakken. Midden in de lucht buitelden ze rond en vochten ze als twee reusachtige arenden, waarna ze omlaagvielen naar het terras waar ik verbijsterd stond toe te kijken. Zonder nadenken haalde ik uit toen de Roofvogel langs me heen schoot.

Hij begon te wankelen, met Peri nog steeds worstelend in zijn greep. Het enige wat ik kon bedenken was dat als ik mijn gewicht aan dat van Peri toevoegde, hij het niet zou redden en Peri zou moeten loslaten.

We waren een wirwar van veren en grijpende handen. Ik kreeg een vleugel van de Roofvogel te pakken en slaagde erin om hem met mijn gewicht naar het terras te sleuren, terwijl Peri zich los probeerde te worstelen uit zijn greep. De andere vliegers op het terras trokken zich gillend terug. Ik pakte een stoel en slingerde die tegen de zij van de Roofvogel. De stoel kwam met een klap neer en de Roofvogel stond grommend heen en weer te zwaaien. Ik greep hem van achteren vast en klauterde op zijn brede rug, omdat ik me niet kon voorstellen dat hij kon wegvliegen met mijn gewicht erbij. Ik vertraagde hem geen moment en tot mijn afgrijzen waggelde hij naar de rand van het terras en sprong hij de lucht weer in.

Jezusmina, nu kon ik het echt wel vergeten! Ik was zo verschrikkelijk morsdood dat ik niet eens meer begraven hoefde te worden.

We stortten omlaag, de Roofvogel, Peri en ik, in de richting van de Stad, en alle vliegers en bouwsels van SkyNation vlogen in een vage vlek voorbij.

Ik klampte me als een bezetene vast. De Roofvogel was een reus, de grootste vlieger die ik ooit had aanschouwd. Ik had me instinctief aan hem vastgezogen als een zeepok, en nu begon langzaam tot me door te dringen wat een driedubbel overgehaalde gek ik was om op de rug van een vlieger te klimmen.

We stortten omlaag.

Plotseling schoten de Roofvogel en ik een stuk de lucht in, waarbij ik bijna mijn houvast verloor; Peri had kans gezien zich los te wringen, en door het verlies aan gewicht stuiterden we terug. Nu hij bevrijd was van dat gewicht zag de Roofvogel kans ons tweeën tot hoog boven de Stad te sleuren, nog steeds op jacht naar zijn prooi. Hoe zal ik mijn gevoelens beschrijven? Een krijsende werveling van angst en woede, maar ook ontzag voor de schoonheid van de blauwe Stad beneden ons en om ons heen de met glinsters bezaaide lijkwade van de lucht.

Ik klampte me wanhopig vast aan de vleugels van de Roofvogel, en het lukte me om me een beetje verder naar boven te werken. Nog een stukje, en nog een stukje. Nu zat ik schrijlings op hem en met mijn gewicht en mijn positie – met mijn armen rond zijn enorme schouders en mijn benen aan weerszijden van zijn middel – hinderde ik hem behoorlijk bij het vliegen. Hij slingerde als een onhandig landende albatros, jammerend van woede als een wild dier. Ik klemde me zo stevig aan hem vast dat mijn vingers gevoelloos werden.

De Roofvogel klom verder omhoog, wentelde zich en liet zich vallen als een gevechtsvliegtuig dat met een kurkentrekkerbeweging omlaagvliegt.

Hemel, Stad, hemel, Stad tolden in een wirwar van licht en donkerblauw voorbij.

De Roofvogel ging me vermoorden. Hij zou me in de lucht afwerpen, me tegen de muur van een toren slaan, me van zich af schrapen langs een steunbalk – wat er maar voor nodig was.

Ik hing over hem heen tegen de storm van wind en woede, en schreeuwde dat hij moest stoppen. De grond kwam dichterbij, en nu schoot de Roofvogel heftig klapwiekend met oorverdovend lawaai weer omhoog. Ik kon mezelf niet horen denken.

Uit het donkerblauw kregen we zo'n botversplinterende klap te verduren dat ik ergens iets hoorde knappen, al wist ik niet of dat bij mij was of bij de Roofvogel. Het was ongelofelijk dat ik me nog steeds vastklampte, maar dat zou ik niet lang meer volhouden. Peri schoot vloekend weg. *Doe dat niet nog eens, Peri. Dat overleef ik niet.*

De Roofvogel werkte zich klapwiekend verder omhoog en maakte zich op om naar beneden te spiralen. Nog weer zo'n reeks omwentelingen zou ik niet volhouden. En zonder zijn medewerking kon ik niet levend de grond bereiken.

Het beeld van Frisk met de veer van een Roofvogel in zijn manen

427

schoot door mijn hoofd. Halley die ineenkromp toen ik aan een veer van haar bleef haken. Mijn enige kans. Ik pakte een veer vast en trok er hard aan. Er voer een hevige trilling door hem heen.

'Luister goed,' gromde ik, en ik trok er nog een veer uit. Opnieuw sidderde hij. Hij luisterde. 'Je zet me veilig aan de grond,' siste ik, 'of ik trek je een voor een je slagpennen uit. Dan ben je er zelf ook geweest. Ik zal je plukken als een kip.'

Ik pakte nog een veer en gaf er een ruk aan. Hij draaide zich om, sneed de wind af, en zo goed en zo kwaad als het ging gleed hij zuchtend onder mijn gewicht voort. 'Dak,' hijgde hij. 'Iets anders lukt niet. Lager stort ik neer.' Uit zijn verstikte woorden bleek hoeveel moeite vliegen hem kostte. Ik liet mijn greep op zijn veren een fractie verslappen om aan te geven dat ik hem begreep.

De rest van de vlucht kan maar een paar seconden hebben geduurd, maar het waren de langste seconden van mijn leven, waarin de tijd werd uitgerekt als de staart van een komeet, sterren die strepen van snelheid trokken, blauw, groen, rood en wit uitvloeiende lichten, de wind die door me heen sneed, atomen uitgespreid tegen de hemel, deel van die hemel, en een wereld die onder me wegviel.

Zelfs SkyNation viel in het niet bij deze werveling, dit wilde, donkere, neervallende licht. Ondanks de angst, ondanks de woede begreep ik in dat eindeloze moment waarom ze er zo van hielden, waarom ze bereid waren er alles voor op te geven. Gedurende die korte momenten was ik ook een vlieger.

Rondcirkelend boven een doorzichtig gebouw dat van binnenuit blauw glansde, nee, te hoog, nee, nee, niet nu maar nu of nooit, loslaten, op het goede moment loslaten, door de lucht vallen.

Klap. Misselijkmakend. Pijngolven.

In een geruis van vleugels verdween de Roofvogel de lucht in. Omzichtig duwde ik mijn lichaam een klein stukje van de koepel waarop ik lag en ik gluurde om me heen. Ik was heel hoog. Midden in de Stad, op een hoog gebouw, waar de koude wind over me heen gierde.

Mijn enkel brandde. Er liep iets warms langs mijn arm. Ik bekeek het in het kille licht dat van het gebouw straalde. Bloed, dat purperrood omlaagstroomde in het blauwe licht. Het wezen had me langs de muur van het kasteel geschraapt toen ik met hem worstelde, waardoor de leren mouw van het vliegeniersjack en mijn vlees waren opengescheurd. Ik had het niet voelen raspen, maar nu klopte mijn vlees.

Mijn slick. Verrast nam ik op.

'*What the fuck* is er aan de hand, maat?' schreeuwde Henryk. 'De beveiliging van SkyNation heeft ons vliegende eskadron opgeroepen, en dat doen ze nóóit, we mogen nooit in de buurt van dat exclusieve feestje van ze komen, en nu krijg ik ineens te horen dat jij te grazen bent genomen door een Roofvogel. Wat heb jij hier in vredesnaam te zoeken bij die mafkezen – is alles in orde?'

'Volgens mij wel, maar iemand moet me komen ophalen. En snel graag. Waar is Peri?'

'Mick is haar gaan ophalen. Ze is behoorlijk aangepakt, maar ze wil niet dat iemand haar nakijkt. We nemen haar mee naar mijn flat. Er zitten nu toch geen huurders, en ik kan verder geen plek bedenken die veilig is. Waar ben je?'

'Geen idee.' Toen drong tot me door dat ik omgeven was door een koepel van blauw licht. 'Je zult het niet geloven, Henryk, maar ik lig boven op de Serafijnenkerk.'

'Jezus!' blafte Henryk. 'Het minste wat je had kunnen doen is ons niet nog meer werk bezorgen.'

Terwijl ik heen en weer zweefde tussen bewustzijn en bewusteloosheid in afwachting van Henryk en de mensen die me zouden komen redden, en ik me zo goed mogelijk probeerde vast te klampen aan het glasachtige oppervlak van de kerk, werd ik overweldigd door de bijna fysieke herinnering aan de blauwe lucht, de duikvlucht, mijn vallende eeuwigheid als vlieger. Een scherfje van die euforie zou altijd in me achterblijven, een schoonheid en een angstaanjagendheid die even heftig waren als de nacht dat Thomas werd geboren. Nu wist ik dat ik Thomas deze vrijheid, deze volkomen wereld niet kon ontzeggen. Ik had van de hemel geproefd en een glimp opgevangen van de droom die nu zijn erfgoed was. Ik kon hem niet in de weg staan.

Dat wachten op het glibberige dak had angstaanjagend moeten zijn, maar dankzij de tijd die ik had doorgebracht in Nevelstad en SkyNation kon ik mijn duizeligheid voldoende onder controle houden om te kijken naar die enorme, kleurige top van Nevelstad, Chesshyres misschien wel laatste triomf die boven de Stad zweefde.

Toen Henryk en de reddingswerkers vanuit een naburig gebouw het dak op klauterden, zat ik zo heftig te beven van de kou en de shock dat ik nauwelijks een woord kon uitbrengen. Maar toen mijn enkel werd ingezwachteld, barstten Henryk en ik in een woeste lachbui uit bij de gedachte dat we nu net op die ene plek waren waar onze aanwezigheid het allerminst gewenst was. We waren niet tot bedaren te brengen, al was ik wel bang dat ik straks alsnog lachend en wel de duisternis in zou glijden. Toen de reddingswerkers me over de steunbeer hielpen waarover we naar binnen konden komen, zei Henryk: 'Ik dacht dat je misschien wel wilde weten dat we net David Brilliant hebben gearresteerd wegens mensenhandel. En medeplichtigheid aan moord.'

Land in zicht

Ik zat op een stoel in Henryks leegstaande flat, met mijn voet op een kussen. Morgen zou er nieuw bot worden geïmplanteerd om de breuk te helpen helen. 'U mag van geluk spreken dat er niet meer is gebroken,' hadden de reddingswerkers gezegd. Niemand behalve Henryk geloofde mijn verhaal over hoe ik daar terecht was gekomen, totdat ik de rode veren liet zien die ik nog steeds in mijn hand hield.

Henryk liet eten aanrukken, en daarna vertrok hij. 'Ik moet even gaan slapen,' zei hij. 'Over een paar uur moet ik weer aan het werk.'

'Gaat het wel?' vroeg ik aan Peri. Hugo lag in haar armen te slapen. We hadden een omweg moeten maken langs kinderdagverblijf Jack & Jill om hem op te halen.

'Is dit zo'n kinderhotel?' vroeg ik toen we stopten voor een vervallen gebouw met een reclameslick tegen de buitenmuur waarop de tent eruitzag als een vakantieoord, inclusief een met palmen omzoomd zwembad. VAN ZUIGELINGEN TOT KINDEREN VAN 12, stond er op het bord, 24 UUR PER DAG OPEN; WEEKTARIEVEN. OOK VOOR KINDEREN MET SPECIALE BEHOEFTEN. APARTE SLAAPZALEN VOOR JONGENS EN MEISJES. WIJ BIEDEN HUN DE BESTE VAKANTIE ZODAT OOK U DE BESTE VAKANTIE HEBT. 'Ik heb zoiets nog nooit gezien.'

'Jack & Jill?' zei Henryk. 'Het is maar te hopen dat die naam niks zegt over de kwaliteit van hun zorg. Als ik me goed herinner werden die twee nou niet echt professioneel in de gaten gehouden en hielden ze daar een stelletje strafbare beschadigingen aan over.' Hij schudde zijn hoofd. 'Bij JeGez noemen ze dit kinderkennels. Maar ze moeten er zelf ook gebruik van maken.'

Frisk lag naast Peri met zijn kop tegen haar zij geduwd af en toe luidruchtig te ronken. Het leeuwtje verkeerde in trance van gelukzaligheid. Hij gaf zo overduidelijk de voorkeur aan Peri boven mij dat ik erom moest grijnzen, al voelde ik me ook wel een beetje beledigd. Ondankbaar schepsel. Wie heeft er hier je wonden verzorgd?

Wat van het witte poeder dat op Peri's vleugels zat vastgekoekt, was op Frisks snuit terechtgekomen en zweefde nu omlaag op de kussens van de bank waarop ze zat, met haar armen om Hugo heen geslagen. Het vlakke dreunen van de nachtelijke branding kwam door het op een kier staande raam binnendrijven.

'Ja hoor,' antwoordde Peri. 'Maar ik heb overal pijn. Ik moet er niet aan denken wat een pijn het morgen allemaal zal doen.'

'Wat is er precies aan de hand, Peri? Toen ik je bij Janeane sprak, beloofde je dat je Hugo terug zou brengen. Ik weet dat je ook op weg bent gegaan om die belofte in te lossen ...'

'Het volgapparaatje,' onderbrak Peri me. 'Ja, daar ben ik achter gekomen.'

Ik haalde mijn schouders op. 'Dat was het verstandigste wat ik kon doen.'

'Dat weet ik,' zei ze. 'Je hebt mijn leven gered met dat ding.'

'Dus wat is er gebeurd? Je verschijnt niet in de Stad op het afgesproken moment, en zodra je wel verschijnt probeer je Chesshyre te vermoorden. Henryk heeft met de mensen van het ziekenhuis gesproken. Peter is inmiddels stabiel, dus hij mag van geluk spreken dat hij het er levend van heeft afgebracht.'

'Nee,' zei Peri. 'Dat was geen kwestie van geluk. Als ik had gewild dat hij dood was, was hij dat ook geweest. Het was een waarschuwing.'

'Waarom?'

'Hugo is van mij,' zei Peri.

En toen vertelde ze me alles. Over haar plannen om weg te lopen en dat ze daarvan was teruggekomen. Wauw, dacht ik terwijl ik naar haar luisterde. De uitgestrektheid van het land en de zee hadden iets bewerkstelligd wat met geen menselijke argumenten bereikt had kunnen worden: dat Peri inzag hoe klein ze zelf was in vergelijking met de krachten waar ze tegenover stond.

Ze vertelde me over het noodweer, haar redding en de tijd bij Audax, de inval en wat er gebeurd was als gevolg daarvan. Toen ze toe was aan de beschrijving van het gevecht met de Wilden om de Hemelse Richel, had ik het gevoel dat ik een stomp in mijn maag had gekregen.

'Toen Audax me dwong om deel te nemen aan hun inval, vond ik dat erg wreed. Maar uiteindelijk bleek het een van de belangrijkste dingen te zijn die iemand ooit voor mij heeft gedaan, Zeke. Als ik Hugo gewoon terug had gebracht naar de Stad, zoals ik had beloofd, had ik nooit geweten dat ik Hugo's moeder ben. Kun je je voorstellen hoe ik me voel? Als ik vanaf het begin braaf had gedaan wat hoorde, had ik dit nooit geweten.'

Ik dacht aan mijn gesprek met Mira. Dat kon wachten.

'Dus toen besloot je dat je bij terugkomst meteen duidelijk zou maken dat je niet zou toestaan dat Peter Hugo zomaar van je kon afpakken?' zei ik. 'Ik weet niet heel zeker of je daar nu wel de juiste tactiek voor hebt gekozen, Peri.'

Ze staarde me aan. 'Wat had jij dan voorgesteld? Hij had me dat noodweer in laten jagen. Ik was er bijna geweest. En Hugo ook.'

Ik dacht eraan dat Peter me de roos had laten zien die Peri hem had gegeven. Hij had een verhouding met haar gehad, had haar gedumpt en zijn rijkdom en macht misbruikt om haar te dwingen zijn kind ter wereld te brengen, maar ondanks dat alles waren zijn leugens zijn ergste verraad. Hij mocht echt van geluk spreken dat hij nog leefde na wat hij haar had aangedaan.

Peri rilde. Haar huid kreeg een groene zweem.

'Het gaat niet goed met je, Peri. We moeten er iemand bij halen om naar je te kijken.'

'Het komt wel in orde.'

'En wat dacht je nu precies ... Jezus, Peri!' hijgde ik. Er bloeide een rode vlek op aan de voorkant van haar hemd. Ik had nog net tijd om Hugo vast te pakken voordat ze tegen de grond ging.

Toen ik Peri de volgende dag opzocht in het ziekenhuis dat het dichtst bij Flierville stond, lag ze, nog steeds buiten bewustzijn, op de intensive care. Ik was daar die ochtend zelf om mijn enkel te laten behandelen, waarna ik met Hugo, die zich aan mijn hand vastklemde, naar haar zaal hompelde. Ik was geen familielid, maar wie was dat wel?

Ik kreeg te horen dat Peri een paar gebroken ribben had. Ik dacht aan de botversplinterende klap toen ze tegen de Roofvogel aan was gevlogen. Net als bij mij was haar huid geschaafd op haar armen, en nog erger op haar buik, door haar worsteling met de Roofvogel en doordat ze over kantelen van het kasteel was gesleurd. De huid waarmee ze de wonden had besproeid, was blijkbaar even blijven zitten, maar was vervolgens losgesprongen – tenslotte was die eerstehulphuid alleen bedoeld voor kleine wonden. Ze had veel bloed verloren en daar was een hevige infectie bij gekomen.

Ik ging naast het bed zitten en pakte Peri's hand. Haar huid voelde warm en droog aan. 'Kijk, ik heb Hugo meegenomen.'

Hugo tikte tegen Peri's gezicht. 'Op?' zei hij tegen me, en hij trok zijn voorhoofdje in zorgelijke rimpels. 'Mama ug?'

'Ze moet slapen, Hugo,' zei ik.

Toen we weer op straat stonden, boog ik met mijn gewicht op mijn niet-geblesseerde been naar Hugo voorover.

'Wat moet ik nu toch met je aan, Hugo?' Ik voelde er niets voor om te worden aangeklaagd wegens ontvoering. Toen ik met Hugo naar de lightrail liep, viel mijn blik op een van die grote slicks op het perron met advertenties, muziek en nieuws. SCHANDAAL BIJ KINDERMEISJES-BUREAU, luidde een kop. BABY'S TE KOOP, schreeuwde een andere. ONDERZOEK TOT IN DE HOOGSTE REGIONEN VAN MINISTERIE VOOR JEUGD EN GEZIN, luidde de wat ingehoudener kop van een ander nieuwsagentschap. OPPOSITIE EIST ONDERZOEK was een volgende. En: STEMMEN GAAN OP VOOR ONTSLAG HOOFD DEPARTEMENT, DE TWEEDE IN TWEE JAAR. Eindelijk begon het monster dat Cam, Henryk en ik in beweging hadden gezet publiekelijk voort te denderen.

Ik nam Hugo mee naar mijn flat. Halley belde. 'Gaat het een beetje?'
'Ik geloof het wel,' zei ik.

Ik moest hard lachen toen ze me vertelde dat Chesshyre in hetzelfde ziekenhuis lag als Peri. Dat lag ook voor de hand; het was het dichtst bij de plek waar SkyNation was gehouden.

Ik belde naar het huis van de Chesshyre-Katons maar kreeg zoals verwacht geen gehoor. Dus Avis was niet teruggekomen. Ik belde Henryks vrouw Vivienne. Ze vond het niet erg om een middag op Hugo te passen in Zentuin.

Ik trof Chesshyre wakker aan. Hij zat tegen een stapel kussens geleund te lezen.

'Je leeft nog,' zei ik vanuit de deuropening. 'Bof jij even.'

De intensivecare waar Peri lag, was overvol, met groene gordijntjes tussen de bedden en donkere vloerbedekking. Peters kamer was licht en stil, en zo luxueus als een hotelkamer, met blankhouten rolluiken, lichte wanden en een bureau dat vol stond met exotische bloemen, planten en fruit.

Chesshyre draaide de slick in zijn hand om, zodat ik kon kijken. Natuurlijk: de koppen over de arrestatie van Brilliant. 'Er is een hoop nieuws op het moment,' zei hij. 'Heb jij daar soms iets mee te maken?' Zijn huid had de kleur van poedersuiker, een bleekheid die nog eens werd versterkt door de crèmekleurige ochtendjas waarin hij gewikkeld was. Zijn vleugels zaten onder hem weggevouwen en oogden dof, met veren die droog en rommelig waren.

'Ja, daar heb ik inderdaad een hoop mee te maken. En jij ook, trouwens.'

Chesshyre ging wat meer rechtop zitten. 'Kun jij me hier misschien

434

wat meer over vertellen?' zei hij naar een van zijn vleugels wijzend.

'Waarover?'

'Ze hebben een pijl uit mijn vleugel verwijderd,' zei Chesshyre. 'Die kon worden getraceerd naar een wapen dat een paar jaar terug uit een arsenaal is gestolen. Niemand wil me verder iets vertellen.'

'De organisatoren van SkyNation staan er niet om te springen om de zaak verder uit te zoeken. De politie zal zich niet bepaald gemotiveerd voelen om meer te doen, aangezien ze erg weinig medewerking ondervinden van jouw mensen, die zich trouwens voortdurend beroepen op hun eigen beveiliging.'

Chesshyre zuchtte. 'Die hebben er geen zin in dat iemand zich met hun zaken bemoeit, zelfs al betekent dat dat ze in de doofpot moeten stoppen wat mij is overkomen. Maar je weet wel wie het op zijn geweten heeft?'

'Dat weten we allebei,' zei ik. 'Maar jij bent degene die begonnen is met geweld gebruiken.'

'Dus het is mijn eigen schuld? Zij is degene die Hugo heeft gestolen!'

'Jij bent degene die Hugo heeft gestolen, en dat weet je zelf ook wel.' Ik dacht opnieuw aan de rode roos. Waarom was ik hier eigenlijk? Om mijn morele verontwaardiging uit te leven op een gewonde man? Nee. Ik was hier om te kijken of ik ervoor kon zorgen dat dat plan van Peri echt zou werken; ik was hier om Chesshyre ervan te overtuigen dat hij met haar moest onderhandelen, al was het alleen maar omdat steeds meer mensen de waarheid over hem, Peri en Hugo te weten zouden komen.

Chesshyre zweeg.

'Ik wil weten waar Avis is,' zei ik.

'Dat heb ik toch gezegd? Ze is vertrokken. Wat gaat jou dat trouwens aan?'

'Nou ja, er is op dit moment eigenlijk niemand die voor Hugo kan zorgen.'

Chesshyre keek als door een wesp gestoken, en zo had ik het ook bedoeld. Hij schoot overeind. 'Dus je weet waar Hugo is? Is hij veilig?'

'Ja.'

'Ga nou in godsnaam eindelijk eens zitten, Fowler. Je irriteert me mateloos met dat gehang.' Chesshyre gebaarde naar de bezoekersstoel naast zijn bed.

Ik ging zitten.

Chesshyre keek me strak aan. 'Je moet Peri niet meer in bescherming nemen, en je moet me Hugo onmiddellijk teruggeven.'

435

'Hoe wilde je hier voor hem zorgen? En bovendien werk ik niet meer voor je, weet je nog wel?'

'Dat heeft er niets mee te maken. Hugo is mijn zoon.'

'En die van Peri. Je kunt je niet van haar ontdoen, Peter. Dat heeft Brilliant met Luisa Perros geprobeerd, en dat heeft een hoop nieuws opgeleverd, zoals je al zei.' Ik haalde diep adem. 'Peri is erg ziek. Als ik jou was, zou ik maar bidden dat ze niet doodgaat. Wanneer ze wakker wordt, moet je met haar praten en besluiten wat voor regelingen jullie gaan treffen. Je kunt Hugo niet zomaar van haar afnemen. Peri heeft duidelijk genoeg gemaakt dat ze dat niet zal laten gebeuren.'

'Flauwekul,' snauwde Chesshyre. 'Hugo komt bij mij wonen.' Maar hij keek nadenkend.

'Waar is Avis nou toch?' vroeg ik.

'Weg,' zei Chesshyre. 'Dat heb ik al gezegd.'

'Ja, maar waarheen? En waarom?'

'Wie zal het zeggen? De mensen van haar bedrijf bellen me dag en nacht. Over drie weken moet haar nieuwe collectie uitkomen, maar er is taal noch teken van haar.'

'Je weet vast wel waarom Avis is weggegaan, Peter.'

Chesshyre knipperde met zijn ogen. 'Ja,' zei hij. Hij zuchtte diep. 'Dat weet ik inderdaad. Vroeger was ik net als jij een niet-vlieger. Ik kreeg pas op mijn zeventiende vleugels.'

Ik knikte. Hij maakte een omtrekkende beweging om mijn vraag te beantwoorden. Dit was de toeristische route. Zijn verwonding, het feit dat hij in het ziekenhuis lag, de schok vanwege Avis' vertrek, en zelfs het nieuws dat Hugo bijna onder handbereik was – dat alles betekende dat hij wel moest praten.

'Het heeft me een hoop tijd gekost voordat het tot me doordrong. De tien jaar tussen mijn twintigste en mijn dertigste waren een en al euforie – het genot om te kunnen vliegen, het begin van mijn carrière. Er ontbrak iets essentieels aan mijn geluk, maar dat negeerde ik. Ik voelde me namelijk niet aangetrokken tot andere vliegers. Al mijn gedachten gingen over vrouwen die geen vleugels hadden. Dat waren degenen met wie ik was opgegroeid; zij waren in mijn ogen de echte vrouwen. Maar gemengde huwelijken functioneren niet. Nou ja, een enkele uitzondering daargelaten. Ik heb ooit gedacht dat ik van Avis hield. Maar ik heb haar nooit begeerd. Geen enkele vlieger, trouwens. Nooit.'

Chesshyre viel stil toen er een verpleegkundige geluidloos binnenkwam op schoenen met dikke zolen. Ik ging discreet bij het raam staan toen ze zijn temperatuur opnam of wat ze dan ook moest doen, maar inwendig ziedde ik. Zou Chesshyre wel doorpraten na deze onderbreking? Na het vertrek van de verpleegkundige ging ik weer op mijn stoel zitten, en Chesshyre begon zonder me aan te kijken weer te praten. Hij wilde duidelijk afmaken wat hij te zeggen had.

'Ik zou er heel wat voor overhebben om te achterhalen of dit veel voorkomt. Ik ben er zelfs voor bij iemand geweest. Toen ik hem vroeg of er andere vliegers waren die dat gevoel ook hadden, zei hij dat we daar niet zaten om het over andere vliegers te hebben. Ik had hem wel kunnen vermoorden. Want dat was wat ik nou juist moest weten. Hij dacht dat het iets van voorbijgaande aard was. Dat de nieuwe generatie die met vleugels opgroeide niet beter zou weten. Wist ik dat maar zeker.'

Het schoot me te binnen dat het wel een tikje laat was om zich daar zorgen over te maken, maar ik hield mijn mond.

'Vliegers zijn mooi,' zei Chesshyre. 'Dat is het probleem niet. Maar schoonheid en seksuele aantrekkingskracht hangen alleen zijdelings met elkaar samen. Er is zoveel schoonheid op deze wereld die je niet op die manier aanspreekt.'

Ik krabde op mijn hoofd. 'En daarom besloot je maar met Peri te neuken? Schei nou toch uit, Peter. Ik geloof helemaal niet dat dat iets met schoonheid te maken heeft. Dat heeft met macht te maken.'

Chesshyre wierp me een scherpe blik toe. 'Je hebt geen flauw idee waar je het over hebt,' zei hij. 'Je hebt er geen notie van wat heftigheid, wat macht en controle werkelijk kunnen zijn.'

'Nou ja, aan mijn voorstellingsvermogen zal het niet liggen,' zei ik. 'Als je de spanning voortdurend opvoert waardoor elke seksuele ontmoeting een kwestie van leven of dood kan worden, kan ik me voorstellen dat het moeilijk wordt om met minder genoegen te nemen. Dat soort dingen werkt vaak verslavend.' Ik moest aan Ruokonen denken. De vruchtbaarheid kan te lijden hebben onder de behandelingen. *Je wordt een ander mens als je vlieger wordt. Andere dingen worden belangrijk voor je.*

'Dus dat heb je eindelijk aan Avis verteld, hè?' zei ik. 'Dat Peri Hugo's moeder is? Maar dat was een beetje een misrekening van je, nietwaar? Was je er zo aan gewend dat je Avis niet zwanger kon krijgen dat je vergat dat het met iemand anders misschien makkelijker zou gaan? Dus daarom begon alles mis te lopen toen jullie de uitslagen van de test binnenkregen. Je wist dat Avis erachter zou komen dat ze niet eens genetisch gezien Hugo's moeder was, en daar had ze niet voor getekend. Het ging allemaal scheef en jij moest haar vertellen waarom. Jezus, die arme Avis. De baby die niet van haar was, wat ze vast allang had gevoeld, net zoals ze altijd al had geweten dat jij haar niet begeerde. En dat je dat nooit had gedaan. Geen wonder dat ze problemen had.'

Peter keek naar de slick in zijn hand.

'Ik wist vanaf het begin dat je niet eerlijk tegen me was, maar ik kwam niet op het idee dat je Peri haar eigen kind zou ontzeggen. Mensen van jullie slag zijn echt monsters. Misbaksels.' Ik stond bijna naar hem te spugen. 'Hebben ze soms je hart eruit gehaald toen je vleugels kreeg?'

'Doe toch niet zo naïef, Fowler,' zei Chesshyre, en hij tilde zijn hoofd op om me aan te kijken. 'Het was gewoon aardiger tegenover Peri om het haar niet te vertellen. Ze moest hem toch opgeven.'

'Ze was doodsbang dat jullie hem zouden wegsturen en vond het onverdraaglijk om te zien dat jullie minder van hem hielden omdat hij niet op jullie leek,' snauwde ik terug. 'Volgens mij had ze jullie behoorlijk goed in de peiling. Geen wonder dat Avis 'm is gepeerd. Al was ze geen haar beter dan jij, hè? Je zwangerschap en de bevalling uitbesteden aan een vrouw met minder geld. Alsof Hugo een stapel wasgoed is die ze niet wil strijken. Ze had er vast geen spijt van dat die hele ervaring aan haar neus voorbijging. Zolang Hugo's genen maar voor de helft van haar waren.'

Nu was Chesshyre kwaad. Hij legde de slick weg en ging met een vertrokken gezicht van de pijn rechtop zitten, uit de buurt van de stapel kussens. 'Hoe haal je het in je hoofd om zo zelfingenomen te doen, Fowler? Makkelijk zat om zo sentimenteel te doen over zwanger zijn en bevallen als je het zelf allemaal niet hoeft door te maken. Wat is er zo nobel aan striae, een uitgescheurde vagina en keizersnedes? Het is barbaars. Weef jij je eigen stoffen, kweek jij je eigen voedsel? Het is doodgewoon een kwestie van ergens een grens trekken. Jij doet sentimenteel over zwangerschap en geboorte omdat ze in jouw familie geen andere keus hadden.' Uitgeput viel Peter terug tegen de kussens.

'En ik zal je nog iets anders vertellen,' zei hij even later. 'Dat hele schandaal over de Engeltjes, de kerk en het ministerie zal veel meer kwaad dan goed doen. Dacht je nou werkelijk dat jij een soort prins op het witte paard bent die hulpeloze meisjes komt redden? Zal ik je eens wat vertellen? Die zullen je echt niet dankbaar zijn. Je hebt er alleen maar voor gezorgd dat het voor meiden die toch al niets hebben nog moeilijker wordt om het enige te verkopen wat ze in de aanbieding hebben en op die manier een klein stapje hoger op de maatschappelijke ladder te komen. Wie ben jij dat je mag uitmaken dat dat niet mag?

Dacht je dat Peri die vleugels van haar liever niet had gehad? Dat moet je haar toch eens vragen.'

Ik wierp hem een woedende blik toe en keek toen omlaag naar de slick die Peter op het nachtkastje had gelegd. Mijn aandacht werd getrokken door de beelden die opkwamen en vervloeiden: gezichten op een huis alsof het al was gebouwd.

'Vertel me nou eindelijk maar eens waar Hugo is,' zei Chesshyre terwijl hij opzijkeek om te zien waar ik naar keek.

'Natuurlijk,' zei ik met mijn blik nog steeds op de slick. 'Zodra jij een afspraak hebt geregeld met Peri en de advocaten. Peri's advocaat zal contact met je opnemen. Op dit moment heb je niemand die op hem kan passen.'

'Maar binnenkort wel,' zei Peter.

'Een nieuw kindermeisje? Omdat het vorige zo'n succes was?'

Peter ging daar niet op in en wees naar de slick. 'Daar komt Hugo te wonen.' Hij haalde zijn vinger over het scherm waardoor er gedetailleerdere beelden bovenkwamen. 'Dit huis bouw je niet, dit laat je groeien. De kleuren en de texturen ontwikkelen zich uit bloemblaadjes, bladeren en schors. Elke kamer heeft zijn eigen geur – sinaasappel, vanille, hooi, tijm. En het kan zichzelf min of meer repareren.'

'Wat schitterend,' zei ik, tegen wil en dank diep onder de indruk. Chesshyre was dan een meedogenloze klootzak, maar wel een meedogenloze klootzak met talent. Hoe kon hij me nu dit werk laten zien, zijn ware passie, alsof al het andere gewoon niet was gebeurd, al tot het verleden behoorde? Hij had echt alles achter zich gelaten. Geen vrouw meer, geen huis boven op een klip. Geen Frisk. Hij had het niet over de leeuw gehad, had zelfs niet geïnformeerd hoe het met hem ging. Het was veel te makkelijk om de behandelingen, de lichaamsvreemde genen de schuld te geven. Het was blijkbaar heel menselijk om de moeder van zijn enige kind op die manier te behandelen. Om zijn kind zo te behandelen. Begrijp je dan niet wat het werkelijke offer is? Dat is Hugo.

Een groene, verticale weide vol bloemen vormde muren rond een binnenhof. Zo'n huis zou ik zelf ook wel willen hebben. Peter wilde Hugo het beste geven wat hij te bieden had, dat zag ik ook wel, maar ik wilde tegen hem zeggen: het beste is niet goed genoeg, snap dat dan toch. Je moet alles geven. Het huis rees op uit de aarde als een vuurrode pronkboon aan een staak, met Peters kamers bovenin. Wij krijgen last van claustrofobie; zij krijgen hoogtevrees.

Chesshyre deed zijn ogen dicht om me duidelijk te maken dat het gesprek was afgelopen, en ten afscheid voegde hij me nog even koeltjes toe: 'Hugo is van ons. Vergeet dat niet. Op zijn geboortebewijs staan Avis en ik als zijn ouders vermeld.'

Ik ging zo vaak als ik kon bij Peri op bezoek, maar ze was nog steeds buiten bewustzijn. Ik zei tegen Henryk dat de infectie niet reageerde op de behandeling. 'Zeker weer een van die superbacillen,' zei hij. Vivienne, hij en ik stelden een rooster op wie wanneer op Hugo paste in de paar dagen dat Peter nog in het ziekenhuis lag. We konden het alle drie niet verdragen om hem terug te brengen naar het kinderhotel. Hij vond het heerlijk om met de tweeling te spelen en was dolblij om Frisk weer te zien. De leeuw begon er al een beetje oud en stijf uit te zien en gedroeg zich net zo gelaten als iedere andere grootvader. Het kleintje mocht aan zijn oren, manen en staart trekken zoveel hij wilde. Hij liet Hugo zelfs een paar stapjes op zijn rug rijden, voordat hij hem zachtjes weer op de grond liet rollen, tot groot plezier van Hugo.

'Ik denk er liever niet over na wat ze er bij JeGez van zouden zeggen dat we zonder toestemming voor Hugo zorgen,' zei Henryk toen ik op een avond bij hen at. Hugo zou bij hen blijven slapen. 'Maar je kunt daar toch niemand te spreken krijgen. Het hele ministerie ligt plat.'

'Cam heeft me gebeld,' vertelde ik. 'Zodra ze een getuigenverklaring heeft afgelegd bij de onderzoekscommissie, gaat ze weg. Ze is geschorst. Volgens haar zal het feit dat ze de ernstigste schendingen van vertrouwen en procedures, om nog maar te zwijgen van de wet, binnen het ministerie aan het licht heeft gebracht ermee worden beloond dat ze op het nippertje zal ontkomen aan gevangenisstraf omdat ze de veiligheid in gevaar heeft gebracht.'

'Wat schunnig,' zei Henryk.

Een donderslag klonk vlak boven het huis.

'Ik zal zelf ook moeten getuigen bij de onderzoekscommissie,' zei ik.

Bliksem flitste langs de hemel en het begon te plenzen. Alweer noodweer in deze lange, natte, woeste zomer.

'Waar gaat ze precies heen?' vroeg Henryk.

'Naar een boeddhistisch klooster, blijkbaar. In haar cultuur is dit het juiste moment in haar leven om zich met haar spirituele ontwikkeling bezig te houden.'

Een paar weken later belde Henryk op. 'Kijk je op dit moment naar het nieuws?'

'Ik kijk altijd naar het nieuws,' zei ik. 'Helemaal nu Cam, jij en ik er voor een groot deel de hand in hebben. Ik heb erg genoten van de arrestatie van mevrouw Harper en haar heftige ontkenning dat ze ook maar iets op haar geweten had. Dat onbeweeglijke kapsel van haar zag er ineens heel rommelig uit.'

'Zet het nu aan,' zei Henryk. 'Ik blijf even hangen om je reactie te horen.'

'Oké.'

Het nieuws begon. Eerst een item over een orkaan van categorie 6. Daar zat wat in. Tegenwoordig leek het nieuws altijd met het weer te beginnen in plaats van ermee te eindigen.

'Daar komt het,' zei Henryk.

'Daar heb je een van jouw knapen,' zei ik toen ik een rechercheur de kampong van de Oorsprong binnen zag lopen. 'Fantastisch.'

Het volgende wat we zagen – wat mij betreft met een bijna hysterisch genoegen – was de arrestatie van Zijne Stralendheid de Doorluchtige Trinity Jones.

Heel even was ik sprakeloos.

Het was verrukkelijk om eindelijk, eindelijk te zien hoe Jones geboeid werd afgevoerd uit zijn kampong – met op de achtergrond die verdomde zonnejachten, net als die keer dat wij een inval hadden gedaan – op beschuldiging van een forse partij aanklachten, van mensenhandel tot ontvoering en moord.

Hij had een blik in de ogen waaruit hevige angst sprak, met zo'n wit masker rond zijn ogen. Nou weet je eindelijk hoe dat voelt, klootzak. Hier kom je niet mee weg. Nu niet. Het schandaal rond Brilliant werd gebruikt om de Oorsprong en zijn stiekeme bezigheden met een stomp voorwerp open te breken.

'En weet je wat zo grappig is?' zei Henryk. 'Het is nog niet bekend, maar wat Trinity pas goed zal treffen, waar hij echt door onderuit zal gaan, is belastingontduiking.'

'Dus die specialist van je die financiële gegevens boven water haalt heeft zijn naam waargemaakt?'

'Nou en of,' zei Henryk. 'Al die prachtige stromen zwart geld van rijke vliegers. Eindelijk kan de overheid verhaal halen voor de misdaad die er echt toe doet.'

Dat dachten we op dat moment tenminste. Maar er bleek nog een slinger in Trinity's bankschroef te zitten die ik pas later in de gaten kreeg.

Peri had inmiddels een kamer voor zichzelf in het ziekenhuis, die bijna net zo luxueus was als die van Peter. Ik nam aan dat hij daarvoor betaalde, nu hij Hugo terug had.

Ze lag roerloos op haar zij als een gebeeldhouwde engel op een graf. 'Wat verschrikkelijk, Peri,' zei ik.

Ze wierp me met glinsterende ogen een blik toe, maar kwam niet in beweging.

De mens is voor het ongeluk geboren, zoals vonken uit het vuur opspatten.

'Wat is er precies gebeurd?'

'Wat denk je zelf? Mijn advocaat kreeg geen poot aan de grond met dat team van Peter.' Peri zuchtte. 'Hij deed wat hij kon. En het was beter dan niets, beter dan ik had mogen hopen. Ze gaan het geboortebewijs veranderen. Ik ben alleen niet de verzorgende ouder, zoals dat heet. Hij gaat bij Peter wonen. En ik mag contact hebben. Ik mag hem bezoeken. In het begin onder supervisie.'

Ik wilde op Peri afstappen, maar ze gaf met een gebaar te kennen dat ik weer moest gaan zitten. Ze wilde niet dat ik namens haar verontwaardigd was. Ze probeerde zichzelf in bedwang te houden, maar de dam stond op het punt van doorbreken. 'Hij is hier niet. Ik kan gewoon niet geloven dat ze hem zomaar hebben meegenomen. Hij moest vreselijk huilen.' Ze schudde haar hoofd. 'Zeg alsjeblieft niets. Ik kan het niet verdragen. Ik heb mijn best gedaan. Ik heb geen geld, geen plek om te wonen. Ik heb een verleden van mishandeling, verwaarlozing en pleegzorg, dus ik ben degene die wordt gestraft. Ze proberen me niet aan te klagen voor ontvoering van mijn eigen kind, maar Chesshyres team kan me op wel acht manieren laten overkomen als een risicofactor.'

Peri snoof. 'Maar er is één pluspunt. Avis is in geen velden of wegen te bekennen. Wettelijk zijn Peter en ik Hugo's ouders. Nee, eigenlijk zijn er twee pluspunten. Die beslissing over zijn hoofdverblijfplaats is tijdelijk. En ik weet hoe het zal gaan. In het begin zal hij dolblij zijn om Hugo terug te hebben, maar ik weet wat voor uren hij maakt, hoe druk hij het heeft, hoe leuk hij dat allemaal vindt. Hij neemt gewoon iemand in de arm om voor Hugo te zorgen en uiteindelijk ziet hij hem nauwelijks.' Ze ziedde van woede. 'Waarom konden ze hem ... Waarom konden ze hem niet gewoon aan mij geven? Dat hadden ze net zo goed kunnen doen.' Ze ging met haar gezicht omlaag liggen jammeren alsof haar hart brak.

Ik legde mijn hand op haar schouder. 'Peter is kwaad. Dat zal je niet verbazen. Maar het wordt vast allemaal makkelijker. Gaandeweg krijg je Hugo steeds vaker te zien.'

Peri ging met een strak gezicht overeind zitten. 'Ik heb mijn verdiende loon gekregen. De enige die heeft geleden zonder het te verdienen is Hugo.'

'Wat bedoel je?'

'Ik dacht dat ik wist wat het beste was. Dat ik Hugo hielp. Maar ik ben degene die hem heeft geschaad. Het is al erg genoeg dat hij sinds dat noodweer waar we in terecht zijn gekomen niet meer tegen vliegen kan, maar hij is ook nog eens meegenomen door een Wilde tijdens het gevecht boven de Hemelse Richel. Ik kan me niet voorstellen dat hij ooit weer zal willen vliegen.'

Ik zweeg. Het had geen zin om haar te troosten met wat loze kreten. 'Ik kan onderdak voor je regelen. Henryk is op zoek naar een huurder. Maar hoe betaal je daarvoor?'

Peri wreef in haar ogen. Ik gaf haar een papieren zakdoekje en ze snoot haar neus. 'Om te beginnen meld ik me bij de vliegsportschool. Ik ben beter dan alle instructeurs bij elkaar.'

Ik bleef bij Peri zitten tot ze in slaap viel. Terwijl ik naar haar zat te kijken, met de tranen die op haar wangen droogden en haar ademhaling die vertraagde tot hij diep en gelijkmatig was, bedacht ik hoe vreemd het aanvoelde dat deze zaak eindelijk achter de rug was. Hugo was bij zijn vader, omdat het ouderschap was toegewezen aan de hoogste bieder. Daar was niets nieuws aan. Chesshyre dacht dat hij het allemaal keurig had geregeld. Peri zou Avis en hem een baby bezorgen. En wat was er scheef gegaan? Een natuurlijke bevruchting en geboorte. Omdat hij met haar had geneukt. Waarom? Omdat hij dat wilde. Omdat hij het kon. Omdat hij haar zwanger kon maken, al was hij zich misschien niet echt bewust van dat motief. 'De natuur geeft niks om jouw geluk,' zei mijn vader vaak als hij me wilde waarschuwen om mijn eerste vriendinnetje niet zwanger te maken. 'De natuur geeft er niks om of jij die baby wilt. Een baby is wat de natuur wil. Daar is niets persoonlijks aan.' We doen maar steeds alsof de link tussen seksualiteit en vruchtbaarheid zo makkelijk kan worden verbroken, maar Peter gaf toe dat hij zich niet aangetrokken voelde tot vrouwen met vleugels. Misschien was hij er gewoon nog niet achter hoe dat kwam.

Ik had weer een afspraak met Sunil bij Kamchatka Joe, en hoopte dat hij me had laten komen om me een nieuwe opdracht te bezorgen. Hij was er al toen ik verscheen en zat te lezen.

'Boeiend artikel,' zei hij glimlachend.

'Waar gaat het over?'

'Het is een analyse van het schandaal rond de Oorsprong. Ze onderzoeken de mogelijkheid dat de Doorluchtige Trinity Jones niet per ongeluk op het idee is gekomen om een handel in baby's te beginnen. Voor iemand die aan klinefelter lijdt maar zo'n reusachtige machtshonger heeft dat hij zijn eigen sekte heeft georganiseerd, voor iemand die zichzelf als een halve man beschouwt vanwege die kleine testikels van hem en zijn aangeboren onvruchtbaarheid, moet het een bedwelmende gedachte zijn geweest om de handel in andermans vruchtbaarheid in handen te hebben – en dan vooral de vruchtbaarheid van de rijke en machtige vijanden van alles waar hij naar eigen zeggen voor staat. En dan ook nog eens een uitermate lucratieve handel.'

Ik knikte. 'Daar zit wat in.'

Mijn arm deed nog steeds pijn op de plekken waar mijn huid eraf was geschuurd, al was er allang weer echte nieuwe huid overheen gegroeid. Ik zat er nadenkend overheen te wrijven.

'Ik neem aan dat de informatie die ik je over Brilliant heb bezorgd niet meer zoveel zin heeft, nu hij in dat schandaal is verwikkeld?'

Sunil keek me strak aan. Toen begon hij te lachen. En ik ook, al wist ik niet echt waarom.

'Denk je dat nu echt?' zei Sunil toen hij weer een woord kon uitbrengen. 'Is dat even geweldig. Laat ik je dan vooral niet uit de droom helpen.'

'Dus ik ben een beetje traag van begrip?'

'Voor een detective ben je bij lange na niet achterdochtig genoeg, Zeke.'

Ik staarde hem aan. In mijn hersens begonnen de raderen te draaien.

'Aha, ik vat 'm,' zei ik. 'Je was helemaal niet zo geïnteresseerd in Brilliant. Dat hij nu is aangeklaagd wegens medeplichtigheid aan moord is mooi meegenomen. Brilliant en de kerk zijn een kwestie van collateral damage; het ging je al die tijd om Trinity. Jij dacht dat er iets verdachts speelde tussen Brilliant en Waterhouse, en ik heb bewezen dat je daar ontzettend gelijk in had. Mijn informatie en de onthullingen van Cam waren nuttig; ze zetten de lawine in beweging, maar de storm waarin Brilliant en de kerk terechtkwamen, en vervolgens onafwendbaar de Oorsprong en Trinity net zo – daar werkte je al vanaf het begin naartoe. Het was alleen een kwestie van op het juiste moment wachten om de zaak aan het rollen te brengen.'

Sunil grijnsde. 'Dacht je dat ik niet had voorzien wat er met Brilliant zou gebeuren?'

'Bedoel je dat je wist dat ik Henryk erbij zou betrekken? Ik ben dus een uitstekende pion. Het financiële recherchewerk dat zijn mensen hebben verricht was waarschijnlijk heel nuttig voor je baas, neem ik aan. Wie dat dan ook mag zijn.'

'Zie je wel?' zei hij. 'Je komt er wel achter als je de boel op een rijtje zet.'

'Wat kun jij toch een neerbuigende klier zijn,' zei ik.

Ineens zag ik met oogverblindende duidelijkheid wie Trinity's echte vijand en Sunils baas was: de ex-minister met zijn vele machtige vrienden, wiens dochters jaren geleden door de Oorsprong waren ontvoerd. De zaak-Charon, de zaak die me jaren geleden een beetje bekendheid had bezorgd, broeide nog steeds in de politiek. Wraak kan het best koud worden geserveerd, zegt men, en dit gerecht werd op het absolute nulpunt opgediend.

Dus ik was toch echt een dienaar van Nemesis.

'Goed werk, Sunil,' zei ik. 'Gefeliciteerd.'

En dat was het ook echt. Hier waren de meesters aan het werk geweest. En beide keren was ik een van de werktuigen geweest waarmee vergelding werd uitgedeeld, de eerste keer bij toeval, de tweede keer met opzet. Een elegantie die ik op het conto kon schrijven van Sunils intellect en zijn liefde voor het spel.

De operatie

Dit was duidelijk het seizoen van de ziekenhuisbezoeken. Ik was aan mijn enkel geholpen en had Peter en Peri opgezocht, maar nu was het moment van de waarheid gekomen, de afspraak waar ik het meest tegen opzag. Nu zat ik in de wachtkamer naast Lily op Thomas te wachten. Na alle voorbereidende behandelingen en therapieën was vanochtend dan eindelijk het moment aangebroken waarop hij zou worden geopereerd. Thomas was meegenomen naar een ander land, daar achter de klapdeuren. Als hij weer verscheen, had hij een transformatie ondergaan.

Ik had verwacht dat Lily dolblij zou zijn, maar dan had ik haar onderschat. Ze was teruggetrokken, en zelfs angstig. Ze was eenvoudig gekleed in haar gebruikelijke grijs en had dossiers meegenomen om door te lezen, maar ze keek er niet naar. Ze zat op een witte plastic stoel in de wachtkamer en staarde naar de televisie die hoog aan de muur hing. Ik haalde koffie voor ons beiden. Ze nam een slok, maar raakte hem verder niet aan. 'Hij zag er vreselijk klein uit,' zei ze, met haar gezicht omhoog naar de tv.

'Ja,' zei ik. Thomas had er piepklein uitgezien toen ze hem de operatiezaal in reden, zo tussen de blauwe lakens en al die toestellen in zilver met matzwart. 'Dappere Thomas,' had ik hem toegefluisterd. Ik werd overspoeld door het heftigste schuldgevoel dat ik van mijn leven ooit had gehad. Lily en ik hadden hem afgeleverd bij een martelkamer. Medicijnen, maskers, naalden, messen. Hoe hadden we dit ons jongetje kunnen aandoen? Juridisch gezien was een chirurgische ingreep een mishandeling, een misdaad die alleen werd gerechtvaardigd omdat iemand toestemming had gegeven of omdat het noodzakelijk was. Nou ja, toestemming hadden we gegeven, maar was het ook noodzakelijk? Had Thomas zijn toestemming gegeven als hij had geweten waar hij aan begon?

Nu zat er niets anders op dan maar te zitten wachten en te hopen dat er niets misging tijdens de ingreep, dat er niets misging tijdens zijn herstel, dat er nooit meer iets zou misgaan wat misschien mijn schuld was.

Lily zat op de zijkant van een vinger te bijten, een oude gewoonte waarvan ik had gedacht dat ze die allang had afgeleerd. Zachtjes trok ik haar hand bij haar mond vandaan. Ze liet hem even rusten in de mijne, waarna ze haar handen op haar schoot verstrengelde.

'We zullen hier wel een hele tijd zitten,' zei ze.

Ik stond op en begon de kamer rond te lopen. Over de blauwe streep die door het gangpad liep in de richting van de klapdeuren aan het ene uiteinde van de kamer en terug naar de ramen aan het andere uiteinde. De ingreep was weliswaar niet bijzonder riskant, hadden ze me verteld, maar het was inspannend en tijdrovend – vanwege al die spieren en zenuwen die keurig aan elkaar moesten worden gehecht.

Die ochtend kwam de zon maar niet van zijn plaats. Telkens wanneer ik naar het raam liep, stond hij nog op precies dezelfde plek als daarvoor. Ziekenhuistijd. Krijtwitte tijd die alleen een sprong vooruit doet bij maaltijden, en dat dan alleen nog als je patiënt bent. Ik stond erop om op zoek te gaan naar iets te eten en keerde terug met frisdrank en in plastic verpakte boterhammen. Ook die roerde Lily geen van beide aan.

De middag was schroeiend heet, de hemel gesmolten wit. Een vrouw in een blauw operatieschort met bloedvlekken – die van Tom – liep naar ons toe terwijl ze haar masker afdeed. 'Thomas ligt nu op de uitslaapkamer,' zei ze. 'Het gaat goed met hem. Jullie kunnen naar hem toe als hij weer op zaal ligt.'

Lily schoot overeind. Ineens was ze uitgelaten. Na al dat wachten was Thomas een presentje dat ze eindelijk mocht uitpakken. Hoe zou hij eruitzien?

Toms bed stond naast een raam op het westen. Hij werd door de zon beschenen. Lily en ik stonden naar hem te kijken. Ogen dicht, in slaap. Het laken opgetrokken tot aan zijn kin.

Lily stak haar hand uit en pakte de zoom van het laken.

'Wat doe je nou?'

'Ik wil ze zien.' Langzaam trok ze het laken omlaag naar zijn enkels.

En daar waren ze. Ik moest toegeven dat Ruokonen zichzelf had overtroffen.

Toms witte lijfje, dat zo mager was als een van de bast ontdane twijg, was bedekt met prachtige, zware, warme vleugels, die over hem heen lagen alsof ze uit zuiver goud waren gesneden.

Lily begon te snikken.

De zon belichtte elke volmaakt gesneden en uitgewerkte veer alsof hij was geëtst.

We stonden toe te kijken hoe hij ademhaalde, waarbij de vleugels een heel klein beetje omhoogkwamen, en de zon zakte achter onze rug omlaag, en met het veranderen van de inval van zijn stralen vonkten Toms veren scherp groen.

Ik boog me voorover en kuste mijn zoon.

De trek

Onder de voortdurende slagen van de wind krasten de bomen langs de hemel. Gejammer drong door in Peri's dromen, met die steeds aanzwellende klank die noodweer aankondigt. Ze lag hijgend op haar rug en gaf zich over aan de weelderige angst, een genot dat even zuiver en gruwelijk was als het moment waarop ze zich samen met Jay had laten vallen. Toen ze terugviel in haar ademhaling, luisterend naar de wind, voelde ze weer haar gewichtloosheid boven het onweer, die ene seconde dat ze daar had gehangen met de felverlichte kromming van de aarde beneden zich. Ze sloot vaak haar ogen om die eeuwigheid opnieuw te beleven, die ademloosheid voordat ze in de duisternis omlaagstortte, met een onwaarschijnlijke angstaanjagendheid die een talisman was geworden voor haar ziel.

Frisk rekte zich uit aan het voeteneind van het bed. Zijn vacht was opgedeeld in lichte en donkere vlakken volgens het patroon van het geperforeerde licht dat door het raam naar binnen viel. Ze boog voorover en begroef haar handen in zijn manen. Fijn om die ruwe warmte van zijn vacht te voelen. Frisk gaapte en draaide zich om in zijn slaap.

Peri ging op haar zij liggen en stopte haar hoofd onder een kussen. Hugo begon altijd om haar te roepen wanneer hij donderslagen hoorde. In die nachten sliepen ze altijd tegen elkaar aan opgekruld. Zelf was ze niet meer bang voor het onweer – er waren heel veel dingen waar ze niet bang meer voor was –, maar als ze weerloos lag te slapen en de huilende wind doordrong in haar dromen, werd ze vaak ontreddered wakker als Hugo er niet was, en dan hoopte ze maar dat iemand hem bij Peter thuis zou troosten.

Ze stond op en slofte naar Hugo's kamer, die vervuld was van zijn afwezigheid, zijn warme, zoete geur. Ze trok de deur dicht en liep naar de keuken voor een glas water. De warrelende bladeren van de eik voor het keukenraam zetten haar in een warme gloed.

Peri zou dolgraag weten wat er van Avis was geworden. Peter had niets gehoord. Er was een onderzoek ingesteld, Peter werd zelfs even verdacht, maar er waren geen aanwijzingen dat ze het slachtoffer van een misdrijf was geworden. 'Musdrijf,' zeiden vliegers veelbetekenend onder elkaar. 'Ze is gewoon Wild geworden. Dat is zo duidelijk als wat. En het enige wat ze kunnen zeggen is dat er gebrek aan bewijs is.' Haar verdwijning baarde nogal wat opzien: ze was al beroemd, en na haar verdwijning werd ze nog beroemder. Peri's angsten waren dezelfde vorm gaan aannemen. Avis die Wild was geworden, voedsel naar binnen schrokte, krijste terwijl ze Hugo wegrukte en mee terug de lucht in nam.

Peri zette haar lege glas in de gootsteen. De wind beukte tegen de flat. Hugo had nu zijn eigen huis, het huis waarvan Peter had besloten dat hij er hoorde te wonen. Ze wist dat Peter talent had, maar ze had gedacht dat het een talent was voor grootsheid, luister en indrukwekkendheid. Ze had niet geweten dat hij het in zich had om een huis als een wolk te scheppen, waarin elke kamer zijn eigen schitterende tint had gekregen. De kleuren van de zonsondergang: roze, paarsblauw, helderrood. Muren ontrolden zich als golven of ontluikende bloemen. Ze leden er niet onder als Hugo er verf tegenaan gooide of ertegenaan reed met zijn vrachtwagens.

Peri keek zuchtend uit het raam. Dit zou een van de slechte nachten worden, een nacht waarin de muren op haar afkwamen. Haar vermogen om om te gaan met afgesloten ruimten nam verontrustend snel af. Ze ging vaak in de zilvereik voor de deur liggen dommelen op het houten platform dat andere vliegers er hadden aangebracht, luisterend naar de voortbewegende lucht. Dan keerde ze terug naar haar tijd op de Hemelse Richel bij de vliegers van Audax. Het was iets wat klopte en tegelijkertijd verontrustend was. Alsof dat deel van haar dat Wild was dan ontwaakte en krachtiger werd. Met dat deel van zichzelf, het wezen dat ze werd als ze vloog, moest ze vrede zien te sluiten.

Dan maar terug naar de slaapkamer. Ze wist wanneer ze was verslagen. Ze trok haar nachtgladpak aan, dat snippers licht van maan en sterren opving om haar vaag zichtbaar te maken in het donker.

Peri vloog tot boven de oceaan, waar ze het allerliefst overheen vloog. Beneden schommelden een paar glinsterende naalden in zee. Vissersboten, maar te weinig om ze een vloot te noemen. Er bestonden geen vissersvloten meer.

Niet lang nadat Peri bij de vliegsportschool was begonnen, keerde Niko terug naar de Stad. Alleen. En onmiddellijk werd er door Diomedea een zaak tegen hem aangespannen omdat hij hun onderzoeksrapporten had gepubliceerd. Niko was dolblij. Diomedea was zo stom geweest om Niko aan te vallen op zijn eigen terrein. 'Ze hadden niet durven dromen dat het zover zou komen,' zei hij. 'Ze dachten dat ze me bang konden maken. Er is één ding dat je nooit moet doen,' zei hij tegen Peri, 'en dat is iemand voor het gerecht dagen die niets te verliezen heeft. Het enige wat ze kunnen doen is tegen me zeggen dat ik moet stoppen met die dingen te publiceren, terwijl iedereen alles al heeft gekopieerd.'

Naarmate de zaak zich verder voortsleepte, drong het tot Diomedea door dat ze een rampzalige vergissing hadden begaan waar ze zich niet zo een-twee-drie aan zouden kunnen onttrekken. Voor Diomedea was nog het ergste dat elk detail van hun onderzoek, hun bedrijfsactiviteiten en hun contacten met concurrenten en klanten in de rechtbank aan de orde kwam en in voor iedereen toegankelijke verslagen werd opgenomen. Niko en zijn collega's kwamen met beschuldigingen over van alles en nog wat, van prijsafspraken voor medicijnen met MicroRNA/Corvid tot het vervalsen van onderzoek naar bijwerkingen van de middelen.

'Wat heel vreemd is,' zei Niko toen de zaak zo'n maand gaande was, 'is dat ze me wel hebben aangeklaagd, maar dat ze toch iemand naar me toe hebben gestuurd om het over jou te hebben.'

Peri keek hem aan.

'Ze weten dat je naar mij zult luisteren.'

'En waar moet ik dan naar luisteren?'

'Ze zijn uiteraard nog steeds geïnteresseerd in Hugo en jou.'

Uiteraard. Niko zei dat Diomedea had toegegeven dat ze in zekere zin verantwoordelijk waren voor wat er met Peri's vader was gebeurd. 'Ze bieden je schadevergoeding aan. Onder voorbehoud. Ze noemen het geen schadevergoeding, maar dat is het wel. Ze zullen je tot op zeer aanzienlijke hoogte ondersteunen bij alles wat je wilt ondernemen – een studie, of een project.'

'Als ik toesta dat ze Hugo en mij bestuderen,' zei Peri.

Het punt is dat ik mezelf wil kennen.

'Ja,' zei Niko. 'Het kan van belang zijn voor je eigen toekomst en die van Hugo om te weten wat voor effect de behandelingen die je vader heeft ondergaan op jou hebben.'

'Zeg maar tegen ze dat ik erover zal nadenken, Niko. Ik vraag me vaak af of het daardoor komt dat ik van het begin af aan altijd zo naar vliegen heb verlangd. Al zou ik liever geloven dat dat aan mezelf ligt in plaats van dat het een aanvechting is die in me is geïmplanteerd door het bedrijf dat experimenten uitvoerde op mijn vader.'

Peri vloog naar het oosten, weg van het land. Hoe ver kon ze vliegen? Ze had zichzelf gepusht om steeds verder te kunnen komen. Ze was aan het trainen.

Jay was iets van plan. Ze wilden dat ze hielp. 'Je wordt al aardig bekend,' had Niko gezegd. 'In de juiste kringen, onder mensen die verstand van zaken hebben. Ik hoor dat je zo'n beetje de meest gewilde vlieginstructeur bent in de hele Stad.'

Wat Niko haar ook had verteld, die eerste keer dat hij haar opzocht nadat hij in de Stad was teruggekeerd, was dat Finch dood was. Ze was die nacht in het nauw gedreven en was in een luchtgevecht verwikkeld geraakt met een Wilde. Jay had haar zien vallen. Ze konden niet op zoek gaan naar haar lichaam, ze moesten zichzelf in veiligheid brengen. Wat een eenzame, gruwelijke dood. Peri zag vaak vanuit haar ooghoek een donkere gedaante in een dodelijke spiraal uit de lucht vallen. Als je vleugels eenmaal in de verkeerde hoek stonden, kon je ze onmogelijk weer omhoogkrijgen, jezelf niet meer voorwaarts drijven.

'Jay is nog teruggegaan om naar jou te zoeken,' zei Niko. 'Maar je was al weg. Hij heeft met gevaar voor eigen leven naar je gezocht.'

Had Jay ervoor gezorgd dat de Wilde zijn jacht op haar had opgegeven?

'Jay heeft aardig wat Wilden uitgeschakeld,' was Niko verdergegaan, 'maar het waren er gewoon te veel, dus toen heeft hij onze aftocht georganiseerd. Hij gaf zichzelf de schuld dat Finch was omgekomen; als hij ons beter had voorbereid, was het niet gebeurd, geloofde hij. Daar ben ik het niet mee eens; dat waren nu eenmaal de risico's die we namen. Maar goed, hij is dus teruggegaan om naar je te zoeken. Ik vind dat je dat moet weten.'

'Wat is er met Shaheen gebeurd?' vroeg Peri.

'Dat weten we niet. Ik maak mezelf wijs dat ze een territorium heeft gevonden, en een nieuw mannetje. Nog een geluk dat Jay haar los liet vliegen, anders was ze die nacht zeker gedood.'

Voor Peri uit verzwolg een wolkendraak sterren, en zijn gekromde lijf onttrok de hemel aan het zicht. Ze stelde zich erop in om erboven uit te stijgen. Het was alsof ze een breed pad hoger de hemel in zag lopen. Op die manier zag ze het steeds vaker: een pad dat zich voor haar uitstrekte en dat ze al vliegend volgde; het maakte niet uit of het een kaarsrechte of een bochtige route was. Bij daglicht had het misschien iets te maken met een vaag vermogen om ultraviolet waar te nemen. Ze kon kleurgradiënten in de hemel aanvoelen; ze beïnvloedden haar vliegpatronen, met name op de lange afstand. Niko en Jay zeiden dat ze dat ook aan het onderzoeken waren en vroegen zich af waarom niemand het daar ooit over had. Te moeilijk om te beschrijven. Peri kon het zelf ook niet, maar ze dacht dat stadsvliegers het niet opmerkten omdat ze het niet nodig hadden. Ze gebruikten het niet. Ze maakten haast nooit langeafstandsvluchten.

Jay wel. 'We overwegen een echte langeafstandsvlucht,' had hij gezegd. 'We steken de oceaan over. Net een echte trek. Dat heeft nog nooit iemand gedaan. Ga je mee?'

Peri ging hoger vliegen, iets naar het noordoosten. Zal ik met hen meegaan? Ik wil niets liever dan weer met Jay vliegen.

Ze veranderde van richting, controleerde haar koers aan de hand van de voorbijschietende sterren en de stortbui van stadslichtjes die ze van hieruit, vanaf de zee in de richting van het land, maar al te goed kende.

Peri ging sneller vliegen. Opwindend om 's nachts snel over de Stad te scheren; verduisterde torens schoten onder haar voorbij en bezorgden haar het gevoel dat ze heel hoog was, doordat hun spitsen haar hoogte schaal verleenden. Ze maakte rondjes boven haar lievelingsgebouwen, zweefde op boven ventilatiegaten, waar stromen warme lucht haar omhoogdroegen, en zoals altijd bewaarde ze het beste voor het laatst: ze zwenkte om en om boven de hoogste toren – Nevelstad, een van de weinige gebouwen die 's nachts nog verlicht waren. Dit was bijna net zo fijn als restitutie: omlaagtuimelen in de ravijnen die zijn zijmuren vormden, met verlichte wanden die langs haar heen vlogen, watervallen van licht die de hemel in stortten en haar een snelheidsroes bezorgden die met niets te vergelijken viel.

De trek zou over een jaar plaatsvinden. Jay was medestanders aan het werven, de logistiek aan het uitwerken. Vliegers uit elk gebied, elk land waar ze overheen vlogen, zouden zich bij hen voegen. Het zou een verkenningstocht worden, een protest, een uitdaging. De hele wereld zou het erover hebben.

Om haar snelheid te testen schoot Peri omhoog en over Nevelstad heen. Ze remde en draaide, zwevend als een zaadje op de wind. Dat had geholpen. Nu was ze moe. Geen gekke capriolen meer. Ga naar huis.

'Als je met ons meegaat, als we het halen,' had Jay gezegd, 'word je een ontdekkingsreiziger. Een legende. Niemand anders doet dit, ze denken niet eens dat het mogelijk is.' Misschien is het dat ook niet. Maar daar hing het: een mogelijkheid die schemerde in de verte. Ze kon zich voorstellen hoe ze bij zonsondergang zouden opstijgen met de patronen van gepolariseerd licht tegen de hemel om zich te oriënteren, parallel aan het magnetische veld van de aarde, en dan op weg door de nacht, onder de maan, in de lange, brede V-formatie die ganzen gebruiken. Dagenlang datzelfde vliegritme. Inademen, vleugels omhoog. Uitademen, vleugels omlaag, tot er niets anders was dan dat ritme, het veranderende licht en de vlokkige wolken, doorzichtig als rijstpapier, aan stukken gescheurd, uiteenvallend, die bubbelend wegstromen als kokende melk. Geen andere gedachten dan de beweging van het licht, het glasachtige gevoel van de lucht over haar vleugels.

Aan het eind zou ze Wild zijn.

Of misschien niet. Misschien konden ze een evenwicht vinden. Ze zouden zonder haar op weg moeten. Eindelijk mocht ze meer tijd met Hugo doorbrengen. Als ze nu wegging op een lange trek, zonder de garantie dat ze zou terugkeren, deed ze dan niet precies wat Avis had gedaan: zomaar in het niets verdwijnen? Het zou een vreselijk lange periode zijn voor Hugo. En voor haar. Voorlopig had ze er genoeg van om dingen achter te laten.

Er was nog zoveel te doen, nog zoveel te ontdekken aan de vliegkunst. Ze waren nog maar net begonnen. Ze was jong. Er was nog tijd genoeg.

Toen Peri terug was in de flat, haalde ze de brieven tevoorschijn die Zeke haar had teruggegeven.

> *Lieve Hugo,*
> *Ik heb deze brieven geschreven omdat ik wilde dat jij wist hoe het was toen je klein was. Omdat jij je dat zelf niet kunt herinneren. En ik was degene die bij je was. Die je zag en naar je luisterde en wist hoe je was.*

> *Lieve Hugo,*
> *Je was dol op de maan. Soms als ik je 's avonds voedde en we konden de maan zien door het raam op het oosten, zat je er maar naar te staren. Je was zelfs naar hem op zoek als je hem niet kon zien. Zijn alle baby's zo dol op de maan? Dat heb ik nog nooit gehoord.*

> *Lieve Hugo,*
> *Je werd vaak heel vroeg wakker; dan zat ik met je in het diepe blauw voor zonsopgang. Als je klaar was met drinken, viel je in slaap alsof je razendsnel van me wegglipte in diep, helder water. Ik kon je nog wel zien, maar je was er niet meer.*

Lieve Hugo,
Ik wil je vertellen ...

Peri borg de brieven weer op en liep naar buiten, naar de eik. Vannacht ging ze buiten slapen.

Epiloog

Vliegles

Thomas zat op en neer te springen op zijn plaats in de lightrailwagon. 'We gaan naar Sugar Island!' jubelde hij. 'We gaan naar Sugar Island, we gaan naar Sugar Island!'

'Rustig een beetje, schatje,' zei ik, terwijl ik hem vastgespte en zijn gouden vleugels rond de zitting drapeerde. Het waren nog steeds de prachtigste vleugels die ik ooit had gezien. Lily en ik mochten ons waarschijnlijk gelukkig prijzen dat Thomas een van Ruokonens laatste klanten was geweest. Ze had zich inmiddels helemaal op onderzoek toegelegd, met name naar de vliegtechniek van insecten. Insecten gebruiken *fly-by-wire*, had ze gezegd. Ze passen voortdurend de vorm en de spanning van hun vliezige vleugels aan, waardoor ze dingen kunnen waarvan vogels alleen maar kunnen dromen. Ze kunnen ondersteboven en achteruit vliegen. En nu maar hopen dat het nog een hele tijd zou duren voordat dat soort vaardigheden op mensen overdraagbaar waren. Vogelmensen waren nog tot daaraan toe, maar naar insectenmensen keek ik absoluut niet uit. Dan was het project mens echt ten einde.

'Ik ben geen schatje,' zei Thomas opgewekt. 'Ik ben een Swift.' Hij gebruikte steeds vaker zijn nestjongnaam. In zeker opzicht was het geen goede naam – swifts, gierzwaluwen, waren immers zwart –, maar in een ander opzicht paste hij heel goed, omdat de slanke sikkelvorm van zijn vleugels er weleens voor kon zorgen dat hij onwaarschijnlijk snel en behendig werd. Ik had er informatie over gierzwaluwen op nageslagen en meteen gelezen dat ze het allersnelst van allemaal konden vliegen, op valken na met hun krijsende duikvluchten, die vrijwel altijd in de lucht zaten, al vliegend dronken, paarden en zelfs sliepen. Ik vond het geen geruststellende informatie.

Ik gaf Thomas een banaan – hij had nu altijd trek – en installeerde me voor de lange rit naar Sugar Island. Ik was er maar één keer eerder geweest, als kind, en het was me bijgebleven als een omgeving van volmaakte schoonheid, met blauwgroen water en zand zo wit en fijn als suiker; zo fijn, had ik diep onder de indruk te horen gekregen, dat het vroeger gebruikt werd om de lenzen te polijsten van de grote spiegels in ruimtetelescopen.

Thomas bleef voor zover de veiligheidsriemen dat toelieten op en neer springen en zat om zijn banaan heen te zingen van 'Thomas vlieg om de maan, Thomas vlieg om de zon, Thomas vlieg om de schoorsteen als het even kon'.

Toen we arriveerden, was Sugar Island verlaten. Tegenwoordig konden de meeste mensen het ritje erheen niet meer betalen. Zoals gewoonlijk kostte het een eeuwigheid om Thomas los te gespen en de wagon uit te loodsen. Met zijn vleugels vergde het dubbel zoveel tijd. Die moesten omzichtig naar buiten worden gemanoeuvreerd, geen veertje dat beschadigd mocht raken, en dan moesten ze weer keurig op hun plaats worden gestreken. Uiteindelijk wandelden we over het slingerende pad van wit zand bij het station vandaan een hoog groen bos in. Na een minuut of tien zagen we voor ons uit blauw water en blauwe lucht. We waren nog niet beneden bij het strand, maar in de buurt van een klip die zich zo'n twintig meter boven het water verhief. Ik knielde neer en streek Toms haar uit zijn ogen.

'Hallo,' hoorde ik een lage, vriendelijke stem zeggen. Peri. En daarop piepte een klein stemmetje: 'Tom! Tom!'

'Zo, grote meneer Hugo,' zei ik en ik draaide me om met mijn armen gespreid. Hugo rende naar me toe met Peri op zijn hielen. 'Mag ik je een kus geven?' zei ik. Hugo knikte plechtig, en ik gaf hem een kus op zijn wang. Hugo en Thomas hurkten op de grond en begonnen een spelletje met stenen te spelen dat ze zelf hadden bedacht. Ik kuste Peri ook op haar wang.

'Je ziet er goed uit,' zei ik.

'Zo voel ik me ook,' zei ze. 'Bedankt. Hoe gaat het met Halley?'

'Goed. Heel goed. Heb je nog wat van Jay en zijn groep gehoord? Waar zitten ze?'

'Boven de Indische Oceaan.'

'O, dat is niet niks, hè? En Hugo? Met hem gaat het zo te zien ook goed.'

Ze aarzelde. 'Ja. Ik moet zorgen dat hij om zeven uur weer bij Peter is.'

'Dankjewel dat je Thomas mee uit vliegen neemt. Volgens mij beseft hij niet hoe erg hij boft om les te krijgen van zo'n gevierd vlieger. Ze zeggen dat niemand je zo goed kan bijbrengen hoe heerlijk vliegen is als jij.'

'Graag gedaan,' zei ze. 'Niet dat ik nou zo geweldig ben, het is meer dat er gewoon nog niet zo heel veel echte vliegers zijn.'

Ik grijnsde.

'Dat heb ik je nou altijd nog eens willen vragen,' zei Peri. 'Waardoor heb je er uiteindelijk voor gekozen om Thomas vleugels te geven?'

'Ik heb mezelf van alles wijsgemaakt,' zei ik. 'Dat zijn toekomst ermee verzekerd zou zijn, dat hij zou slagen in het leven, niet terecht zou komen in oorden als Venetia. Uiteindelijk vraag ik me af of dat de werkelijke redenen waren. Ik denk dat het allemaal op één ding neerkwam: probeer maar eens een klein kind te vertellen dat hij of zij niet kan vliegen. Dat het van jou niet mag.'

'Ja,' zei Peri, en haar gezicht vertrok even van pijn. 'Dat gesprek moet ik nog voeren.'

'Ach, neem me niet kwalijk, Peri. Weet je zeker dat ze er niets aan kunnen doen?'

'Geen idee. Peter wil gewoon nog niet beginnen met de ronde langs de specialisten. Misschien komt het ook wel niet zover. Ik denk dat Hugo niet eens wíl vliegen. Mijn schuld. Ik denk dat hij nog eens zo'n ... hoe noemen ze die mensen ook alweer? ... zo iemand wordt die grotten verkent of zo.' Ze richtte zich tot Thomas. 'Hallo, Thomas. Wil je me je vleugels eens laten zien? Het zijn de prachtigste vleugels die ik ooit heb gezien.'

Thomas stond op, spreidde zijn vleugels uit, en begon trots rond te draaien om ze te laten zien, met groene vonken die in het zonlicht van de onderrand spatten. Hugo bleef met gebogen hoofd met zijn steentjes bezig.

Peri stapte naar voren en omarmde Hugo. 'Zeke en jij gaan leuke dingen doen en straks komen Thomas en ik er ook bij. Goed?'

Hugo keek haar niet aan. Peri kuste hem op zijn wang, drukte hem nog eens tegen zich aan en kwam overeind. 'Het komt wel goed,' fluisterde ze. Ze pakte Thomas' hand en samen liepen ze naar de rand van de klip. Ik was nog steeds verbijsterd, zo onbevreesd als hij was. Dappere Thomas. Dat was een van de manieren waarop ik voelde dat hij zich van me terugtrok. Nog steeds als ik hem de lucht in zag stappen, werd ik overmand door duizeligheid.

En daar gingen ze omhoog, eerst vleugelpunt aan vleugelpunt; daarna vloog Peri rondjes onder hem. Thomas' vleugels gaven gouden flitsen af in de zon. Zoals hij daarboven vloog, was hij zo helder als de Morgenster.

Hugo zat van me afgewend naar boven te kijken tot ze nog maar twee stippen waren, een donkere en een glanzende.

'Kom mee, Hugo,' zei ik. 'We gaan iets leuks doen. Laten we naar het strand gaan.'

Hij legde zijn handje in mijn hand en met zijn tweeën liepen we over het met palmen omzoomde pad naar het beschutte baaitje.

We zwommen samen onder water en zagen vissen en kwallen. Een grote blauwe lipvis kwam ons inspecteren. We waren indringers in zijn territorium. We bouwden ingewikkelde kastelen, zochten naar schaaldiertjes en verkenden rotspoeltjes.

Na een poosje gingen we in de schaduw zitten eten.

In het veilige water van de baai kwam er een meteoor omlaag. Het was Thomas. Zijn vleugels waren bijna te fel om er in de middagzon naar te kijken. Peri's landing vlak bij hem bracht het water lichtjes aan het deinen. Loom als grote zwanen kwamen ze op ons af gedreven. Hugo sprong overeind en rende het water in. Thomas en hij liepen samen het water uit en Hugo liet hem het zandkasteel zien dat we hadden gebouwd. Ze gingen samen zitten en negeerden Peri en mij.

Even indrukwekkend als een standbeeld kwam Peri op me af. De godin Victoria. Ze zag er veel ouder uit, veel meer als een volwassen vrouw. Mijn begroeting bleef in mijn keel steken. Ik vergat vaak hoe adembenemend ze was, om vervolgens op dit soort momenten weer volkomen uit het lood geslagen te worden.

Peri ging zitten, vouwde haar vleugels op en draaide zich om om naar Hugo en Thomas te kijken, die volledig opgingen in hun bouwbezigheden. Ik gaf haar een stuk watermeloen.

'Ik hoop dat ze altijd vrienden blijven,' zei ik, terwijl ik ze over een harkje zag ruziën.

'Ja,' zei ze, vuriger dan ik had verwacht. 'Dat hoop ik ook.'

'Moet je dat zien,' zei ik, maar Peri had het al gezien. 'Heb jij Thomas dat geleerd?'

'Nee, ik moet bekennen dat ik daar zelf nooit aan heb gedacht.'

Thomas hield een vleugel boven Hugo om hem af te schermen van de zon.

Peri en ik installeerden ons voor een middagje toezicht houden op het strand.

Dit is net zo'n goed moment om te vertrekken als elk ander moment. De rest van mijn leven zou dat beeld van ons op het strand me bijblijven, figuren op een schilderij, roerloos, overspoeld met kleur, doorzichtig blauw en groen, de vleugels van Thomas van bladgoud, stralend tegen de hemel. Elk verhaal is een tragedie als het eindigt in de dood, en dat doen alle verhalen, en elk verhaal is een komedie als het zijn toppunt bereikt in de geboorte van een kind. En dat doen verhalen, voor zover het ons leven als soort betreft. Voor zover we weten zullen er altijd kinderen blijven verschijnen, in welke vorm dan ook, en aangezien ik graag wil dat dit verhaal een komedie is, eindig ik met Thomas en Hugo.

Het was die dag midzomer. Later droomde ik er vaak over, alsof die dag voortbestond en wij daar altijd waren. We vierden het feit door de jongste van ons gezelschap, Hugo, onze feeënprins, zei Peri, met bloemen te kronen. Het was onkruid dat we langs het pad naar het strand vonden: purperwinde, jasmijn, kamperfoelie. Taai, voortwoekerend, niet kapot te krijgen, maar ze vormden een blauw-wit-gouden kroon die droop van de zoetigheid. Peri nam Hugo op haar schouders, en de bloemen rolden al meteen over hun schouders omlaag. Thomas liep achter hen aan als een engelachtige dienaar.

'Weet je wat het is,' zei Peri onder het lopen, 'Thomas en ik zijn nog steeds' – hier begon ze te fluisteren – 'de zonderlingen, ook al hebben we er zelf voor gekozen. Hugo is in alle opzichten volmaakt. Hij mist helemaal niets.'

Aardig van je om dat te zeggen, Peri. Misschien geloof je het zelfs wel. Maar niemand weet of het waar is. Er is niet genoeg bewijs en er is nog geen oordeel geveld. Het beste waar we op kunnen hopen is een voorlopige uitspraak: gebrek aan bewijs.

Schuldig noch onschuldig.

Thomas liep, voor ons uit huppelend, te zingen: 'Dappere Thomas!'

Ongewild kwam het antwoord in me boven, zo soepel als een contragewicht: wij zijn niet bang.

Boven op een heuveltje bleef hij even staan, en zijn vleugels vingen de schuin invallende stralen van de middagzon, waardoor ze zo helder schenen dat het leek of hij met de zon zelf versmolt, of hij zonder silhouet na te laten oploste in die neerdalende gouden bol, waardoor ik hem niet meer kon onderscheiden.

Woord van dank

Voor de beschrijvingen van het mechanisme van vliegen in het hoofd-stuk 'Het genadeloze element', heb ik informatie ontleend aan *Taking Wing: Archaeopteryx and the Evolution of Bird Flight* van Pat Shipman (Phoenix, 1999), een geweldig helder, gedetailleerd verslag over de discussies rond de evolutie van het vermogen om te vliegen van vogels. Oversimplificaties en verkeerde interpretaties zijn uiteraard geheel voor mijn rekening. Daarnaast was *Birds: Their Habits and Skills* van Gisela Kaplan en Lesley J. Rogers (Allen & Unwin, 2001) ook een buitengewoon waardevolle bron van informatie. Het citaat over roofvogels uit Thomas Bewicks *The History of English Birds* (1797) is ontleend aan de bloemlezing *An Exhilaration of Wings: The Literature of Birdwatching*, onder redactie van Jen Hill (Penguin Books, 2001).

Het is een hele klus om van een manuscript een boek te maken. Om te beginnen ben ik grote dank verschuldigd aan mijn briljante en be-vlogen literair agent Selwa Anthony, die dingen van de grond krijgt. Ik ben Katherine Howell en Jody Lee zeer erkentelijk. Bedankt, Ali Lavau; je was een fantastisch, gevoelig en toegewijd redacteur; je hebt het boek tegen het licht gehouden en me nieuwe facetten laten zien. Mijn grote dank gaat uit naar Christa Munns en verder naar iedereen bij Allen & Unwin die aan het boek heeft gewerkt en erin geloofde. Grote dank ook voor Annette Barlow, die een visie op dit boek had waaraan ik heel veel heb gehad. En vooral ben ik uit de grond van mijn hart mijn echtge-noot Julian dankbaar, die het manuscript talloze malen heeft gelezen en meer gedetailleerde kritiek, aandacht en creatieve energie in dit project heeft gestoken dan anderen ooit zullen weten, om nog maar te zwijgen van alle fysieke, emotionele en financiële steun die hij heeft verleend. Zonder jou zou dit boek niet zijn wat het nu is.

Claire Corbett is geboren in Canada en is actief geweest in de filmwereld en de gezondheidszorg. Essays en verhalen van haar zijn uitgezonden op de radio en verschenen in een scala aan tijdschriften, zoals *Rolling Stone, Cinema Papers, Picador New Writing* en de *Sydney Morning Herald*. Claire woont met man en kinderen in de Blue Mountains.